S0-BME-935

Негромкие люди
Марии Метлицкой

Мария Метлицкая

Понять, простить

Москва
2016

УДК 821.161.1-31
ББК 84(2Рос=Рус)6-44
М54

Художественное оформление серии *П. Петрова*

Метлицкая, Мария.

М54 Понять, простить / Мария Метлицкая. – Москва : Издательство «Э», 2016. – 512 с. – (Негромкие люди Марии Метлицкой. Рассказы разных лет).

ISBN 978-5-699-87724-9

Жить с камнем за пазухой очень трудно. Груз обиды, несправедливости давит, не дает дышать. А если это обида на близких – трудно вдвойне.

Но простить еще труднее. Да и как простить измену, предательство, обман? Неужели можно забыть унижение, бессонные ночи, страдания?

Говорят, умение прощать – дар, и дается он немногим.

А надо ли вообще прощать? И правду ли говорят, что понять – значит простить? Каждый из героев этой книги решает этот нелегкий вопрос по-своему.

УДК 821.161.1-31
ББК 84(2Рос=Рус)6-44

ISBN 978-5-699-87724-9

Понять, простить

Шура помнила эту сцену очень отчетливо: конец декабря, совсем скоро самый любимый Шурин праздник – Новый год. Мягкий морозец и редкий медленный снег, танцующий под неярким светом фонаря. Они идут с мамой на каток, точнее, в «секцию» – как говорит любимая Асенька, Шурина бабушка. Шура – в коричневой старой и тесноватой цигейковой шубе, переделанной в курточку, и вязаных рейтузах. Через плечо, на шнурках, связанных между собой, перекинуты ботинки с фигурными коньками. Фигурное катание Шура обожает, а вот ботинки ненавидит. Они черные, мальчиковые, доставшиеся Шуре по наследству. Конечно, она мечтает о белых, из блестящей и мягкой на ощупь, волшебной кожи, с хромированными крючками, настоящих, чешского производства. Но мама говорит, что это дорого и не по карману. Да и вообще, надо еще посмотреть, какая из Шуры фигуристка. «Может, от слова «фигу»?» – спрашивает мама и заливисто смеется. Шура слегка обижается, но мама ее целует и просит не дуться.

Сегодня мама почему-то сопровождает Шуру, хотя идти до катка от дома всего каких-нибудь пять минут, мимо детского магазина «Смена». Каток – во дворе красного кирпичного дома у метро. Дом в народе называется генеральским. Там и вправду живут военные, да еще «в чинах». Шура видит, как из подъезда выходят толстые важные дяденьки в длинных шинелях и их не менее важные жены – тоже крупные, в богатых каракулевых шубах.

Перед выходом Асенька кричит Шуре вслед:

– Держи крепче мать! Скользко!

Шура отвечает:

– Ага! – И на улице хватает маму за локоть.

Мама «в ожидании» – это выражение бабушки Аси. Она вообще, как говорит папа, любит разные «старорежимные» фразочки. У мамы большой живот. Просто огромный. Через месяц ей рожать. Мама любит пошутить и на вопрос «кого ждете?» отвечает «автобус». И при этом заливисто смеется. Шура держит маму за локоть и заботливо на нее смотрит.

– Гляди под ноги, – советует мама. А Шуре нравится смотреть на нее.

Мама очень хорошенькая. Ну просто красавица. Как бы Шура хотела быть на нее похожей! У мамы большие карие глаза, густейшие волнистые темные волосы и «самый очаровательный курносый нос на свете». Так говорит папа. А на носу – редкие конопушки. Мама очень огорчается, когда с первым весенним солнышком их прибавляется, и начинает их пересчитывать. А папа смеется и чмокает маму прямо в курносый нос. Ему нравится в маме все, это видно без всяких слов. И Шура смущается и отводит глаза, когда видит, как в коридоре или на кухне отец украдкой обнимает маму и крепко прижимает ее к себе. Шура мышью шмыгает к себе в комнату и слышит, как мама вырывается и тихо говорит папе:

– Ну, хватит, Митя, отстань! Сколько можно, ей-богу!

Шуре почему-то становится обидно за отца, и она злится на маму. А вообще у них самая счастливая семья – в этом Шура совершенно уверена.

Шуриного папу зовут Дмитрий Владимирович. Он – хирург в военном госпитале, заведующий отделением и подполковник. Отделение называется «торакальная хирургия». Папа написал по этой теме не одну статью и даже главу в пособии для студентов. Говорят, что он лучший специалист в городе. А это совсем не шутки. Рабочий день у него ненормированный, и редко бывает выходной. Папу могут вызвать на работу даже среди ночи – если кому-то вдруг понадобится срочная операция.

Асенька говорит, что еще он «человек кристальной честности», за консультации и операции не берет не то что денег, но и даже презентов в виде коньяка или конфет. Поэтому и живут они скромно, на одну папину зарплату. Тем более что мама сейчас в декрете. Асенька целый день хлопочет на кухне – варит, жарит и печет. Экономит. Папа очень любит поесть, он говорит, что это его единственная, из простительных, слабость. А мама злится на папу за то, что он не требует у своего начальства большую квартиру – они живут в крошечной двухкомнатной, а ведь скоро их будет пятеро. Папа все отмахивается и говорит – потом. А мама с вызовом спрашивает: «Потом – это когда?»

Наверное, мама тоже хочет жить в генеральском доме. И носить каракулевую шубу с большим воротником. Но папа еще не генерал, а всего-навсего подполковник, так что жить им в генеральском доме пока не положено. Это Шура объясняет непонятливой маме – так она заступается за отца. Но мама фыркает («Отстань!») и, вздохнув, добавляет:

– Много ты понимаешь!

Шура вздыхает и бросает взгляд на свои коньки.

В раздевалке она туго шнурует ботинки, чтобы не болталась нога, и вылетает на лед. Как ей нравится скользить по ровному, блестящему и гладкому льду! Делать «ласточку», и «пистолетик», и «дорожку». И просто кружиться под музыку!

Мама стоит у бортика и машет Шуре рукой. Потом Шура видит возле мамы высокого мужчину в длинном черном пальто. И еще она видит, как оба они неотрывно смотрят на Шурины «пируэты» и о чем-то оживленно разговаривают. Тут Шура отвлекается на Ладку Самсонову, точнее, на ее костюм. У Ладки, конечно, белые ботинки на крючках и еще вязаная белая юбочка с фестонами по краям, белая курточка из кролика и белый беретик, из-под которого выбиваются светлые Ладкины кудри. В общем, сказочная Снегурка, а не Ладка. Так выглядят по телевизору настоящие фигуристки. Правда, катается Ладка не ах. Тренер ее ругает, но все же Ладкой любуется – это всем заметно. А вот у Шуры сегодня все получается очень хорошо. Она смотрит на маму, и мама поднимает кверху большой палец.

– Здóрово!

Шура подъезжает к бортику и вопросительно смотрит на маму. Мамин собеседник улыбается ей и говорит:

– Здравствуй, Шура!

Шура ему отвечает и опять смотрит на маму. Мама говорит:

– Познакомься, Шура, это Андрей Васильевич. Мой старинный приятель.

Шура вежливо кивает.

Потом занятия кончаются, и Шура идет в раздевалку, где Ладка хвастается новым нарядом. Девочки обступают ее плотным кругом, не подходит только Шура – ей противно Ладкино хвастовство.

Шура выходит на улицу и видит, что мама все еще стоит со своим приятелем. Они направляются к дому, и мама объясняет, что Андрей Васильевич пойдет их провожать. Шура удивляется и пожимает плечами. Мама и ее спутник идут чуть впереди, и теперь он держит маму за локоть.

У магазина «Смена» они останавливаются и шепотом о чем-то горячо спорят. Шура стоит в стороне и рассматривает витрину. Потом Андрей Васильевич говорит:

– А пойдем, Шура, заглянем в «Детский мир»? Может, найдем там что-нибудь интересное!

Шура теряется и опять смотрит на маму. Мама машет рукой: иди!

И они идут в магазин. Мама остается ждать их на улице.

В магазине полно народу – это как всегда. Народ снует между прилавками и кассой. Шура немного теряется, а Андрей Васильевич спрашивает, чего ей хочется. Шура смущенно молчит. Тогда он берет ее за руку, и они идут к отделу спорттоваров. Сквозь плотную толпу они наконец пробираются к прилавку. И тут Шура замирает: на полке она видит белые фигурные ботинки. Мягкие даже на вид. С блестящими крючками. У нее начинает учащенно биться сердце, и, осмелев, она кивает: эти!

– Ну вот и славно! – говорит Андрей Васильевич. – То, о чем человек мечтает, обязательно должно исполняться!

Он просит Шуру померить ботинки и даже немного в них пройтись.

– Не жмут? – заботливо спрашивает он.

Шура мотает головой. Потом он долго беседует с продавщицей, и вдобавок к ботинкам та выписывает еще и лезвия, и красивые синие пластмассовые чехлы. Андрей Васильевич берет чек, и они идут в кассу – платить. Но Шурина радость все же омрачена: она боится, что мама расстроится и будет ее ругать. Они получают коробку с коньками и выходят на улицу.

– Дотащишь? – улыбается Андрей Васильевич. Вспотевшая от волнения Шура радостно кивает.

– Купили? – спрашивает мама, и Шура с облегчением видит, что она совсем не сердится.

Теперь Шура абсолютно счастлива. Она идет впереди и гордо несет в руках большую серую коробку. Андрей Васильевич провожает их до дома, и они опять о чем-то долго говорят с мамой. Шура стоит поодаль. Ей не терпится поскорее прийти домой, померить ботинки и показать их скорее Асеньке и папе. Хотя наверняка папы, как всегда, нет дома.

Потом Андрей Васильевич, почему-то вздыхая, говорит:

– Ну, что, давай, Шура, прощаться.

Он протягивает ей руку и смотрит на нее долгим, внимательным и почему-то очень грустным взглядом.

– Прощайся, Шура. – Мама тоже грустно вздыхает. Андрей Васильевич присаживается перед Шурой на корточки, поправляет ей шапку, внимательно на нее смотрит и говорит ей странные слова, которые она почему-то запоминает на всю жизнь:

– Будь здорова, девочка, и будь счастлива. Очень тебя прошу! – И добавляет: – Все твои рекорды еще впереди.

Шура смущается и кивает. Они наконец идут к подъезду, и Шура почему-то оборачивается. Она видит, как Андрей Васильевич пристально смотрит им вслед, кричит ему «Спасибо!» и машет рукой.

Асенька не очень удивляется подарку и почему-то качает головой. Шура на Асеньку даже обижается – та не разделила с ней радость. И еще она, кажется, ругается с мамой: Шура слышит, что мама раздражена и говорит Асеньке, чтобы та оставила ее в покое.

Папе удается показать коньки только на следующий день – он, как всегда, приходит домой поздно, когда Шура уже, конечно, спит. Вот папа очень за Шуру рад, и это видно. Только почему-то и он вздыхает и грустно на нее смотрит.

А Шура продолжает мечтать. Она представляет, что снимет нелепую шубу и рейтузы, наденет голубую весеннюю куртку и колготки – у нее есть пара эластичных, выходных, – закрутит на голове плотную, тугую баранку – и плавно заскользит по гладкому льду. И будет она похожа на прекрасную Людмилу Белоусову, лучшую фигуристку на всем земном шаре, и никакая Ладка с ней не сравнится.

Скоро Новый год, все начинают готовиться к празднику. Папа приносит живую елку – огромную, под самый потолок – и достает с антресолей ящик с елочными игрушками. Шура разбирает эти игрушки. Больше всего ей нравятся стеклянные фигурки – лыжница, Снегурочка и Дед Мороз. Шура очень осторожна: игрушки – еще из бабулиного детства, и не дай бог их разбить.

Асенька печет пироги и варит холодец. По всему дому разносятся восхитительные запахи свежей сдобы, лаврового листа и крепкого мясного бульона. Папа раскладывает стол и застилает его нарядной белой скатертью. Мама протирает салфеткой парадные бокалы. В доме пахнет радостью и праздником. А Шура мечтает только об одном: чтобы скорее закончились праздники и она пошла бы с мамой на каток – ей не терпится надеть новые коньки.

Но после праздников маму увозят в роддом – и через два дня она рожает сестричку Катеньку. Из роддома ее встречают папа и Шура – бабуля готовится к приему нового члена семьи: варит обед, делает влажную уборку и проглаживает пеленки. Мама очень бледная и еле держится на ногах. Она целует Шуру и говорит, что роды были крайне тяжелыми. Дома она сразу ложится в постель, и все начинают хлопотать возле Катеньки: кладут ее на обеденный стол, предварительно постелив на него старое детское Шурино одеяльце, разворачивают тугой маленький сверток.

– Какой чудесный младенец! – говорит Асенька.

Шура с ней абсолютно согласна. Катенька – красавица. У нее карие глазки и бровки «домиком», как у мамы, и густые, совсем не младенческие, темные кудри. И еще гладкие атласные пяточки и умилительные крохотные пальчики на руках.

– Очень ладная девочка! – говорит Асенька.

А у папы не сходит с лица счастливая улыбка. Мама лежит в кровати и тоже счастливо улыбается. Счастливы все – это очевидно. Но Шуре кажется, что самая счастливая – точно она. Катеньку она любит больше всех. Страшно признаться, но ей кажется, даже больше мамы.

Катенька не кричит, спит ночами и ест по часам.

– Чудо-ребенок, – говорит мама. – Не то что ты, Шурка, орала по поводу и без.

Шура слегка обижается, а бабуля цыкает на маму и стучит пальцем по виску.

Папа теперь старается прийти с работы пораньше, бежит мыть руки и тоже торопится к Катеньке. Он целует ее крошечные бархатные ножки и перебирает отросшие нежные волосики. А Катенька смеется, открыв влажные перламутровые беззубые десны.

Теперь на каток Шура ходит с мамой и Катенькой, которая лежит в глубокой розовой с белой полосой коляске. После занятий все девчонки обступают коляску с Катенькой и, конечно, завидуют Шуре.

Так проходит остаток зимы и весна, а в мае папа снимает в Загорянке дачу. И как только заканчиваются занятия в школе, на большом крытом грузовике все переезжают туда. Папа приезжает на дачу в пятницу вечером, и мама с коляской и Шурой идут встречать его на станцию.

Это самое счастливое время для Шуры. Она скучает по папе, но знает, что он обязательно привезет ей новую книжку или куклу. И обязательно пирожные к чаю. И скорее всего, черешню в бумажном кульке, которую она так любит. Мама будет его ругать за то, что дорогие ягоды, как всегда, помялись. И еще папа обязательно купит Шуре вафельный стаканчик пломбира с желтой розочкой – самое вкусное на свете. Дома Шура торжественно вытащит из холодильника граненый стакан с земляникой, собранной ею собственноручно в лесу, на поляне, специально для папы. Почти полный стакан – ну, не хватает чуть-чуть, самую малость, Шура не удержалась и съела несколько ягод. Спать все лягут очень поздно, потому что будут пить на террасе чай и вести долгие семейные разгово-

ры. У Шуры начнут слипаться глаза, и мама станет ее гнать в кровать, а папа разрешит посидеть еще немного. А в субботу они, скорее всего, пойдут на озеро, а вечером будут печь в золе картошку и, может быть, даже жарить шашлыки, если папа привезет подходящее мясо.

Но очень скоро пробежит-пролетит короткое и прекрасное лето и начнется московская жизнь. Тоже, между прочим, не самая плохая.

Школу Шура любит. Есть, конечно, противные учителя – например, трудяша и ботаничка. Но зато есть и другие – русичка Елена Петровна, сестра одного известного, очень известного поэта-фронтовика. Ах, какие она читала ребятам стихи! Или историчка Надежда Львовна. Ее рассказы о Древнем мире или Крестовых походах слушали открыв рот даже отпетые двоечники. А математичка Ида Давыдовна! Даже при всей нелюбви к математике на ее уроках Шуре никогда не было скучно.

Да и вообще, старая, темного кирпича, уютная школа, с густым, словно припорошенным весной снегом, яблоневым садом. Любимая классная руководительница Инна Ивановна. Театральный кружок по вечерам в пятницу. Походы в Третьяковку или в Пушкинский. Какао и пирожки с повидлом в школьном буфете. А вечера патриотической песни в актовом зале, где натерты до блеска полы и вкусно пахнет мастикой? А гулянье во дворе? А «классики», «казаки-разбойники» и «прятки»? И «секретики» из фантиков и цветной фольги, зарытые во дворе...

А еще можно сбегать к метро за фруктовым стаканчиком и поглазеть на цыганок в пестрых юбках, с младенчиками, замотанными в платки и привязанными сзади к материнской спине. Цыганок много, целая стая. Они громко галдят, ругаются между собой на своем языке и продают красные леденцы на палочках – петухов и медведей. Леденцы прозрачные, как стекло, и Шура мечтает их попробовать, но мама ей кате-

горически это запрещает. К цыганкам подходит молодой безусый милиционер и пытается их разогнать, но они совсем не боятся и дружно кричат на него – все вместе.

К метро Шура бегает с Динкой и Розкой, двойняшками. Мама говорит, что они – «бедные девочки». Бедные потому, что очень некрасивые. Шура с мамой спорит и обижается за подружек, но в душе с мамой согласна – двойняшки и вправду совсем не симпатичные. А насчет «бедные» – это вообще смешно. Динка и Розка живут в генеральском доме в большой трехкомнатной квартире, где у них своя комната. Еще у них есть домработница Валя. Мать двойняшек, Белла Арнольдовна, не работает. Она расхаживает в шелковом халате, с кремом на лице и раздает указания Вале. Валя готовит, гладит, убирает квартиру и гуляет с собакой Кузькой. Что делает Белла Арнольдовна, Шура не понимает. Белла Арнольдовна ходит по квартире с телефоном и беседует день напролет. Ей делают массаж, педикюр и маникюр, косметичка и педикюрша ходят к ней на дом. В доме у них красиво и богато – это Шура понимает. На полах – ковры, на стенах – картины, на комоде – вазы.

Отец Динки и Розки – директор магазина «Диета», лучшего, между прочим, магазина в районе. В школьный буфет двойняшки не ходят, а едят на перемене восхитительные бутерброды с ветчиной и копченой колбасой. У Шуры от вида и запаха этих бутербродов кружится голова. Подруги предлагают Шуре половину, но Шура гордо отказывается и бежит в буфет за пирожками. Иногда Шура приходит в гости к сестрам, и девочки предлагают ей испечь печенье или пончики. Несмотря на огромную библиотеку, любимая книга сестер – «Книга о вкусной и здоровой пище», очень тяжелая, с цветными картинками. Девочки увлеченно ее листают и выбирают рецепты. Потом они приступают к делу, и по кухне летает мучная пыль. Печенье, как правило, не получается, и домработница Валя переживает, что они напрасно перевели продукты. Но Белла Арнольдовна девочек не ругает.

В классе случается страшное событие – умирает Лара Орлова. Узкий голубой гроб стоит во дворе Лариного дома на трех табуретках. Лара, худенькая и бледная, лежит в гробу, словно заснувшая принцесса. Снежинки медленно падают на ее спокойное лицо и не тают. Девочки держат друг друга за руки и боятся подойти к гробу поближе. Им и страшно, и интересно одновременно. Лару провожает весь класс и все учителя. Учителя плачут, а дети стоят в оцепенении – они еще не очень понимают, что такое смерть. Шура видит Ларину мать – ее с двух сторон держат под руки, но она все равно оседает на землю.

Потом девочки сидят в детской у двойняшек и обсуждают Ларины похороны. Валя тяжело вздыхает и говорит, что бог дал, бог и взял. Белла Арнольдовна кричит, что Валя темная и деревенская дура, прижимает к себе детей, плачет и выносит коробку шоколадного зефира. Обед отменяется. Белла спрашивает у Шуры про родителей и Катеньку и, закатывая глаза, говорит, что Шурин папа, такой спе-ци-алист, мог бы жить как сыр в масле. Она трагически обводит взглядом свои ковры, мебель и хрусталь, вздыхая, прибавляет:

– Есть еще приличные люди на свете!

И непонятно, осуждает она этих самых приличных людей или восторгается ими.

Белла Арнольдовна опять тяжело вздыхает, просит Валю сварить кофе и отправляется в спальню отдыхать.

Шурина мама собирается выходить на работу. Эта тема обсуждается на семейном совете. Папа категорически против. Он считает, что мама должна сидеть дома и заниматься детьми. У мамы свои аргументы – она говорит, что на одну зарплату жить невозможно. Последнее слово, как всегда, остается за бабулей. Она твердо и сухо объявляет, что ни в какой детский сад она Катеньку не отдаст и готова с ней сидеть дома. Мама пытается сопротивляться, но довольно быстро соглашается. У мамы улучшается настроение, она достает из шкафа юбки и блузки, приводит их в порядок – подшивает, стирает и гладит. Расстраивается, потому что пополнела и ни во что не влезает. Папа смеется, говорит, что это знак свыше, и еще говорит маме, что она все равно – самая красивая. Шура с ним абсолютно согласна, а мама почему-то злится и плачет.

Мама идет работать в проектный институт чертежницей. Это очень удобно – институт находится прямо в их доме, только в другом крыле. И даже на обед мама прибегает домой. На маме узкая черная юбочка, голубая, «в огурцах», кофта, и от нее вкусно пахнет польскими духами «Быть может». Шура, кстати, иногда открывает узкий флакончик и капает себе на палец. Очень приятно и пахнет мамой.

По утрам у них сумасшедший дом. Мама, как всегда, опаздывает, носится по квартире, не успевает позавтракать, хватает из кроватки сонную Катеньку, начинает ее целовать и почему-то опять шмыгает носом. Папа ждет ее у двери, смотрит на часы и нервничает. А потом хватает ее за руку, и они наконец уходят.

– Выкатились, слава богу! – вздыхает Асенька и кормит внучек завтраком.

В школе Динка и Розка налетают на Шуру и таинственно шепчут, что в «Детский мир» завезли потрясающие кофты. Вязаные, китайские, с вышитыми на груди розочками. Всех цветов – и белые, и розовые, и голубые, и салатовые. Сказка, а не кофты. Как говорит Белла Арнольдовна, и в пир, и в мир, и в добрые люди. Кстати, она дочкам купила уже по две на каждую, понятно, разных цветов.

– Дорогие, наверно? – осторожно спрашивает Шура.

– А, ерунда, по двадцать рублей, – небрежно отвечает Динка.

«Ерунда!» – вздыхает про себя Шура. Ну, какая же это ерунда? Но после уроков девочки бегут в магазин. Шура замирает: от кофт и вправду невозможно отвести глаз. Шуре нравится бледно-голубая, с синими розами и перламутровыми пуговицами.

Вечером, набравшись духу, подождав, пока мама отдышится и придет после работы в себя, Шура осторожно заводит разговор про вожделенную кофту. Мама почему-то совсем не сердится, только вздыхает, тяжело поднимается с дивана и говорит Шуре:

– Пойдем.

Потом пересчитывает деньги и откладывает в кошелек двадцать рублей.

До закрытия магазина – полчаса, и народу к вечеру там совсем немного. Шура подводит маму к прилавку, и они начинают выбирать. Мама говорит, что голубая кофта простовата, и если брать, то, несомненно, желтую. Шура вздыхает и соглашается. Желтая определенно лучше, чем никакая. Мама направляется к кассе, а продавщица уже заворачивает в бумагу желтое, в розочках, чудо. Вдруг Шура слышит мамин крик и понимает: что-то случилось. Она бросается к кассе и видит, что мама плачет.

– Кошелек вытащили, Шурка! – говорит мама и вытирает ладонью слезы.

Вокруг мамы толпятся зеваки и продавщицы. Все утешают ее, а про Шуру никто не вспоминает. Шура одна-одинешенька со своим горем. Потом мама берет Шуру за руки и резко бросает:

– Идем!

По дороге они обе ревут в голос. Папа уже дома. Он сидит за столом и ест жареную картошку. Услышав их рассказ, Асенька всплескивает руками, а папа смеется.

– Тоже мне беда! – говорит он.

Ночью Шура, конечно, не спит. Настроение – хуже некуда. Она еще немножко плачет и под утро засыпает. И снятся ей Динка и Розка, понятное дело, в новых кофтах.

День проходит тоскливо – не хочется ни обедать, ни гулять, ни делать уроки. Вечером приходит папа – совсем не поздно, Шура еще не спит. Он заходит к ней в комнату и кладет на кровать бумажный пакет. В пакете кофта. И не желтая,

а голубая. Та самая, из Шуриных снов. Шура бросается к папе на шею и целует его.

– Ты самый лучший на свете! – кричит Шура.

А папа опять смеется:

– Носи, Шуренок, на радость!

И нет человека счастливей, чем Шура. Она меряет кофту и крутится перед зеркалом.

Вскоре случается одна странная история, которую Шура постарается сразу забыть. У метро, куда девчонки побежали за мороженым, она видит маму. Мама стоит с каким-то мужчиной, и он держит ее за руку. Не просто так, а со значением, как сказала бы Асенька. Шура это понимает. Она скорее старается увести двойняшек подальше, чтобы они ничего не заметили. Шура старается об этом не думать, но все равно у нее перед глазами стоят эти двое. Стоят, замерев, и смотрят друг на друга. И похоже, не видят вокруг никого. Мужчина кажется Шуре смутно знакомым, но, положа руку на сердце, она его не очень-то разглядела.

А дома тем временем тоже творится неладное. От Шуры скрывают, но она все видит. Мама часто запирается в ванной и плачет – Шура слышит. Бабуля колотится в дверь, но мама не открывает. А папа, проходя мимо, говорит Асеньке, чтобы та оставила маму в покое.

Потом мама уезжает в командировку. И все это как-то очень странно. Асенька с мамой в ссоре, и папа ходит мрачнее тучи.

– Не останавливай меня, – говорит мама бабуле. – Все равно уеду.

Мама приезжает через несколько дней. С ней творится что-то непонятное. Она то плачет, то смеется, то целует Шуру, то говорит «отстань». Шура беспокоится, что мама болеет, но нет – она снова ходит на работу.

Летом опять снимают дачу. И снова по пятницам Шура с Катенькой встречают маму и папу на станции. Только они оба какие-то грустные. Мама почти ничего не ест, все лежит

в гамаке и курит. Папа пьет на террасе чай, и Асенька, вздыхая, говорит: «Ушел из дома покой», а папа ничего не отвечает. Шура все это слышит, но она занята важным делом: нанизывает на нитку ягоды рябины, делает Катеньке бусы.

В августе собираются на море, но ничего не получается. Папа не может уйти с работы – не на кого оставить отделение. Шура и Катенька очень расстраиваются, а мама говорит:

– Ну и слава богу! Не очень-то и хотелось.

В сентябре снова начинается школа. Динка и Розка, заведя Шуру в угол, жарко шепчут ей на ухо, что они, скорее всего, скоро уедут.

– У папы неприятности, – объясняет Динка.

– Очень крупные, – подтверждает Розка, и обе они делают большие глаза.

– Куда уедете? – понимая, что это страшная тайна, тихо спрашивает Шура.

– Туда, – многозначительно хором отвечают сестры и почему-то поднимают глаза к небу.

– Но это же очень страшно! – пугается Шура.

– Страшнее, чем здесь, не бывает, – трагическим голосом отвечают двойняшки.

Шура мало что понимает, но заранее расстраивается – расставаться с подружками ей совсем не хочется.

Она почти совсем забросила коньки – ходит на каток изредка, по воскресеньям, покататься для себя. Теперь ее больше увлекает театральный кружок и факультативы по химии.

Дома совсем грустно: мама больше не поет по утрам, бабуля все чаще мучается давлением, и папа по утрам делает ей уколы. Мама тоже часто берет больничный и подолгу лежит у себя в комнате на диване и просит ее не беспокоить, а папа еще больше проводит времени на работе.

Иногда, примерно раз в полгода, мама уезжает в командировку. Она долго собирается и просит Беллу Арнольдовну, маму Динки и Розки, достать ей консервы, копченую колбасу, индийский чай и растворимый кофе. Это странно, раньше она с такими просьбами к Белле не обращалась. Уезжает она примерно на неделю, и папа отвозит ее на вокзал. Асенька почти совсем не встает. Шура водит Катеньку в детский сад и кружок бальных танцев.

Динку и Розку на комсомольском собрании с позором выгоняют из комсомольцев. Шура на собрание не идет. На классном часе классная объявляет Динку и Розку предателями родины. Шура опускает глаза, а сестры смеются. Динка с Розкой с родителями уезжают в Америку, от греха подальше, как говорит Белла Арнольдовна. Из Америки они присылают Шуре короткие письма на очень тонкой, почти прозрачной бумаге с цветными бабочками в углу. Шура этих бабочек вырезает и наклеивает на обложку тетрадей.

Умирает Асенька — ночью, во сне. Шура помнит, как в голос, громко плачет мама и просит у бабули за что-то прощения. Еще Шура помнит, что в комнате стоит красный с черным гроб и в гробу лежит Асенька, почему-то очень маленькая, совсем как ребенок, только в белом платочке на голове; ее очень трудно узнать, никогда раньше платков Асенька не носила. Но папа говорит, что так положено. Он просит Шуру подойти к бабуле и попрощаться и объясняет, что ничего страшного в смерти нет. Но Шура все равно боится.

На кладбище Шуру не берут, она остается с сестрой. Соседки пекут блины и накрывают на стол — с кладбища все приедут поминать Асеньку. На поминках Шура видит, что мама пьет много водки и папа ее все останавливает, но она продолжает пить. Маме становится плохо, соседка ведет ее в ванную и ставит под холодный душ. А мама вырывается, кричит и зовет папу, но папа почему-то не выходит из своей комнаты. Шуре жалко и маму, и папу и еще неловко за маму. Она горько плачет по Асеньке и всем своим детским сердцем понимает, что прежняя, прекрасная жизнь закончилась безвозвратно и никогда их семья не будет жить спокойно и счастливо.

Да что там счастье! В дом приходит настоящая беда, огромная, как весь земной шар. Мама начинает пить. Она уже совсем не похожа на прежнюю маму – добрую, красивую и веселую. Она запирается у себя в комнате и пьет, а потом целый день спит. В доме нет ни обеда, ни ужина, в доме грязь и разруха. После школы Шура пытается прибраться и сварить обед. Получается плохо – Асенька ничему не успела ее научить. И потом, еще очень много уроков – последний, десятый класс. Вечером она забирает сестру из детского сада и подолгу с ней гуляет, чтобы как можно дольше не идти домой. Катенька хочет есть, и Шура в кулинарии покупает ей булку с холодной серой котлетой и стакан сока.

Папа борется с мамой всеми силами – кладет в больницу и санаторий, делает уколы и кормит с ложечки, объясняет Шуре, что это болезнь, и просит маму пожалеть. Но Шура ничего поделать с собой не может – она почти ненавидит маму, и ей страшно от этих мыслей. Она винит во всем ее, а папу как раз жалеет. Мама ходит по квартире как тень, худющая, с растрепанными волосами и черными кругами под глазами. Шура старается на нее не смотреть. Впрочем, иногда, после больницы, мама приходит в себя – идет в парикмахерскую, красит волосы, покупает новое пальто или туфли, снова красит губы и душится духами. И опять куда-то собирается. Пакует сумку с продуктами и папиросами, покупает у бабулек на рынке теплые носки и шерстяные варежки. И снова папа везет ее на вокзал.

Шура уже не ребенок, и она отчетливо понимает, что все это какая-то большая и страшная тайна. Какие командировки? Мама давно ушла с работы. Она спрашивает у отца, куда едет мать, а он молчит и говорит Шуре, что это мамина тайна и рассказать об этом должна сама мама. Но разговора не получается – мама возвращается из поездки и снова начинает пить. И опять бродит по квартире как тень.

В августе Шура поступает в МАИ, это совсем рядом с домом. Катеньку папа устраивает в китайский интернат. Теперь

Шура забирает сестру на выходные домой, но Катенька ехать домой не хочет. Шура ходит с ней в музей или в кино, и Катенька просит, чтобы Шура отвезла ее поскорее обратно.

Папа очень постарел и изменился. Теперь он еще и преподает студентам – денег, как всегда, не хватает. А нужно многое: путевки в санаторий для мамы, одежда и фрукты для Катеньки, новые сапоги и зимнее пальто для Шуры.

Шуре очень нравится в институте. У них образовалась большая и дружная компания, и после лекций все не спешат расставаться и идут в кино или к кому-нибудь домой. Не зовет к себе только Шура, ссылаясь на то, что сильно болеет мама.

В декабре Шура влюбляется и через месяц выходит замуж. Ей очень хочется уйти из дома и начать свою, взрослую жизнь. Ее молодого мужа зовут Миша, он ее одногруппник. Им так здорово вместе: они бегают в театр на «лишний билетик», не пропускают ни одной выставки и бардовских выступлений по клубам. Замечательно, что у Миши есть своя комната – в коммуналке на Чистых прудах. Там, конечно, пыль и разруха, но Шура наводит чистоту и блеск. В доме все время люди – поют песни под гитару, общаются, и Шура не успевает нарезать винегрет и варить глинтвейн из дешевого болгарского вина.

Живут они с Мишкой дружно и весело, как положено студентам. На выходные Шура старается забрать Катеньку к себе. Иногда, по субботам, к ним заезжает папа, как всегда, с огромной сумкой продуктов. Но в воскресенье они зовут гостей – и опять в холодильнике пусто, однако это их нисколько не огорчает. Домой Шура почти не заезжает. Ее, конечно, мучает совесть, но она все откладывает эти визиты «на потом».

На летние каникулы они большой компанией уезжают в Коктебель. Снимают крошечную душную комнатенку – и удобства их вовсе не заботят. На пляже они играют в волейбол и подкидного дурака, а вечерами пьют во дворе дешевое и кислое молодое вино и жарят шашлыки. Все счастливы и беззаботны, как бывает только в ранней молодости.

Телеграмму о смерти мамы Шура получает за три дня до отъезда. Они бросаются на вокзал и пытаются поменять билет, но страждущих с подобными телеграммами – целая очередь. Они ночуют на вокзале две ночи, и наконец им удается поменять билет. Поезд дополнительный. В нем разбиты стекла и нет постельного белья. Но Шуру это не волнует. Она целый день стоит в тамбуре и смотрит в окно.

На похороны они не успевают. Первое, что Шура видит дома, – отца на кухне. Перед ним – фотография мамы и початая бутылка водки.

– Шуренок! – восклицает отец и, уронив голову в руки, начинает плакать. Шура садится возле него и гладит его по голове. Мишка растерянно топчется в дверях. Они, конечно, остаются ночевать. Отец и Мишка опять пьют, а Шура нарезает немудреную закуску, варит картошку и уговаривает отца хотя бы немного поесть. Он плачет, мычит что-то невразумительное и все время рассказывает, какая красивая лежала в гробу Шурина мать.

Шурина семейная жизнь как-то постепенно начинает терять ясные очертания. Отношения с мужем Мишкой все больше принимают характер дружеских. Им по-прежнему хорошо друг с другом, но все чаще они созывают шумные компании, и все реже им хочется остаться друг с другом наедине. Оба они чувствуют, что их скороспелый и бездумный студенческий брак дает непоправимую трещину.

Летом Мишка уехал на халтуру куда-то под Керчь, строить пионерский лагерь, а через полтора месяца написал Шуре, что у него закрутился роман с поварихой – студенткой ленинградского педа. Объяснял, что все серьезно, серьезнее не бывает. Но был благороден – в связи с его переводом и переездом в Питер к этой самой девице он написал Шуре, что жить она может в его комнате, только пусть не забывает платить коммунальные.

Шура прочла письмо без волнения и даже удивилась своему спокойствию и равнодушию. Мужа, теперь уже бывшего, она совсем не осуждала и в глубине души была рада такой быстрой и легкой развязке.

Она обрадовалась одиночеству и в ближайшее время романов решила не заводить. По выходным забирала Катеньку из интерната, и они ехали к отцу. Все вместе, втроем, они ездили на кладбище. Катенька отреагировала на смерть матери спокойно, видимо, привыкла обходиться без нее. А отец горевал безутешно. Долго не уходил с кладбища и все гладил мамину фотографию.

Шура окончила институт и пошла работать в проектный институт. Работа была монотонная и неинтересная, и ей все время казалось, что она проживает жизнь бездарно и пусто. Год спустя у нее случился служебный роман, но предмет ее воздыханий был прочно женат, имел двухлетнего сына и психически неуравновешенную жену, и потому их встречи были нечасты и печальны для Шуры. Он неловко смотрел на часы, а она расстраивалась и начинала плакать. Время для их торопливых и скомканных свиданий выкраивалось нечасто, и было в них больше грусти, чем радости.

Года через два с начала их романа он попытался уйти из семьи и явился к Шуре с чемоданом, но спустя три недели вернулся к жене. Волевым решением Шура положила с ним расстаться – не тут-то было, спустя пару месяцев все закрутилось по новой. Она отчетливо понимала, что это путь в никуда, одна сплошная боль и потеря здоровья и времени. И конечно, было невыносимо видеть друг друга каждый день.

Шура ушла с работы. Новое место находилось довольно далеко от дома, но она даже была рада этому обстоятельству – приползала домой еле живая, и на дурацкие мысли и страдания совсем не оставалось сил.

Однажды среди недели позвонил отец и попросил приехать. Она приехала после работы, замученная и усталая, но, увидев отца в полном здравии, как-то сразу успокоилась.

Отец жарил на кухне картошку. Шура сняла пальто и сапоги и прилегла на диван, но он позвал ее ужинать. На столе стояла бутылка водки. Отец разложил картошку по тарелкам, крупно нарезал репчатый лук и открыл банку сайры. Потом налил водки – себе и Шуре.

– По какому поводу гуляем? – удивилась она.

Отец не ответил и опрокинул стопку. Потом он долго и молча ел, покрякивая от удовольствия, и молчал. Молчала и Шура. От водки потеплело внутри и еще больше захотелось спать. Наконец отец доел картошку, откинулся на стуле, закурил и внимательно посмотрел на Шуру.

– Есть разговор, Шуренок, – сказал он. И добавил: – Очень важный разговор.

Шура вздохнула.

– Ну, пап, не томи! Сколько можно!

Отец налил себе еще стопку.

– Для храбрости? – усмехнулась Шура.

– Именно так, Шуренок, представь себе. Для храбрости.

Он опять замолчал и прикурил новую сигарету.

– В общем, так, девочка, – начал он. – Только молчи и слушай. И не перебивай, если сможешь.

Шура вздохнула и кивнула.

– Тебе надо ехать в Архангельск, Шура. Незамедлительно ехать. Билет я уже взял. Он на столе в прихожей. Билет удобный – в поезде выспишься. На работе придется взять отгулы, дня на три или четыре, как сможешь.

Шура удивленно вскинула брови.

– Какой Архангельск, пап? Ты о чем?

Отец подошел к окну и открыл форточку.

– В Архангельск, Шуренок, – повторил он. – В Архангельске живет твой отец. Точнее, умирает. Диагноз мне известен.

Плохой диагноз, Шура. Очень плохой. Короче говоря, тебе надо успеть.

Отец стоял к Шуре спиной и смотрел в окно.

– Пап! – жалобно сказала она. – Объясни, пожалуйста, пап, ну, я тебя очень прошу! Что за бред, пап! Какой отец, какой диагноз? – Она всхлипнула и закрыла лицо руками.

Отец сел за стол и разлил по стопкам водку – себе и Шуре. Молча выпили.

– История древняя, Шуренок. Такая древняя, что даже древней тебя, – улыбнулся он. – Говорить мне будет непросто. Это мягко говоря. Я прошу одного: слушать и не перебивать. Все вопросы – потом.

Шура кивнула.

– В общем, эта история началась давно. До твоего рождения, естественно. Мама окончила техникум и уехала отдыхать. На море. Денег тогда совсем не было, и Асенька снесла в ломбард свои золотые часы. Поехала она с подружкой, была у нее такая Света Семенова. Потом жизнь их развела, ты ее не знала. Но это и неважно. – Отец встал, подошел к окну и закрыл форточку. – Выбрали они Бердянск, курорт недорогой и обильный. Сняли комнатушку в слободке. От моря далековато, но зато дешевле. Купались, загорали. Бегали в киношку – ну, в общем, как обычно. Кавалеры кружились роем – оно и понятно: две молодые, хорошенькие москвички. Да что там хорошенькие – мама была тогда просто красавица. Впрочем, почему тогда? Она всегда была красавица. Всю свою не очень счастливую жизнь. – Отец грустно усмехнулся. – Кавалеры кавалерами, но мама держалась в стороне. Она всегда была осторожна и избирательна. Отпуск подходил к концу, оставалась всего-то неделя. И тут она встретила его. – Отец замолчал и опустил глаза. – Да, его. И совершенно потеряла свою молодую и распрекрасную голову. Ее можно было понять: тридцатитрехлетний красивый мужик, высокий, ладный. В волосах – ранняя проседь. В свои тридцать три –

главный инженер большого текстильного комбината где-то под Новосибирском. В Бердянск он приехал на голубой «Волге» – сам заработал, сам купил. Они ездили с мамой на дальнюю косу, на совсем дикий пляж. Пролетела неделя – они не заметили. Нужно разъезжаться – а они не могут разомкнуть рук. Понимают, что это не банальный курортный роман, оба понимают. Но он предельно честен. Сразу, с первого дня знакомства, объяснил ей, что женат. Всерьез и надолго. Есть одна причина – не очень здоровый сын. А если точнее, мальчик серьезно болен, инвалид с детства, еще и слабослышащий – что-то упустили при родах. В общем, полный набор. Да еще и расстояние – сколько верст друг до друга! Он говорил, что любит ее, но будущего у них нет наверняка. Но мама ничего не хотела слушать – она придумывала разные схемы, ей казалось, что все прекрасно можно устроить – в конце концов, самолеты летают, да и поезда еще никто не отменял. Она легко согласилась с тем, что они никогда не смогут быть вместе – ну, в полном смысле слова. Ей было наплевать на расстояния, ее не смущало, что встречаться они смогут крайне редко – хорошо, если в полгода раз. Ее ничего не смущало – она любила и была любима, а это главное. Они разъехались, и началась переписка. Она писала ему «до востребования», а он ей на адрес Светки Семеновой. От Асеньки она все до поры скрывала. Через два месяца он приехал в Москву. На два дня. Поселился в гостинице. Она, естественно, у него. Для матери она придумывала всякие легенды. Эта история длилась почти три года – и всякий раз он предлагал ей расстаться и пробовать устроить свою жизнь. – Отец встал, подошел к плите, налил чайник и поставил его на огонь. – Попьем чайку, Шурка?

Она помотала головой:

– Нет, прошу тебя, дальше.

Отец кивнул и опять сел за стол.

– А потом она забеременела. Тобой. Совершенно сознательно. Он просил ее не оставлять ребенка – не потому, что

был подлец, а потому, что имел ужасный опыт – больного сына. А мама и слышать не хотела. Пока она тебя носила, он вел себя безупречно – помогал деньгами и часто прилетал. Она познакомила его с Асенькой. Та, конечно, ситуацию не приняла: взрослый, женатый мужик, Новосибирск, больной ребенок. Винила во всем только его. Высказала ему все – ты же ее знаешь. Он со всем соглашался. Только что это меняло? В общем, ты родилась. Он по-прежнему приезжал и высылал деньги. А бабушка по-прежнему не хотела о нем слышать.

Мы встретились с твоей мамой, когда тебе было полтора года. Случайно, у общих знакомых. Через месяц я сделал ей предложение. В тот день она рассказала мне все про свою жизнь. И еще сказала, что любит того человека, очень сильно любит. Она была абсолютно, безоговорочно честна. Никаких претензий. А я был согласен на любой вариант, на все, только бы она оставалась со мной. Она думала несколько месяцев, а потом согласилась. Конечно, свою роль сыграла Асенька – мы с ней крепко подружились. Она видела во мне мужа, отца и главу семьи. Видела мое отношение к маме и, конечно, к тебе. Это, наверное, и было главное. Тебя я действительно сразу и всем сердцем полюбил. Сначала – как продолжение мамы. А потом – просто, без всяких оговорок. Сразу и навсегда. Ты и вправду была чудесным ребенком – смышленым, послушным и не капризным. Полюбить тебя было совсем нетрудно, ты сама мне в этом помогала. Мама, конечно, все рассказала твоему отцу. Он ответил, что искренне за нее рад. Наверное, ему действительно было бы легче, устрой мама свою судьбу. Но она наверняка ждала от него другой реакции и других слов. А получается, что получила от него карт-бланш. И тогда, только после этого разговора, она дала мне согласие. А я, конечно, был счастлив и совершенно уверен, что все непременно образуется – искренняя и идиотская уверенность влюбленного. В общем, расписались. Свадьбы мама не захотела – оно и понятно. Я, как ты понимаешь, был согласен на все. Жить мы начали вроде бы неплохо... – Отец замолчал и посмотрел в окно. А потом повторил: – Да, неплохо. Мне, признаться, хотелось большего. Впрочем, я знал, на что шел. Твой отец вел себя безупречно: посылал деньги, не приезжал и писем не писал. Короче говоря, делал все, чтобы мамина жизнь наладилась. А потом я тебя удочерил и был совершенно счастлив. И об одном просил маму: чтобы она отказалась от *тех* денег. Брать у кого-то, даже у твоего биологического отца, деньги на свою дочь мне казалось неприличным. О его чувствах я, конечно же, не думал. Он появился спустя несколько лет. Приехал в Москву в командировку. Мама тогда была беременна Катенькой, а ты покоряла ледовое пространство.

Шура усмехнулась.

– Конечно, ничего странного, – продолжал отец. – Он просто захотел увидеть свою дочь. Нормальное желание. В конце концов, он мне не докучал все эти годы, и я все понимал и был совершенно спокоен. – Отец вздохнул и закурил новую сигарету. – Оказалось, что зря. Это в смысле того, что я был спокоен. – Он опять замолчал. – Просто они тогда увидели друг друга – и все покатилось к чертовой матери. Вся жизнь. Вся наша такая налаженная и отлаженная жизнь. Теперь он опять стал прилетать. Не то чтобы часто, но мне хватало. – Он замолчал и скомкал пустую сигаретную пачку.

– А я его помню, – сказала Шура. – Вернее, тот день, ну, когда он купил мне коньки. Его самого я помню плохо – какой-то высокий и худощавый дядька. Ничем особенным он мне не запомнился, кроме коньков, разумеется. Я помню, что я тогда сильно смутилась и очень удивилась. Но мама сказала, что это ее хороший знакомый, старый приятель, что ли. В общем, она меня успокоила.

– Я помню, как ты была счастлива, – усмехнулся отец. – И ругал себя за то, что не сделал этого сам. Дурак, кретин, помешанный на своей работе! Ругал за то, что не сообразил, а ты у меня не просила. А ведь это доставило тебе такую радость! И очень обиделся на маму – она не должна была этого ему позволять. Так я думал тогда и, конечно, был не прав. Она ведь тогда не о моих амбициях думала, а о том, что чувствовал он. И это было правильно. А что еще он мог для тебя сделать? И я ревновал ее сильно. Так ревновал, что сердце заходилось. Понимал, что она все равно там, с ним, а не со мной. Даже после того, как родилась наша общая дочь. – Он замолчал, встал и опять подошел к окну. – Не приведи господь, Шурка, узнать человеку такие муки. Ты знаешь, я не из тех, кто скулит, но, ей-богу, не приведи господь!

Шура кивнула:

– Я все понимаю, пап. – И, помолчав, добавила: – А все ведь считали, что у нас замечательная семья. Все. И я в том числе. Хорошо же вы заметали следы, – горько усмехнулась она.

– Да нет, Шура, это не совсем так, – ответил отец. – У нас действительно была неплохая семья – без скандалов и претензий друг к другу. Мы понимали, что нужно все сохранить, ради детей, разумеется. А что до моих терзаний – так она ничего не могла с собой поделать. Есть что-то такое, что неподвластно человеку. И в конце концов, повторяю: она ничего мне не обещала и была абсолютно честна. А все остальное – мои проблемы. Эту жизнь я выбрал для себя сам. Давай чаю, а, Шуренок? Тем более что водка кончилась. Хорош я, нечего сказать, – усмехнулся он. – Родную дочь спаиваю! – Он подошел к плите, снова поставил чайник и засыпал заварки в маленький пузатый заварной, с отколотым носиком, еще Асенькин, наследный и любимый. Налил крутого кипятка, накрыл заварной чайник чистым полотенцем («Пусть настоится») и снова сел за стол. – В общем, смириться со всем этим было непросто, а жить дальше было надо. Помогала работа. Ну, и еще ты и Катюха. Иногда мне казалось, что весь этот кошмар вот-вот закончится. Мама как-то постепенно стала приходить в себя. Или мне так казалось. Хотя нет, так оно и было. Это было

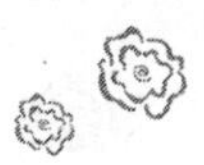

понятно только нам двоим – в смысле это была только наша личная, если хочешь, интимная жизнь. Да и потом, все эти хлопоты – ты, Катенька, заботы, дом... Помнишь, она начала тогда вязать?

Шура кивнула. Отец продолжал:

– И вязать, и шить. И училась у Асеньки печь пироги. – Он улыбнулся. – Правда, тесто у нее никогда не всходило, но для этого, наверное, тоже нужен талант. В общем, старалась, как могла. Иногда получалось, но чаще всего нет. И она страдала. Поверь мне, страдала. Пошла на работу, думала, что будет легче. – Отец опять замолчал и открыл новую пачку сигарет. – А дальше... Дальше случилась большая беда, Шура. Очень большая беда. Его, твоего отца, посадили. Было громкое дело, все газеты писали. Хищение в особо крупных размерах, злоупотребление и халатность. Девяносто вторая статья. С конфискацией, разумеется. В общем, пошли обыски и суды. Обыск ничего не дал – у него ничего не нашли и даже удивились, как скромно он живет. Но это роли не сыграло – срок грозил большой, да и дело было показательным. Я уверен, что его подставили – шуровал там главный бухгалтер. Но срок он все равно получил, чтобы другим неповадно было. Правда, немного сыграло роль, что у него был больной ребенок, но все равно хватило – восемь лет. Правда, потом его почти располовинили – пять лет усиленного режима и три года – «химия». Жена его тогда попала в психушку, сына определили в интернат. В общем, представляешь, что с ним было. С мамой. И с нами со всеми. Но что говорить про нас! Смешно. Вот тогда-то и начались мамины «командировки». Ну, это ты, наверное, помнишь. Ей давали свидания, максимум сутки. Жена его ездить не могла. А потом ты знаешь, Шура, что случилось, – мама начала пить. И я был совершенно бессилен – помочь ей у меня не получалось, сколько бы я ни бился. Все дело в том, что она совсем не хотела, чтобы ей помогали. Она оживала, только когда подходил срок поездки, а в остальное время была абсолютно безучастна ко всему. Ну, это ты помнишь – о чем говорить. Еще смерть Асеньки – мама тоже чувствовала свою вину. Она собиралась поехать к нему насовсем – после того, как его переведут на поселение. И даже сама просила меня положить ее в больницу, понимая, что надо хоть как-то привести себя в порядок. Но получила письмо, где он ей написал, что к нему приехали жена и сын, сняли дом в поселке. Ни врачей, ни условий там нет, но жена приехала, и он ничего с этим поделать не может. Вот после этого мама уже не поднялась – незачем было. Слава богу, ты уже не жила дома и всего этого не видела, да и Катенька жила в интернате. Последние недели были самые страшные – она уже совсем ничего не хотела, ей все было в тягость. Она все время говорила, что устала жить и страдать. И бог ей послал легкую смерть. Смешно говорить, но после последних лет ее жизни это было действительно избавление. – Он помолчал и спросил: – Знаешь, что меня мучает больше всего, Шурка?

Шура мотнула головой.

– То, что я ничего не смог сделать. Ни заставить ее меня полюбить, ни забыть твоего отца. Ни сделать ее хоть капельку, ну самую малость, счастливой. Ни избавить ее от болезни. Ни облегчить ее страданий. НИ-ЧЕ-ГО, Шурка! Я не смог ничего сделать. А говорят еще – сила любви. Значит, у нее она была, эта сила, а мне не хватило. Выходит, что так. – Отец замолчал. – И вообще, в этой истории победителей нет. Одни проигравшие.

– И ты еще винишь себя? – сказала Шура. – А про свою жизнь ты подумал? Про свою исковерканную и покореженную жизнь? Какое чувство вины, пап? Разве ты не делал все, что мог? И даже то, чего не мог? И ты еще казнишь себя? Эти двое сами выбрали свою судьбу.

– А я – свою, – ответил он. – И тоже, заметь, добровольно. Так что виновных искать смешно, девочка. Просто ты должна их понять и простить. А для того чтобы простить, надо хо-

тя бы понять. И тебе самой станет легче жить. Господи, мы ведь с тобой забыли про чай! – улыбнулся он и достал чашки (свою – голубую, с золотым ободком, и Шурину – белую, с желтыми ромашками по краю), налил темную, почти черную, сильно настоявшуюся заварку. Потом достал из шкафа банку варенья и смущенно проговорил: – Вот, Леночка угостила, старшая медсестра. У нее дача в Купавне и большой сад. Говорит, в этом году сумасшедший урожай яблок. Совсем некуда девать.

Потом они долго пили чай и молчали. Отец опять стоял у окна и смотрел на уже темную, почти чернильную улицу. А потом он как-то собрался, подтянулся и повторил Шуре, что надо собираться в дорогу.

– Ты должна поехать, девочка, – настаивал он.

Шура молча мотала головой.

– Должна! – повторил он. – Ты думаешь, его жене было легко просить меня об этом? Но она же это сделала, Шура! И тебе это сделать нужно. В конце концов, ты это сделать просто *должна.*

– Я? – удивилась она. – Нет, пап. Вот здесь ты заблуждаешься. Глубоко заблуждаешься. Ничего я *ему* не должна. И потом, какие у меня перед ним обязательства? Кто он мне такой, в конце концов?

– Шура, ты уже не ребенок. Ты уже взрослая женщина! Со своей, кстати, непростой судьбой. Кто там знает, как сложится жизнь? А про долги – никто никогда не расплатится по счетам, как бы ни старался. На раздумья времени нет, и я не хочу, чтобы в дальнейшем ты о чем-то жалела или не смогла себя простить. Я понимаю, что тебе нелегко, но я тебя хорошо знаю, девочка, и надеюсь на твое благоразумие. – Он улыбнулся и положил свою крупную ладонь на Шурину руку.

– Это вряд ли, пап, – ответила она и убрала свою руку.

– Ну, смотри, – вздохнул он. – Тебе решать.

– Я у тебя останусь? – спросила Шура. – Ехать неохота, да и сил совсем нет.

– Конечно! – кивнул он. – В твоей комнате все постелено. Шура встала со стула, собрала тарелки и чашки и поставила их в мойку.

– Иди, иди, – сказал отец, – я помою.

Она мотнула головой и включила горячую воду.

– Слушай, пап! – обернулась Шура к отцу. – А вот сейчас, сегодня, когда все это уже в прошлой жизни, почему бы тебе не устроить свою судьбу? Ты ведь еще совсем не старый мужчина, полный сил, умный, красивый, талантливый. Кому, как не тебе, а, пап? Нет, правда, послушай!

Он усмехнулся.

– Ну спасибо, конечно, за комплимент. Приятно это слышать из уст молодой и красивой женщины, пусть даже эта женщина – твоя дочь. Я ничего не загадываю, Шурка. Но не подавать же мне свою кандидатуру на брачный рынок, если таковой имеется? И потом, прошлой жизни не бывает, Шуренок, уж ты мне поверь! – Отец улыбнулся, подошел к Шуре и поцеловал ее. – Спать, девочка. Немедленно! Бросай эти плошки к чертовой матери!

В комнате было душно. Шура открыла настежь окно, и тут же ворвался, словно долго ждал этой минуты, прохладный и свежий майский ветер. Шура укрылась одеялом и блаженно вытянула ноги.

«Господи! Как я устала!» – подумала она. И приказала себе отключиться.

– Завтра! – прошептала Шура. Обо всем этом она подумает завтра.

Когда она проснулась, отца уже не было. На кухне, накрытый полотенцем, стоял пузатый бабулин чайник со свежей заваркой. Она умылась, выпила чаю, съела бутерброд с сыром и посмотрела на часы.

«Ну, вот, как всегда, опаздываю», – подумала она. Второпях подкрасила губы, провела щеткой по волосам и накинула плащ, внимательно и критически оглядела себя в зеркало

и поправила выбившуюся прядь. «Ну вот – а теперь к метро, и бегом. И хорошо бы, если бы сразу подошел трамвай. Пешком точно не успею». Она протянула руку за ключами и увидела на полочке перед зеркалом почтовый конверт. Она открыла его – в конверте лежал билет на отходящий вечером поезд. В один конец. Она повертела конверт в руках, поразмышляв, положила его в сумочку и выскочила из квартиры.

На улице Шура запахнула плащ – утром еще было прохладно, но в город уже окончательно пришла весна. Она побежала на трамвайную остановку, и, на ее счастье, через пару минут подошел трамвай.

«Успею, – подумала Шура. – Слава богу, не опоздаю».

Ей действительно нужно было многое успеть. И ни в коем случае не опоздать.

Умная женщина Зоя Николаевна

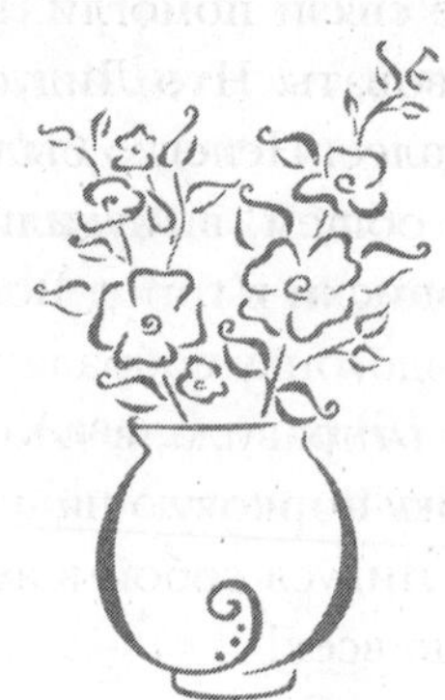

Зоя Николаевна считала себя умной женщиной. Если говорить начистоту, даже очень умной. Судите сами: всю жизнь проработать в торговле, от продавца до директора магазина, и ни разу не иметь крупных неприятностей. По-настоящему крупных. Тьфу-тьфу. Конечно, всякое бывало – и ночей не спала, от ужаса тряслась, и взятки давала, да по молодости не только взятки. Все было. Но худо-бедно все разруливала. Все потому, что есть масло в голове. И еще потому, что никогда не зарывалась. Всем жить давала. Но и про себя не забывала, что говорить.

А про дочку? Все опять сделала своими руками. Хоть дочка и сама по себе куколка, ничего не скажешь. Но куколок вон сколько, и что, у каждой жизнь сложилась? Да еще так! Как? А вот так: всех Лидусиных кавалеров строго отслеживала. Всех в дом пускала, со всеми чаи распивала, про семью выведывала, про планы на жизнь.

Один раз, правда, испугалась всерьез – Лидуся влюбилась. Да в такого неподходящего – бандана с черепом на голове, косуха черная с заклепками, и все «это» на мотоцикле. Рокер, короче. Или байкер – Зоя Николаевна путалась. Лидуся на заднее сиденье – прыг, а Зоя Николаевна ночи не спит, валокордин литрами глотает. Чует, дело далеко зайдет. Если не вмешаться.

Вмешалась. Старые связи помогли. Все по пунктам объяснили, как надо действовать. Что Лидусе говорить, чем кого припугнуть, ну и так далее. Нелегко было, но чего для родной дочки не сделаешь. В общем, вынудили того рокера-байкера убраться по месту прописки в город Волжский. Лидуся плакала, убивалась, за ним вдогонку собралась. Но Зоя Николаевна ее быстренько в Сочи отправила, в «Жемчужину», между прочим, а по приезде шубку норковую на плечи накинула – шоколадную, с отливом. И Лидуся собой в зеркало залюбовалась.

– Ты, мамуся, лучше всех!

Рыдать стала пореже. Если в миноре, губки дрожат, Зоя Николаевна после работы – еле живая, ноги гудят, рухнуть бы на диван всеми восемьюдесятью пятью килограммами – предлагает: Лидуся, хочешь, в ресторанчик пойдем, твой любимый, грузинский? А потом по магазинам прошвырнемся, может, что интересненькое присмотрим. Лидуся минут десять головкой помашет, носиком похлюпает – и идет одеваться. А потом и вовсе успокоилась.

Тут Зоя Николаевна взялась ей жениха искать. Была одна клиентка – дочь у той в Германии жила, за немцем. Жила, как царева племянница. И дом в три этажа, и бассейн, и прислуга. На «Мерседесе» рассекает, муж в ней души не чает. А она как пирог непропеченный – белая, рыхлая. Разве с Лидусей сравнить? Если у той, «непропеченной», бассейн, то у Лидуси должно быть как минимум два. Вот с той клиенткой и начала она шуры-муры: вырезка парная, сервелат финский, кофе гранулированный из самой Бразилии. Чайку попить в кабинете, по сигаретке под ля-ля. Так фотографии Лидусины ей и подсунула. Та как раз к дочери в гости собиралась. На фотографиях

Лидуся то в шубке, то в купальнике. Как есть куколка. Клиентка женишка подобрала. Правда, вдовца и не первой свежести. И даже не второй. Жаба небось задушила получше что-нибудь Лидусе подобрать. Ну да ладно. И так сойдет.

Женишок собрался быстро, не терпелось на Лидусину красоту поближе посмотреть. Через три недели в Москве нарисовался. Похож он был на румяного резинового пупса. Зоя Николаевна стол накрыла, постаралась. На столе – икра, севрюга, лососина, пироги. У немца глаза на лоб полезли. Из подарков привез то, что в самолете не доел, – печенье, сырок, сливки, все кукольное, игрушечное. У Лидуси от этих подарков началась истерика. К себе ушла, сначала даже за стол садиться не хотела. А потом ничего, пришла в себя. Вечером пошли с ним по Москве гулять.

На следующий день «пупс» пришел с цветами и колечком в сафьяновой коробочке. Предложение сделал. Лидуся долго колечко в руках вертела, колечко-то пустяковое, брильянтик – как комар писнул, слова доброго не скажешь, а потом важно так бросила: «Подумаю».

У Зои Николаевны гора с плеч. Боялась, что дочка этой дешевкой в женишка швырнет. И всю ночь напролет Лидусю увещевала да уговаривала, все объяснила: про дом, про «Мерседес», какая жизнь там и какая здесь. Лидуся все плакала и говорила, что ей и здесь неплохо, а под утро согласилась – очень хотелось спать.

И что теперь? На свою жизнь там не нарадуется. Муж в Лидусе души не чает. Дом новый купили, больше прежнего, бассейн, прислуга и садовник. Лидуся целый день в шезлонге полосатом сидит, ногти полирует. Потом вздохнула, настроилась – и дочку мужу родила. Копия он, тоже как гладкий розовый пупс. Немец от счастья совсем ошалел, нанял няню, а Лидусе подарил новую «БМВ», с открывающейся крышей – кабриолет называется. Вот и мотается Лидуся по городу – массаж, парикмахерская, кофе с яблочным штруделем. Дома прислуга с садовником стараются. Ребенок одет и накормлен, обед готов, везде порядок, газон подстрижен, просто как шелк под ногами, гортензии круглым ровным кустом. Плохая жизнь? А все она, мама, низкий ей поклон.

Теперь муж. Вот здесь сложнее. Полюбила его Зоя Николаевна с первого дня – как увидела. Он и вправду был собою хорош: высокий, длинноногий, пальцы тонкие, изящные, шевелюра густая, с ранней проседью, глаза голубые, брови у переносья срослись. Не мужчина – снежный барс. Ходил он почти год к Зоиной соседке студентке Маринке. По ней, Маринке, сох. Та – тоненькая, как прутик, глаза черные, зрачков не видно, и коса по пояс. И все зубрит, зубрит. Врачихой хочет стать. А он вечером после работы придет, сидит со стаканом бледного чая, курит на кухне – Маринку дожидается. А Зоя как раз котлеты с картошкой жарит. Он смотрит, слюну сглатывает. Зоя ему – хотите котлетку? Он слюну сглотнул и кивнул. Она на тарелочку разложила – справа картошечка, румяная, с корочкой, слева пышная котлетка, сбоку по кромочке огурчик соленый, тонко так, на просвет, нарезан. Барс ест и от умиления головой качает. Так и стала она его вечерами прикармливать, пока Маринка о науку мозги точила.

Однажды в комнату свою пригласила, телевизор посмотреть, время скоротать. Он в кресле расположился, а она ему на столик под правую руку – чаю свежайшего с чабрецом и лимоном, печенья домашнего, еще теплого (яйцо, маргарин, сметана, мука – все через мясорубку). Он чаек прихлебывает, печенье одно за другим в рот отправляет – во рту тает. И по комнате глазами. А там – чистота, придраться не к чему. Занавески накрахмалены, пол натерт, подушки взбиты. Вот он на эти подушки и прилег.

Утром посмотрел на Зою – лицо длинное, лошадиное. Зубы крупные, желтоватые, задница – с какого боку обойти? Вздохнул, вспомнил талию Маринкину и косу по пояс, а пока вспоминал, Зоя ему омлетик пышный соорудила, оладушек напекла, кофе в турочке – все на жостовском подносе и в постель.

Он опять тяжело вздохнул и позавтракал с аппетитом. А Зоя ему рубашечку с вечера выстиранную, утром выглаженную предложила и носки свежие. Он от удовольствия крякнул и поцеловал ее в щеку. По-дружески и с благодарностью. И стал теперь к ней на ужины захаживать. А там и до завтрака не бог весть сколько. Ночь всего. Соседка Маринка удивилась: «Ну, ты, Зойка, даешь». И опять за свои учебники.

Это уже потом, спустя месяцев семь, Зоя Барсу объявила, что она в положении. И твердо добавила, что рожать будет непременно. Невзирая на его планы на жизнь. Даже если он этого ребеночка и не думает признавать. Барс замолчал и исчез. На три месяца. А когда появился, Зоя была уже с большим животом, опухшая, с коричневыми пятнами на лице. Увидел все это Барс – такую некрасивую, громоздкую и гордую Зою, – совесть и жалость поднялись со дна его души и мощным камнем придавили все сомнения, которыми он мучился последние месяцы. Где наша не пропадала! В конце концов, жена из нее будет замечательная, а он при этом останется приличным человеком. А с любовью потом разберемся.

С любовью он начал разбираться сразу после свадьбы, через пару месяцев. С Зоей ему и так все было ясно. Разве он обещал ей любовь? Сначала он вернулся к Маринке-медичке. Зоя быстренько разменяла квартиру. Маринка переехала в Измайлово, а они отправились в Беляево. Разные концы света. Не наездишься. Маринка отпала сама собой. Потом появилась другая, третья – и далее со всеми остановками. Зоя всегда была точно (ну, почти точно) в курсе того, что происходит. Не ленилась съездить на соперницу посмотреть, все про нее в подробностях узнать. Да и кто ей, Зое, соперница? Только у Барса взгляд застывал, она ему хлоп – новые «Жигули». Была третья модель, стала шестая. Так и до «Волги» дошли, а потом и до иномарок. Как начнет по ночам ворочаться, шумно вздыхать – она ему дубленку новую в шуршащем пакете. Шапку ондатровую на норковую поменяет, магнитофон последней модели на стол, видик на телевизор сверху пристроит. Он и притихает.

Все эти хлопоты ее, конечно, не красили, что там говорить. Постарела здорово – морщины, второй подбородок, в бедрах еще больше раздалась. Теперь и вовсе стала похожа на старую ломовую лошадь. Ни модная стрижка, ни импортные тряпки ее не спасали. А работа? Лошадь она и есть лошадь. Это барс и в старости остается барсом. Хотя с годами и он пообтрепался. Теперь это был седовласый барс с усталыми глазами и больной простатой. Но всегда найдутся желающие и на такую фактуру. Жизнь у него, прямо скажем, была не самая тяжелая – всю дорогу дурака валял в своем НИИ, о деньгах ни разу не задумался – для этого была она, Зоя. А был ли счастлив? Покой и комфорт на одной чаше, а на другой?

В перестройку она свой магазин выкупила и назвала его в честь себя – «Зоя». Заслужила. Стала завозить туда деликатесы и салаты в пластиковых баночках. Дела пошли еще лучше, чем в «застой». Хотя покоя как не было, так и нет.

Купила своему Барсу синее кашемировое пальто в пол, клетчатое кашне и подержанный «Мерседес». Он уже почти успокоился и даже смирился, что жизнь его прошла так, а не иначе. Но однажды вдруг случилось с ним непредвиденное. То, чего и сам он уже перестал ждать. Пришла к нему *любовъ*. Вот что случилось. Не увлечение, не влюбленность, а именно *любовъ*.

И почувствовала Зоя Николаевна сразу: беда! Глаза у Барса засветились нездешним огнем, и отчетливо обозначились на помолодевшем лице скулы. Теперь он поднимал гантели по утрам, бегал трусцой и перестал есть копченую грудинку с яйцами. Зоя Николаевна быстро стала вычислять «предмет». «Предмет» этот обнаружился довольно быстро и даже слегка Зою Николаевну разочаровал. Это была замужняя школьная учительница английского тридцати восьми лет по имени Татьяна. Худенькая, маленькая, белобрысая – в общем, среднестатистическая училка. Таких – миллионы. Но Барсу была нужна только одна конкретная эта. Ни тебе фигуры, ни километровых ног, ни волос по плечам. Джинсы, куртешка, кроссовки. С собачкой вечерами гуляла. Зоя Николаевна курила у подъезда, разглядывала ее. Тонким голоском звенит: «Керри! Ко мне!» Пуделька своего зовет. Проходит в подъезд на своих легких ногах, здоровается, хоть и не знакомы. Воспитанная. Учительница. Это вам не полукопченка и яйцо первой категории, не грузчики пьяные в магазине, не вороватые продавцы, не вымогатели из ОБХСС. Здесь все по-другому. Дети, родители, цветы к Восьмому марта. Тетради и учебники. Рук не замараешь. Стихи ему, наверное, читает. По ней видно. А что Зоя? Старая рабочая лошадь, которой давно пора на списание или на мясокомбинат на переработку. Отойди, подвинься. Не мешай людям красиво жить.

Приехала домой на больных, отекших ногах, налила себе коньячку в стакан и подумала: «А ведь бросит он меня». Сердцем чуяла. И за что боролась? Всю жизнь ему дорожку ковровую расстилала, забегала вперед – а он по ней в грязных ботинках. Да ладно бы по дорожке, а то ведь по ней, Зоиной душе. Натоптал – не выметешь, столько грязи. Дочку свою единственную, кровиночку, за пузатого немца отдала. В чужую страну. И где теперь она, дочка, в тяжелую минуту? Внучку свою, опять же единственную, кудрявую и розовую, сколько раз на руках держала? И внучка ее не понимает. По-русски – ни гу-гу. Ни одной колыбельной ей не спела, ни одной сказки не рассказала. Ковры эти, горки, хрустали – для кого старалась? Кому все это надо? Никому. И бороться уже сил не осталось. Вроде бы хлипенькая эта училка, нищая, а вот чувствовала Зоя, что ей с ней не сладить.

Барс пришел в ночи, она не спала.

– Долго шастать будешь? – грубо так спросила.

А он ответил просто, без вступлений:

– Ухожу я, Зоя.

– Ну и вали, – махнула она рукой.

Хватит, гирька до полу дошла.

– В хрущевку пойдешь, с чужим ребенком уроки делать?

Он счастливо кивнул.

Она достала из шкафа чемодан:

– Собирайся, уйдешь сегодня. Хватит. Точка.

– Куда я в ночь? – возмутился Барс. – Да и некуда мне сейчас уйти, у нее там муж.

– Не мои проблемы. Хватит, отрешалась. Теперь сам попробуй. А я одного хочу – покоя.

Барс собрал чемодан и вышел в морозную ночь.

– Вот тебе и умная женщина! – горько усмехнулась Зоя Николаевна.

Утром позвонила Лидусе в Германию. Та взяла трубку и растянула свое «хэллоу».

– Чего хэллокаешь? – зло спросила Зоя.

– А что? – испугалась Лидуся.

– Папаша твой слинял, вот что, – ответила Зоя.

– Куда слинял? – тормозила Лидуся. В Германии была середина дня – Лидуся еще не совсем проснулась.

– К училке, – бросила Зоя.

– Насовсем? – удивилась Лидуся.

– Ага, я ему и вещички собрала.

– Ты что, мать, спятила? – возмутилась Лидуся.

– Да надоело все до смерти, всю жизнь бьюсь, а что толку, как волка ни корми...

– Значит, плохо кормила, – заволновалась Лидуся.

В ее голове уже выстроилась ясная картина: мать одна, всеми брошенная – значит, надо брать к себе, а это в Лидусины планы не входило. Все комнаты в доме распределены – столовая, гостиная, комната няни, прислуги. Последняя без окна. Мать туда не поселишь, обидится. И няню не засунешь – тут же в профсоюз настучит, здесь с этим запросто. Дом большой, а не развернешься – все спланировано.

В общем, нужно самой в Москву лететь, с папашей, старым козлом, разбираться. Лидуся собралась быстро. Два чемодана своих плюс один – для матери подарки. Хоть порадуется. И дочку с собой взяла – все для бабки утешение. И через три дня в Москве нарисовалась.

Зоя даже не обрадовалась – видеть никого не хотелось, так и лежала бы на диване лицом к стене. А тут – лишние хлопоты. Но деваться некуда. Поднялась, поехала на рынок, притащила неподъемные сумки, встала к плите. Два дня варила, жарила, пекла. На третий поехала в Шереметьево. Лидусю сразу не узнала. Та поправилась и коротко постриглась. Как-то опростилась. Типичная немка. Внучка стояла не мигая и жевала резинку. В глазах ни одной мысли. Круглая, толстая. Ребенок, а живот торчит. В машине Лидуся тарахтела, отца поносила на чем свет. Да и матери досталось.

– Всю жизнь его, козла, поила-кормила, по курортам возила, а теперь, на старости лет, стакан воды подать некому? – Себя Лидуся из этой конструкции исключила заранее.

Зоя отмахивалась – сил не было.

Дома дочь начала метать из чемодана матери тряпки. Зоя покорно мерила, но ничему не радовалась. Не человек – автомат. Снимет, другое наденет и стопочкой на стул кладет.

Зоя накрыла стол в столовой. Лидуся ела за обе щеки, постанывала – соскучилась по холодцам и пирогам. А внучка ничего даже не попробовала. На все Лидусины уговоры отвечала одно – «найн». Лидуся откинулась в кресле, закурила и сказала:

– Надо было ей макарон сварить.

– Какие еще макароны, когда столько еды? – удивилась Зоя.

– А она только их и жрет, – спокойно ответила Лидуся.

К чаю Зоя Николаевна подала торт-суфле с ягодами и взбитыми сливками. Девочка слегка оживилась, деловито взяла ложку и стала снимать с торта верхний слой – суфле, ягоды и взбитые сливки. Лидуся не обратила на это никакого внимания, а Зоя Николаевна поперхнулась и впала в ступор. Потом Лидуся с дочкой пошли спать. А Зоя долго убирала со стола, мыла посуду, потом села на стул на кухне, налила себе чаю и посмотрела на торт – от него остался пустой песочный корж. «Вот это и есть моя жизнь, – подумала Зоя, – кому-то сливки и ягоды, а мне, как всегда, пустой сухой корж». Она горько заплакала, вспоминая Барса и нелегкую свою жизнь. Жизнь прошла, прошелестела, от забот огрубели руки, да что там руки, загрубела душа, сплошные рубцы, с чем осталась? А потом зло разобрало: пусть помучится в хрущобе, на зарплату поживет, почует наконец, что почем в этой жизни.

Утром дом перевернулся вверх дном. Лидуся моталась по квартире с сигаретой и телефонной трубкой – отдавала приказы прислуге, развесила везде свои тряпки, орала на дочку. Немецкая внучка сидела перед телевизором с непроницаемым лицом. Зоя сварила манную кашу, накрошила туда банан и натерла яблоко. Поставила тарелку перед внучкой, а та посмотрела на бабку, как смотрят на сумасшедших. Утром девочка ела чипсы, в обед – макароны, а на ужин – чипсы с макаронами. Зоя была в ужасе, а Лидуся беспечно махнула рукой: «Не бери в голову, мам, они там все такие». Потом Лидуся начала обзванивать московских знакомых – надо же было кому-то продемонстрировать два чемодана нарядов. О своей миротворческой миссии она явно забыла.

Барс позвонил своей любимой и сообщил, что он ушел из дома. Она удивилась и спросила, что теперь будет дальше. Этого он не знал. Он вообще-то не очень умел принимать решения. Этим всегда занималась его бывшая жена Зоя. Вообще-то, надо было бы сказать: «Не волнуйся, любимая, я все устрою и придумаю». А что тут придумаешь с его зарплатой? Предложить временно пожить в машине? Устроиться на другую работу? Да кому он нужен в свои пятьдесят шесть? Панельная хрущевка его возлюбленной с мужем в придачу на две квартиры никак не делилась. Неделю он жил у старого приятеля, но тот предупредил – только неделя, через семь дней приезжает из санатория жена, и жилплощадь нужно освободить.

Хрупкая, но сильная духом учительница в тот же день объяснилась с мужем – жить во лжи ей было невыносимо. Муж, человек интеллигентный, все понял и принял без скандала, полки в холодильнике и в кухонном шкафу поделили. Это – твои, это – мои. Культурные люди. Теперь она спала в комнате с дочкой, а муж занял детскую. Все чинно-благородно.

Подали на развод. Барс теперь жил у другого приятеля, там жена была на месте, но с удовольствием Барса приняла, торжествуя, что тот бросил наконец-то эту наглую торгашку Зойку, которой она в душе всю жизнь завидовала. Встречались Барс и его возлюбленная каждый день, теперь их домом стала машина. Ездили гулять на Воробьевы горы, целовались, как подростки, и он грел своим дыханием тоненькие озябшие пальчики любимой. Все это было мило и очень романтично, но надо было еще и как-то выживать. А этого он делать не умел. Учительница смотрела на него печальными глазами и каждый раз спрашивала: что же дальше?

– Что-нибудь придумаем, – отчаянно врал Барс.

Сколько так могло продолжаться?

Просто Чехов в чистом виде.

Учительница развелась и поделила лицевые счета. Теперь они с бывшим мужем назывались соседями. Можно было позвать Барса жить к себе. Неэтично и неэстетично, но жить-то человеку где-то надо. О размене квартиры Барса с бывшей женой она не упоминала – была благородна. За это он ее и полюбил. Здесь – нежная фиалка, там – ломовая лошадь. Почувствуйте разницу.

Барс собрал чемодан и пришел в ее дом. С бывшим мужем договорились – в семь завтракает он, в восемь – они. Так же с ужином. Установили расписание в ванной. С туалетом расписания не составишь. Хуже всего было в субботу и в воскресенье, когда все терлись друг о дружку задницами. На работе Барса сократили, и любимая устроила его в школу преподавать ОБЖ (основы безопасности жизнедеятельности). Звучит красиво, но предмет самый идиотский — как себя вести в случае атомной войны.

Лидуся в Москве задержалась. В доме общих знакомых встретила своего рокера — и совсем пропала. Теперь он был никакой не рокер, а вполне успешный и респектабельный бизнесмен в строгом костюме и галстуке от Армани. Закрутился сумасшедший роман — они яростно наверстывали упущенное. Возвращаться в Германию Лидуся не собиралась. Написала своему адвокату письмо, чтобы он там все поделил чин-чинарем без нее, Лидуси.

Зоя Николаевна ушла с работы и сидела дома со своей молчаливой внучкой. Отдирала ее от телевизора и читала русские народные сказки. Постепенно у девочки появилось осмысленное выражение лица, и она начала улыбаться. Когда внучка заплакала над «Мертвой царевной», Зоя Николаевна поняла: вот где ее ягоды и взбитые сливки. Ездили в зоопарк, катались на пони, гуляли по Кремлю, а на ночь она ей пела про серенького волчка и подтыкала под ноги одеяло. А однажды утром девочка попросила испечь ей оладьи с яблоками. Так у Зои Николаевны появились внучка, родная душа, и вполне счастливая, помолодевшая, влюбленная дочь.

Барс ушел от учительницы через год после того, как двадцать минут бился в дверь коммунального туалета. Собрался за пятнадцать минут. Учительница стояла лицом к окну и не говорила ни слова. Ей и так все было ясно. Барс завел машину и поехал к Зое. Дверь открыла толстенькая кудрявая девочка в джинсовых шортах и крикнула в глубь квартиры: «Ба, к тебе тут какой-то господин».

Зоя вышла в прихожую в переднике и с поварешкой в руке. Она посмотрела на потрепанного Барса, глубоко вздохнула и сказала внучке:

– Подай деду тапки.

Растерянный Барс стоял в прихожей и глупо и счастливо улыбался.

– Иди мой руки, – сказала ему Зоя, – блины еще горячие.

Барс надел свои клетчатые тапки и сразу почувствовал себя дома.

А летом поехали все вместе на море, в Турцию. Барс с Зоей и внучкой и счастливая Лидуся с бывшим рокером. Большая и счастливая семья. Где все, в общем-то, любили друг друга. Пусть каждый по-своему, кто как умел, но все же любили.

В общем, звание свое – умная женщина – Зоя Николаевна полностью оправдала. С этим не поспоришь.

Долгосрочная аренда

Он делал всегда все так, как ему было удобно. Только ему – ничьи обстоятельства и пожелания никогда не учитывались. А ее и подавно. Как ее всегда это бесило, и как она пыталась с этим бороться! Не выходило ни черта. Домашней киски из нее не получилось, а получился вечный и несостоявшийся борец за справедливость. Подведем итог – конечно же, развод. И развод, надо сказать, случился в то самое время, когда они уже почти совсем выбрались из темной ямы нищеты и можно было наконец попробовать эту жизнь на вкус. Но именно в тот момент, когда он окончательно встал на ноги и смог обеспечивать своей семье вполне достойное существование, именно тогда он абсолютно зарвался. Хамил, требовал, брюзжал. За все эти годы она превратилась в законченную неврастеничку, четко понимая, что ей надо от него спасаться. Вопрос стоял именно так – сохранить свою жизнь. Иначе будет поздно.

– Я пока еще у себя осталась, у тебя уже нет, – сформулировала она свою позицию.

Он удивился, поморщился и бросил:

– Как хочешь, но на райскую жизнь не рассчитывай.

Она звонко рассмеялась:

– Ты меня ни с кем не путаешь? И к тому же память у меня неплохая – помню про пачку пельменей на два дня.

Развелись они быстро, без затей. Это всегда просто, когда ничего не делишь. Ей досталась их старая двушка, купленная родителями к свадьбе, а в новый, тогда еще строящийся дом спустя год он въехал уже с новой женой. Как водится, молодой и длинноногой, с хорошеньким и неживым кукольным личиком.

Свой институтский диплом, где значилась профессия модельера-технолога женского платья, она убрала подальше и стала осваивать новую профессию – ушла в риелторство. Рынок жилья стал набирать обороты, и закрутилось – аренды (кратковременные и долгосрочные), продажи, сделки. Стала зарабатывать. Договорились, что к сыну он будет приезжать раз в неделю, по воскресеньям, с утра. Ей это было совсем неудобно. Воскресенье было единственным днем, когда она могла позволить себе поваляться всласть, не красить глаза, не мыть голову, ходить весь день в халате, с толстым слоем питательного крема на лице. Мальчик ее не будил, он вообще был самостоятельным – сам делал себе бутерброды, наливал сок и садился к компьютеру. В этот день они договаривались друг друга не трогать: не говорить про уроки, не смотреть дневник, не требовать борщ на обед – в общем, не травмировать друг друга. Она мечтала просыпаться к одиннадцати, выпивать в постели кофе, листать накопившиеся за трудную неделю журналы и опять проваливаться в самый сладкий полуденный сон. Не выходило. Он сам назначил время – воскресенье в десять утра. Так ему было удобно. А это значило, что в девять надо было просыпаться, идти в ванную, приводить в порядок волосы, красить глаза, застилать постели, вытирать пыль. Ровно в десять раздавался звонок в дверь – он был крайне пунктуален. Она открывала, и он стоял в проеме – бодрый, гладко

выбритый, пахнущий хорошим одеколоном, с приподнятой левой бровью и, как всегда, готовый обрушить на нее ряд претензий и вопросов. Мальчик, еще совсем сонный, уставший за прошедшую трудную неделю, уже ждал в прихожей, одетый, каждый раз с надеждой в глазах.

– Кофе будешь? – дежурно спрашивала она.

– Завтракал, – коротко бросал он.

– Я тебе не завтракать предлагаю, – усмехалась она.

Он заходил в прихожую и молча наблюдал, как она засовывает сонного сына в куртку. Потом он сухо ей кивал, и они с мальчиком уходили. Программа у них была, как правило, однообразной – зоопарк или киношка с мультиками и «Макдоналдс» на закуску. Она подходила к окну, прижималась к холодному стеклу лбом и видела, как они выходят из подъезда и садятся в машину. Почему-то больно сжималось сердце. Она бестолково ходила по квартире, пила кофе, пыталась что-то разложить по местам, щелкала пультом от телевизора, рассеянно листала журналы. И почему-то совсем не находила себе места. Квартира без сына казалась ей пустой и безжизненной. Эти несколько часов тянулись бесконечно долго. Если они задерживались, она начинала звонить ему на сотовый, а он раздражался и резко отвечал, что не видит причин для беспокойства. Потом он поднимался с сыном на этаж, но из лифта уже не выходил, а она жадно обнимала ребенка, и ей скорее хотелось закрыть дверь в квартиру и остаться с мальчиком наедине. В этот раз бывший муж из лифта вышел и растерянно встал на пороге своей бывшей квартиры. Она начала развязывать мальчику шарф, а он все не уходил и, смущенно усмехаясь, спросил:

– Кофе больше не предлагаешь?

– Да почему же? – удивилась она и кивнула: – Проходи.

Пошла на кухню, включила кофемолку. Он рассеянно заглянул в их бывшую спальню, повертел в руках игрушки в комнате сына и вернулся на кухню.

— Замерз, — смущаясь, объяснил он.

— Не оправдывайся, — откликнулась она.

Он молча пил кофе, курил и, кажется, не торопился, как обычно.

— У тебя что-то не так? — осторожно спросила она.

— У меня многое не так. А у тебя разве нет? — с вызовом спросил он.

— Господи, все ерепенишься, — вздохнула она. — Чем ты сейчас-то недоволен? И бизнес у тебя успешный, и денег полно, и машина — мечта, и жена молодая, а все генерируешь негативную энергию. — Она закурила и с сожалением посмотрела на него.

— Что ты знаешь о моей жизни? — вздохнул он.

— И знать ничего не хочу, ты имеешь то, к чему так сильно стремился. Стремился так отчаянно, как никто. Да и вообще хватит, мы же с тобой договаривались — никаких глубинных тем, только по делу.

— Я не забыл, — резко сказал он и добавил: — А ты изменилась. Спасибо за кофе.

— Это жизнь изменилась, — пожала плечами она.

Он вышел в коридор, надел пальто, крикнул сыну «пока» и хлопнул дверью. Она еще долго сидела на кухне и повторяла про себя: «Все правильно, точно правильно. При чем тут любовь? Вот сейчас еще раз мордой об стол — убедилась?»

И еще он ей долго не простит своей минутной слабости, и те отношения, которые она тщательно выстраивала четыре года, хотя бы похожие на человеческие, та хрупкая и тончайшая грань и черта, вдоль которой они шли осторожно, как по проволоке, опять грозила лопнуть и исчезнуть, перейти в привычную когда-то плоскость взаимных укоров, претензий и обид. «Ну нет, этого я никак не допущу, — грозно пообещала она самой себе. — И ему не позволю». Потом, уже немного успокоившись, она зашла в комнату к сыну — тот прилип к монитору.

– Новая игра, мам! Папа купил, – смущенно, скороговоркой пробормотал мальчик.

Она поцеловала его в жесткую макушку и спросила:

– Обедать будешь?

– Нет, мы поели, мам.

– Опять эти чудовищные булки с котлетой, – вздохнула она.

– Угу, – кивнул мальчик.

– И тебе не до меня, – грустно подытожила она.

Потом она пошла в спальню и закуталась в одеяло – плотно, подоткнув края под себя, – детская привычка. «Надо постараться заснуть – у меня будет тяжелая неделя. Я не позволю ему опять вторгаться на мою территорию. Слишком дорого я заплатила за свой покой. Я не должна жалеть его и думать о нем. За что его-то жалеть? Впору пожалеть себя – одинокая, разведенная и, увы, немолодая женщина».

Он ехал за город на своей распрекрасной машине (господи, если бы мальчишкой он мог себе это представить), ехал в свой красивый и добротный дом, к молодой и длинноногой жене, и не было человека несчастнее его.

«Все нормально, все о'кей, – убеждал он себя. – Я все еще молод, здоров, ну у кого не бывает проблем? Все разрешится, все ерунда». Он лукавил – проблемы были о-го-го какие серьезные. И конечно же, он отчетливо представлял, чем все это может обернуться. А может, пронесет, как бывало не один раз? И еще он ненавидел себя за слабость перед той женщиной. Вот перед ней он не может оказаться неудачником. Не имеет права. Перед ней – нет, а перед своей нынешней женой? Тем более – нет. Он рассмеялся, она и полюбила его за то, что он богатый и сильный, а та – та его за это разлюбила. Вот так. Он въехал в поселок, и перед ним услужливо поднялся шлагбаум. Пультом он открыл тяжелые чугунные ворота и увидел свой дом во всей красе – светлые бежевые стены, поперечные темные балки, черепичную терракотовую крышу, молодые пушистые сосны и изумрудную яркую лужайку – даже зимой. На минуту замер и залюбовался всем этим. Это был дом его мечты. Он сам его придумал, предусмотрел все мелочи. Ему казалось, что он должен быть в нем счастлив. Он так на это рассчитывал. В кармане пальто заверещал телефон. Номер звонившего был засекречен, но он знал, кто звонит.

– Тебе дали неделю на все, – тихо и внятно напомнил голос. – Ты не уложился. Теперь догадайся, что дальше. Чего молчишь?

Он не отвечал. Есть еще два дня, нет, уже полтора, но он понимал, что вряд ли что-либо изменится. Он уже сделал все что мог, или, вернее, чего не смог.

Спокойным и приятным мужским баритоном трубка продолжала:

– Долг придется отдавать. Понимаю, не хочется. Так что готовь документы. Во вторник приедем с нотариусом. Будешь подписывать.

– А если нет? – глупо спросил он.

– Не дури, – посоветовал баритон, – подумай о том, что в жизни дороже денег.

– Философ, блин! – Он нажал на «отбой» и шваркнул телефон на сиденье.

Минут через двадцать он вышел из машины и зашел в дом. Там громко работал телевизор. Молодая жена лежала на диване и ела виноград.

– Привет, – бросила она.

Он кивнул и поднялся на второй этаж, в свой кабинет. С лестницы крикнул:

– Сделай потише!

Жена не услышала. Он сел за стол и стал просматривать бумаги. Ничего нельзя сделать. Ничего. Таких денег он достать не смог. Ни дом, ни машина ничего не покрывали. За все приходится платить. За все ошибки. Готов он к этому или не готов, а деваться некуда. На него навалились дикая усталость и тоска, поразила мысль о том, что он сам хочет, чтобы все поскорее закончилось. Это потом он будет думать о том, как жить дальше. Только бы на это все остались силы. И еще он подумал, что сейчас надо спуститься и объясниться с женой. Это показалось ему самым невыносимым.

Телевизор продолжал греметь на весь дом, он взял пульт и выключил его. Жена оскорбленно вскочила с дивана.

– Слушай, детка, нужно серьезно поговорить, – начал он.

– Для начала тебе надо научиться уважать меня, – с пафосом произнесла она.

У него едва не вырвалось: «За что?» Он кашлянул и, глядя в окно, начал:

– Дело в том, что, ну, в общем, так повернулось – я потерял бизнес. – Он замолчал, не зная, что говорить дальше. – Наступают нелегкие времена, и жизнь наша должна в корне измениться.

– Что это значит? – Она испуганно смотрела на него.

– Это значит, что я остаюсь не у дел и все наши привычки должны измениться коренным образом. Весь наш образ жизни. Я, конечно, что-нибудь придумаю, по-другому и быть не может, а пока... – говорил он уже четко и почти уверенно.

– Что значит – «пока»? А дом, а машина, а прислуга? – хрипло запричитала жена.

– В жизни все случается, – как можно мягче произнес он. – Значит, пока все будет по-другому. Ты же не всегда жила в этом доме, и у тебя не всегда была прислуга.

– Но я привыкла к этому, ты меня к этому приучил, я уже не смогу по-другому. – Она начала плакать, и он уже почти пожалел ее. – Не навсегда, а на сколько? – опять закричала она. – Мои годы бегут, кому я скоро буду нужна? Ты обманул меня!

Он подумал: бедная девочка, когда-то она была действительно бедной, из простой рабочей семьи, где считали каждую копейку и каждый кусок, где на месяц покупалась пара колготок, а куртка и сапоги донашивались за старшей сестрой. Она так старалась вылезти из этого дерьма, а он жестоко предлагает ей туда вернуться. И он опять почувствовал себя виноватым.

– А дом? Дом записан на меня, – вспомнив, взвизгнула она. – Ты думаешь, я добровольно тебе это отдам? А моя машина? За то, что ты там что-то не просчитал, прокололся, да просто просрал, – за это что, должна платить я? Меня отсюда вынесут только вперед ногами!

– Вынесут, не сомневайся, – кивнул он. А потом чему-то удивился и тихо добавил: – Но ты же моя жена!

– А ты мой муж, и ты обязан сделать так, чтобы я ни в чем не нуждалась. – У нее была своя железная логика.

Он сел в кресло, снял очки, потер пальцами переносицу и устало повторил:

– Дом придется продать, детка. И машину купить попроще.

– А жить, где мы будем жить, на вокзале? – рыдала она.

– Зачем же так, в городе есть квартира, – напомнил он.

– Ты предлагаешь мне жить с твоей мамашей в трешке с восьмиметровой кухней? – У нее началась истерика.

Он надел куртку и вышел во двор. На скамейках и дорожках лежал первый мелкий и сухой снег. Возвышались синеватые елки, над ними простиралось прозрачное голубое небо. Он глубоко вздохнул, нагнулся, взял в ладони снег и растер им лицо.

Это даже хорошо, что все так сразу определилось. Хотя, что душой кривить, на другое он и не рассчитывал. Почти. Если уж признаться до конца себе самому. Почему-то на душе стало легче. Гораздо легче, чем всю предыдущую неделю, пока он ждал, боялся, дергался, просчитывал, надеялся на чудо, наконец. «Все-таки ясность и отсутствие иллюзий – большое дело», – подумал он.

Потом он вывел машину за ворота и впервые понял, что ему некуда ехать. Нет, конечно, была мама и ее уютная старая

квартира, где он вырос и помнил каждую трещинку на потолке, где его всегда ждут с тарелкой грибного супа и рады ему любому – пьяному, трезвому, развеселому, печальному, уставшему, больному и здоровому.

Дом, где не будет дурацких и просто лишних вопросов, где его укроют теплым старым пледом и принесут крепкий сладкий чай с лимоном. А он? Имеет ли он право нести в дом к своей немолодой и нездоровой матери себя такого? После чего будут ее бессонные ночи, тихие слезы, валокордин и трясущиеся, усыпанные старческой «гречкой» усталые руки.

Имелись еще друзья, из тех, прежних, молодых и беспечных лет, не слишком удачливые, слегка потрепанные и потерявшиеся в этом жестоком мире, у которых было полно своих нудных и неразрешенных проблем. Наверное, они немного завидовали ему прежнему – успешному и респектабельному, с молодой красавицей женой. С ними он вообще как-то разошелся в последние годы – слишком разные жизни, слишком разные проблемы. Они решали свои – как достроить дощатый дом на шести сотках и поменять восьмилетние «Жигули», а он выбирал острова для отдыха и строил на даче теннисный корт. Да и его молодой жене не о чем было говорить с «этими старыми квочками». Она собирала свой круг, где все были из новой, благополучной и хорошо пахнущей жизни. И это его, в общем-то, устраивало. Или, скорее всего, так – ему было все равно. Новые приятели? Ну, это вообще бред. Доставить им такое удовольствие! Он усмехнулся. Оставалась гостиница, какая-нибудь тихая, семейная, за городом, где он постарается прийти в себя и отоспаться наконец за все эти безумные недели. И только после подумает о том, как ему жить дальше. Зазвонил мобильный. Он почему-то решил, что это жена, и подумал, что отвечать не будет. Но на дисплее высветился незнакомый номер.

– Это я. – Он не сразу узнал мать своего сына. – Я звоню из больницы! Мальчику плохо, я не знаю, что делать! – почти плакала она. А потом обессиленным голосом тихо спросила: – Ты приедешь?

– Адрес! – крикнул он и резко развернул машину в сторону города.

Всхлипывая, скороговоркой, она назвала ему адрес. Небо затянули низкие серые облака, и пошел мелкий колючий дождь вперемешку со снегом. Он гнал машину, быстро работали «дворники», и приговаривал: «Господи, беда не приходит одна! Воистину!» О жестокая мудрость поговорок! Хотя какие там беды по сравнению с той, что в больнице сейчас был его сын. В приемном покое он сразу увидел ее – простоволосую, зареванную, с опухшим лицом.

Он прижал ее к себе и стал гладить по волосам.

– Успокойся, ну возьми себя в руки, что с ним? – растерянно бормотал он.

Она запричитала:

– Хирургия, хирургия, наверное, сильные боли в животе, там врачи, они решают, что делать.

И она опять громко, в голос, разревелась. Он рванул в кабинет. Там на коричневой клеенчатой кушетке лежал его мальчик – с искаженным от боли и абсолютно белым лицом.

– Сынок! – крикнул он срывающимся на фальцет голосом. – Я здесь!

– Вижу, пап, спасибо, – почти простонал его воспитанный ребенок.

Тут подскочила медсестра и стала громко верещать:

– Папаша, покиньте кабинет!

Он резко стал требовать врача. Через пару минут вышел высокий и очень молодой врач и, смущенно поправляя очки на длинном носу, пытался объяснить, что нет ничего страшного и, скорее всего, это банальный аппендицит, что, конечно, редкость в этом столь юном возрасте, но и такое бывает. Сейчас мальчика повезут на УЗИ, а потом в оперблок, и через пару часов все будет в полном порядке.

Он схватил врача за руку и тихо спросил:

– Вы меня не обманываете? Вы говорите правду?

Врач покраснел и выдернул свою руку, а потом строго сказал:

– Держите себя в рамках. Я все понимаю, но вас много, а мне еще нужно работать.

Он смутился, часто закивал и крикнул доктору уже вслед:

– Спасибо!

Потом они увидели, как их мальчика на каталке повезли в отделение. Он слабо махнул им рукой. Они сели на жесткую кушетку рядом и притихли. Время тянулось бесконечно. Казалось, что минуты превратились в часы, а часы в сутки. Она начала сбивчиво ему рассказывать, как у мальчика заболел живот, а потом его вырвало, и он стал плакать от боли. Она то повторяла это снова, то опять начинала плакать. Он крепко сжимал ее руку. Когда появился врач, оба вскочили с кушетки и бросились к нему.

– Все нормально, все прошло удачно. Сегодня вас туда не пустят, а завтра, скорее всего, да. – Он развернулся и, не прощаясь, устало пошел обратно в отделение.

– Как он? – почти хором выкрикнули они.

Врач опять повернулся к ним и удивленно сказал:

– Все хорошо, вы что, не поняли?

Она уткнулась бывшему мужу в плечо:

– Я не уйду отсюда, никуда не уйду.

– Это глупость, – объяснял он терпеливо. Он умел взять себя в руки. – Как ты будешь здесь всю ночь? Ты только измучишь себя. Тебе надо выспаться, чтобы завтра быть в форме. Я отвезу тебя домой, а завтра заберу и привезу сюда.

Она плакала и кивала. Он надел на нее пальто, и она покорно пошла за ним. В машине они молчали. У дома она кивнула ему:

– Спасибо!

– За что, дурочка ты, – удивился он. – Иди, завтра я в девять у тебя.

Он ехал в гостиницу, думая о том, какая это все ерунда, все его ничтожные дела. Все это чушь и тлен. Важно только одно – чтобы у мальчика сейчас было все нормально. Вдруг он понял, что страшно голоден, и увидел перед собой «Макдоналдс», который так любил его сын. Он зашел туда и заказал два самых больших бургера, две картошки, пирожок и колу. Раньше он никогда не ел эту еду. Сейчас она показалась ему восхитительной. Такого удовольствия он не получал даже, кажется, от устриц.

Она зашла в квартиру и везде включила свет. Дом без мальчика казался чужим и враждебным. Потом она долго стояла под горячим душем, выпила чаю и легла в кровать. «Боже, – подумала она, – сколько прошло лет, сколько боли и слез, сколько обид и претензий друг к другу, у него совершенно другая, параллельная жизнь! А я все еще люблю его, как глупо и нелепо, наконец. Ведь мне уже тридцать семь, а я и думать не могу ни о ком другом. Разве не пробовала? Идиотка, дура набитая! Сама сбежала. А разве можно было так жить? С этим эгоистом, упрямцем, принимающим только свое мнение и свою точку зрения. Жестким и жестоким порой. Таким чужим и таким родным».

Потом она вспомнила свои романы – дурацкие и короткие, которые заканчивались всегда только по ее вине, потому что никто и никогда так и не сумел занять его место. Она вставала, бродила по квартире, опять пила чай, сидела в комнате сына, а потом усталость все же свалила ее, и под утро она уснула.

Он приехал в маленькую знакомую гостиницу за городом, попросил чаю, посмотрел новости и решил, что надо быстро уснуть – завтра тяжелый день. У него получилось – заснул он почти сразу. Утром, когда он подъехал к ее дому, она уже стояла у подъезда – сосредоточенная, бледная, с плотно сжатыми губами. До больницы доехали молча, а там она опять заметалась, и он пошел искать палатного врача. Врач строго сказал,

что пустит одну мать, да и то ненадолго. Она была счастлива и этому.

– Езжай, у тебя ведь дела, – уговаривала она. – А я посижу здесь, пока не выгонят.

– Я не уеду, – отрезал он.

Она удивилась, пожала плечами. Разве он мог объяснить ей, что ехать ему некуда и не к кому, да даже и не в этом дело. Просто он четко понимал, что его место сейчас здесь, рядом с ней и сыном. От мальчика она вышла спустя час, успокоенная и даже чуть улыбнулась ему.

– С ним все в порядке, он заснул. Уже завтра его можно будет покормить – кашу, тертое яблоко, – объяснила она. – Поедем? – Она дотронулась до его руки.

– Тебя домой? – спросил он.

– Только не домой, там я сойду с ума. Выкинь меня где-нибудь в центре. Пошатаюсь по улицам, зайду в магазин, только бы не быть дома одной.

– Возьми меня с собой, – тихо попросил он.

– У тебя что-то случилось? Что-то серьезное? Не лги, я же чувствую, я тебя знаю. Можешь не говорить ничего, только скажи, что я права и что это не опасно для жизни.

Он внимательно посмотрел на нее, раздумывая несколько минут, а потом кивнул и четко произнес:

– Случилось. Моей жизни ничто не угрожает. Это не опасно. – И добавил: – А может, даже и наоборот.

– Что – «наоборот»? – не поняла она.

– Не опасно, а, скорее всего, полезно, – усмехнулся он.

– Так бывает? – удивилась она.

– А я и сам не предполагал, но бывает, – кивнул он.

Они прошли всю длинную Тверскую пешком, зашли в книжный, что-то обсуждая, купили книги, потом еще альбом и фломастеры мальчику. Потом, проголодавшись, ели горячую пиццу с тягучим и острым сыром, долго пили кофе за столиком у окна. А к вечеру, когда они подъехали к ее дому, она сказала ему: «Спасибо тебе за все» – и, не прощаясь, вышла из машины. Он постоял еще минут двадцать у подъезда, посмотрел, как зажглись окна в ее квартире, развернулся и поехал за город, в свое временное пристанище.

На следующий день он встречался с теми людьми, номер которых не определялся на мобильнике и которые определили его судьбу. Все произошло быстро и просто. Это создавать и созидать было невыносимо долго и трудно, а потерять оказалось неправдоподобно легко. Всего пару часов. Вечером он поехал в больницу и передал мальчику книгу – последнего «Гарри Поттера». В палату его уже не пустили. Он позвонил ей, и она долго и подробно рассказывала ему о сыне – о том, что он говорил, сколько спал и что съел на обед. Он слушал и улыбался.

– Послезавтра, даст бог, выпишут. Ты нас заберешь? – спросила она.

– Это не обсуждается, – ответил он.

Накануне выписки она долго и тщательно прибирала квартиру, сварила курицу и клюквенный кисель для мальчика. Утром надела лучший выходной свитер и легкие, не по погоде, сапоги на высоком каблуке.

Он ждал ее внизу в машине. Она села и увидела букет ее любимых тюльпанов – желтых и фиолетовых.

– Это мне? – удивилась она.

Он кивнул:

– У нас же сегодня праздник.

Она промолчала. Мальчик вышел бледный и похудевший. Увидев их рядом, он счастливо разулыбался и взял обоих за руки. В машине он не умолкал ни на минуту, рассказывая о том, как он хочет есть, как соскучился по своей комнате и по компьютеру и даже по своей кровати с Микки-Маусами. Потом он рассказывал про врачей – кто добрый, а кто злой, про новообретенных больничных приятелей и про «вредные и болючие уколы». У дома он спросил отца с надеждой:

– Пап, ты зайдешь?

– А куда я денусь, – смущенно сказал отец.

– Я покажу тебе новые рисунки, – обрадовался мальчик.

Дома они съели курицу, выпили чаю, и он ушел с сыном в его комнату. Она осталась на кухне. Когда он стал надевать в коридоре пальто, сын еще что-то возбужденно щебетал, крутясь возле него. Она вышла в коридор и попросила сына оставить их наедине. Мальчик ушел к себе, плотно закрыв в комнате дверь.

– Тебе некуда идти? – тихо спросила она.

Он молчал.

– Хочешь, оставайся, я лягу в детской.

Он отрицательно покачал головой и вышел из квартиры. Она закрыла за ним дверь и бессильно прислонилась к ней спиной. Зачем, зачем она это сказала, какой бред, бредовее ситуацию и представить невозможно. Стыдно как, господи, и нелепо. Что ты себе придумала, старая дура, что уже успела насочинять?

Она ушла к себе в комнату и, не раздеваясь, легла на кровать. От усталости за все эти дни она быстро уснула, и разбудил ее звонок в дверь. Посмотрела на часы – было около часа ночи. Она быстро вскочила и испуганно бросилась к двери, в глазок увидела его. Несколько секунд она стояла у двери – бешено стучало сердце. Потом открыла. Он долго смотрел на нее, а потом смущенно кашлянул и спросил:

– Приглашение еще в силе? В смысле предоставления спального места?

– Рассматривается только долгосрочная аренда, – отозвалась она и пропустила его в коридор.

Алик

Соседей, как и родственников, не выбирают. Хотя нет, не так. С несимпатичными родственниками ты можешь позволить себе не общаться, а вот с соседями – хочешь не хочешь, а приходится, если только совсем дело не дойдет до откровенного конфликта. Но мы же интеллигентные люди. Или пытаемся ими быть. Или хотя бы казаться. Да еще есть такие соседи, от которых никуда не деться. В смысле, не спрятаться. Особенно если вы соседи по даче, участки по восемь соток и у вас один общий забор. В общем, секс для бедных.

Хозяин дома, Виктор Сергеевич, отставник, человек суровый и прямой, был категоричен и считал, что с соседями точно не подфартило. А вот его супруга Евгения Семеновна, женщина тихая и интеллигентная, учительница музыки, была более терпима и к тому же жалостлива, впрочем, как почти любая женщина.

Теперь о том, кого она жалела.

Соседская семья состояла из четырех человек: собственно хозяйка, глава семьи и рулевой Клара Борисовна Брудно, мать двоих детей и женщина практически разведенная, но об этом позже; двое ее детей – сын Алик и дочка Инка; и престарелая мать, Фаина. Без отчества. Просто Фаина.

Теперь подробности. Клара была женщиной своеобразной. Крупной. Яркой. Шумной. Все это мягко говоря. Если ближе к реалиям – то не просто крупной, а откровенной толстухой. Объемным было все – плечи, руки, грудь (о да-а!), бедра, ноги, живот. Все – с излишком. Яркой – да, это правда. Лицо ее было преувеличенно рельефным – большие, темные, навыкате глаза, густые брови, мощный, широкий нос и крупные, слегка вывернутые губы. Все это буйство и великолепие обрамляли вьющиеся мелким бесом темные и пышные волосы, которые Клара закручивала в витиеватую и объемную башню. Дополнялось все это яркой бордовой помадой и тяжелыми «цыганскими» золотыми серьгами в ушах. Полные руки с коротко остриженными ногтями, на которых толстым и неровным слоем лежал облупившийся лак. Одевалась она тоже – будьте любезны: в жару тонкое нижнее трико по колено, розовый атласный лифчик, сшитый на заказ (такие объемы советская промышленность предпочитала не замечать), а поверх всего этого надевался длинный фартук с карманом. Если спереди вид был куда-никуда, то когда Клара поворачивалась задом... Картинка не для слабонервных.

Хозяйка она была еще та – к мытью посуды приступала, только когда заканчивалась последняя чистая тарелка или вилка. А обед она готовила так: в большую, литров шесть, кастрюлю опускала кости, купленные в кулинарии по двадцать пять копеек за кило. Это были даже не кости, а большие и страшные мослы, освобожденные от мяса почти до блеска. Они вываривались часа три-четыре, потом щедрой рукой Клара кидала в чан крупно наструганные бруски картошки, свеклы, моркови и лука. В довершение в это гастрономическое извращение всыпалась любая крупа: гречка, пшено, рис – все, что оказывалось в данный момент под рукой.

Этот кулинарный шедевр Клара называла обедом. Готовился он, естественно, на неделю. То же страшноватое варево предлагалось заодно и на ужин. Хлеб, правда, что на обед, что на ужин, резался щедро, крупными ломтями – батон белого и буханка черного.

По выходным (читай, праздник) делалась немыслимая по размеру яичница – праздник для детей, но и это нехитрое блюдо Клара умудрялась испортить, добавляя туда отварную картошку и вермишель. Хотя понять ее было можно – все постоянно хотели есть, особенно старая Фаина. Фаина эта вообще была штучка – крошечная, сухонькая, с тощей седой косицей, в которую непременно вплеталась сеченная по краям мятая атласная ленточка грязно-розового цвета, тоже видавшая виды. Считалось, что Фаина занимается огородом – Клара ее называла Мичуриным. Действительно, она маячила на участке весь световой день – что-то перепалывала, рыхлила, пересаживала. Не росло ничего. Даже элементарный лук вырастить не получалось, не говоря об огурцах, редиске и прочем. Потом она додумалась удобрять свое хозяйство отходами человеческого организма, помешивая весь этот ужас длинной палкой в старой жестяной бочке. Но тут не выдержала даже спокойная Евгения Семеновна и попросила прекратить эти опыты. Примерно в час дня Фаина взывала к совести дочери и требовала обед.

Клара громко возмущалась:

– Такая тощая, а столько жрешь!

Фаина оправдывалась:

– Я же занимаюсь физическим трудом.

– Ха! – громогласно, участков эдак на пять, восклицала Клара. – А где результат твоего труда?

Домочадцев она называла иждивенцами, правда, о каждом говорила с разной интонацией. О Фаине – с легким презрением и пренебрежением, о сыне Алике – гневно и почти с ненавистью, а о дочке Инне – с легкой и нежной иронией.

Инну, довольно хорошенькую, молчаливую и туповатую кудрявую толстушку, Клара обожала, это была ее единственная и ярая страсть. На улицу, где шла вольная жизнь местных детей, девочка выходила молча, бочком, на велосипеде не каталась, в салки и казаки-разбойники не играла, тихо посапывая, сидела на бревне и жевала горбушки, распиханные по многочисленным карманам грязноватого сарафана. Брата ее Алика тоже всерьез особо не принимали – тощий, носатый, с вечными соплями, хлюпающий ханурик в сатиновых трусах. Ни толку от него, ни проку. Но его жалели, не гнали и, всегда неохотно вздыхая, брали в игру. Клару, конечно же, осуждали. Два родных ребенка – и такая разница в отношении! Допустим, бывают у матери любимчики, хотя это странно, но факт – бывают. Но чтобы одного ребенка так откровенно, не стесняясь, лелеять, а второго, мягко говоря, не замечать! Впрочем, все они там были с большими прибабахами.

– Иннуся! – сладким голосом кричала Клара, стоя на крыльце подбоченясь.

– Чего? – не сразу откликалась дочь.

– Иди, солнышко, кофе пить, – ворковала Клара.

Конечно, это был не кофе – кофе был им просто не по карману, – а какое-то пойло, дешевый напиток, но к нему полагались пряники или овсяное печенье, немыслимые лакомства, доставашиеся из глубоких и никому не ведомых Клариных тайников. Клара и дочка усаживались на веранде и начинали пировать. Фаина сидела на грядках и водила носом – ее на эти пиршества не приглашали, а Алика и подавно. Евгения Семеновна не выдерживала, подходила к общему забору и тихо выговаривала Кларе – за мать, за Алика. Клара не обижалась, а отвечала спокойно:

– Что вы, Евгения Семеновна, Фаине кофе вредно, спать ночью не будет. А этот малахольный и так по ночам ссытся – это в тринадцать-то лет! Ну их! – махала рукой Клара, облизывая крошки с толстых, накрашенных губ.

Евгения Семеновна качала головой и Клару осуждала:

– Ведь он тоже ваш сын, Клара, а как приемыш, ей-богу.

– Ох, – вздыхала Клара, закатывая глаза, – вы же знаете, Евгения Семеновна, Алик у меня от этого изверга (так обозначался первый Кларин муж). Такой же шаромыжник растет, как его отец. Ни тпру, ни ну. Нахлебалась я с ним – во! – Клара проводила рукой по горлу. – Ну, сами знаете, – деловито добавляла она. – Не жизнь была – пыточная камера. А Иннуся, – взгляд ее влажнел и останавливался, – знаете ведь, от любимого человека. И это большая разница! – Клара назидательно поднимала похожий на сардельку указательный палец.

– Бросьте, Клара, – сердилась Евгения Семеновна, – дети тут ни при чем. Сначала рожаете от кого попало, а потом свои обиды и комплексы на них вымещаете.

Клара тяжело вздыхала – соглашаться ей уже надоело, это было не в ее характере. Тогда она укоряла соседку.

– Вы, Евгения Семеновна, пе-да-гог, – произносила она по слогам. – У вас все по науке, а жизнь – это жизнь. – И, не выдерживая, начинала хамить: – Да и что вы в этом смыслите! Своих-то у вас нет! – И, развернувшись, чувствуя себя при этом победительницей и единственно правой, она с достоинством удалялась от забора, демонстрируя несвежее фиолетовое трико.

Евгения Семеновна расстраивалась, даже плакала – от обиды и хамства. Уходила в дом и переживала, долго, до вечера. Муж ее ругал:

– Куда ты лезешь! Дура ты, а не она! Нашла с кем связываться – с этой непробиваемой хамкой и торгашкой. Удивительно, – кипятился он, – ну, ничему тебя жизнь не учит. Сиди на участке и не лезь в чужие жизни.

– Мне ребенка жалко! – всхлипывая, оправдывалась Евгения Семеновна.

– Заведи себе кота, – резко бросал муж и хлопал дверью.

Прожив долгую жизнь, внутренне они так и не смирились со своей бездетностью. Дернул же черт Евгению Семеновну тогда, зимой 79-го, в страшенный мороз и гололед, будучи на шестом месяце, отправиться с подругой в кино. Идти не хотелось, но, как всегда, было трудно отказаться. Упала она почти у подъезда – страшно ударилась затылком, так что не спасла отлетевшая в сугроб песцовая шапка. Потеряла сознание, и сколько пролежала она на льду, одному богу известно. У нее было сотрясение мозга, ночью начались боли и рвота. Ребенка она потеряла. Как следствие – сильнейший стресс, депрессия, жить тогда вообще не хотелось. Вылезала из этого годами, с невероятным трудом. Усугубляло еще и страшное чувство вины – перед младенцем, а главное, перед мужем. Забеременеть ей так больше и не удалось – сколько ни старалась, ни лечилась. Чувствовала, что муж ее так и не простил, хотя сказал всего одну фразу: «Эх, Женя, Женя...»

К сорока годам, поняв окончательно, что борьба бессмысленна, робко заговорила с мужем о возможности взять младенца в детском доме. Он тяжело посмотрел на нее и сказал:

– Нет, Женя, чужого не полюблю. – И добавил: – Раньше думать надо было.

Тогда она еще раз убедилась – не простил. Значит, не простит никогда. Жизнь была ей тягостна и порой невыносима – к чудовищной, неустанной боли прочно приклеилось чувство неизбывной вины. И каждый раз, глядя на небрежное Кларино материнство, она думала о вселенской несправедливости – такой, как *эта*, Бог дал двоих, а ей – ни одного. За что, Господи, за один необдуманный шаг, даже не за проступок, – и такая кара, такая непосильная плата. Ах, какой бы она могла быть матерью!

Бездетные женщины обычно испытывают к чужим отпрыскам либо полное безразличие и неприятие, либо глубокую и тщательно скрываемую нежность и жалость.

Евгения Семеновна жалела неприкаянного Клариного сына Алика, переживая и яростную обиду, и тихую скорбь, и непреодолимое желание обогреть, накормить и просто обнять, прижать к своему изболевшемуся сердцу. Пару раз, в бессонницу, ей приходила в голову дикая мысль – забрать Алика у Клары. В том, что та легко откажется от него, Евгения Семеновна практически не сомневалась. Мысленно она выстраивала свои долгие монологи, переходящие в не менее долгие диалоги с Кларой. Монологи ей казались убедительными, основанными на убежденности в Кларином благоразумии. Аргументы были бесспорны: «Ты одна, бедствуешь, двоих тебе не поднять. Рвешься, бедная, бьешься. А мы – обеспеченные люди: прекрасная квартира в центре, машина, дача; да-да, конечно, у тебя тоже, но ты все же не равняй кирпичный дом с печкой и душем и твою, прости, Клара, развалюху. А образование? У Алика, между прочим, прекрасный слух. Музыканта, конечно, из него не выйдет, поздновато, а так, для общего образования... И библиотека у нас прекрасная. И у него будет отдельная комната».

Словом, все «за». Евгения Семеновна представляла удивленное Кларино лицо. Скорее всего, она не согласится сразу, нет, конечно, Клара расчетлива и примитивно хитра. Наверняка сначала схамит – типа, в своем ли вы уме, Евгения Семеновна? А потом придет в себя, подумает, прикинет выгоду от этого предприятия и наверняка согласится.

На самый крайний случай у Евгении Семеновны имелся последний довод склонить соседку на сделку – старинная наследная брошь, даже не брошь, а какой-то орден, что ли, в общем, звезда, острые лучи которой были плотно усеяны разной величины бриллиантами, а в середине располагался довольно крупный кровавый рубин. Звезду эту перед смертью ей сунула тетушка, сестра матери, за которой Евгения Семеновна ходила последние три года перед ее смертью. От мужа она этот подарок утаила, и из-за этого тоже умудрялась страдать. Но силь-

нее оказалась постоянно точившая мысль, что в конце концов, по всей логике, он все же ее бросит, уйдет, заведет себе ребенка на стороне, непременно уйдет. А эта цацка – все же кусок хлеба на черный день, на одинокую старость. Вполне себе оправдание. Теперь она думала, что предложит Кларе эту самую звезду, та, конечно, не сможет отказаться – такое богатство! Инночкино приданое.

Но после этих изнуряющих монологов Евгения Семеновна понимала, что без мужниного слова начинать беседу с Кларой невозможно. Пыталась завлечь Алика в дом – не только из корыстных целей, а в первую очередь из жалости. Звала его, он заходил – боком, потупив взор: тощий, взъерошенный, грязный, нелепый. Она его сажала на кухне и кормила бутербродами с дефицитной сухой колбасой, щедро сыпала в вазочку шоколадные конфеты, и сердце ее сладко замирало, когда этот, в сущности, неприятный чужой ребенок, вытирая мокрый нос тыльной стороной грязной, с нестрижеными ногтями, руки, жадно глотал куски, неловко разворачивал конфеты, нечаянно проливал чай, тихо говорил «спасибо» и пятился к двери.

– Алик! – кричала она ему вслед. – Завтра заходи непременно!

Еще больше смущаясь и мучительно краснея, он кивал, своим худым телом почти просачивался в узкую щель калитки – и убегал на свободу.

Она пыталась заводить разговор с мужем издалека, подобострастно спрашивая:

– Чудный мальчишка, правда?

Муж поднимал на нее глаза, несколько минут молча смотрел и, тяжело вздыхая, говорил:

– Займись чем-нибудь, Женя. Полезным трудом, что ли. Или иди почитай. – И, помолчав, добавлял: – Не приваживай его, Женя, это неправильно. Там семья и там своя жизнь. Это все не нашего ума дело. И не придумывай себе ничего. –

Он резко вставал из-за стола и бросал ей: – А парень, кстати, действительно малахольный, эта дура Клара права. Дикий какой-то и грязный, – заключал он, брезгливо сморщившись.

Евгения Семеновна поняла, что ничего из ее затеи не выйдет. Никогда, никогда муж не согласится взять Алика. И чутье ей подсказывало: «Даже не вздумай начинать с ним этот дурацкий разговор. Из дур потом до конца жизни не вылезешь». Муж был человек резкий и без церемоний. В общем, затею эту она оставила и думать об этом себе запретила – еще одна зарубка на сердце. Мало их, что ли? Подумаешь, еще одна. Оставалось только по-воровски, в отсутствие мужа, зазывать Алика на чай. И мысленно голубить его, стесняясь своих чувств, – дотронуться до него она не решалась.

А у соседей разгорались очередные страсти. Обычно за лето два-три раза наезжал бывший Кларин муж, отец Алика. Клара называла его хануриком. Он и вправду был ханурик – тощий, носатый, с тревожным взглядом бегающих глаз, с тонкими, какими-то острыми пальцами, теребящими угол рубашки или брючный ремень. Приезжал он скорее к Кларе, чем к Алику. Алик его тоже особенно не интересовал, а Клару он продолжал страстно обожать – и это было видно невооруженным глазом. От станции он шел быстро, вприпрыжку, задирая ноги в растоптанных коричневых сандалиях. В правой руке держал видавший виды дешевый дерматиновый портфель, а в левой торжественно нес картонную коробку с бисквитным тортом – Клара обожала сладкое. Ни о каком подарке сыну – ни о самой дешевой пластмассовой машинке, ни о паре клетчатых ковбоек, ни о новых брюках – речи не было, ему это и в голову не приходило. Ехал он повидаться с любовью всей своей жизни, коварно ему изменившей когда-то с его же начальником. Он долго маялся у калитки, не решаясь войти, и, покашливая от волнения, срывающимся на фальцет голосом жалобно вскрикивал: «Клара, Клара!»

Клара не слышала – она была в доме, варила обед. На участке копошилась Фаина, на крики бывшего зятя особо не реагируя. Спустя примерно полчаса она поднимала голову и спрашивала недоуменно:

– Чего орешь?

– Фаина Матвеевна, – жалобно просил он, – позовите, пожалуйста, Кларочку.

Фаина распрямлялась, не спеша терла затекшую спину, еще минут десять думала, а стоит ли вообще реагировать на просьбу этого товарища, и, повздыхав, медленно направлялась к дому позвать дочь. Клара возникала на крыльце – гордый вид, руки в боки.

– Ну, – кричала она с крыльца, – что приперся? Чего надо?

– Кларочка, можно зайти? – заискивал бывший муж и уже просовывал узкую ладонь в щель между штакетником, пытаясь скинуть ржавый металлический крючок, запиравший калитку изнутри.

Клара, в той же воинственной позе, подбоченясь, с ножом или поварешкой в руке, молча и неодобрительно смотрела на эти действия.

Жалко улыбаясь, отец Алика протискивался в калитку и шел по тропинке к дому, но вход туда перегораживала мощным телом любовь всей его жизни – Клара.

Ничего-ничего, главное – пустили, радовался он и присаживался на шаткой скамеечке у дома, ставил коробку с тортом, вынимал клетчатый платок и долго и тщательно вытирал им вспотевшее лицо.

– Жарко! – оправдывался он.

Клара молчала. Тогда, поняв в очередной раз, что здесь ему ничего не предложат, он жалобно просил принести ему водички. Так и говорил – «водички».

Клара слегка медлила, потом разворачивалась и уходила в дом за водой, а он вытягивался в струнку, трепеща, сладко замирал, с восторгом и страстью глядя на ее еще крепкие ноги и могучие ягодицы, грозно перекатывающиеся в фиолетовом трико.

Клара выносила воды в ковшике – еще чего, в чашке подавать. Он жадно пил, а она с ненавистью смотрела на его острый кадык.

– Ну! – повторяла она нетерпеливо.

Бывший муж мелко и торопливо кивал головой, приговаривая:

– Да-да, конечно, сейчас, сейчас, Кларочка. – И дрожащей рукой суетливо вытаскивал из кармана брюк мятый конверт. – Здесь все за четыре месяца, Кларочка, – суетился он.

Это были алименты на Алика.

Клара открывала конверт, пересчитывала деньги, результатом, видимо, довольна не была, но настроение у нее явно улучшалось.

– Чай будешь? – великодушно спрашивала она.

Бывший муж счастливо кивал – не гонит, не гонит, еще какое-то время он побудет возле нее! Они заходили в дом, и он подобострастно спрашивал:

– Как дети, как Инночка?

Не как Алик – родной сын, а как Инночка – материнское счастье, родившаяся от соперника. Знал, чем потрафить. И Клара извергала свой гневный монолог – денег не хватает, бьется, как рыба об лед, мать совсем в маразме, все постоянно просят жрать, рвут ее буквально на куски – поди подними двух детей!

– Алик – бестолочь! Такой же болван, как и ты! Малахольный, одним словом, – мстительно и с явным удовольствием сообщала Клара бывшему мужу. – Только бы мяч гонять целыми днями, ни толку от него, ни помощи! Инночка, – взгляд при этом у нее теплел, – конечно, прелесть, единственное утешение в жизни, только это сердце и греет. А так не жизнь, а ярмо и каторга.

Бывший муж усиленно кивал, поддакивал, пил пустой чай и опять вытирал носовым платком мокрое лицо. А Фаина тем временем на скамейке столовой ложкой жадно поедала оставленный бисквитный торт, щедро украшенный разноцветными маслянистыми кремовыми розами. У нее был свой праздник.

– Алика позвать? – напоминала бывшему мужу Клара.

Он оживленно кивал:

– Да-да, конечно. И Инночку тоже.

Клара выходила на крыльцо, и раздавался ее зычный рык:

– Алик, Алик, иди домой, придурь небесная! – И сладко и нежно: – Иннуля, доченька, зайди на минутку!

Инна появлялась быстро – от дома она далеко не отходила. А вот Алик гонял где-то, счастливый, по поселку на чьем-то велике, который великодушный хозяин предоставил ему на полчаса – из жалости и благородства.

Инна заходила и садилась на стул – молчком. Отец Алика расплывался в улыбке и гладил ее по волосам.

– Чудная девочка, чудная. Красавица какая! – восхищался он.

Довольная Клара делано хмурилась и жестко бросала:

– Да уж, не твоя порода! Удалась.

С лица бывшего мужа сползала улыбка, и начинали дрожать губы, но отвечать Кларе он не решался. Силы были явно не равны.

– Ну, все, – объявляла Клара. – Некогда мне тут с тобой. Свидание окончено.

Он неловко и проворно вскакивал с табуретки, благодарил за чай, опять гладил Инну по голове и, суетливо прощаясь с Кларой, торопливо шел к калитке. Довольная Фаина провожала его сытыми глазами, затянутыми пленочками катаракты, понимая, что сейчас, когда грозная дочь увидит наполовину пустую коробку от торта, разгорится нешуточный скандал.

По центральной улице, называемой в народе просекой, смешно, прыгающей походкой шел к станции немолодой, тощий и лысоватый мужчина. Заметив стайку местных мальчишек, он, прищурясь, слегка всматривался – один, на стремительно отъезжающем велосипеде, тощий, голенастый и темноволосый, был похож на его сына Алика. Наверное, он, равнодушно отмечал про себя мужчина, но бросал взгляд на часы и не окликал мальчишку. Во-первых, торопился в Москву, а во-вторых, особенно было и неохота. В конце концов, приезжал он сюда не за этим. А то, за чем приезжал, он и так получил. Сполна. И был почти счастлив.

– Видали? – Клара висела на заборе, призывая Евгению Семеновну, сидевшую с тяпкой на грядке клубники, к разговору.

Евгения Семеновна поднимала голову, вставая, выпрямлялась. Она бывала почти рада короткой передышке – возиться в огороде не очень-то любила, просто муж очень любил клубнику.

– Видали? – грозно вопрошала Клара. – Шляется, черт малахольный, глаза б мои его не видели. Деньги привез – ха! Слезы, а не деньги!

– Ну, Клара, вы несправедливы, – откликалась Евгения Семеновна. – По-моему, он человек порядочный, вы за ним не бегаете, да и потом, любит, видно, вас. Простил измену, зла не держит.

– Любит, – возмущенно повторяла Клара. – Еще бы не любил! А вот я его, Евгения Семеновна, терпеть не могла. Ну просто не выносила. Ночью от отвращения вздрагивала, когда он до меня дотрагивался. Лучше с жабой спать, ей-богу.

«Тоже мне, Брижит Бардо», – вздыхала про себя Евгения Семеновна.

– А зачем же вы, Клара, за него замуж вышли? Если он был вам так неприятен? – поинтересовалась она однажды.

– Из-за квартиры, – просто и бесхитростно ответила Клара. – Мы же с матерью жили на Пресне, в коммуналке, в семиметровой комнате. Еще девять семей. А тут хоромы – двухкомнатная, кухня, ванная. Он год за мной ходил, покоя не давал. А я ведь была хо-ро-шень-кая, – грустно вздохнув, по складам произнесла Клара, глядя куда-то вдаль.

Евгении Семеновне верилось в это с трудом. Но, словно желая подтвердить сказанное, Клара упорхнула в дом и тут же вернулась с целлофановым пакетом, полным фотографий.

«И вправду хорошенькая», – мысленно удивилась Евгения Семеновна. Молодую Клару она не знала – эту дачу они с мужем купили всего около десяти лет назад, когда Клара уже выглядела так, как сейчас. В молодости же она была похожа на крупную (ни в коем случае не громоздкую) и светлокожую мулатку – широкий нос, большие круглые карие глаза, пухлые яркие губы, короткие, вьющиеся мелким бесом черные волосы.

Да, тяжеловата, пожалуй, для девушки, но талия имеется, высокая большая грудь, крепко сбитые, сильные ноги. Необычная внешность, яркая, на такую точно обратишь внимание, обернешься.

– Ну?! – нетерпеливо поинтересовалась мнением соседки Клара.

– Хорошенькая, – согласилась справедливая Евгения Семеновна. – Необычная такая.

– Вот именно! – подхватила Клара и грустно добавила: – А в любви никогда не везло.

Покопавшись в пакете, она извлекла на свет еще одно фото и сунула под нос Евгении Семеновне: широко и крепко расставив ноги, стоял солидный и, видимо, высокий мужчина в белой майке и широких брюках. Лицо у него было крупное, значительное, взгляд уверенный и вызывающий. Было видно, что на этой земле на ногах он стоит уверенно и прочно – в прямом и переносном смысле.

– Кто это? – спросила Евгения Семеновна. – Ваша первая любовь?

– Ну, первая не первая, – усмехнулась Клара, – но главная – это точно. Инночкин отец, – спустя минуту добавила она, и глаза при этом у нее увлажнились.

Евгения Семеновна однажды краем уха слышала от Фаины эту историю, банальную донельзя: был нелюбимый, постылый муж, а тут такой орел светлоокий – его начальник. Сошлись, конечно, оба молодые, яркие, горячие, но у того – семья, дети. Правда, он Кларе ничего не обещал – так, увлекся яркой, темпераментной бабенкой. А она возьми да забеременей, да еще и рожать собралась. Он уговаривал избавиться – она ни в какую. Хочу, говорит, частицу тебя иметь. Если не тебя, то хотя бы плоть твою. Он разозлился и бросил ее, непокорную, – ни помощи, ни денег. А она в любовном угаре мужа выгнала – глаза, сказала, на тебя, постылого, не глядят. Лучше одной с двумя детьми, чем такая пытка – каждый день с тобой в постель ложиться и твое дыхание нюхать. Муж, вечный ее раб, из своей же квартиры покорно ушел – только чтобы не раздражать, не злить. Ушел к матери, в барак без удобств на Преображенке, в тайной надежде, что не справится одна с двумя детьми, просто не справится. И позовет. На любовь он давно не рассчитывал. Но гордая Клара не позвала. Страдала, рвалась на части: трехлетний Алик – сын от нелюбимого мужа, обожаемая дочка Инна – от любимого человека, бестолковая старуха-мать. Колотилась, как могла: до школы в детском саду нянечкой, там хоть ели сытно, потом в школьном буфете – уже не так вольготно, но что-то выносила, обливаясь от страха холодным потом. Подъезды мыла в соседнем доме – в своем стеснялась. Потом научилась вязать шапки и шарфы из ровницы – шаблонные, примитивные и бесхитростные, но шерсть была почти дармовая: соседка работала на прядильной фабрике. Нашелся и сбыт – родня этой соседки жила в Рязани, товар забирала с удовольствием. В Москве это не шло, а на периферии, в селах – отлетало будь здоров. Деньги невеликие, но худо-бедно с этого как-то кормились. Работать

Клара уже не могла – инвалидность второй группы, что-то со щитовидкой, эндокринка совсем никуда, плюс астма – проклятая шерсть.

Евгения Семеновна представляла, что это была за жизнь.

Образования у Клары не имелось, каких-то способностей, к примеру к шитью, – тоже. Хозяйка она была никакая – ни фантазии, ни вкуса.

В доме нелепо громоздилась старая мебель – неудобные, громоздкие шкафы с незакрывающимися дверцами, шаткие, колченогие стулья, выцветшие линялые занавески, кастрюли с черными проплешинами отбитой эмали. От бестолковой матери, кроме ее пенсии, помощи не было никакой. Оставить детей – кто-нибудь обязательно упадет, коленки разобьет, руку вывихнет. Дети, правда, нешебутные, но Алик нашкодить мог с удовольствием, тихо, исподтишка, а Инночка – точно ангел, сидела целый день, смотрела телевизор, не прекращая жевала пряники. Правда, говорить начала после трех, а буквы и к школе никак не могла запомнить. Не хочет – и все. Неинтересно ей. Алик, тот книжки запоем читал и учился неплохо – тройка только по пению и физкультуре. А дочь – двойка на двойке, сидела за последней партой и молчала, в учебниках писателям носы и уши подрисовывала.

– Развивать ее надо, – сетовала с досадой молодая учительница.

А как развивать, если ей все неинтересно? В хоре петь Инночка не хотела, на танцы ее не взяли, в художественный кружок тоже – простой домик с крышей нарисовать не могла.

«Ничего, – успокаивала себя Клара, нежно глядя на спящую дочку. Сердце ее разрывалось от любви. – Ничего, зато хорошенькая, как куколка. Я тебя замуж удачно выдам, за приличного человека, не голодранца. Я тебе судьбу устрою, через себя перекинусь, а устрою. Только на тебя, моя красавица, одна надежда. Не на этого же малахольного, что с него возьмешь – одни убытки!» – И она кидала гневный взгляд в угол комнаты, где на раскладушке, выпростав худющую, в цыпках, голенастую ногу, с полуоткрытым ртом, спал ее нелюбимый сын. Потом, вздыхая, Клара нежно целовала спящую дочь.

На следующее лето Клара приехала на дачу с матерью и Инной. Для Алика удалось выхлопотать путевку в лагерь на Азовском море. Все повторялось четко по сценарию – Фаина бестолково возилась в огороде, с гордостью демонстрируя соседям то жалкий, бледно-желтый, с мизинец, хвостик морковки, то кривоватую свеклу размером с орех, то полведра такой же мелкой картошки.

– Своя! – при этом с гордостью объявляла она.

Клара вздыхала и безнадежно махала рукой. Инна все толстела, грызла то сухари, то печенье, так же сидела кулем на бревне за калиткой, молчала и смотрела на мир красивыми, с яркой синевой, незаинтересованными, туповатыми глазами. Клара в своем неизменном дачном «наряде» варила свои неизменные обеды, стояла подбоченясь на крыльце, нещадно ругая мать, сцепляясь с соседями, всех критикуя и нахваливая свою ненаглядную дочь. Об Алике она не вспоминала.

Он приехал в конце августа сам, на электричке, с маленьким, старым коричневым чемоданчиком – встречать с юга Клара его не поехала. Был он загорелый, сильно вымахавший, голенастый и по-прежнему нелепый и угловатый.

– Явился, малахольный, – тепло приветствовала его мать.

Алик привез всем подарки: пластмассовую, блестящую, с камушками, заколку для сестры, маленький пестрый платочек для бабки и шкатулку из ракушек для матери. Мать повертела в руках шкатулку и бросила:

– Надо на такое говно деньги тратить!

Евгения Семеновна – свидетельница этой сцены – расстроилась до слез и, когда муж уехал в Москву, с гневом выговорила Кларе. Та искренне удивилась:

– Что вы, Евгения Семеновна, да не обиделся он вовсе. Ну правда, что деньги на ерунду-то тратить! Они же у нас считаные!

– Господи, Клара, но вы же не понимаете элементарных вещей! Вы вроде неплохая женщина, сами столько страдали! Откуда же такая черствость по отношению к собственному ребенку! Мальчик старался, деньги на мороженое не проел, а вы так – наотмашь. Это, конечно, не мое дело, – горячилась Евгения Семеновна. – Но смотреть на это просто невыносимо.

Клара с удивлением взглянула на соседку.

– Ну и не смотрите, Евгения Семеновна, займитесь своими делами. – И, развернувшись, она удалилась в дом.

Евгения Семеновна проплакала весь вечер – благо муж уехал и скрываться было не от кого.

«Господи, куда я лезу? Разве можно научить эту хабалку, это чудовище чувствовать? Бедный, бедный Алик! Несчастный мальчик!»

Вдруг в голову пришла простая и гениальная мысль. Забор! Конечно же, забор! Не жалкий прозрачный штакетник, безжалостно вываливающий на нас подробности чужой непонятной жизни, на которую невыносимо смотреть, а плотный, без единой щелочки, горбыль, высокий, два метра точно. Вот благо, вот спасение. И Евгения Семеновна, успокоившись, решила, что как только приедет на выходные муж, она с ним поделится своими мыслями. А причину и придумывать не надо. Надоели. Просто надоели – и все. Давно надо было сообразить, хватит сердце рвать невольными наблюдениями. Все равно эту халду Клару с места не сдвинуть.

Алика к себе, на свои чаи, теперь она звать стеснялась – уже юноша, не ребенок, возраст сложный, отягощенный обстановкой в семье, обидится еще на эту жалость. Проходя как-то по просеке в местную лавочку за хлебом, столкнулась с ним.

– Как ты вырос, Алик! – Смутились почему-то оба. Вырвалось: – Что не заходишь совсем?

Алик помолчал, а потом тихо бросил:

– Да дела всякие.

Она кивнула.

– Шкатулку ты очень красивую матери привез, – для чего-то сказала она. Он покраснел, опустил глаза, смущенный, понимая, что она слышала Кларину пренебрежительную реплику по поводу его подарка, и грубовато бросил:

– А ей не понравилось, – а потом простодушно добавил: – Лучше бы я вам ее привез.

У Евгении Семеновны сжалось сердце. Проглотив предательский комок в горле, она попыталась ободрить мальчика:

– Ну, в следующий раз, Алик, все впереди.

Чтобы не разреветься, опустив голову, она быстро пошла по тропинке. А он ее нагнал, рванул тонкую тесьму на шее и протянул что-то в кулаке:

– Это вам.

Он разжал длинную, смуглую ладонь, и она увидела там гладкий, отполированный временем и морем голыш с дырочкой почти посередине.

– Куриный бог, – вспомнила Евгения Семеновна смешное словосочетание. – Редкость какая! – подивилась она. – Не жалко?

Алик резко мотнул головой и крутанул колесо велосипеда. Велосипед рванулся вперед.

– Спасибо! – крикнула вслед ему Евгения Семеновна.

Господи, какой тонкий ребенок. Тонкий и несчастный. Опять заныло сердце. На Клару она обиделась за Алика на этот раз глубоко и всерьез, но саму Клару это не очень-то беспокоило. В двадцатых числах августа она с дачи съехала – собирать детей к школе. Алик шел в девятый класс. Инна с трудом переползла в седьмой.

* * *

В мае Евгения Семеновна уже выезжала на дачу – самое время сажать цветы, перекапывать грядки, высаживать рассаду, заполонившую все подоконники и возможные и невозмож-

ные пространства в квартире. Все эти баночки, коробки из-под сока, молока и йогурта очень раздражали ее мужа.

Клара приехала в июне и вела себя как ни в чем не бывало. Обид она не помнила и ссор тоже – хорошая черта. Навалившись на хлипкий штакетник грузным телом, она между делом рассказала, что у Алика открылся внезапно какой-то талант по новому предмету – информатике, даже учитель этой самой информатики отдал ему свой старый компьютер, и Алик сидит за ним с утра до ночи и даже пишет какие-то программы.

– В общем, способности у него, – равнодушно добавила она и переключилась на Инну. Теперь она спрашивала у соседки совета по поводу дальнейшего устройства Инниной судьбы, честно признаваясь (а это ей было нелегко), что учиться девочка совсем не может, тянет еле-еле. Дай бог, чтоб закончила восемь классов. А что потом? В парикмахеры? Хотя, сетовала горестно Клара, не такой судьбы она хотела бы для дочери, не прислуживать, и потом, на ногах целый день. – Может, что посоветуете, а, Евгения Семеновна? – жалобно спросила она.

– А об Алике вы не беспокоитесь? – резко отозвалась Евгения Семеновна. – Ведь если он не поступит – впереди армия. А куда ему армия, он такой неприспособленный, нестандартный ребенок.

Клара беспечно отмахнулась:

– Да поступит он, куда денется? Педагог его сказал, что такого, как он, оторвут с руками и ногами. Факультет какой-то в МГУ, забыла, как называется. А вот с Инночкой что делать, ума не приложу! – И печальный ее взгляд обеспокоенно затуманился.

Инночке меж тем можно было дать лет примерно тридцать: полная, сбитая, ядреная бабенка – какая там школа. Грудь четвертого размера, подведенные прекрасные глаза, умело накрашенный рот, лак на ногтях. «Замуж ей уже пора, а не в школу с портфелем», – думала Евгения Семеновна.

Инна на улицу уже не выходила, а днями сидела на скамейке в саду, грызла семечки и смотрела вдаль. Бывший муж Клары в то лето почему-то не появлялся.

Евгения Семеновна не спрашивала – она была не любопытна, но Клара поделилась сама, видно, ее распирало.

– Ну, как вам это нравится? – с вызовом обратилась она к Евгении Семеновне.

– Вы о чем, Клара? – не поняла та.

– Да я про супруга своего бывшего. Про этого малахольного, – объяснила Клара. – Женился он, представьте себе. На своей же двоюродной сестре. Той – сорок пять, старая дева, придурочная по полной программе. – Клара весьма живо освещала этот сюжет. – Страшная! – с удовольствием отметила она и закатила глаза. – Тощая, на голове три пера, нос до подбородка! А сообразила! В общем, сошлись. – И, помолчав, она добавила: – У нее, между прочим, трехкомнатная на Ленинском.

Это, видимо, задевало ее больше всего.

– Ну так радуйтесь, Клара, – призвала ее справедливая Евгения Семеновна. – Одинокие люди нашли друг друга. Пусть живут.

– Пусть, – вяло согласилась Клара. И опять тяжело вздохнула: – Что делать с Инночкой, ума не приложу.

А Инночка сама разрешила сложный вопрос по поводу дальнейшего устройства собственной жизни. К середине августа Клара, случайно увидев как-то вечером голую Инну, натягивающую на пышное тело ночную рубашку, обнаружила, что дочь беременна. Пропустила это многоопытная, бывалая и ушлая Клара легко. У толстой Инны до шести месяцев живот был практически незаметен. Клара надавала ей по мордасам, а потом долго обнимала и целовала, периодически отстраняя ее от себя и пытая, кто же отец ребенка.

– Инночка, милая, ты только мне имя его назови, – елейным голоском просила Клара. – Только имя! А дальше я все сделаю сама.

Инна молчала и качала головой. Зоя Космодемьянская. Клара пыталась воздействовать то пряником, то кнутом, обещая Инне или свадьбу («Я это устрою!»), или хотя бы алименты («Куда он от меня денется!»). Инна сидела на кушетке и мотала головой.

– Я проведу расследование, я его посажу, – пообещала Клара.

Инна сунула матери под нос здоровущую фигу, а потом сказала:

– Иди отсюда, спать хочу. – И зевнула, широко и сладко.

Конечно, бедная Клара убивалась. Такую свинью подсунула обожаемая дочь – не этот поганец Алик, от которого всего можно ожидать, а Инна, тихушница и домоседка.

– Я, – сокрушалась Клара, – я виновата во всем, проглядела, прошляпила. За такой красоткой (это она о тупой Инне) нужен глаз да глаз. А где мне уследить! – Она уже шла в наступление. – Мне же надо думать о том, как семью кормить. Вон их сколько на моей шее! – Голос Клары постепенно переходил на крещендо.

Евгения Семеновна соседку жалела. Сочувствовала. Пыталась давать нелепые советы типа привлечь милицию – девочке только пятнадцать лет.

Но Инка Кларе пригрозила: мол, только начни копать, уйду из дома, меня не увидишь. Допустить этого Клара не могла. Постепенно она стала приходить в себя и мудро постановила: так – значит, так. Клара набрала побольше воздуха и принялась действовать. Во-первых, отвезла Инну в Москву, в женскую консультацию. Во-вторых, пошла к школьной директрисе – та оказалась нормальной теткой, и они договорились, что формально Инна будет на домашнем обучении и в итоге получит аттестат о восьмилетнем образовании. Потом она поехала в институт, куда Алик собирался поступать, и нашла там декана. Алик уже ходил на подготовительные курсы и писал яркие работы, не было сомнений, что мальчишка – талант и обязательно поступит. Но цель у Клары была другая – выбить для Алика место в общежитии, иначе они не разместятся вчетвером в крохотной хрущобе со смежными комнатами. Декан объяснял, что москвичам общежитие не полагается. Клара из кабинета не выкатывалась, рыдала не прекращая и в общей сложности провела там два с половиной часа. Декан был уже готов жить на вокзале и поселить абитуриента Брудно в своей собственной квартире. Только бы эта сумасшедшая тетка наконец ушла. В итоге общежитие он пообещал. Громко сморкаясь, Клара покинула его кабинет.

Алик был опять задвинут на задворки – Клара устраивала судьбу любимой дочери. В ноябре Инна родила дочку. Клара подолгу вглядывалась в лицо младенца, пытаясь, видимо, разглядеть черты неизвестного участника этой истории. Девочка была похожа на Клару – черненькая, темноглазая, губастая. Внучку Клара полюбила всей душой. Но все же единственной настоящей ее страстью оставалась Инна, которая после родов еще больше раздалась и по-прежнему была невозмутима. Часами стояла с коляской во дворе их московского дома на радость соседкам на лавочке у подъезда – они пытали ее, кто отец ребенка. К суровой Кларе с такими вопросами не обращались, боялись ее гнева. Клара устроилась уборщицей в соседний магазин. Алик жил в общежитии, получал повышенную стипендию. Существовал автономно. Домой заезжал редко. Клару это не заботило.

Летом на дачу выехала вся семья – младенцу нужен воздух. Инна прогуливалась с дочкой по просеке. Особо любопытные совали нос в коляску, где лежала маленькая «Клара». Три раза в неделю Клара ездила в Москву на работу. Фаина продолжала свои аграрные опыты. Алик уехал на шабашку куда-то в Центральную Россию – строить коровник. В начале сентября появился – загорелый дочерна, в потертых джинсах и китайских кедах. Привез семье приличные деньги. Клара не сказала ему ни одного доброго слова. Он выпил чаю и уехал в город. Ночевать не остался. Клара решила сдавать московскую квар-

тиру – работать ей было уже тяжело. Дачу нужно было утеплять – готовить к зиме. На Аликовы деньги она наняла рабочих из Средней Азии, поселила их в сарае, и они принялись за дело. Худо-бедно утеплили дом, подправили печку, запасли дров на зиму.

Евгения Семеновна испытывала чувство неловкости. Ее дом – кирпичный, с АГВ и батареями, с горячей водой и туалетом в доме – всю зиму оставался пустовать. А Кларина хибара, несмотря на все ухищрения, вряд ли выдержит даже несильные морозы. А ведь в доме ребенок и старуха. Измучившись, она наконец решилась на разговор с мужем.

– Пустить их на зиму? – рассвирепел он. – Ты совсем ума лишилась. Это же табор цыганский, все сломают, все засрут. Тебе-то что до них? У них есть квартира в Москве, пусть сами решают свои проблемы. Ты, Женя, полоумная, ей-богу! – И, не доев обед, он резко встал из-за стола.

Конечно, формально он был прав. Этот дом им дался с великим трудом, долго копили деньги, во всем себе отказывали. У Евгении Семеновны, с ее педантичностью, все было аккуратно, в идеальном порядке: кружевные салфетки, шелковые, вышитые ею же наволочки на подушках, ковры, посуда – словом, все наживалось нелегко, береглось и радовало глаз. И вправду, как пустить эту неряху Клару со всей этой оравой? Не приведи Господи, потом до конца жизни не отмоешь и не приведешь в порядок – все разнесут, перебьют, искалечат. Нет, муж, конечно же, прав, как всегда, прав, да и как она может пойти ему наперекор! И правда, у всех своя жизнь, свои трудности. Почему у нее, в конце концов, должна болеть совесть из-за абсолютно чужих, безалаберных людей?

К следующему дачному сезону Евгении Семеновне открылась следующая живописная картина: Инна опять была в положении. На этот раз отец был известен: один из рабочих-таджиков, халтуривших на Клариной даче. Для Инны не существовало условностей, и она вовсю сожительствовала с новым кавалером по имени Назар – маленьким, тощеньким, чернявым, плохо говорящим по-русски. Назар теперь жил в Кларином сарае – Инна туда ходила на свиданки. Клару эти события так раздавили, что она уже практически не возмущалась – видимо, просто не было сил. В дом она Назара не пускала, и Инна носила ему еду, как собаке, – в миске. Впрочем, прок от него тоже был – он подправил забор, сколотил новую калитку, скосил траву, поправил худую крышу. Клара его терпела.

Инна родила мальчика – чернявого, мелкого и юркого. Назар уехал на родину на побывку и почему-то больше не вернулся. Может быть, его там женили, а может, что-нибудь еще. Словом, пропал, сгинул, испарился. Переживаний на Иннином лице заметно не было. По-прежнему непроницаемая, она катала по просеке коляску с младшим ребенком, а рядом ковыляла уже подросшая девочка. Клара же продолжала тянуть свой тяжелый воз.

А Алик тем временем задумал жениться. У него завязался первый (и последний) серьезный роман. Девочка с соседнего курса, Аллочка, тоненькая, с невыразительным личиком, тихая, скромная, родом из Мончегорска. А какая еще обратит на Алика внимание? Алик влюбился без памяти – первая любовь, первая женщина. После первой совместной ночи сделал ей предложение. Она, конечно же, согласилась. Не из корысти, какая с него корысть? По искренней любви. Алик повез Аллочку знакомить с матерью.

Подбоченясь, Клара стояла на крыльце – заведомо готовая к атаке. Алик с невестой привезли шампанского, большой торт, цветы и игрушки детям. Клара придирчиво осматривала будущую невестку, и по всему было видно, что она не в восторге. Попили чаю, выпили шампанского, и молодые укатили в город. Клара, повиснув на заборе, жаловалась Евгении Семеновне:

– Ни рожи, ни кожи. Тела – и того нет. – Это она про будущую невестку. – Глиста в скафандре. Нищета, голь перекатная, черт-те откуда.

В общем, в невестки Кларе Аллочка явно не подходила и подверглась жестокой критике. То, что молодые жили трудно, в общежитии, учились на сложнейшем факультете, что девчонок было на этом факультете всего шесть и одна из них – Аллочка, поступившая туда без блата и каких-либо денег, то, что молодые подрабатывали по ночам – писали курсовые, дипломы, – то, что девочка скромна, интеллигентна, из хорошей провинциальной семьи и, главное, безумно влюблена в ее сына – ничего в расчет не бралось.

– Нищета, – презрительно кривя губы, повторяла Клара и резонно добавляла: – А зачем нам нищие, если мы сами такие?

Заметим: Инна, отцы ее детей, ее дети, ее тотальная тупость и безделие – все, что с ней связано, критике не подвергалось, ни-ни.

Свадьбу молодые играли в студенческой столовой – на большее денег, естественно, не было. Клара на свадьбу не поехала, правда, не по своей вине – заболели малыши. Конечно же, ничего ужасного, и их нерадивая мать Инна с ними бы справилась, не померла бы – подумаешь, температура. Но Клара бросить Инну в такой ситуации не могла. Алика – пожалуйста. Ничего, переживет. В конце концов, там радость, а здесь беда. Где должна быть верная мать? Евгения Семеновна Кларе позавидовала – живет человек трудно, да, трудно, но ни в чем не сомневается. Никаких душевных мук. Любит так любит. А не любит – ну что поделаешь. Так все и катилось. Фаина заболела, уже не выходила в свой огород и тихо умерла в конце августа. Инна возилась с детьми, Клара билась за хлеб насущный – квартиру они уже не сдавали, зимовать в доме было несладко: из щелей дуло, дети ходили в соплях. Клара работала в двух местах. Почему-то не возникало мысли посадить дома Клару, а молодую и здоровую кобылу Инну отправить на заработки.

А Алик окончил институт и уехал в Америку. Впрочем, контракт он получил еще на последнем курсе – его работой заин-

ココтересовался крупный промышленный концерн. Верная Аллочка была, конечно же, рядом. Жили они душа в душу – лучше не бывает. Алик пахал как вол. Сначала квартиру снимали, потом появилась возможность взять ссуду в банке, и они купили дом. Аллочка родила близнецов – Веньку и Даньку. Пошла работать – выплачивать ссуду за дом было нелегко. Наняли няню – молодую девочку из Тирасполя.

Алик передавал матери объемные посылки с тряпками. Клара неизменно возмущалась, демонстрируя Евгении Семеновне очередную блузку или жакет:

– Зачем мне это? Что я – модница какая-то? Я женщина скромная и работящая. – Она подробно изучала ярлыки и наклейки с ценами и раздражалась: – Малахольный, как есть малахольный. Шестьдесят восемь долларов за эту несчастную юбку! Куда мне в ней ходить? На пре-зен-тацию? Лучше бы деньги прислал!

– Он же хочет доставить вам радость, – увещевала ее Евгения Семеновна. – Вы таких вещей сроду в руках не держали. Будьте справедливы, Клара. Алик – прекрасный сын. Ему сейчас ведь непросто, только на ноги встает, двое детей!

Все напрасно. Клара опять возмущалась.

– А этот дом! – кипела она, – нет, вы посмотрите на этот дом! – Она тыкала в лицо Евгении Семеновне цветные глянцевые фото. – Барин какой, посмотрите на него! Дом ему нужен в два этажа. И еще подвал. Что он там, танцы устраивает?! И говорит, что там так принято. Я же говорю – малахольный.

Доставалось и безобидной невестке Аллочке:

– Нет, вы подумайте, как этой задрыге повезло! Ведь смотреть не на что – тихая, как мышь, а она уже в Америке! Дом у нее, няня! – Клара всхлипывала и утирала повлажневшие глаза. – А Инночка моя – красавица, все при ней, и что она видела в этой жизни?

Евгения Семеновна, вздыхая, махала рукой и уходила в дом. Далее вести диалог с Кларой не было никакого смысла.

Материнская любовь слепа, глуха и не поддается никакой логике, впрочем, так же, как и нелюбовь. Не учитывалось, что Аллочка умница и труженица, верная жена и прекрасная мать, а Инна – дура и ленивая корова. У Клары была своя незыблемая правда.

Между тем дела у Алика пошли в гору – он оказался гениальным программистом. Теперь они могли позволить себе многое – ссуду быстро выплатили, купили прекрасные машины, наняли садовника и домработницу, ездили по всему миру. Но при этом оставались такими же скромнягами и трудягами. И конечно, Алик не забывал мать и сестру. Теперь он регулярно переводил им деньги, и в посылках оказывались и норковые шубы, и золотые украшения. Клара, правда, опять была недовольна: не тот цвет шубы, не того размера камень в кольце или что-нибудь еще. Она опять нещадно критиковала сына. Сделала ремонт в квартире, поменяла на даче крышу и забор, съездила с Инной и детьми на море. Алик звонил раз в неделю и спрашивал, не нужно ли еще чего. Нужно было многое. Алик все исполнял по пунктам. А потом решил забрать мать с сестрой и племянниками в Америку. Клара не хотела ехать ни в какую. Аргумент был прост:

– Что я там не видела?

– Клара, вы сумасшедшая, – уговаривала ее Евгения Семеновна. – Это же такая прекрасная и удобная страна! У вас там будет замечательная и спокойная старость. И потом, вы столько всего увидите!

– Что я увижу? – удивлялась Клара. – Кислую рожу своей невестки?

– Ну, знаете! – задыхалась от возмущения Евгения Семеновна.

И все-таки они собрались. Уговорила Клару Инна, сказав: «Может, я там замуж выйду?» Клара встрепенулась, но продолжала возмущаться и кудахтать. Как собраться, столько дел: продать дачу, квартиру, все оформить. Дело и вправду нелегкое для женщины весьма преклонного возраста. Инна, как всегда, в расчет не бралась. Да и какой с нее толк?

Алик взял отпуск и прилетел в Москву. Купил скотч и коробки, чтобы паковаться, спорил с матерью по поводу старых кастрюль с отбитой эмалью и ветхого постельного белья. Клара кричала, что все это нажито непосильным трудом и что она ни с чем не расстанется. Шантажировала Алика, что она никуда не поедет. Инна сидела у телевизора и грызла орехи. Ни в сборах, ни в спорах она не участвовала. Клара обвиняла Алика, что он лишил ее спокойной старости, насиженного места и, наконец, родины. Алик был терпелив, как агнец.

Инна вступала, кричала, что Клара – дура и хочет испортить ей перспективу. Клара ненадолго приходила в себя. Алик продал квартиру, деньги, естественно, положил на Кларино имя.

А с дачей вышло вот что. Клара дала ему доверенность на продажу. Он поехал на дачу и оформил дарственную на Евгению Семеновну, к тому времени овдовевшую и сильно нуждавшуюся. Евгения Семеновна, конечно же, от такого царского подарка долго отказывалась, сопротивлялась, как могла, плакала, но Алик был тверд как скала.

– О чем вы говорите, это для меня такая мелочь, – сказал он, понимая, что от денег она просто откажется, не возьмет ни в какую. – Вы для меня столько сделали! Только от вас я и видел в детстве тепло и заботу!

Евгения Семеновна опять заплакала. Алик обнял ее, положил на стол бумагу с дарственной и вышел, оставив ее потрясенной и обескураженной.

Клара об этом, естественно, не узнала. Алик просто положил на ее счет деньги за якобы проданную дачу.

В Америке он снял им квартиру недалеко от своего дома.

– Чтобы семья была рядом, – объяснил он ей.

Но прекрасный, тихий, зеленый район Кларе не понравился.

– Я здесь от скуки помру, – уверяла эта «светская львица».

А вот Брайтон произвел на нее неизгладимое впечатление:

– Там все свое: и магазины, и люди, и океан, наконец.

Алик снял ей квартиру на Брайтоне. Клара опять была недовольна:

– Не хочу жить в чужих стенах. Что я, беженка, что ли?

Алик не стал объяснять, что покупать квартиру дорого и невыгодно. Он просто купил ей квартиру на Брайтоне. С видом на океан.

Инна теперь целыми днями сидела на пляже, подставляя мощное тело лучам солнца. Дети пошли в школу. Клара ходила в магазины и заводила знакомства. У нее была цель – сосватать Инну. Свой товар она нахваливала усердно, тыча всем под нос Иннины фотографии десятилетней давности.

Про сына говорила небрежно – так, ничего особенного. Всегда был малахольным. Сын, дающий ей неплохое содержание, ее по-прежнему не впечатлял. На его детей она тоже не реагировала, невестку подчеркнуто игнорировала – что о них говорить? А Инниных туповатых отпрысков обожала неистово.

Раз в неделю Алик возил Клару по окрестностям (Инна, кстати, сразу отказалась, заявив, что ей и на пляже хорошо). Клара мрачно комментировала увиденное. Америка не произвела на нее впечатления. Алик приглашал ее на обед в рестораны – японские, французские, китайские, пытался удивить. Клара брезгливо ковыряла вилкой в тарелке. Великая кулинарка Клара!

– У нас, на Брайтоне, вкуснее!

Там и вправду было вкусно. Но мы же не об этом! Алик привозил ее к себе в дом. Кларе не нравились обстановка и Аллочкина стряпня. Аллочка тихо плакала и тихо обижалась. Алик это никак не комментировал.

Инна завела себе любовника – здоровенного негра-полицейского. В душе, конечно, Клара была не в восторге. Она рассчитывала как минимум на одессита – хозяина магазина женского белья или владельца ресторана из Бендер. Но счастье Инны для нее было законом, и она неумело варила для новоиспеченного зятька борщи. Через два года Инна родила очень смуглую девочку, хорошенькую, как кукла. Эта девочка стала самой пламенной Клариной любовью.

Полицейский на Инне не женился, но к ребенку приходил исправно, грозно предупреждая в дверях Клару:

– No borsch, mam!

Клара с восторгом возилась с черной внучкой, а Инна попрежнему грела окорока на брайтонском пляже. У нее был свой ритм жизни. И похоже, она была вполне счастлива.

Клара важно прогуливалась по Брайтону с коляской и на каждом метре цеплялась языком. И персики в Москве были лучше, и колбаса вкуснее, и люди добрее, и квартира у нее была чудная. А какая дача! Одним словом, послушать Клару – ее прежняя жизнь была удивительна и роскошна. Америку она ругала нещадно, обвиняя сына в том, что привез ее, бедную, сюда, не считаясь с ней.

– Мне это надо? – грозно вопрошала она и, не дождавшись ответа, двигалась дальше, подталкивая коляску внушительным животом.

Умерла Клара ночью от инсульта, прочтя Инкину записку, что та уезжает с дочкой и своим возлюбленным в Алабаму – навсегда. Клара зашла в детскую, увидела пустую кроватку внучки, открыла шкаф – он тоже оказался пуст. Она упала на пол и не смогла дотянуться до телефона. К вечеру обеспокоенный Алик приехал к ней. Клара лежала на полу со сжатым кулаком.

На похоронах Алик безутешно плакал. Через полицейское управление он нашел алабамских родственников Инниного любовника, но сестра на похороны не приехала.

Алик поставил Кларе памятник из розового мрамора. Написал трогательную эпитафию. Страдал. Не брился. Держал траур. Взял к себе Инниных детей, устроил их в дорогую школу. Продолжал высылать деньги сестре. Заказал у недешево-

го художника Кларин портрет по фотографии. Повесил его в спальне. Под портретом стояли живые цветы – всегда. На тумбочке у кровати в серебряной рамке стояла Кларина фотография.

Перед сном он тихо бормотал:

– Спокойной ночи, мамочка.

Аллочка вздыхала, долго ворочалась, удивляясь своему мужу. И думала – действительно малахольный, Клара была все-таки права.

И немного стесняясь своих мыслей, Аллочка засыпала, а Алик еще долго не мог уснуть, страдал и смотрел на Кларину фотографию, тонувшую в ночном мраке счастливой семейной спальни.

Жить, чтобы жить

Катя прибилась к нашей семье в далеких шестидесятых, когда наша бабушка была еще вполне в силе, родители были молоды и здоровы и снимали большую, старую и уютную дачу в Ильинском. На даче, конечно же, настояла бабушка. Допустить, чтобы все пыльное московское лето девочки провели в городе, она не могла. Все бытовые невзгоды бабушка сносила, впрочем, как и все остальное, мужественно. Ради одного святого дела – девочки должны быть на свежем воздухе.

В те годы, правда, с большим трудом, но все же можно было найти молочницу – коров тогда еще держали и в ближнем Подмосковье. Все лето мы с сестрой пили теплое парное (брр-р!) молоко и ели свежие, только из-под курицы яйца. Бабушка четко следовала программе: главное – здоровье детей, восстановить его всеми силами, невзирая на равнодушие молодых и бестолковых родителей и возражения собственно детей. В детстве мы с сестрой были еще очень дружны – да что за разница в один год! Это потом у нас появились разные интересы и разные взгляды на жизнь. А в те годы у нас еще

были общие куклы, маленькие алюминиевые мисочки и кастрюльки, в которых мы с упоением варили щи из подорожника и компот из рябины. Среди кукол у нас тоже были свои фаворитки. Я, например, больше любила кудрявую и розовую «немку», блондинку Зосю, а сестра выбрала брюнетку Элеонору, умевшую пищать невнятное «мама», если ее сильно опрокинуть назад. На даче, конечно, был абсолютный рай: целыми днями мы играли в старом, почти заброшенном саду, и бабушка нас звала только на обед, после которого следовал обеденный отдых, с обязательной книжкой, потом компот с печеньем – и мы опять на свободе. Теперь уже до самого ужина.

Хозяйка дачи приезжала только раз в месяц – за деньгами. Родители появлялись в пятницу вечером, после работы. В общем, всю неделю – свобода. Хотя за калитку нас не выпускали: мало ли что? Но когда игры и кукольные обеды нам смертельно надоедали, мы висели на шатком заборе и приставали к прохожим. Тогда мы и познакомились с Катей.

Сначала мы увидели, как маленькая девочка с трудом тащит большой оранжевый, в белый горох, бидон, и, конечно, поинтересовались его содержимым. Девочка остановилась, поставила бидон на землю, тяжело вздохнула и объяснила нам, что в бидоне подсолнечное масло. Еще она сказала, что зовут ее Катей и что живет она в поселке постоянно, круглый год, с бабушкой. А родителей ее «черти носят по свету». Мы слушали все это открыв рты. Особенно про «черти носят». И пригласили Катю в гости. Она кивнула и деловито сказала, что сейчас отнесет бидон, а то «заругается бабка». И еще ей надо покормить кур и подмести избу, а уж потом, после всех этих важных дел, она может и зайти к нам. Такое количество дел и важный и обстоятельный Катин тон вызвали у нас, у праздных бездельниц, безграничное уважение. Мы слезли с забора и с жаром принялись обсуждать нашу новую знакомую. Во-первых, бабушку она называет бабкой. Мы сделали выводы. Старуха эта наверняка очень злобная. Да и к тому же как она эксплуатирует бедную сироту! Во-вторых, мы отчаянно позавидовали Катиной свободе. Нас на станцию одних не пускали. А сколько там было всего интересного... Крошечный рынок под ветхим навесом, где бабульки в платочках продавали мелкую морковку с зелеными хвостиками, большие, мятые соленые огурцы и семечки в кульках. А страшного вида мужики раскладывали на газете кучками мелкую серебристую рыбешку – плотву и карасей. Кучка – рубль. Бабушка покупала эту «мелочь» и жарила рыбку к приезду родителей. Отец ее обожал и называл «сухарики». К тому же на станции был длинный стеклянный магазин с названием «Товары повседневного спроса». Спрос тех времен был невелик, но даже эти скудные и убогие прилавки казались нам с сестрой сказочным царством – безвкусные заколки, расчесочки, убогие пуговицы, капроновые и атласные ленты, грубые толстые чашки, нелепые пластмассовые игрушки, пыльные ковровые дорожки, аляповатые кастрюли, блеклые торшеры на тонких ногах. И мы обязательно канючили и что-то выпрашивали у бабушки – заколку, которая ломалась через полчаса, или резиновый мячик, который умудрялись потерять в тот же день. Еще на станции стояла круглая, с облупившейся на боках желтой краской бочка с квасом и рядом тележка с мороженым. Мы выклянчивали у бабушки эскимо на палочке в серебристой обертке и, конечно, выпивали по большой граненой стеклянной кружке кваса. От кваса наши детские животы раздувались, как воздушные шары, и мы были счастливы. Но бабушка ходила на станцию редко, ворча, что это мы бездельницы, а у нее и так дел невпроворот.

Катя пришла к нам в тот же день, как и обещала, спустя пару часов. Маленькая, крепкая, на плотных не по-детски ногах, с серыми, мышиными волосиками в хвост и редкой челкой. В блеклом, застиранном ситцевом платьице и потертых босоножках на босу ногу. Бабушка пристально оглядела Катю и, тяжело вздохнув – было время обеда, – позвала ее за стол.

Катя не отказалась, «спасибо» не сказала, а только с достоинством кивнула и удобно уселась на табуретку, жадно пожирая глазами стол. На столе стоял обычный для нас обед: винегрет, тертая морковь с яблоками, холодный борщ и котлеты с картошкой.

– Праздник у вас? День рождения? – спросила Катя.

Мы удивились и переглянулись.

– Почему праздник?

– На буднях так питаетесь? – теперь удивилась Катя.

Мы недоуменно переглянулись, а бабушка опять тяжело вздохнула.

После киселя с печеньем мы пошли в сад, где отец построил нам маленький шалаш из досок и веток. Там у нас стояли стол с низкой скамеечкой, детская игрушечная плита и две кукольные кровати. Катя вытащила из кроватей Зосю и Элеонору, долго трогала их блестящие синтетические волосы, поднимала им платья, с удивлением разглядывала кружевные кукольные трусики и резиновые туфельки с носочками. Мы начали играть. Катя со всем соглашалась, подчинялась нам и выполняла все поручения, которые строгим голосом диктовала ей моя старшая сестра. А потом бабушка позвала нас читать.

Читали мы сначала по очереди вслух, а потом еще час – про себя.

– Я вас в саду подожду, – предложила Катя, не выпуская кукол из рук. Она, видимо, представила, как она будет два часа полноправной хозяйкой в шалаше в наше отсутствие.

Но бабушка сказала строго:

– Иди, Катя, домой.

– Завтра приходить? – с надеждой спросила она.

Мы с сестрой растерянно переглянулись. С Катей нам было совершенно неинтересно, и к тому же вполне хватало общества друг друга. Но разве мы, благовоспитанные девочки, могли ответить «нет»?

— Странная какая-то, — обсуждали мы Катю перед сном, лежа в кроватях.

— И вообще, зачем она нам нужна? — вредничала сестра. Она с детства уже была прагматична.

— Пусть ходит, — милостиво разрешила я. — Жалко ее как-то.

И Катя стала приходить к нам с завидным постоянством. Просовывая крепкую маленькую ладонь в щель забора, она сама открывала калитку и, если мы были заняты, тихо сидела в саду на скамеечке и ждала нас. Однажды мы застали ее в нашем шалаше — она играла с куклами, не замечая нас.

— Положи на место, не твое! — крикнула сестра.

Катя вздрогнула и бросила куклу. В глазах у нее появились слезы. Мне стало жалко ее, и я протянула ей свою любимую Зосю.

— Хочешь, возьми, — предложила ей я.

— Насовсем? — тихо прошелестела Катя.

Я благородно кивнула. Сестра покрутила пальцем у виска. Катя быстро схватила куклу и бросилась к калитке, видимо боясь, что я передумаю. К нам она не приходила три дня. На выходные приехали родители. Сестра рассказала им про куклу. Бабушка возмущалась, а мама отмахнулась: мол, оставьте ее в покое. За что ее ругать? За благородный человеческий порыв?

Отец, правда, тоже был согласен с бабушкой и объяснял мне, что все наши вещи куплены на родительские деньги и уж, по крайней мере, советоваться мы со взрослыми должны. Зачем они сыпали соль на мою рану? Я и так не спала по ночам, вспоминая мою прекрасную белокурую Зосю.

Господи, сколько потом я всего теряла в своей жизни! Но, пожалуй, ничего мне так не было жаль, как ту глупую немецкую резиновую куклу.

Катя ходила к нам все лето. Она рассказывала страшные истории про своих «непутевых» родителей, завербовавшихся на Север за «длинным рублем», любящих выпить и повеселиться. Про дядьку-алкаша, гонявшего свою бедную семью с топором по двору, про соседку Нинку, которая «дает» за стакан.

– Что дает? – спросили мы.

– То самое, – коротко ответила Катя.

Про «то самое» мы спросить уже не решились, видимо постеснявшись своей безграмотности.

Все это было для нас и непонятно, и ново и вызывало какой-то (мы чувствовали) нехороший интерес. Катю, успевшую нам уже изрядно поднадоесть, мы все же принимали и просили рассказать еще что-нибудь. Из области неизвестного. В конце лета мама собрала какие-то наши вещи – платья, кофточки, гольфы. Сложила все это в сумку и отдала Кате. Катя вытащила по очереди вещи из сумки, придирчиво и внимательно осмотрела их, потом все сложила обратно и, гордо кивнув, важно удалилась. Сумка сильно оттягивала ей руку. «Спасибо» она, по-моему, так и не сказала.

– Обстоятельная какая! – смеялась мама. – А вообще-то бедная девочка. Ну в чем она виновата? Кто ее воспитывал?

Тогда я поняла: основная мамина черта – великодушие. Жизнь это впоследствии подтвердила не раз.

Отец тогда, правда, заметил, что подружки у нас могли бы быть и поинтереснее.

Весь год о Кате мы не вспоминали – нам было не до того, а когда снова пришло лето, наша старая знакомая опять возникла. В куклы играть нам было уже неинтересно, да и у нас появилась новая дачная компания. Мальчик Вова, который играл на кларнете, и девочка Нелли, дочь известных художников. Нас уже выпускали за калитку. И на станцию за мороженым мы бегали одни, и в гости к новым друзьям уже тоже ходили без бабушки. А Катя, Катя оставалась при нас, нашим неотъемлемым придатком, нашим бессловесным пажом, нашей тихой тенью, сопровождавшей нас повсюду. Вроде бы она не особенно мешала, но сильно раздражала – это точно.

И своим убогим видом, и вечным усердным молчанием, и, как мы теперь стали понимать, непроходимо глупыми и неприглядными историями. Но она от нас не отлипала, видимо искренне считая нас своими близкими подругами. Прогнать ее мы уже не могли.

К себе она нас никогда не приглашала, но все же однажды мы заявились к ней сами, без приглашения. Любопытство взяло верх. Мы увидели старый, убогий дом-развалюху, и неопрятный двор, и маленькую неряшливую старуху – ту самую «бабку», и молодую полную женщину в помятом платье, спавшую под яблоней с открытым ртом.

– Мамка загостилась, – смущенно объяснила Катя. И тихонько стала нас выпроваживать.

Постепенно дачу мы полюбили и даже стали бояться, что хозяйка Елена Сергеевна может нам в ней отказать. Но этого, слава богу, не происходило, и в конце мая мы заезжали опять. Теперь у нас образовалась большая теплая и душевная компания – поездки на велосипедах на озеро, игра в кинга, гитары, песни и, конечно, романы. Мы с сестрой здорово вытянулись и превратились в самых высоких девочек в классе, даже стеснялись своего роста. Это сейчас он был бы предметом гордости и больших карьерных перспектив, а тогда...

А вот Катя оставалась такой же маленькой, приземистой, только стала как-то еще шире в плечах и полнее в ногах. Теперь мы говорили только о мальчиках, придумывали небылицы и отчаянно выпендривались друг перед другом. Катю это, кажется, совсем не интересовало.

В девятом классе мы отказались от дачи – бабушке это стало не под силу, и нас отправили в лагерь на море. Там все закрутилось с удвоенной силой – свидания, поцелуи, расставания, дружба «навсегда». Но в последнее школьное лето дачу пришлось снять снова – теперь уже больше из-за бабушки, которая после болезни была очень слаба, и уже мы стали ухаживать за ней. А сами мы в даче не нуждались, воспринимая

ее теперь почти как наказание – в Москве было, разумеется, гораздо интереснее.

Тогда, в то последнее школьное лето, Катя возникла вновь – коротенькая, почти квадратная, без какого-либо намека на талию. Волосы она теперь коротко стригла, но, тонкие и прямые, они не слушались ни расчески, ни щипцов, и сестра, всегда острая на язык, смеялась над Катей, говоря, что похожа она на соломенного Страшилу из «Волшебника Изумрудного города». И в этом была своя правда.

И тут от Кати появился вполне реальный толк – когда нам надо было сбежать в Москву на свидание, Катя оставалась приглядывать за бабушкой. Грела ей обед, выводила посидеть в сад в старом плетеном кресле. Бабушку Катина забота тяготила, но она терпела, понимая, что стала обузой для нас, молодых девиц. И, вздыхая, отпускала нас, покрывая тайные побеги перед родителями. В награду мы привозили Кате туземные пластмассовые заколки из привокзального киоска, перламутровую помаду, купленную у цыганок в переходе, или колготки с ажурным рисунком. Катя все внимательно рассматривала, с достоинством перебирала и уносила с собой. Так задешево мы покупали свободу и убаюкивали неспокойную совесть.

Осенью, съезжая с дачи, мы опять оставили Кате ненужные вещи – старые джинсы, куртки, остатки косметики – и прочно забыли о ней еще на один год.

Потом мы поступили в институт: я – в текстильный на тогда еще не очень модный факультет моделирования женской верхней одежды, а сестра – в экономический. Началась развеселая пора – студенческая жизнь. Дома мы старались бывать как можно реже – там теперь было совсем грустно и уныло. Тяжело ходила бабушка, уже почти совсем ослепшая. Мама разрывалась между работой и домом, а мы, молодые и здоровые эгоистки, были увлечены своими страстями и такими важными, как нам казалось, делами.

И тут на нашем горизонте снова возникла Катя. На сей раз с чемоданом в руках. Она пила на кухне чай и обстоятельно и деловито рассказывала маме о планах на жизнь – бабка ее померла, непутевая мать опять моталась по свету, а Катя решила устраивать свою жизнь. Наша мама советовала ей получить хорошую специальность повара или парикмахера. Катя кивала и подробно выспрашивала, какая из профессий более доходная. Остановились на кулинарном училище.

– При продуктах все же, – вздохнув, сказала Катя.

Она подала документы, устроилась в общежитие. Заходила она к нам теперь совсем редко, раз-два в месяц. Мы с сестрой бросали ей «привет» и дежурное «как дела?» и убегали в свою распрекрасную жизнь. Она же общалась с нашей мамой, долго пила на кухне чай вприкуску, шумно прихлебывая, и подробно рассказывала о своем житье. Жилось в общежитии ей совсем несладко – драки, скандалы, вечные пьянки. Уж чего только она не навидалась за свою молодую жизнь, но даже она не могла к этому привыкнуть.

А потом окончательно слегла совсем ослепшая бабушка. Мать рвалась между домом и работой, отец старался приходить как можно позже. А мы, молодые нахалки, помогали урывками и кое-как. Как-то получилось, что мама отдала Кате связку запасных ключей и она забегала днем покормить или переодеть бабушку. Заодно что-то подстирывала, прибирала и даже пыталась приготовить ужин. Мать, конечно, подбрасывала ей денег. Но Катя сначала отказывалась, объясняя свою помощь своим же интересом:

– Я у вас тут душой отдыхаю, днем посплю часок в тишине, чайку попью.

Но деньги потом стала брать, да и подарки тоже – что, впрочем, вполне естественно. Теперь Катя отстаивала шестичасовые очереди в универмаге «Москва» за финским стеганым пальто, австрийскими сапогами на каблуке, югославским костюмом из ангорки... Правда, это помогало мало – несмотря на модные тряпки, Катя оставалась все-таки приезжей. Воистину: девушка может уехать из деревни, а вот деревня из девушки... К тому же в свои двадцать с небольшим она была уже вполне тетка – на вид Кате можно было дать и тридцать, и сорок.

Само собой получилось, что она чаще и чаще оставалась у нас ночевать. Спала в бабушкиной комнате – и это было всем очень удобно. Вставала позже нас, когда мы, уже выпив кофе, прихорашивались в прихожей, готовые к бурному дню. Старалась не попадаться на глаза, не путаться под ногами. И со временем абсолютно подладилась под нашу жизнь.

Первой замуж выскочила сестра – все как положено, по праву старшей. Муж ее был студентом консерватории из очень интеллигентной, зажиточной и известной азербайджанской семьи. Его родители – а власть их была очень сильна – настояли на переезде молодых в Баку. Сестра долго сопротивлялась, но все же перевелась в бакинский вуз и подхватилась за мужем. Был он записной восточный красавец – высокий, черноглазый, с маленькими жесткими усиками и прекрасными тонкими руками музыканта. Семья мужа приняла сестру настороженно, все очень переживали, что старший (и главный!) сын женился на иноверке. Но в запасе были еще два сына и дочь – в общем, смирились. Свадьбу гуляли три дня, как положено, шумную и роскошную, со всеми атрибутами Кавказа. На свадьбу мы с отцом приехали вдвоем – мать осталась с бабушкой, у Кати были какие-то экзамены. Из Баку мы уезжали с неподъемными баулами – вино, фрукты, цветы. Все, чем одарила нас щедрая восточная родня.

Дома без сестры было невыносимо грустно и одиноко. Зато была Катя. Она потихоньку перевезла из общежития свой нехитрый скарб и стала жить у нас постоянно. В родном доме я тоже долго не задержалась – через полтора года вслед за сестрой ушла «в замуж», как говорила Катя. Впрочем, не совсем так: любимый мой был женат и имел двоих детей, но с женой не жил, оставив ей свою квартиру, а жил в полуподвале мастерской на Кировской. Он был скульптор. В эту мастерскую перебралась и я. Быт наш был скуден и убог: маленькая, плохо отапливаемая мастерская без горячей воды, я студентка, да и его заработки были невелики и к тому же от случая к случаю. Мы бедствовали, но, как водится, в молодости это не воспринимается трагически. К тому же мы были страстно влюблены друг в друга и потому совершенно счастливы.

Умерла бабушка, и на похороны приехала моя глубоко беременная сестра. Ночами мы вели с ней бесконечные разговоры, и она призналась, что стала покорной мусульманской женой – обеды, уборки, бесконечные родственники, преимущественно мужского пола, где она постоянно подает, убирает и опять подает. Она тихо, чтобы не узнали родители, плакала и говорила о том, как ей ох как несладко. Хотя в бытовом плане проблем не было никаких: прекрасная квартира, машина, деньги. Говорила, что очень любит мужа, но все-таки попала в чужой мир, где многое ей непонятно и чуждо, но менять свою жизнь она не может и, скорее всего, не хочет.

А я рассказывала ей о своей любви, о дырявых сапогах, штопаных колготках, пустой жареной картошке на ужин, о том, что мой любимый и не думает разводиться и что я не нашла общего языка с его детьми. И еще о том, что свою жизнь я не променяю ни на какую другую. Мы долго молча сидели обнявшись и обе горько плакали. Мы поняли, что наша юность и беззаботность безвозвратно ушли и мы стали совсем взрослыми женщинами, каждая со своей непростой судьбой.

На похоронах и поминках вовсю хозяйничала Катя, тихо и четко давая всем распоряжения – работягам на кладбище, соседкам, накрывавшим поминальный стол и пекшим традиционные блины, – в общем, было ясно, что она здесь хозяйка. Теперь Катя жила в нашей бывшей с сестрой комнате, и было странно видеть там ее вещи – кружевные, вязанные крючком салфетки, горшки с фиалками, кулинарные книги, портреты артистов на стене. Словом, ее порядок и ее представление об уюте.

– Зажилась она тут у вас, мам, – жестко сказала сестра.

– Что ты! – испуганно всполошилась мать. – Я без нее бы пропала! Все хозяйство на ней – и стирка, и уборка, и магазины. Столько лет она бабушку тянула! А пироги какие печет – отец оторваться не может. Я только Бога молю, чтобы она от нас не ушла, замуж не выскочила. Эгоизм, конечно, но мы без нее пропадем.

– Да не придумывай! – усмехнулась сестра. – Жили както и без нее, не пропали. А теперь ее вообще отсюда не выпрешь, прижилась накрепко, – зло добавила она.

В те дни Катя нам постелила в бабушкиной комнате, четко обозначив свое место в нашей семье. Сестра возмутилась, а я миролюбиво сказала:

– Ладно тебе, родители не молодеют, ты далеко, я в своих проблемах... Черт с ней, пусть живет, и матери полегче, да и положа руку на сердце весь воз проблем она тащит на себе. Из нас с тобой помощницы никакие. И мне тоже так спокойнее.

– Нет, – отвечала сестра. – Мне это не нравится, она уже здесь хозяйка, неужели ты это не чувствуешь?

А вскоре тяжело заболела мама. Диагноз оказался страшным и необратимым – рассеянный склероз. Редкое заболевание у женщин после пятидесяти. У нее начали дрожать руки и ноги, она стала слепнуть, а потом и вовсе перестала вставать – развился частичный паралич. Я прибегала после работы, но все уже было сделано – постель чистая, мать подмыта и накормлена, а на плите отца ждал горячий ужин. Катя, как всегда, была сурово-сдержанна, скупа на слова и деловита. Мне она только протягивала заключения врачей и рецепты. Научилась делать уколы. За мать я была спокойна – лучшего ухода и представить невозможно, а к горю и к болезни все постепенно привыкли. Конечно, где-то глубоко внутри точила совесть – при двух здоровых дочерях за матерью ухаживает посторонний человек. Впрочем, посторонней Катя уже не была.

Тяжелая болезнь матери иногда давала передышку. Отец много работал и по понятным причинам старался бывать дома реже. Но ко всему человек привыкает, и постепенно ужас и паника отступили; все привыкли к тому, что мать тяжело больна, и смирились с этим, радуясь временным и коротким улучшениям. Жизнь вошла в свой ритм и потекла уже по другому распорядку.

Прошло четыре года. Однажды вечером я, как обычно, забежала после работы к матери. Она, почему-то шепотом, попросила меня поменять ей постель и вынести судно.

– Катюше это уже тяжело, – объяснила мать.

– Что тяжело? – удивилась я. А когда я увидела Катю, то быстро все поняла.

Живот у нее был, если приглядеться, вполне заметный – месяца на четыре. Мы пили чай на кухне, и я увидела, что лицо ее расцвело коричневым пигментом, припухли губы и нос – словом, все признаки налицо. Я закурила и, помолчав, спросила:

– Замуж собралась?

– Нет, – ответила она. Короче не скажешь.

– Что «нет»? – разозлилась я. – Нагуляла? И где ты с ним, – я кивнула на Катин живот, – жить собираешься? Здесь гнездо совьешь?

Катя молчала.

– Что молчишь? – крикнула я. – Сама пристроилась и с ним, думаешь, не пропадешь. Люди мы добрые, на улицу не выкинем. Да и куда мы без тебя, пропадем ведь, погибнем, не справимся, – зло иронизировала я.

А Катя молчала.

– Не выйдет у тебя ничего. Может, ты еще прописаться здесь задумала? Не слишком ли много на себя берешь?

– А ты не слишком мало? – наконец ответила мне она.

Но остановить меня уже было сложно.

– Ты что, думаешь, мы сиделку матери не в состоянии нанять? Думаешь, без тебя наша жизнь закончится? Ничего, не помрем, не переживай! – кипела я.

Видеть ее почему-то было невыносимо.

Я зашла к матери:

– Мам, ну что происходит? Ну чему ты потакаешь? Сегодня она родит, а завтра папашу ребенка приведет, алкаша заводского, ты его тоже пустишь? Она тут временно поселилась, временно, понимаешь? На черта нам все это надо? Ну, будет полегче с деньгами, наймем медсестру, ты же сама говоришь, что у нее рука тяжелая. – Я бессильно опустилась в кресло.

– Остынь, – тихо сказала мать. – Все останется как есть. Пока я жива, я здесь хозяйка. У вас своя жизнь, а у нас тут – своя. И решать это мне.

Я схватила куртку и выскочила на улицу. Во дворе я села на скамейку и попыталась взять себя в руки. Почему-то меня душила злость. Звонить сестре? Что ее тревожить? У нее своя жизнь, двое детей, другой город. Просить ее приехать? Глупо. Надо поговорить с отцом, осенило меня. Я позвонила ему – он, как всегда, был на работе допоздна – и сказала, что сейчас подъеду к нему. Он не удивился и не спросил, в чем дело. Я зашла к нему в кабинет и увидела, что он еще вполне хорош собой, седовлас и строен. И совсем не стар. Господи, подумала я, а ведь ему совсем несладко и совсем непросто.

Возмущаясь и сбиваясь, я твердила, что Катю надо выгонять сейчас, пока она не родила, потом будет сложнее. Нельзя допустить, чтобы из роддома она вернулась к нам, что потом мы не избавимся от нее вовек. И еще я говорила о том, что она внедрилась буром в нашу семью и стала, по сути, в ней хозяйкой и что виноваты во всем мы с сестрой, да-да, я это признаю, так всем нам было проще и удобнее, но пора остано-

виться, гнать ее, эту змею, которая вползла в наш дом, гнать именно сейчас, потому что потом будет поздно...

Отец ничего не отвечал, только молча курил, стоя у окна спиной ко мне.

– Что молчишь? – выкрикнула я. – Или тебе так тоже удобно и тебя это совсем не касается?

– Касается, – коротко ответил он. Потом, помолчав, добавил: – Мать права, пусть все останется как есть. Ничего изменить нельзя. Мать без нее уже не может.

– А ребенок? – тихо спросила я.

Отец мне не ответил.

Я выскочила из кабинета и пошла прочь. В конце концов, это их жизнь, успокаивала я себя. И их решение. Я не приходила туда два месяца. А что творилось у меня внутри! И злость, и вина, и обида, и все душевные муки, которые только могут быть в неспокойной человеческой душе. Теперь я звонила отцу, узнавала, как мать, и когда наконец решила прийти к ним, попросила отца, чтобы Кати не было дома.

– Она почти не выходит, – объяснил мне отец. – Состояние у нее не из лучших. Так что, если хочешь, приходи, а условий мне не ставь.

Я, конечно, пришла. Мать плакала и гладила мне руки. В коридоре я столкнулась с Катей. Ну почему мне так невыносимо было видеть ее – тяжелую, опухшую, с большим, низким животом? Она опустила глаза и молча прошла мимо меня. Я сидела в комнате у матери, и мы молчали. Потом мать тихо сказала, вернее, попросила:

– Смирись, не мучь себя. Уже ничего не изменишь.

Я кивнула.

Спустя три месяца Катя родила здорового и крупного мальчика. Когда я приходила туда, ребенок мирно спал на балконе. А Катя опять крутилась между ним, матерью и кухней. В ванной висели голубые фланелевые пеленки, а на кухне стояли бутылочки со сцеженным молоком.

— Поди посмотри на мальчика, — тихо сказала мать.

— Мне это неинтересно, — отвечала я.

Болезнь матери уже не оставляла никаких надежд — она все больше дремала, совсем перестала читать и лишь изредка смотрела телевизор. На тумбочке у ее кровати, на дурацкой кружевной салфетке, связанной Катей, всегда лежало на блюдце очищенное и разрезанное на дольки яблоко и стоял стакан компота.

В квартире был абсолютный порядок, мать лежала на белоснежном, накрахмаленном белье, и на плите всегда стоял обед из трех блюд. Конечно, я все это замечала и была способна оценить, но сделать шаг и начать общаться с Катей почему-то не могла. Или, положа руку на сердце, не хотела. А мать рассказывала мне, что мальчик чудный и крепенький — тьфу-тьфу. И такая радость, когда Катя приносит его ей в комнату! Ты не переживай, это меня ничуть не беспокоит, наоборот, одни сплошные положительные эмоции.

— А что моя жизнь? — говорила мать. — Лежу, как болван деревянный, столько лет. Ни туда, ни сюда. Не живу и не умираю. Только всех мучаю. И освободить от себя не могу, — плакала бедная мать.

Младенца я увидела спустя полгода — забежав днем к матери. Он сидел в подушках на ее кровати, и она разучивала с ним нехитрые «ладушки». Мать смутилась, увидев меня, а Катя, быстро подхватив ребенка, выскочила из комнаты. Все, что я успела увидеть, — это то, что ребенок и вправду был хорош: гладкий, упитанный, розовощекий, с нежным светлым пухом на голове. Сердце мое сжалось — я была по-прежнему бездетна. Видя мое смятение, мать осторожно завела разговор:

— Чудный мальчик, правда?

— Не знаю, я в них не разбираюсь, — сухо ответила я.

Я покормила мать обедом и засобиралась домой. Вновь видеть ни Катю, ни ребенка мне не хотелось.

Медленно, бульварами, я пошла к своему так называемому дому. На душе было пусто. Период романтики и страсти мы, увы, уже проскочили, и остались лишь убогий быт, неустроенность и вечная нехватка денег. Всю зиму я ходила в осеннем пальто, подшив под него шерстяные платки, и в старых, латаных сапогах. Как следствие – вечно простуженная и раздраженная. Появились обиды и упреки и, конечно, взаимное недовольство друг другом. Я была вполне взрослая женщина, и мне хотелось стабильности, казавшейся мне синонимом счастья, – квартиры, семьи, ребенка, наконец. Наверное, в других обстоятельствах я бы вернулась к родителям, но возвращаться, по сути, мне было некуда. В общем, мне казалось, что я немолодая, тощая и загнанная лошадь, которая, обреченно и понуро опустив голову, бредет, спотыкаясь, по бренной земле.

А через два года умерла мать – урологический сепсис. Врач, констатировавший смерть, сказал, что причина банальна. И добавил, что мать, слава богу, отмучилась – сколько лет такой страшной жизни. На похороны прилетела сестра, ставшая совсем похожей на восточную женщину – крашенные в медный цвет волосы, черные одежды, крупные бриллианты на пальцах и в ушах.

Прилетела она с младшей дочкой, и девочка быстро нашла общий язык с Катиным сыном – они что-то строили из кубиков на ковре. На кухне опять хлопотала Катя. Сестра внимательно посмотрела на нее и спросила:

– Кого ждешь?

– Мальчика, – одними губами ответила Катя. И быстро вышла из кухни.

На похоронах отец не плакал. Да и кто его вправе судить? Слишком долго и тяжело мать уходила. Человек ко всему привыкает. Все были к этому готовы. Жизнь есть жизнь. Только после поминок, когда мы с сестрой, обнявшись, сидели на мамином диване, он коротко бросил нам: «Помогите Кате».

Я стала убирать со стола, а сестра пошла укладывать спать дочку. На кухне Катя мыла посуду.

– Ловко у тебя все получается, – усмехнулась я. – Теперь власть переменилась. Я-то тебя быстро выставлю, не сомневайся. Я не такая добренькая, какой была мать.

Катя развернулась ко мне и, глядя мне в глаза, твердо произнесла:

– Не выставишь, не надейся.

– Ну, это мы еще посмотрим, – пообещала я.

Катя вздохнула, вытерла о передник руки и достала из кармана конверт.

– Читай, – коротко бросила она.

Я открыла конверт и увидела листок из школьной тетрадки в линейку, исписанный крупным и кривым, словно детским, почерком. Я начала читать:

Девочки мои! Не решалась сказать вам раньше – так мне легче. Примите Катю и ее детей. Это – ваши братья. Не осуждайте отца – так сложилась жизнь. Катя ни в чем не виновата. И никто ни в чем не виноват. С квартирой, думаю, разберетесь по-людски. Там же ваша доля тоже. Катя продлила мне жизнь. Хотя она была мне уже не очень-то и нужна. Но есть как есть. Решите все миром. Писать тяжело. Постарайтесь быть счастливыми. Очень вас прошу.

Мама.

Я долго держала в руках этот тетрадный листок, пытаясь понять. Сколько я просидела на кухне на табуретке и как вышла в холодную московскую осень, не помню. Отцу я не звонила долго, видеть ни его, ни Катю не хотелось. Да что там не хотелось – видеть я их просто не могла.

Потом изменилась и моя жизнь. Я познакомилась с человеком, от которого веяло спокойствием и надежностью. Был он математик и бельгиец по происхождению. Человек от точной науки, четко объяснивший мне всю перспективу нашей с ним дальнейшей жизни без богемного налета и неопределенности, от которых я очень устала, – где мне все было предельно понятно. Я вышла за него замуж, и мы засобирались на его родину.

Отцу я позвонила перед отъездом, за час до выезда в аэропорт, таким образом заранее отрезав себе пути к встрече. Говорили мы сдержанно и смущенно. Я спросила его о здоровье и доложила минимальную информацию о себе. В трубке я слышала детские голоса.

– Напиши хоть когда-нибудь, – дрогнувшим голосом сказал он напоследок.

В Москве я не была несколько лет, жизнь моя сложилась так, как я уже и не ждала, – жили мы дружно и тихо, наслаждаясь покоем и друг другом. Детей я так и не родила. С сестрой мы часто и подолгу общались по телефону – для меня это, слава богу, было доступно. И однажды решили приехать в Москву – повидаться и навестить могилу матери.

Мы заказали один отель и поселились в соседних номерах. Наутро поехали на кладбище. Мы стояли возле ухоженной могилы и молчали. Думаю, мы обе просили у мамы прощения. Ведь если бы все сложилось по-другому, ей бы не пришлось пережить всего, что она пережила. Если бы мы, ее дочери, были все годы рядом с ней. Мы, а не чужой человек, хотя, что греха таить, это нам было очень удобно. Это потом мы стали искать виноватых. С кладбища мы шли молча, а когда сели в такси, я назвала водителю адрес старой родительской квартиры.

Дверь нам открыла Катя – точно такая же, как много лет назад, только слегка располневшая. Несколько минут мы смотрели друг на друга, потом я сказала:

– Чаем напоишь? Мы жутко промерзли – совсем отвыкли от московских зим.

Катя словно очнулась и мелко закивала. Мы разделись и зашли в дом. Из комнаты вышел постаревший отец и беззвучно заплакал, прислонившись к дверному косяку. Мы обнялись втроем. Катя накрыла стол в комнате, и за него сели двое симпатичных мальчишек. Я подошла к ним и по очереди обняла их. Испуганные, они сидели тихо-тихо. Отец курил и молча наблюдал за нами. А потом вздохнул и сказал:

– Ну, слава богу, вся семья в сборе. Садимся обедать!

Лучше не скажешь – вся семья в сборе. Ничего не попишешь – такая теперь вот у нас была семья. И слава богу, что у нас хватило ума с этим смириться. Принять этот непростой пазл, который сложила жизнь и выкинула нам. Так, как было необходимо и мне, и сестре, – сейчас мы это понимали наверняка. И нашему отцу. Найти в себе силы начать со всем этим жить. Жить, чтобы жить, – и постараться быть счастливыми. Как просила нас мама.

Прощение

– Готовьте документы в хоспис, – резко сказала Лина и отвернулась к окну.

Врач тяжело вздохнул и покачал головой.

– Осуждаете? – зло усмехнулась Лина.

Врач пожал плечами:

– Просто каждый человек имеет право умереть в своей постели.

– Вы в этом уверены? – спросила она. – Впрочем, что вы знаете о моей жизни? Хотя осуждать и быть абсолютно уверенным – это привилегия юности. Вы еще слишком молоды.

– Слишком для чего? – Этот молодой парень был не промах.

Лина устало махнула рукой и не прощаясь вышла. Погода заставила застегнуть куртку и надеть капюшон. На асфальте лежали тяжелые от дождя бурые листья. Октябрь.

Лина посмотрела на часы и заторопилась к остановке.

Надо было заехать на работу, забрать документы, заскочить в магазин – в холодильнике пусто. Она вспомнила, что на че-

тыре записана в парикмахерскую, и решила, что обязательно туда пойдет. Гори все огнем! Впрочем, и так вся ее жизнь сейчас занялась колючим, злым, с синими языками пламенем.

«Опять я по уши вляпалась в чужие проблемы», — раздраженно подумала она.

В том, что проблемы были чужими, она была твердо уверена. Только надо сделать так, чтобы это все прошло по касательной. Надо постараться. Иначе не выдержит. И потом, это все справедливо: каждому по делам его, по заслугам. Как свойственно человеку, считающему себя бескомпромиссным, Лина свято верила в торжество справедливости. Хотя какое уж тут торжество?

В парикмахерской она сильно нервничала и смотрела на часы. В который раз отругала себя за это.

В доме пахло болезнью. Нет, не так. В доме отчетливо пахло смертью. Это был неуловимый запах, который невозможно объяснить, — запах беды и страданий, запах безнадежности и отчаяния.

Она бросила на стул куртку, сняла сапоги и пошла в ванную мыть руки. Потом зашла в его комнату. Он лежал с открытыми глазами и смотрел прямо перед собой. В стену.

— Есть будешь? — спросила Лина.

Он не ответил. Она вышла из комнаты и закрыла дверь. «Обида сильнее жалости», — подумала она. В семь должна приехать Марина.

Лина сварила кофе, села с ногами на диван и закрыла глаза.

Поженились они тридцать лет назад. Ему — двадцать пять, ей — двадцать. Встретились в одной компании — и Лина сразу потеряла голову. В нем была харизма. Впрочем, тогда этих слов не знали, тогда это называлось «клевый парень». Он и вправду был клевый — высокий, поджарый, длинноногий. Светлые волосы, серые глаза. В глазах усмешка: «все я про вас знаю». Девицы не давали ему покоя.

Она сидела в кресле и смотрела на то, как он танцует с какой-то красоткой. Красотка положила голову ему на плечо и закрыла глаза. Он оглядывался по сторонам. Было видно: до красотки ему нет никакого дела. Танец кончился, но девица продолжала стоять, не открывая глаз. Он рассмеялся и взял ее за плечи.

– Эй! – сказал он. – Проснись!

Девица открыла глаза и с затуманенным взором села на диван.

Он взял гитару и запел.

У него был низкий, чуть с хрипотцой голос. Голос, которым хорошо петь и Высоцкого, и Окуджаву, что он и делал. Было видно, что про себя он знал все.

– Мне надо на кого-нибудь молиться, – пел он и смотрел на Лину.

Лина была тоненькая и напряженная, как струна. Челка по брови, черные глаза, упрямый рот. Ничего особенного. Но почему-то она отличалась от всех остальных. Он это почувствовал. Потом взяла гитару лохматая толстая девочка и дивным голосом запела:

Когда б мы жили без затей,
Я нарожала бы детей,
От всех, кого любила,
Всех видов и мастей.

У Лины выступили на глазах слезы, и она вышла на кухню. Она стояла у окна и смотрела в черную январскую ночь.

– А вы, – услышала она за спиной, – вы бы так смогли?

Она обернулась.

Он стоял в дверном проеме и курил. Он даже курил красиво.

– В каком смысле? – не поняла Лина.

– В смысле того, что от всех, кого любила. Всех видов и мастей, – улыбнулся он.

– Ну, это зависит... – протянула она.

– Смелости хватит? – поинтересовался он.

– Главное, чтобы хватило кандидатов и средств, – в тон ответила Лина.

– Ну, с кандидатами, я думаю, проблем не будет. А что касается средств, то песня не об этом.

Он посмотрел в потолок и выпустил тонкую струйку дыма.

– Хорошо, что объяснили, – кивнула Лина.

– Ну, не сердитесь, – улыбнулся он. – И вообще, я предлагаю вам отсюда сбежать.

У нее екнуло сердце. Ерничать дальше не было смысла. Она кивнула.

На улице началась метель, но почему-то было очень тепло. Они быстро шли по белой мостовой. Он взял ее за руку. Потом, когда куртки и волосы совсем промокли от снега, они зашли в подъезд, и он достал из внутреннего кармана прихваченную с вечеринки початую бутылку вина. Он сделал глоток и протянул бутылку ей.

– Господи, как романтично! – съязвила Лина.

– Когда-нибудь ты будешь это вспоминать. Вспоминать с удовольствием, даже с радостью, – отозвался он.

Ей показалось, что он знает про эту жизнь гораздо больше, чем она. Она села на подоконник, сняла мокрую куртку и сделала несколько глотков из бутылки. Сразу стало тепло и немножко закружилась голова. Он взял ее лицо в свои ладони, начал томительно, уверенно и долго целовать, и в эту минуту она поняла, что пропала окончательно.

Потом все произошло довольно быстро. На следующий день днем он приехал к ней – родители были на работе, все и случилось. Ждать и держать «лицо» было невозможно.

Так она влюбилась в первый раз. Ничего подобного Лина не испытывала никогда ранее – и все остальные романы и романчики перечеркнулись сразу и навсегда, как не было.

Он был прекрасен. Он был нежен, тонок, терпелив, он угадывал ее самые потаенные желания, он чувствовал ее самые темные, неведанные прежде ей самой закоулки души и тела, он читал стихи, жарил картошку и гладил ее гофрированную юбку. У нее не получалось, у него – всегда.

Он нравился ее отцу – они вместе в гараже перебирали карбюратор старенькой отцовской «Волги». На день рождения ее матери он принес белые розы – невиданная роскошь по тем временам. И все же мать с прищуром разглядывала его. Для нее все не было так однозначно.

– Слишком хорошо, – заключила она. И добавила: – Слишком.

Через три месяца Лина залетела.

Она позвонила ему поздно вечером и сообщила новость.

– Ну, и какие мысли? – весело поинтересовался он.

– Ищи врача, – сказала Лина.

– Ты спятила? – удивился он. И твердо добавил: – Будем рожать.

Свадьба была в кафе у метро. Дурацкая, как обычно, пьяная и бестолковая. Лину здорово тошнило.

После свадьбы жить стали у его матери. Это было удобно: мать работала поварихой в экспедициях, на полгода уезжала «в поле» – они были предоставлены сами себе. Лина писала диплом. Он работал в КБ. Родители Лины подкидывали деньжат. Жить было можно, хватало на киношку и на кафешку, но почему-то было нерадостно.

Уже тогда Лина почувствовала, что что-то не так. Нет, он был по-прежнему нежен и предупредителен. Он по-прежнему жарил картошку, мыл полы и ходил в магазин. Все было как всегда. Кроме одного: он перестал с ней спать.

Она сказала об этом матери. Мать объяснила, что такое бывает.

– Ты изменилась, а мужики – большие эстеты, – с усмешкой сказала мать. – Подожди, родишь, и все наладится. Только не распускайся и следи за собой!

Через пару недель раздался звонок.

Та женщина говорила медленно, с расстановкой. Называла Лину дурочкой и глупышкой. Ласково так называла. Потом смеялась хрустальным смехом:

– Ты думаешь, он ходить ко мне перестал хоть на неделю?

Она предлагала Лине вспомнить его вечерние отлучки по числам. Лина чисел не помнила, но почему-то сразу поняла, что это правда. Все правда.

– Что вы хотите? – тихо спросила она.

– Я? – удивилась женщина и опять рассмеялась. У нее был очень красивый, нежный и звонкий смех. – Я – ничего. А ты готовься. Он не угомонится никогда. Такая натура. И потом, он же народное достояние. Почему это должно достаться одной тебе?

Она опять рассмеялась и положила трубку.

Ночью Лине стало плохо, и «Скорая» увезла ее в больницу. Все оставшиеся три месяца до родов ей предстояло лежать не вставая. Угроза выкидыша.

Он приходил в больницу каждый день. Приносил цветы и соки. Писал нежные и трогательные записки. Придумывал будущему ребенку смешные имена: если будет девочка, то Глаша или Стеша, а мальчик – определенно Акакий или, в крайнем случае, если ты не согласна, Порфирий. Она смеялась сквозь слезы, читая эти дурацкие записки, и почти убедила себя, что тот звонок – бред и наговор. Какая-то из прежних баб, брошенная и обиженная.

В августе родилась дочка. Девочку назвали Мариной. Дома были вымыты окна, убраны ковры, а посреди комнаты стояла собранная детская кроватка.

«У меня все хорошо! – сказала себе Лина. – Все – бред и наветы. У меня самый красивый ребенок и самый лучший муж».

Вечером в ванной она нашла закатившуюся под баки с грязным бельем чужую губную помаду, а на подоконнике в спальне лежала щетка для волос с двумя длинными белыми волосами.

Потом, спустя много лет, когда ее жизнь бесповоротно превратилась в кромешный ад, а сама она стала вздрагивающей и пугливой неврастеничкой, – тогда она спрашивала себя, почему не ушла сразу. В том августе, после роддома. Почему у нее не хватило на это духа и сил? Почему она позволила ему так распорядиться ее жизнью?

Она, конечно, предъявила тогда и помаду, и расческу. Он удивился и пытался что-то придумать. Все, естественно, выглядело нелепым, смешным и совершенно неубедительным. Но она его тогда оправдала: жена три месяца в больнице, разве нормальный, здоровый молодой мужик выдержит такое испытание?

Она, конечно, без конца плакала, и в результате у нее пропало молоко. Дочке стали давать молочные смеси, и у нее началась экзема. Она корила себя, винила его и бросала ему в лицо жестокие обвинения. Он пожимал плечами и предлагал ей полечить нервы.

К Новому году приехала его мать. Женщина грубоватая, но без второго дна. Такая, какая есть.

– Как у тебя с ним? – спросила она.

Лина пожала плечами.

– Ясно, – сказала свекровь. – Надо было бы тебя раньше предупредить. Но разве я бы тебя остановила? Да и потом, беременность... Кровь не вода, – заключила свекровь. – Папаша его тоже был неугомонный. До самой смерти. Всю душу вынул. Я терпела ради сына.

Свекровь замолчала и закурила.

– Всю жизнь потом жалела. Зачем я с собой так? Ведь могла бы жизнь устроить. Смолоду, конечно. – Она замолчала. – А ты – ты подумай, девочка. Стоит ли? Столько слез выплачешь, ведь с этим смириться невозможно, как себя ни уговаривай. Ты мне поверь. В общем, беги от него, пока есть силы. Это я тебе не как свекровь говорю, а как женщина. Ребенка подымешь, куда денешься. И себя сохранишь, это тоже не пустяки.

Почему она тогда не послушалась свекрови? Ведь та определенно желала ей добра. Наверное, как жены алкоголиков, которые свято верят, что это последний раз. Другие не справлялись, но я-то точно справлюсь! Вера в светлое будущее! Идиотка! Дура! Бросила коту под хвост свою жизнь.

Нет, она, конечно, уходила. Несколько раз. К родителям. Но у родителей было тяжело – старел отец, болела мать. Свекровь вышла на пенсию и окончательно осела в Москве. Очень помогала с дочкой – девочка росла очень болезненной. Лина брала на все лето отпуск за свой счет – отпуск нехотя, но давали, приносила кучу справок от врачей и на все лето уезжала с дочкой в Крым. Но все равно зимой девочка болела – бесконечные ангины, бронхиты, ложные крупы.

О том, как он жил все лето без нее, она старалась не думать. Хотя ясно, кот из дома, мыши в пляс. Были и отвратительные звонки с подробностями, даже письма от доброжелателей... Свекровь не выдержала постоянных скандалов, купила себе однокомнатный кооператив в Беляеве. Без свекрови стало, с одной стороны, тяжелей, а с другой – легче, никто не видел ее позора и унижений. От родителей она все скрывала.

С годами он стал еще лучше, еще интересней: на висках – благородная седина, тот же блеск в глазах, стройная фигура, длинные ноги. Она видела, как бабы провожают его взглядом, как кокетничают с ним продавщицы в магазине, немолодая провизорша в аптеке и совсем пожилая почтальонша, принесшая телеграмму. «Народное достояние», – вспомнила она.

– Зачем ты на мне женился? – кричала она.

Он удивлялся.

– Я же тебя люблю, – невозмутимо объяснял он. – И тебя, и дочку!

Отец он и вправду был неплохой. Да что там неплохой, прекрасный! До десяти лет купал Маришку в ванной – она боялась мыть голову (шампунь попадал в глаза) и доверяла только ему.

– Папа это делает нежно! – говорила дочь.

– Папа твой все делает нежно, – усмехалась Лина. – И душу из меня вынимает тоже нежно. С чувством, с расстановкой.

Он уезжал в командировки – и она металась ночью, как в бреду, сходя с ума от ревности и отчаяния. Мечтала, чтобы все это кончилось, и больше всего на свете боялась, что однажды он скажет, что уходит. Ненавидела всех его баб, посылала проклятия на их голову.

Однажды, отчаявшись, пошла к гадалке, старой цыганке. Все ей рассказала. Та объяснила, что может сделать сильнейший приворот, но это большой грех, как аукнется – неизвестно, может и на ребенке. Еще сказала, что он будет кобелировать всю жизнь, но ее не бросит. Мужики вообще на это идут неохотно. Сила привычки. Еще уверяла, что он очень любит дочку, ценит ее как жену и мать.

– В общем, тебе решать, девка. Подумай! Не спеши. Придешь еще раз – помогу. Больно у тебя глаза больные.

Больше к гадалке Лина не пошла. Разумная женщина должна сама принимать решения и надеяться на свой разум и волю. Только отчаяние загоняет ее в эти бредовые ситуации.

В третьем классе у Марины случился аппендицит – и не было трепетнее отца и мужа, две недели не отходил от дочкиной кровати. А на третью неделю уехал в Ригу – Лина нашла у него два железнодорожных билета.

Потом она решила, что хватит заниматься мазохизмом и надо устраивать жизнь. Завела романчик с коллегой по работе. Но это было противно и низко: женатый полюбовник, как называла его она, вечно торопился в семью. Их встречи были похожи на собачьи случки. На чужих простынях, все быстро, все второпях, по минутам. Какая там радость – одно паскудство и разочарование. Чужой запах, чужое тело. Она чувствовала себя воровкой. После этих встреч долго стояла под душем – хотелось смыть с себя эту грязь. Естественно, через пару месяцев все оборвала.

Через пару лет, правда, почти влюбилась. Но мальчик был моложе на двенадцать лет. Лина чувствовала себя рядом с ним старухой, стеснялась своего тела. Этот мальчик, кстати, довольно быстро сбежал. К какой-то девочке, естественно. Она опять страдала, теперь от унижения. Смотрела на себя в зеркало: молодая еще женщина, а уже седина в волосах и такая тоска в глазах... Сгусток нервов и боли.

Дочка обожала отца. Мать всегда не в настроении, а отец, как обычно, весел, остроумен, легок. Всегда потакает ее капризам, балует, делает подарки. В шестнадцать лет – самый жестокий возраст – уже все понимала и кричала матери в лицо, что оправдывает отца: видеть постоянно кислую мину на лице – любой пустится в бега. Правда, к двадцати пришла в себя, поняла мать и пожалела. Это случилось, когда начала набирать обороты та, последняя, история.

Лина тогда почувствовала, что у него все не как обычно, все сложнее. Он стал молчалив и задумчив. Бренчал на гитаре, смотрел слезливые бабские мелодрамы. Уже взрослая Марина начала свое расследование. Узнала, что у отца серьезный роман. Женщина тридцати пяти лет, разведенная, с ребенком. Видела их вместе в парке Горького – отец катал мальчика на каруселях.

– Уходи, я все знаю, – сказала тогда Лина.

Он молчал.

– Что ты молчишь? – кричала она. – Не можешь решиться? Давай я тебе помогу. – И она начала собирать ему чемодан.

Сразу он тогда не ушел. Не спал по ночам, запирался в ванной с телефонной трубкой. Смотрел подолгу в одну точку. А однажды она пришла с работы домой и сразу поняла: ушел. Собрал все вещи и ушел. Только в коридоре одиноко стояли его забытые тапки.

Она сначала хотела их выбросить, но что-то ее остановило – она так и не поняла что. Просто взяла их и убрала в галошницу, с глаз долой.

Потом еще было много чего. Он приходил и уходил шесть раз. Она пыталась его не пускать, стояла в дверях, а он говорил, что прописан и что это квартира его матери, что он имеет право. Она искренне не понимала: раз там любовь, почему же он никак не угомонится? Значит, там ему не очень сладко? А здесь и вовсе колония строгого режима: она с ним не общается, дочка его избегает, едят они на кухне одни – его не зовут.

Приходил, правда, без чемодана – было понятно, что *там* он рвать не готов. В общем, мучил Лину бесконечно. Пять лет. Она его уже почти ненавидела – за предательство, за нерешительность, за слабость характера. И все-таки, глубоко-глубоко, на самом дне души, надеялась, хоть и боялась себе признаться, что однажды он вернется и останется насовсем. Все еще любила? Нет, ей точно казалось, что нет. Хотя тосковала по нему, все еще тосковала, это определенно.

Последний раз он ушел полтора года назад. Это был самый долгий срок без возвращений. Она уже почти успокоилась. Почти смирилась. Да нет, совсем смирилась, привыкла к своему одиночеству. Марина рано выскочила замуж, на первом курсе. Жить ушла к мужу. Лина теперь жила без хлопот. Закончилась бесконечная колготня на кухне – готовка, стирка, глажка, – она приходила с работы домой, принимала душ, надевала любимую махровую пижаму, наливала себе чай, делала бутерброды и весь вечер валялась с книжкой под тихое журчание телевизора. И даже стала получать удовольствие от своего одиночества.

Он возник на пороге квартиры под Новый год. Открыл дверь своими ключами. Лина вышла в коридор. В коридоре стоял чемодан.

– Что это? – спросила она его.

Он не ответил. Она зажгла в коридоре свет и ахнула:

– Что с тобой?

Он был худой как щепка, небритый, с ввалившимися щеками. Абсолютно измученный вид. Он сел на чемодан, закрыл глаза.

– Выгнали? – усмехнулась Лина.

Он мотнул головой:

– Я ушел сам. – Он опять замолчал. Потом открыл глаза и тихо произнес: – Я очень болен, Лина. Очень. Вряд ли можно что-то изменить. Поздно спохватился. – Он опять замолчал. – Постели мне, пожалуйста, в маминой комнате.

– Болен? – У Лины от волнения перехватило горло. – Значит, болен!

Хочется посочувствовать, но вряд ли получится. Теперь до нее все дошло.

– Значит, болен, – повторила она. – То есть, пока ты был здоров, был *там* нужен, а когда заболел, отправили обратно?

Он мотнул головой:

– Я ушел сам.

– И как же тебя отпустили такого? С глаз долой, из сердца вон? Сладку ягоду рвали вместе? – продолжала ерничать Лина.

Он молчал.

– Значит, теперь домой? А где твой дом? Ты как-то с этим определись!

– Выгоняешь? – тихо спросил он.

– Ну как же, ты же здесь прописан! Закон на твоей стороне, любой участковый это подтвердит. А совесть у тебя есть?

Она закрыла лицо руками, опустилась на табуретку и заплакала.

– Мне недолго осталось, Лина. Потерпи. Пожалуйста.

Она резко встала, зашла в комнату, открыла шкаф и бросила на кровать смену белья.

– Располагайся! – бросила она ему.

Она закрыла дверь в свою комнату и начала мерить ее шагами. Так, все ясно. Ту женщину он пожалел, потому что любит. А на нее, Лину, наплевать. Той досталась нежность, и любовь, и жалость, а Лине достанется все остальное – больницы, врачи, страдания, слезы. Уход за тяжелым больным. Судно, уколы. Запах болезни и смерти. За что, господи?

Она заплакала. Нет, так не будет. В конце концов, она тоже человек, и надо считаться с ее чувствами. Она зашла к нему в комнату. Он лежал с закрытыми глазами на кое-как заправленной постели. Спал. Она посмотрела на его измученное лицо, тихо вышла и осторожно прикрыла за собой дверь.

Назавтра она вызвала участкового врача. Врач долго читал бумаги и выписки. Тяжело вздохнул и с сочувствием посмотрел на Лину.

Они вышли из комнаты и прошли на кухню.

– Ну, вы, наверно, все понимаете, – тихо сказал врач. – Надежды практически никакой. Слишком поздно. Сейчас ему нужен только покой и уход. Вы работаете? – спросил врач.

Лина кивнула. Он выписал обезболивающее и у двери коротко бросил:

– Держитесь!

Лина горько усмехнулась.

Она посмотрела на список, оставленный врачом: поильник, судно, памперсы, мазь от пролежней. Врач сказал, что теперь будет ходить районный онколог и что эта история – месяца на три-четыре. Скорее всего.

– Увы, здоровое сердце. Но боли подступают. В общем, готовьтесь. Будет несладко.

Лина позвонила дочери. Та ошарашенно слушала.

– Ну, мам, не на улицу же его гнать!

Лина тогда возмутилась:

– Значит, ты считаешь, что после всего я должна этим всем заниматься?

– А кто? – удивилась дочь. – Тут его дом, и ты все еще его жена.

– Понятно, – сказала Лина и положила трубку.

Она сидела на кухне, не включая света, и пыталась понять, как жить дальше. На следующий день она поехала на работу и оформила отпуск. Он почти все время спал. Почти ничего не ел. Когда она приносила ему чашку бульона или под-

носила судно, он говорил «спасибо» и отворачивал голову к стене.

Лина совсем перестала спать. Слушала стоны за стеной. Ждала, когда в сердце появится жалость. Пока была одна злость и негодование. «Где справедливость?» – думала она. И еще в голову приходили совсем страшные мысли: Господь его покарал за все мои слезы, но при чем тут я?

Дочь заезжала раз в неделю. У нее своя жизнь, свои дела. Сидела у кровати и держала его за руку. Плакала. Он пытался шутить. Потом они плакали оба. Зареванная дочь выходила на кухню и обнимала мать.

– Не могу больше! – говорила Лина.

Дочь осуждала. Потом посоветовала сходить к психологу и дала телефон.

Через пару дней Лина поехала. Психолог принимал дома.

«Кто мне поможет?» – думала Лина, стоя перед дверью, обитой серым дерматином.

Дверь открыла женщина примерно Лининых лет. Они прошли в квартиру. Лина села на диван, а психолог устроилась за письменным столом напротив.

– Хотите чаю? – предложила она.

Лина думала, что разговор не сложится, но неожиданно для себя долго, в подробностях, рассказывала ей всю свою жизнь, вывалила все свои обиды.

Психолог слушала молча и кивала головой. Потом, когда Лина остановилась, сказала ей:

– Все понятно. Забыть ту боль, что он вам причинил, невозможно, даже не пытайтесь. Все, что вы сейчас делаете, вы делаете для себя, чтобы потом вы могли спокойно жить. Это нужно прежде всего вам, и только вам. Представьте себе, что будет с вами, если вы сейчас откажетесь от него.

– Что будет? – усмехнулась Лина. – Да буду жить спокойно, своей жизнью. Знаете, я все еще верю в справедливость, как это ни смешно.

– Жестоко, – ответила психологиня. – Вот сейчас вы говорите только о своей боли и обиде. А что, разве хорошего ничего не было? Совсем ничего? Ну тогда, в молодости? Любовь, страсть, рождение дочери? Неужели за столько лет – и ничего хорошего? Зачем тогда вы столько терпели?

Лина ответила не сразу.

– Да нет, конечно, было и хорошее. Было. Только потом было столько всего ужасного, что все хорошее как-то забылось.

Психологиня тяжело вздохнула:

– Это вам кажется. В вас говорят злость и обида. Ему сейчас хуже, чем вам. У вас, в конце концов, впереди еще долгая жизнь, и, возможно, счастливая. А он наверняка раскаивается, и ему перед вами стыдно. И еще он благодарен вам – это тоже наверняка.

– Что мне его благодарность? – возмутилась Лина. – Знаете, каждому по заслугам. Просто ту женщину он пожалел, а меня – нет. Как всегда, меня – нет. Ее чувства он пощадил и не захотел предстать перед ней в неприглядном виде. Он же у нас мачо. А мне, мне можно все. Потому что на меня наплевать с высокой колокольни.

Лина замолчала и вытерла ладонью злые слезы. Она встала с дивана, открыла сумочку и вынула из кошелька деньги.

Перед тем как открыть ей дверь, психологиня сказала:

– Подумайте о себе. Сейчас вам главное – сохранить себя. Не делайте резких движений, это вам мой совет. Будьте великодушны, у всех в этой жизни – свой крест и своя мера страданий и обид.

– Страна советов, – усмехнулась Лина.

Она вышла на улицу и глубоко, до боли в легких, вдохнула. С неба падали мелкие снежинки и ближе к земле кружились в неспешном танце. Лина медленно шла по бульвару и не могла надышаться свежим и мягким морозным воздухом. Зажглись фонари, деревья и скамейки осветились мягким, желтым, почти сливочным светом.

У метро она зашла в уютное, маленькое, на три столика, кафе и заказала чашку кофе с молоком. Она села у окна и смотрела в окно. Мимо окна быстро шли люди, подняв воротники и надвинув капюшоны — метель усиливалась.

«Как все торопливо, — подумала Лина. — Как торопливо мы живем, как торопливо пролетает жизнь. Как надолго в душе остается боль. Как сложно с этим жить. Как сложно мириться с тем, что кажется тебе вопиющей несправедливостью! Как эта чертова жизнь выжигает душу обидой. И почти не остается места для жалости и сострадания».

Она впервые подумала о той женщине. Впервые подумала без неприязни о том, каково сейчас ей. Она достала из сумки мобильный и набрала заученный наизусть номер.

Трубку сняли после первого звонка.

— Это Лина, — сказала она, абсолютно уверенная, что там знают ее имя. — Вы можете приехать. В конце концов, вы тоже имеете на это право.

— Спасибо, — тихо ответили на том конце.

Лина допила кофе, надела пальто и вышла на улицу. Заходить в метро почему-то не хотелось. Она закрыла глаза и подняла лицо. Мягкий снег падал ей на лоб, щеки и ресницы. Она подумала, что великодушной быть совсем не трудно, нет в этом слове ни выспренности, ни высокомерности, если оно составляет сущность человека. Ей стало почему-то легко, и впервые отпустила обида, мучившая ее больше, чем все остальное. И жизнь показалась не такой безнадежной.

«Только бы хватило сил! — думала она. — Только бы хватило сил оставаться самой собой и нести свой крест. Ведь если его бросить, то потеряешь часть себя».

Лина глубоко вздохнула, достала из сумочки проездной и спустилась в метро.

В метро было много людей — впрочем, как всегда в час пик. И каждому из этих людей была отпущена своя мера страданий и обид. Впрочем, так же, как любви, радости и счастья.

То, что имеет значение

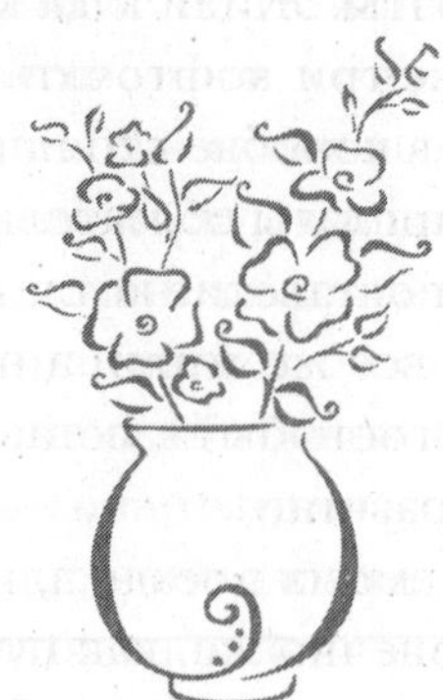

В поезд взяли с собой дежурный набор советского пассажира: жареную курицу, десяток яиц, сваренных вкрутую, помидоры и огурцы, предварительно вымытые дома, кулек карамелек и плюшки с корицей, испеченные заботливыми мамиными руками. Настроение было – лучше не бывает. Еще бы: они ехали на море. На целые две недели, даже нет, почти на три – полных восемнадцать таких многообещающих дней. Итак, впереди были море, мелкий белый песок, южные фрукты, молодое вино, а главное – любовь и свобода. Ведь они были тогда еще так молоды. И счастливы. Бесспорно, счастливы. Позади оставались неуютная комната в старой коммуналке на «Соколе», доставшаяся в наследство от бабушки, защита институтских дипломов, нудная и однообразная до тошноты работа по распределению и дождливое и холодное московское лето. Поженились они около года назад, естественно, по любви и сильному взаимному притяжению молодых и нетерпеливых тел. Они оба были из технарей, итээровцев, из приличных и интеллигентных семей среднего достатка. Впрочем, у людей их круга достаток тогда был в принципе усреднен. Но скудноватый быт вряд ли кого-то расстраивал. Жили вполне весело и интересно. Бегали по театрам – не дай бог пропустить премьеру, – выстаивали часами у Пушкинского, всеми способами прорывались в клубы, где пели барды и читали стихи известные и неизвестные поэты. Жили куда как скромно – в шкафу одиноко болтались две-три кофточки и одно выходное платье и костюм, а внизу в коробке стояли единственные выходные туфли. Пусть до зарплаты обязательно не хватало пятерки и покупались на ужин полтавские котлеты, щедро посыпанные хлебной крошкой, но все же жили, а не выживали. И несмотря на трудности и убогость быта, оставались силы радоваться жизни. Почувствуйте разницу!

Впереди была поездка на поезде длиною в сутки, которую они воспринимали, конечно же, как путешествие. Сложилось удачно и с попутчиками – молодая пара, ровесники, тоже молодожены. Ужинали уже вместе, накрыв один общий стол, где оказались две одинаковые курицы и мамины пирожки с капустой. У новых знакомых была припасена бутылка белого сухого вина. Было шумно, весело и сладко от предвкушения грядущего. По приезде решили вместе снимать жилье – так веселее. К ночи почувствовали себя старыми знакомыми – Олюня, Лерочка, Игорек, Вадюша. Полночи бегали курить в тамбур, заснули под утро, а разбудил восхитительный запах свежего кофе. Кофе заварила новая знакомая – Лера, засыпав в узкий металлический термос мелко намолотую дома арабику. Два раза пили кофе с пирожками, глазели в окно, выходили на полустанках покупать уже южные дары природы – вишню, абрикосы, горячую картошку, пересыпанную укропом, малосольные огурцы и теплое светлое пиво в бутылках. В купе было невыносимо душно – окно, конечно же, не открывалось, и они занавесили мутное раскаленное стекло мокрой простыней. Знали друг о друге уже практически все – молодые женщины непрерывно болтали, а их более сдержанные мужья занялись своими делами. Лерочкин Игорь уснул, а Вадим читал толстенный старый и любимый английский детектив. К вечеру прибыли на место. На перроне на них накинулась стая бойких теток, наперебой расхваливающих свое жилье, и они, немного растерявшись, отправились за одной из них, клятвенно уверявшей, что садик у нее зеленый и тенистый, улица тихая, до моря рукой подать, да и от вокзала всего ерунда – каких-то пятнадцать минут. Шли с остановками около часа – какие уж там пятнадцать минут. Мужчины тащили тяжелые чемоданы и чертыхались, а их молодые жены укоряли хитрую бабульку. Но дом, увитый плющом и виноградом, и вправду оказался хорош – на тихой мощеной улочке в пирамидальных тополях по обе стороны, с сильно разросшимся буйным южным садом с абрикосовыми деревьями, где стояли крепкий, потемневший от времени деревянный стол и врытые в землю скамейки с высокими спинками. Сняли две комнаты и одну общую кухню.

Бросив вещи и наспех переодевшись в купальники и плавки, поспешили на море. Раннее южное апельсиновое солнце уже почти истаяло на горизонте, но море было еще совсем теплым. По уже остывающему песку все бросились в воду. Ольга замерла, застыла, ощутив какую-то непонятную и тревожную грусть. Она села на сыроватый песок и пропустила чуть влажную пригоршню через пальцы. Море было прекрасно – ровное, гладкое, уверенное, бархатно-синее, – оно успокаивало и будоражило одновременно. Ольга сбросила с себя это странное наваждение и побежала к воде. Окунуться, скорее, скорее, какое блаженство, вот он, рай на земле. Как упоительна жизнь! Она закрыла глаза и медленно поплыла вперед. Вечером нажарили картошки, порезали в глубокую миску розовые неровные помидоры и красный сладкий лук – принесла хозяйка. Выпили вина, и потянулся долгий разговор с редкими всплесками смеха. Почему-то она долго не могла уснуть, а муж спал рядом крепко, посапывая и покрякивая, ей стало смешно, и она с трудом перевернула его на бок. Он не проснулся. Рано утром разбудила Лера, тоненько пропев под их дверью: «Вставай, страна огромная!» Ольга нехотя поднялась. Умывалась во дворе у рукомойника. Дисциплинированная Лера уже заварила чай. Хозяйка баба Вера принесла десяток свежих, еще теплых, из-под курицы, яиц и опять свои гигантские помидоры – каждый с голову младенца. Игорь сказал, что эти помидоры резать нельзя, а нужно крупно ломать, и, действительно, на изломе они засеребрились крупитчатой, сочной, почти мясной мякотью.

На пляже оказалось народу тьма, не протолкнешься. С трудом нашли место, чтобы расстелить четыре полотенца. Море уже не было таким спокойным – на берег накатывали мутноватые, с грязно-белыми гребешками волны. У берега в воде копошились мамаши с детьми.

– Поплыли? – предложила Ольга.

Лера кувыркалась у берега – плавала она плохо. Игорь с Вадимом бросились брассом – наперегонки. Ольга отстала от них и плыла медленно и спокойно, переворачиваясь на спину и подставляя бледное лицо солнцу.

– Сгоришь! – крикнул ей муж.

Она махнула рукой. К полудню Лера разволновалась и уговаривала всех уйти с пляжа. Солнце стало и вправду беспощадным. К часу, совсем разморенные, все нехотя поднялись. Отправились на базар, купили мелкую розовую картошку, вяленую рыбу и маленькие круглые ароматные тугие дыни. Высохший до черноты от солнца и старости дедок продал им трехлитровую банку молодого рубинового домашнего вина. Обедали в саду, восторженно нахваливая все-все, ибо это все казалось им совершенно чудесным и необыкновенным. Молодое вино ударило в голову, почти обезножило их, и они еле добрели до кроватей и упали в глубокий, безмятежный молодой сон. Вечером, отоспавшись, опять пошли к морю. Солнце зашло, и в воде было довольно прохладно, а выходить и вовсе зябко. Они растерлись полотенцами, переоделись и пошли в город. В летнем кинотеатрике – маленький экран, шаткие скамейки – обнаружился любимый всеми фильм, старая добрая французская комедия с Луи де Фюнесом. Вечером долго пили чай с хозяйкиным вишневым вареньем и опять бесконечно трепались. В общем, жизнь прекрасна! И потекли размеренные, похожие друг на друга, как близнецы, дни. Пляжная жизнь по утрам, киношка или незамысловатая карточная игра по вечерам, холодное вино, крепкий сон в душной комнате и, конечно, любовь двух молодых и крепких тел. Дружно хихикали под простыней, слушая понятные шумы и шорохи у соседей. К концу второй недели Ольга начала раздражаться на аккуратистку Леру, называя ее пионервожатой. Сама бы она с удовольствием не мыла посуду сразу после обеда, а отложила это занятие до прохладного вечера, ни за что бы не пошла в краеведческий музей, навязанный неутомимой Лерой, да и утром спала бы подольше, если бы не побудка. В общем, Ольга начала капризничать. Вадим шепотом уговаривал ее не создавать конфликта, не ломать так чудесно сложившуюся компанию, идти на небольшие компромиссы, чтобы не рушить их покой и избегать неловких ситуаций. Она понимала, конечно, что он прав, но вредная женская сущность брала верх. А потом случилась и вовсе странная история, поступок, который она не могла объяснить даже себе всю дальнейшую жизнь, как ни пыталась, ни мучилась, загоняя себя в угол и виной, и раскаянием. Пока однажды, спустя довольно много лет, просто не приказала себе крепко-накрепко и навсегда об этом забыть, категорически забыть, не вспоминать и не думать. В общем, что было, то было, как говорится, закат заалел. У кого же в жизни не было пусть не позора, а хотя бы стыда за содеянное?

Тогда, в тот отпуск, одновременно расклеились и вышли из строя и случайная подружка Лера, и собственный муж Вадим. У Леры случился обычный женский ежемесячный недуг, а Вадим мучился животом – расплата за чрезмерную страсть к недозрелым абрикосам. В тот день Ольга и Игорь отправились на море одни. По дороге он предложил Ольге поехать на косу, дикий пляж, всего-то полчаса автобусом. Трястись в старом, раздолбанном автобусе не хотелось, но она соблазнилась лиманом – лечебными естественными грязями, после которых, по рассказам, кожа становилась волшебной, шелковой мягкости и свежести. Минут сорок ехали они в душном автобусе по пыльной пустой дороге, мимо полей со степным ковылем и сиреневатыми кустами кемерника, вдоль высохших камышей по краям остро пахнувших сероводородом черных лиманов, мимо редких рыбачьих хижин. Начиналась узкая полоса дикого пляжа. Они сошли на конечной остановке с соответствующим названием – Дальняя Коса – и увидели абсолютно пустынный берег с мелким белоснежным, почти седым, песком, небольшими островками осоки и низко стелющимися кустиками колючек. Справа было бесконечное жемчужное море, а слева – узкая полоса лимана, сверкающего на солнце жирной, черной, масленой грязью. Сначала они бросились в море, смывая с себя пот и усталость, а уж после перешли дорогу и, смеясь, стали обмазывать друг друга крупными пригоршнями горячей лиманной грязи. На жарком полуденном солнце грязь быстро высыхала, серела и больно стягивала кожу. Тогда они побежали опять к воде, пытаясь оттереть застывшую плотную корку. Почему-то было страшно весело и смешно. Вдруг Игорь прижал ее к себе крепко-крепко. Ольга растерялась, и у нее перехватило дыхание. Потом он взял ее лицо в свои ладони, внимательно посмотрел ей в глаза и поцеловал в губы – долгим и очень умелым поцелуем. Они вышли из воды и, не говоря друг другу ни слова, взявшись за руки, побежали по раскаленному песку на берег, ровно до ближайшего чахлого, но все-таки дающего какую-то иллюзию защищенности кустарника. Все случившееся было быстро, остро и горячо. Игорь отпрянул от нее, поднялся, стряхнул песок и закурил, безмятежно глядя в ясное и яркое небо.

– Глупость какая-то, – пробормотала Ольга, поднимаясь с песка.

– Ни о чем не жалей, – дружески посоветовал Игорь.

Ольга не ответила и пошла вдоль берега. Это, наверное, и называется страсть, а вообще-то, конечно, полное безумие. Точно то, что делать этого явно не следовало. На душе гадость какая-то. Раскаяние, стыд перед мужем и новоявленной подружкой? Да нет, так, сожаление, невнятное беспокойство и ощущение бездарности происшедшего. Какие-то дурацкие терзания, так несвойственные ей. Она довольно долго шла по береговой полосе, потом остановилась, оглянулась и повернула назад. Видеть Игоря ей не хотелось, но было довольно глупо возвращаться домой поодиночке. Ольга вернулась и увидела, что Игорь спит, накрыв голову майкой. Она дотронулась до его плеча и, усмехнувшись, сказала:

– Поехали, время.

Он нехотя поднялся и стал натягивать шорты. До самого дома они не проронили ни слова. В автобусе Ольга села одна. У самого дома коротко и жестко она сказала:

– Забыли, ничего не было.

Он равнодушно кивнул и пожал плечом. Хлопотливая Лера уже успела поволноваться – охала, кудахтала и накрывала на стол. За обедом Игорь был весел, аппетит у него был отменный, и он обстоятельно и подробно рассказывал про поездку на Дальнюю Косу, дикий пляж и лиман. Ольга молчала и вяло что-то клевала. Вадим спал и к обеду не вышел. Ольга заварила ему крепкий чай и зашла в комнату.

– Как провели день? – поинтересовался он. – Скучно вдвоем не было?

– Не скучали, – бросила Ольга и легла на кровать. Она отвернулась, а Вадим подошел и накрыл ее простыней. «Господи, какая же я тварь!» – пронеслось в голове, и гулко за-

стучало в виске. Лера и Игорь уезжали через два дня, Ольга и Вадим – тремя днями позже. Оставшиеся два дня прошли как обычно, только явно сильнее проступало общее раздражение – все уже устали друг от друга. Вадим пошел провожать новых приятелей на вокзал – ящик груш, дыни, помидоры. Ольга простилась с ними дома. Обменялись телефонами, клятвенно заверив друг друга в вечной дружбе и желании плотно, семьями, общаться в Москве. Как гора с плеч, боже, какое счастье, они остались одни! Вадим наивно удивился:

– А что, они тебя так утомили? Вроде весело было.

– Веселее не бывает, – буркнула Ольга и в ответ на недоумение мужа раздраженно сказала: – Да надоел этот колхоз с построением, эта активистка с ее обедами, тебе-то что, все нипочем, а мне – хочешь не хочешь. – Она расплакалась злыми слезами.

Вадим вздохнул и покачал головой. Бабы, поймешь их! Может, приревновала меня к этой Лерке? Черт их разберет.

Перед отъездом – не удержались – купили маленькие желтые, пахнувшие солнцем дыни и связку вяленой тараньки – к пиву.

Москва себе не изменяла, встречала их дождем. Но все равно было счастьем оказаться дома. Через неделю-другую Ольга почти забыла об этом странном эпизоде, случившемся в ее жизни, и даже обозначила его как забавное приключение, придающее ей загадочность и статус роковой женщины, бросив в копилку ее нехитрого женского багажа пусть не рубль, но пятак. Да и вообще, помня о том, что женщина состоит из прошлого... Чувства вины и недоумения почти прошли, и своего молодого мужа она продолжала любить – сильно и безоговорочно. Даже, как ей казалось, теперь еще сильнее и крепче прежнего. Затошнило ее примерно недели через три – среди ночи. Она проснулась, и ей невыносимо захотелось квашеной капусты. Господи, да какая квашеная капуста в сентябре? Она встала с кровати и босиком пошла на кухню. В холодильнике стояла банка соленых помидоров. Она села на пол и стала жадно есть помидоры, вынимая их из банки прямо руками. Сок тек по локтям и ночной рубашке. Когда Ольга ополовинила банку, наконец все до нее и дошло. И она замерла от ужаса. Женщина всегда точно знает, от кого у нее ребенок. Или почти всегда. А здесь и вовсе не было никаких сомнений. С Вадимом ничего *этого* у них быть не могло – детей заводить они не торопились и поэтому были весьма осторожны.

Игорь! Господи, ну конечно же, Игорь! Боже, она же ни о чем не подумала тогда, все мгновенно, какие-то минуты. Что делать? Ольга поднялась с пола и пошла в ванную, включила свет и принялась внимательно разглядывать себя в зеркале – вот и получи, дрянь. Пустячок, ерунда, а платить по счетам будешь всю жизнь. Такая мелочь – растереть и выплюнуть, а нет, не удастся выплюнуть-то. Теперь будешь помнить об этом всю жизнь. А может, аборт? «Страшно, страшно – первый аборт, а если потом вообще не рожу?» Ее стало знобить и трясти, она залезла под душ и долго стояла под горячей сильной струей. «Нет, никаких абортов, рожу. Это мой ребенок. В конце концов, мой, и больше ничей. С Вадимом я разберусь, все устрою, – лихорадочно бежали мысли в голове. – Сволочь я, уже думаю, как все обтяпать шито-крыто. Со сроком придумать. Гадина какая, оказывается. Ловко все рассудила. Да нет, это все вранье – не грех, грех от ребенка избавиться. Вот и выбирай – или ложь, или человеческая жизнь».

О беременности она сказала Вадиму на следующий день.

Он растерялся.

– А когда это мы с тобой успели? – удивился он.

– Ты что, забыл? – лихо врала ловкая Ольга. – Тогда на море, ну помнишь, мы выпили тогда и забыли, ну?

Он пожал плечами.

– Разве? – И озаботился: – А может быть, это опасно, мы же пили.

– Ерунда, – ответила Ольга. – Я уже узнавала: красное сухое вино – полная ерунда, даже не бери в голову, это только полезно.

Он удивился, но промолчал. А Ольга спросила, заглядывая ему в глаза:

– Ты что, не рад?

Он смутился:

– Что ты, рад, конечно, просто неожиданно как-то. Но раз так вышло, надо только радоваться.

И они дружно решили радоваться. С новыми «курортными» друзьями они так и не встретились – то дела, то делишки. Чувствовала себя Ольга неважно, ни видеть, ни слышать никого не хотела, после работы рано ложилась спать. Ей теперь только и хотелось – спать, спать, спать. Лера позвонила пару раз, а потом, видя односторонность своих звонков и предложений собраться, разобиделась и звонить вовсе перестала. Мужу объяснила, что редко получается продолжение дружбы после такого вот кратковременного, бурного общения. Он удивился, но поверил.

В апреле Ольга родила мальчика. Сына назвали Денисом. В начале девяностых, после отъезда шефа в Канаду, распалась, рассыпалась лаборатория Вадима – обычное дело. Он оказался на улице – «бомбил» на машине, что-то сторожил ночами, маялся, депрессировал. Тогда, в те годы, жесткая и собранная Ольга постаралась не растеряться. И не растерялась, устроившись в одну коммерческую структуру, стала основным кормильцем в семье. Называлась ее должность «офис-менеджер». Звучит красиво, а на деле – обычная секретарша: кофе, чай, бумаги. Платили, правда, неплохо. Сын был похож на нее – темноглазый, русый, с жестким, упрямым ртом. Мальчика она любила без памяти, а когда изредка вспоминала о своих мыслях по поводу аборта, от ужаса у нее падало сердце и она покрывалась холодным потом с головы до ног. Сын рос спокойным и разумным, в общем, ребенок без особых хлопот, а вот в десятом классе понеслось – серьга в ухе, татуировка на плече, длинные волосы, черные майки с черепами, гитара, музыка, вегетарианство. Сразу все и в одну кучу. Он и сам не мог разобраться. Учиться, кстати, тоже перестал. Ольга скандалила, кричала, бегала в школу. Он хамил, хлопал перед ее носом дверью, не разговаривал сутками. Она страдала, билась, пыталась выстроить хоть какие-то отношения. Тщетно. А вот с Вадимом отношения у сына были вполне терпимые, даже временами дружеские. Муж мудро советовал:

– Оставь, перебесится.

– Конечно, – зло бросала Ольга, – тебя же ничто не волнует – ни институт, ни армия. Все я, все на мне. Ты же ничего не требуешь, ты хороший. Это я Баба-яга.

Теперь обижался Вадим, и уже он не разговаривал с Ольгой. Она сходила с ума и была взвинчена до предела. Стала совсем невыносимой – теперь она скандалила не только с сыном, но и с мужем, обвиняя одного в черствости, а другого – в несостоятельности. Денег и на повседневную жизнь катастрофически не хватало, а впереди маячили и вовсе страшные вещи – институт, армия. Еле выживали, все шло наперекосяк, пальто было ветхим, сапоги промокали, обои отклеивались, краны текли, сын из всего вырастал – обувь, джинсы, куртки. До зубной боли осточертели грязные оптушки и бесконечный пересчет копеек. Денис допоздна болтался без дела, Вадим начал попивать, правда, дома и по чуть-чуть, но... И никаких надежд на улучшение ситуации. В общем, тотальная беспросветка. На улице был апрель, и ярко светило такое долгожданное солнце. Ольга надела легкий и, увы, давно немодный старый плащ, вытащила из шкафа весенние туфли на каблуке, на шею набросила яркую косынку. Все перемена в жизни. Решила съездить в центр, просто прошвырнуться – поглазеть на витрины, порыться в книжном на Тверской. Если не праздник, то хотя бы небольшой релакс. В центре уже совсем не было снега, да что там снег – абсолютно сухо и безупречно чисто. Народу полно – все яркие, нарядные и весенние. Ольга глазела на витрины, читала меню кафешек, вывешенные у входа, ужасалась ценам – сейчас особенно остро почувствовала пропасть между своей жизнью и жизнью вообще. Но все-таки была рада тому, что вырвалась и глотнула свежего воздуха свободной и, казалось, беспечной жизни. Она притормозила у витрины шикарного обувного – и у нее перехватило дыхание. Захотелось всего и сразу: и маленьких, изящных вечерних туфель, и невесомых и легких, пестрых босоножек на тонком каблуке, и цветастой яркой сумки на блестящей цепочке. «Господи, – пронеслось у нее в голове, – а ведь этого не будет у меня никогда». Какое же безнадежное слово – «никогда», обрубающее на корню даже самые невинные женские фантазии. В этот момент кто-то тронул ее за рукав, Ольга обернулась и увидела невысокую полную женщину в круглых темных очках.

– Ольга! Ты? – спросила она.

Ольга растерянно кивнула, совершенно не узнавая ее. Женщина сняла очки и улыбнулась:

– Ну а так? Не узнаешь? Что, так сильно изменилась? А вот я тебя сразу узнала – вот что значит сохранить размер.

– Лера! – тут как осенило Ольгу.

– Ну, вот, слава богу, значит, еще не все потеряно, – опять рассмеялась та.

Ольга тоже улыбнулась и стала жадно разглядывать Леру. Она и вправду здорово раздалась, особенно в бедрах, но лицо было гладкое, совсем молодое и спокойное. Еще Ольга увидела, что Лера прекрасно и дорого одета и в руке у нее два больших пакета с обувными коробками из этого сказочно красивого и сказочно дорогого магазина.

– Ну как вы там, Оля? Как поживаете? – теребила ее Леру. – Сколько лет прошло, двадцать?

– Семнадцать, – четко ответила Ольга. – Да так, живем помаленьку.

– Что ты, что Вадим? – не успокаивалась Лера.

– Да все как у всех, потихоньку, работаем, сына растим.

– Сына... – повторила Лера. – А сколько ему?

– Шестнадцать, – ответила Ольга. – Школу кончает, ну и балбесничает в полный рост. Все как положено. А у вас что слышно?

Лера оживленно затараторила:

– Ой, все слава богу, Игорь очень поднялся, такая умница, ну, ты сама слышала, наверное. – Она назвала строительную компанию, реклама которой бесконечно шла по телевидению и радио и порядком набила оскомину, уговаривая купить элитное жилье именно у них, с громадным преимуществом, естественно.

– Работает там? – уточнила Ольга.

Лера рассмеялась.

– И работает в том числе. Ну вообще-то он президент, владелец. – Она слегка смутилась. – Занят круглосуточно, видимся по ночам, бизнес, короче говоря.

– А дети? – поинтересовалась Ольга.

Лера помолчала, а потом тихо и грустно сказала:

– Нет, Олюнь, детей у нас нет. Не сложилось. Проблема в моем здоровье. Это наша печаль. – Она замолчала, и у нее задрожали губы. А спустя минуту она нарочито весело добавила: – Ну, не дает Бог, видимо, все вместе и сразу. Вот такие дела.

Женщины помолчали – говорить было больше не о чем. Очевидно чтобы сгладить неловкость, Лера порылась в сумочке и достала глянцевую кремовую визитку.

– Это все наши координаты, визитка Игоря – ну, здесь и его мобильный, и домашний.

Она перевернула карточку и ручкой написала на обратной стороне свой мобильный.

– Звони, Оль, встретимся, поболтаем. – Она протянула Ольге карточку. – Вспомним молодость, здорово было тогда, а? Молодые, бедные, но здоровые и счастливые.

Ольга усмехнулась и взяла визитку.

– Ну пока? – опять смутилась Лера. – Может, тебя подвезти?

– Нет-нет, я гуляю. Спасибо. – Ольга кивнула. – Всего тебе хорошего.

Лера пошла к машине. Ольга посмотрела ей вслед, и почему-то гулять ей расхотелось. Она медленно пошла к метро. В вагоне образовалось свободное место, она поспешно села и закрыла глаза. Совсем не было сил.

«Позвоню, обязательно позвоню. Игорю. И все скажу. Пусть знает, в конце концов. Это я не для себя, не для себя, – без конца повторяла она. – Это для Дениса. Это его будущее. И все будет раз плюнуть. И армия, и институт. Все проблемы – пыль. А что тут такого? Это ведь его сын. Единственный, между прочим. Господи, а сколько он Денису сможет дать! А если бы Игорь был нищим? Но он же не нищий, и что все эти «если бы да кабы»? А Вадим? При чем тут Вадим? Господи, какая же я все-таки сволочь. Просто я устала от всего, ну нет больше сил. Вадим его не разлюбит, он его вырастил. Но что он может дать ребенку, в конце концов? Да и вообще Вадим может ничего не знать. Только я и Игорь. А Денис? Господи, как все противно и страшно, но это жизнь, и я же не для себя. Разве можно осуждать мать, которая хочет нормального будущего для своего ребенка? Боже, помоги разобраться со всем этим!» Ольга вышла из метро и медленно поплелась к дому. Сильно разболелась голова.

Дверь открыл муж и участливо спросил, глядя на бледную Ольгу:

– Устала?

Она молча кивнула. Он помог ей снять плащ.

– Сырники будешь? – крикнул с кухни муж. – Еще теплые, с изюмом.

Ольга зашла в ванную и умылась холодной водой. Потом пошла и легла – в халате, поверх покрывала. Вадим зашел, посмотрел на нее и укрыл пледом.

– Что-то случилось? – озабоченно спросил он.

– Нет, голова болит.

– Ну поспи, – вздохнул он и добавил: – Я с Денискoй сейчас буду сочинение писать, тема какая-то дурацкая.

Он прикрыл за собой дверь. Ольга уснула. Когда она проснулась, на часах было одиннадцать вечера. Встала, сунула ноги в тапочки и пошла на кухню, со сковородки съела холодный сырник и включила чайник. Потом заглянула в комнату сына. Там за письменным столом сидели оба ее мужчины – голова к голове – и тихо о чем-то спорили. Ольга аккуратно закрыла дверь и вернулась на кухню. Не зажигая света, пила чай и смотрела в окно на темную и опустевшую улицу.

Сполоснув чашку, вернулась в спальню и включила без звука телевизор. А потом опять задремала. Когда она проснулась, то увидела, что телевизор выключен, а рядом тихо посапывает муж. Ольга посмотрела на часы – было три часа ночи. Вышла в коридор, порылась в сумочке и достала кремовую глянцевую визитку. Несколько минут вертела ее в руках, а потом зашла в туалет и порвала на мелкие кусочки. Плотный и качественный картон поддался с усилием. Она бросила обрывки в унитаз и дважды спустила воду, потом вернулась в спальню, легла, и почему-то ее опять зазнобило.

«Заболеваю, наверное, – подумала Ольга. – Тепло еще такое коварное, и солнце еще не солнце, а так, иллюзия. Впрочем, как и все остальное. – Она улыбнулась и подтянула одеяло на голом плече мужа. – Так, а теперь по делу: завтра надо сварить грибной суп, по-моему, есть шампиньоны в морозилке, в химчистку – зимние вещи, да еще ботинки Денису. Боже, опять захочет эти ужасные, черные, на жуткой подошве. В общем, живем дальше, – приказала она себе. – Не раскисать. У каждого своя жизнь». Она укуталась в кокон – так она любила всегда – и уснула крепким и пустым сном, без кошмаров и дурацких сновидений. Обычным крепким и пустым сном сильно уставшей женщины.

Неподходящая партия

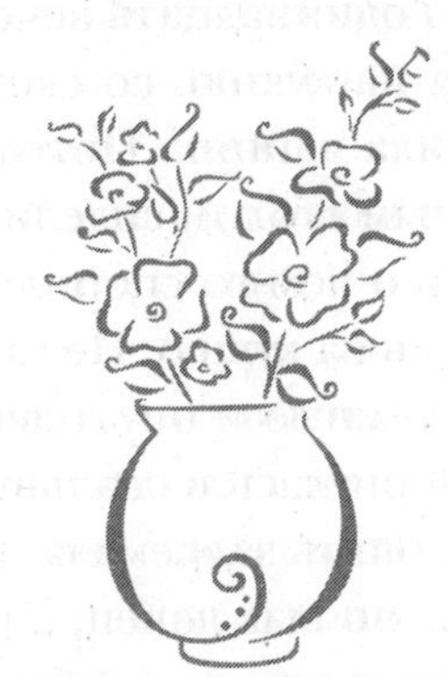

Гриша Райцигер, двадцатилетний худосочный и вполне носатый юноша, студент четвертого курса пединститута (факультет русского языка и литературы), блаженно дремал в провисшем глубоком гамаке под щедрой тенью густых сосен. Двенадцать дня. Жара стояла невыносимая. Сквозь некрепкий сон — только-только начал проваливаться глубже — он услышал резкий, впрочем как обычно, голос мамы Инны Семеновны. Вместе с назойливой мухой вялым движением руки он пытался отогнать решительный и неприятно громкий окрик матери, отлично понимая, что сделать это вряд ли удастся. Он с тяжелым вздохом открыл глаза и крикнул ответное:

— Ну? — Получилось довольно пискливо.

Инна Семеновна в открытом, ярком, цветастом сарафане, в белой панаме на пышных волосах стояла на крыльце руки в боки. Любимая поза.

Гриша начал вылезать из гамака, как всегда, запутался тощими ногами и плюхнулся носом в теплую, пахнувшую сосновыми иголками землю. Мама усмехнулась, но падение (странно) не прокомментировала.

Наконец Гриша поднялся, отряхнулся, надел упавшие очки и повторил свое невежливое «Ну?».

– Собирайся, – коротко скомандовала Инна Семеновна. – Потом будет перерыв в электричках.

Она круто развернулась и вошла в дом.

Гриша оглядел участок и тяжело вздохнул.

С одной стороны, уезжать с дачи в такую жару было глупостью – заслуженные каникулы, утренний сон до одиннадцати, холодный свекольник, дневной сон в любимом гамаке, вечером до бесконечности книги – в данный момент, например, Дюрренматт, – ночное сидение на балконе второго этажа и бесконечные мечты, мечты, мечты...

Мечтал Гриша, конечно, о любви. Вообще-то ему нравились женщины нежного типа, похожие на молодую Инну Семеновну (привет, старичок Фрейд!), безоговорочно признанную красавицей всеми, в том числе и недоброжелателями. Тип юной Джины Лоллобриджиды или Софи Лорен, нет, скорее всего, все-таки Джины – у Софи слишком хищное лицо. Непременно тонкая талия, покатые плечи, аккуратная, но выраженная грудь, да, конечно, бедра, это уж наверняка. Следует добавить прелестное глазастое лицо, аккуратный носик и крупный подвижный рот.

Итак, Гриша представлял себе эту сладостную картину: рядом с ним – молодая красотка, джинсы в облипочку, открытая майка, восхитительная грудь, упругая даже на взгляд, и копна темных, слегка вьющихся волос.

На деле же он вяло флиртовал с одногруппницей Олей Якушевой – бледной до синевы, с торчащими, как у зайца, передними зубами, жидкой челкой невнятного цвета и металлическими очками с сильными диоптриями. Оля единственная из всех имевшихся поблизости девиц с радостью откликалась на Гришины ухаживания. В принципе, они вполне могли стать парой. Этакие брат с сестрой (такие часто встречаются): оба некрасивые, невзрачные, в болтающихся на тощих задах чехословацких джинсах. Оба, кстати, умные, что важно, любители поэзии Серебряного века. Но Оля Олей (куда она денется?), а мечты мечтами. Мечтать, как говорится, не вредно.

Итак, из положительного – вечная прохлада, книги, сон, мечты и покой. Хотя покой – это вряд ли. Мама всегда начеку: три раза в день – клубника с молоком, от которой уже подташнивает, и бесконечная жажда общения. Инна Семеновна была любительницей поговорить.

В Москву и хотелось, и не хотелось. Там, конечно, телефон – но все приятели в основном успели смотаться на юга или в Прибалтику, Оля... Да бог с ней, с Олей!

Можно пойти вечером в кино или просто помотаться по центру. Зайти, наконец, в букинистический – там Гриша мог проторчать и час, и два. Можно сходить в Пушкинский – там наверняка есть новая экспозиция, – выпить чаю в кафе «Аромат» – на модную «Адриатику» денег, увы, не было.

А с другой стороны – жара, лень. Но – лень не лень, а в Москву ехать было надо. Даже необходимо, так считала Инна Семеновна.

Дело в том, что все лето в московской квартире шел ремонт. Теперь дело подходило к концу, Инна Семеновна страшно нервничала и делегировала три раза в неделю мужа, посмотреть, что и как, но в глубине души ему не очень доверяла, считая его человеком непрактичным и крайне невнимательным в подобных делах (что, впрочем, было вполне правдой). Сама она весь месяц в Москву ехать отказывалась – жару она действительно переносила с трудом.

Сыну своему Грише, прозванному в детстве «Человек рассеянный с улицы Бассейной», она тоже, мягко говоря, не доверяла – но поездка в Москву в душной электричке страшила еще больше. Впрочем, Инна Семеновна понимала, что окончательной приемки работы ей не избежать, но это будет, по ее подсчетам, примерно через неделю. И может быть, жара тогда уже спадет? Дай-то бог! Гришу она отправляла с одной целью: заплатить малярщам за помывку окон и уборку основной послеремонтной грязи. А дальше она разберется сама.

Есть чудная женщина, пожилая, но шустрая, которая и натрет полы, и вымоет хрусталь, и почистит ковры, и возьмет за это совсем немного. Инна Семеновна приглашала ее два раза в год – на генеральную уборку. Но это будет позже.

Итак, она давала сыну указания – на что нужно обратить внимание и что проконтролировать, – Гриша слушал нехотя и вполуха.

Потом, утомившись, он раздраженно кивнул:

– Да понял, мам!

Инна Семеновна тяжело вздохнула. У калитки она протянула Грише десять рублей – малярщам – и добавила еще пятерку:

– Это тебе, где-нибудь поешь, холодильник-то в квартире отключен.

Гриша клюнул мать в щеку и направился к станции.

На Казанском мрачного вида человек в клетчатых брюках предложил ему блок сигарет «БТ» – страшный дефицит. Гриша был человеком некурящим, но покуривающим – так, в компании, для понтов. От блока он решительно отказался, а вот пару пачек купил – так, чтобы было.

Входная дверь в квартиру была оклеена газетами, а на резиновом коврике у двери виднелись белые следы, сигнал, что в квартире идет ремонт. Дверь закрыта не была – только прикрыта, и из квартиры раздавались громкие звуки радио – что-то задорное и залихватское исполнял детский хор.

Гриша зашел в прихожую и увидел сбитые деревянные козлы, а на них – молодую женщину в синих трениках, закатанных до колен, и в голубом, в мелкий цветочек бюстгальтере, с влажными пятнами под мышками.

– Ой! – вскрикнула малярша и ярко покраснела под белой пудрой побелки. – Жарко! – объяснила она, спрыгнула с козел и проскочила на кухню.

Все, что запомнил Гриша, – это белая, всколыхнувшаяся от движения очень большая грудь малярши и простой крестик на веревочке на полной шее.

– Заходите! – крикнула она с кухни.

Когда он зашел, на малярше был уже короткий пестрый халатик.

– Ой, простите! – опять смущенно повторила она.

Гриша был страшно горд: если эта молодая женщина так смущена, значит, она явно видит в нем не мальчика, но мужа.

Он важно кашлянул и протянул ей руку:

– Григорий.

Она посмотрела на свою руку, испачканную в побелке, обтерла о халат и опять зарделась, протянув ему свою маленькую, пухлую ладонь:

– Люба.

Они помолчали, а потом Люба затараторила и повела его по квартире, показывая плоды своего труда.

– Ну, как вам обои? – барабанила она. – А эти в цветочек, в спальне, нежные, да?

Гриша важно, со знанием дела кивал.

Потом она потащила его в уборную.

– А унитаз? Да? – почему-то очень радовалась она. – Салатный, да? Модный такой. Югославский, – с уважением добавила Люба.

В уборной Гриша окончательно смутился.

Потом она демонстрировала плитку на кухне, новый линолеум на полу – и так активно радовалась, словно это была ее собственная, обновленная и посвежевшая квартира.

– А чаю? – вдруг всплеснула руками она. – Или квасу? Правда, он теплый, – искренне расстроилась Люба.

Гриша кивнул, ничего, мол, в самый раз. Они сели на табуретки, тоже покрытые газетами, и стали молча пить теплый и кислый квас.

Тут в кухню вошла высокая худая девица с неприятным хмурым лицом.

– Здрасте, – недовольно процедила она. И хмуро добавила: – Сказали же, еще три дня. Папаше вашему сказали.

– Это Зина, напарница, – объяснила торопливо Люба. Было видно, что ей неловко.

– Да я, собственно, по делу, – кашлянул Гриша, стараясь говорить басом.

Зина посмотрела на него с усмешкой. Хозяина в нем она явно не видела.

– Мама, в смысле Инесса Семеновна, просила вас попросить («Тьфу, – подумал он, – какая тавтология!» – и еще больше смутился)... Ну, в общем, окна помыть и вынести все это. – Гриша обвел руками пространство.

– Ясно, – зло ухмыльнулась Зина. – Сколько?

Гриша полез в карман джинсов и вынул смятую десятку.

– Ну, знаете! – обиделась Зина.

Тут вскочила Люба и испуганно затараторила, смущаясь за подругу:

– Да ладно, Зин, ты чего, все нормально, уберем, конечно, и окошки вымоем, да Зин, ну чего ты!

Зина опять недобро усмехнулась и мотнула головой:

– Ну и паши, если охота.

Она бросила окурок в стеклянную банку из-под майонеза и вышла, громко хлопнув входной дверью.

– Не обижайтесь на нее, – оправдывалась Люба. – Жених у нее сбежал, – вздохнула она. И горестно добавила: – К подруге ведь сбежал, гад.

Окончательно обескураженный Гриша махнул рукой:

– Ладно, чего там! В общем, я пойду по делам. До вечера.

Люба проводила его до двери:

– Да не волнуйтесь вы!

– Да я и не волнуюсь, собственно, – попытался пробасить Гриша.

Целый день он мотался по городу, сходил в киношку, два раза съел по порции «Ленинградского». К вечеру, когда жара чуть спала, но город, конечно, остыть так и не успел, он вернулся домой.

В квартире было тихо. Газеты и картонки исчезли, оконные стекла поблескивали, мусор был собран в картонную коробку из-под телевизора. Люба сидела на кухне и спала, положив голову на стол.

– Добрый вечер, – кашлянул Гриша.

– Ой, – она вскинулась и вскочила. – Ой! Поздно-то как! Ну, буду собираться, – засуетилась она. – Завтра только плинтуса в коридоре докрашу, и, можно сказать, дело сделано.

Гриша достал из сумки бутылку белого «Арбатского» и кусок российского сыра.

– Ну, чего вам в ночь ехать, если завтра с утра приезжать? Разместимся как-нибудь, места хватит, – гудел он и отводил глаза.

– Правда? – обрадовалась малярша. – И то верно, и устала я здорово, честно говоря. Живу-то за городом, в Одинцове.

Гриша неловко нарезал крупными кусками сыр. Долго искали штопор, так и не нашли, протолкнули пробку внутрь бутылки и налили теплое вино в чайные чашки. Опьянели сильно и сразу – жара, усталость, обоюдное смущение...

Потом Гриша, пошатываясь, пошел в родительскую спальню и, чертыхаясь, пробовал отыскать белье и подушки. Предусмотрительная мама все упаковала. Наконец он что-то нашел, постелил в своей комнате и в родительской, позвал Любу – она вышла из душа, влажная, с мокрыми волосами, завернутая в простыню.

Ночь они, конечно, провели вместе. Неискушенный Гриша был потрясен. Такого в его жизни еще не было. Весь его малый, нехитрый и ничтожный опыт был перечеркнут раз и навсегда. Ему показалось, что она вся восхитительна – и кожа, и волосы, и губы, и ее тихое поскуливание, и негромкие вскрики, и смешные наивные слова, которые она шептала ему в ухо.

Он чувствовал себя героем, завоевателем, победителем, полубогом. Впервые это была не детская возня с опаской, что в соседней комнате – родители, не всеобъемлющий ужас, что может что-то не получиться, не страх, не гадливая, стучащая молотком в голове мысль, что он не успеет, не поймает и дело закончится *беременностью* – ужас! Не страх, что его обсмеют, раскритикуют, уничтожат. Впервые это было не по-детски, а серьезно и обстоятельно. Впервые он был мужчиной, и рядом была женщина. Желанная женщина, которую, как ему казалось, он делает счастливой. И она в этом его горячо убеждала.

Утихомирились они под утро и крепко уснули, а проснулись от стука двери и громких возгласов Зины:

– Любка, ну где ты есть, сукина дочь?

Люба вскочила, накинула халат, а в этот момент дверь распахнулась, и на пороге возникла злющая Зина с сигаретой в зубах.

– Так, все ясно, – сквозь зубы процедила она, оценив ситуацию. А потом хохотнула: – Шустрая ты, подруга. Только это тебя не спасет. Хозяйка с тебя по полной спросит, не сомневайся. И никакие адвокаты, – она усмехнулась и кивнула на Гришу, – не помогут. А может, даже и наоборот, – грозно добавила она и вышла из комнаты.

Грише все было до фонаря – он смотрел на растерянную Любу и любовался ею. Все ему нравилось в ней: и мягкие круглые бедра, и большая, чуть отвисшая грудь с крупными бледно-розовыми, едва различимыми сосками, и полноватые крепкие ноги, и маленькие сильные руки с коротко остриженными ногтями, покрытыми красным лаком, и короткие тонкие

и легкие светлые волосы, и яркий румянец на круглом лице, и серые глаза, курносый нос, и мелкие конопушки...

– А ты красавица, – вздохнул Гриша и, вытянувшись, положил руки под голову.

– Какое там! – махнула рукой расстроенная появлением подруги Люба.

– Красавица! – уверенно подтвердил Гриша. – Мягкий среднерусский тип. Неброский, но самый милый, – разглагольствовал новообразованный казанова.

Целый день девушки что-то подкрашивали, подмазывали, оттирали растворителем краску со стекол и дверных ручек, опять мыли полы и кафель. А Гриша мотался по квартире, ковырялся в книгах в своей комнате, потом смотрел телевизор и уснул перед ним, сидя в кресле. На дачу он ехать не собирался. Больше всего на свете ему хотелось, чтобы Люба сегодня осталась на ночь. И он мучился, ну как ей сказать об этом, и украдкой наблюдал за ней.

Уже совсем к вечеру он услышал возню и вышел в коридор. Люба и Зина стояли накрашенные и одетые – словом, готовые к выходу.

– Уходим, – ухмыльнулась Зина. – А завтра пусть хозяйка приедет. Работу принимать.

Люба стояла молча, опустив глаза, и теребила ситцевый поясок цветастого сарафана.

Гриша кивал и растерянно смотрел на Любу. Самое главное сейчас было ее остановить, но как это сделать, он не знал и почему-то очень стеснялся, даже побаивался злоязычной Зинаиды.

Наконец распрощались, и девушки вышли на улицу.

Грустный Гриша сел в кресло и неумело закурил сигарету «БТ».

Через минут пятнадцать в дверь раздался звонок. Гриша сорвался к двери. В дверях стояла растерянная и смущенная Люба. Оба молчали.

– Проходи, – хрипло сказал Гриша.

Люба зашла в квартиру. Гриша закрыл дверь, подошел к Любе и обнял ее за плечи.

– Умница моя, – тихо сказал он, целуя Любу в шею. Люба тихо засмеялась и обняла Гришу за шею.

И снова была еще одна восхитительная ночь. И снова Гриша летал на облаках, а Люба шептала ему в ухо самые важные и смешные слова на свете. Утром они долго пили кофе, и Люба рассказывала Грише про свою жизнь.

А жизнь ее была далеко не сахар. В деревушке Перхушково в собственном доме, с печкой и отсутствием всяческих удобств, жила Люба с бабкой и дедом. Родители ее давно умерли, мать – еще при родах, отец – позже, от пьянства. Дед с бабкой получали крошечную пенсию, и кормильцем в доме давно, с пятнадцати лет, была она, Люба. Окончила ПТУ по специальности маляр-штукатур, работала на стройке – но это очень тяжело и платят совсем копейки. Сейчас на частных ремонтах – позвала подруга Зинка, та ушлая. Но работа тоже не сахар – клиенты попадаются ох какие капризные. А дома еще огород, и куры, и корова. В общем, достается. Но Люба не жалуется. Жизнь есть жизнь. А у кого она сахарная?

Гриша лежал на кровати, курил в потолок (видела бы мама!) и важно и снисходительно кивал. Потом Люба горячо обнимала его, жарко целовала и плакала от того, что скоро, видимо, она ему наверняка наскучит и он ее бросит.

– Зачем я тебе такая? – всхлипывая, шептала Люба.

Вечером она уехала домой. Гриша тоже засобирался на дачу.

Мама встретила его подозрительно. Долго и тревожно оглядывала и мучила вопросами. Гриша отчитался в подробностях по квартире, соврал маме, что провел время с Олей, и сообщил, что голоден, как степной волк. Мама вздохнула, успокоилась и пошла на кухню разогревать котлеты. После

ужина Гриша пошел к себе и сразу провалился в крепкий, здоровый сон.

Через пару часов он почему-то проснулся и долго лежал в темной комнате с открытыми глазами и думал о Любе. Он вспоминал ее мягкое, податливое тело, гладкое, бело-розовое, готовое откликнуться в любую минуту – только дотронься. Вспоминал нежные и крепкие руки с маленькими яркими ноготками. Вспоминал ее смешные и наивные горячие слова и чувствовал, как сильно бьется его сердце и как тяжелеет, тянет низ живота.

Больше всего на свете ему хотелось увидеть Любу. Но сбежать завтра с дачи наверняка не получится. Хотя мама завтра собралась в Москву принимать работу, присутствовать при этой процедуре Грише совершенно не хотелось – свою маму он знал достаточно хорошо.

Утром Инесса Семеновна с мужем уехали в Москву, а Гриша целый день маялся один на даче. Валялся в гамаке, пробовал читать. Но почему-то не читалось. Разогрел обед, но странно – аппетита не было вовсе.

Он ушел к себе в мансарду и попробовал уснуть – но сон почему-то никак не шел.

Вечером приехала мама и принялась возмущенно перечислять все недовольства ремонтом. Правда, в ее бурном повествовании фигурировала в основном «наглая Зинка», но Грише все равно все это слушать было неприятно.

Ночью он опять спал неважно, а утром сорвался в Москву. Объяснил – по делам. Он ругал себя последними словами: болван, идиот, не спросил у Любы адрес, только оставил свой телефон. Короче, односторонняя связь. Весь день он крутился у аппарата, но Люба не позвонила.

Зато позвонила Оля, только приехавшая с Азовского моря, и предложила Грише встретиться. Встретились они, как всегда, на «Кропоткинской». Оля была загорелая и даже слег-

ка хорошенькая. Но Гриша смотрел на нее критически – нет, Оля ему не нравилась вовсе.

Они прогулялись по центру, съели мороженое, и Оля предложила Грише поехать к ней – родителей дома не было. По дороге купили вина и конфет. Оля громко включила музыку, Гриша разлил вино и сел в кресло. Оля примостилась рядом с ним. Оля зазывно смотрела на Гришу, загадочно улыбалась и водила пальцем по губам. Гриша пил вино и смотрел телевизор. Ничего не понимая, Оля переоделась в легкий открытый халатик и снова подсела к Грише.

Гриша листал журнал «Америка». Оля недоумевала. Она предложила Грише поужинать – Гриша вяло жевал холодный антрекот и смотрел в окно. После ужина он поднялся и сказал, что ему надо домой. Оля обиделась и отвернулась, когда он наклонился, чтобы чмокнуть ее в щеку. Когда за ним закрылась дверь, Оля громко разрыдалась от обиды и унижения, а Гриша ругал себя за то, что ушел на целый день из дому. А вдруг звонила Люба?

Люба позвонила через три дня и очень растерялась, когда взволнованный и возбужденный Гриша отчитал ее за долгое отсутствие. Они встретились в центре, погуляли по Горького, и Гриша проводил Любу до вокзала, взяв с нее честное слово, что звонить теперь она будет ему регулярно.

Кончился август, первого сентября начались занятия в институте. Оля обиделась и старалась не обращать на Гришу внимания. А Гриша этого не замечал. Теперь каждый день после занятий он встречался с Любой. Они ходили в кино и в кафе-мороженое, катались на аттракционах в парке Горького, а потом Гриша ездил провожать Любу в Перхушково. У калитки они долго целовались, после чего Люба вырывалась и убегала, говоря о том, что Грише еще ехать домой, да и ей вставать ни свет ни заря.

Гриша лихорадочно искал выход из создавшегося положения: срочно нужна была пустая квартира для встреч. Но квар-

тира не находилась. Тогда ему пришла в голову гениальная мысль – и они стали ездить на Гришину дачу. Там все было по-прежнему волнующе и восхитительно. Гриша с энтузиазмом терзал замученную Любу, и она, как всегда, отвечала ему с трепетом и восторгом.

Так продолжалось до декабря. В декабре ездить на дачу стало невозможно, дача была летняя, и маленькая «буржуйка» уже не справлялась с холодами. А в январе грустная и потерянная Люба сказала Грише, что она беременна, и попросила найти врача. Гриша растерялся, никакого врача у него не было и в помине, к тому же он слабо представлял, к кому он может обратиться по такому щекотливому вопросу. Вскоре Люба сказала, что вопрос решен, помогла ушлая подруга Зина, и что на аборт она пойдет через два дня. Гриша сначала успокоился, но ночью проснулся в поту и точно понял, что надо делать. В конце концов, он мужчина и должен брать жизнеопределяющие решения на себя – иначе грош ему цена.

Он купил букет гвоздик, поехал к Любе и торжественно попросил Любиной руки у глуховатой, ничего не понимавшей бабки. Люба стояла посреди комнаты, скрестив руки на груди, и молча смотрела на Гришу. Бабка достала икону и благословила молодых.

Дело, казалось бы, было сделано. Но оставалось самое главное – Инесса Семеновна. Он решил, что действовать нужно сразу и наверняка. Шоковая терапия, чтобы воспользоваться растерянностью и обескураженностью мамы.

Отступать было некуда. Гриша пришел вечером домой, посадил Инессу Семеновну на стул, сел напротив и сказал, что есть серьезный повод для разговора.

На всякий случай Инесса Семеновна положила руку на сердце. Гриша предварил свой монолог коронной фразой «Мама, ты только не волнуйся!», после чего Инесса Семеновна пошла бордовыми пятнами и попросила налить ей тридцать капель валокордина. Гриша объявил, что женится, так как его

возлюбленная ждет ребенка. Инесса Семеновна опрокинула стакан с валокордином и попросила вызвать «Скорую». Гриша жестко объяснил, что «Скорая» здесь не поможет, и попросил маму уважать его решение. Инесса Семеновна, шатаясь, дошла до дивана и грузно на него рухнула.

Диван жалобно всхлипнул. Через час домой пришел глава семейства, Гришин отец Борис Ефимович. Увидев любимую жену с мокрым полотенцем на лбу, он потребовал объяснений. Гриша все повторил еще раз. Борис Ефимович сказал сыну, что тот идиот, и принялся крутиться вокруг стенавшей Инессы Семеновны.

Через два часа, когда все более или менее успокоились, Инесса Семеновна сказала Грише, что от Оли такого не ожидала.

– При чем тут Оля? – не понял Гриша. – Мою невесту зовут Люба.

И когда Гриша объяснил ситуацию, Инесса Семеновна мгновенно оценила все масштабы катастрофы и сказала категорично:

– Нет. Этого не будет никогда.

Гриша нагловато, даже по-хамски, ответил:

– Посмотрим.

И ушел в свою комнату.

Родители растерянно смотрели друг на друга. Жизнь катилась в тартарары. Единственный любимый сын объявил им войну.

– Мальчик вырос, – трагически произнес Борис Ефимович.

– Сначала он похоронит меня, а потом пусть собирается под венец. Слава богу, я этого не увижу, – ответила мужу Инесса Семеновна.

Грише был объявлен бойкот. Но Грише было не до бойкота. Каждый день он встречал Любу после работы, и они дружно отправлялись в пельменную. Любе все время хотелось пель-

меней. Смущаясь, она брала две порции – с уксусом и со сметаной. А Гриша переживал, что уксус в ее, Любином, положении – не самый полезный продукт.

– Хочется, – тихо говорила Люба и гладила Гришу по руке.

Потом они шли на Центральный рынок, где Люба съедала полкило квашеной капусты. Гриша не выпускал Любиной руки, а она жалобно заглядывала ему в глаза и утешала, как могла, дескать, все образуется.

Инесса Семеновна бурно обсуждала с подругами текущие новости по телефону, а когда слышала, как Гриша отпирает входную дверь, немедленно ложилась на диван и закрывала глаза. Гриша равнодушно проходил мимо и в открытую курил на кухне.

Еще через месяц он поставил вопрос ребром – решительно и окончательно: или вы принимаете ситуацию такой, как она есть, или я ухожу из дома. Борис Ефимович умолял жену простить непутевого сына и принять в дом молодую невестку. Инесса Семеновна называла Любу «эта дрянь» и кричала, что никогда и ни при каких обстоятельствах ее не примет. И еще что-то про то, что «эта деревня» соблазнила ее мальчика, а теперь хочет прописаться в квартиру, овладеть имуществом и выгнать ее, Инессу Семеновну, и «тебя, старого дурака, из дому» и что благословения на брак «этот идиот, весь в тебя, кстати» не получит никогда. Саму Любу, правда, Инесса Семеновна помнила плохо, больше ей запомнилась наглая Зина, но эти два образа прочно слились в один. «Никогда и ни при каких условиях. Только через мой труп!» Борис Ефимович вздыхал и пил валокордин. Он хорошо был знаком со своей женой.

А Гриша с Любой подали заявление в загс. Они попрежнему встречались почти ежедневно, и Гриша терпеливо ждал Любу после работы у кабинета женской консультации.

Инесса Семеновна держала оборону долго, пока одна из умных подруг не остудила ее пыл.

– Потеряешь сына! – твердила подруга. – Да и потом, разводов у нас никто не отменял. Откроются глаза у твоего малахольного Гриши, и найдет он себе ровню.

И Инесса Семеновна сменила тактику. Она все же была женщина не только красивая, но и умная. Теперь она хлопотала, устроила Любе визит к маститому гинекологу, беспокоилась о ее здоровье. Начала готовиться к свадьбе. Настояла на ресторане. Гриша был счастлив и готов на все. Грише купили костюм. Любе заказали у портных платье.

На свадьбе Люба робела – столько важных и незнакомых людей! Знакомые Инессы Семеновны смотрели на нее с сочувствием. С Любиной стороны гостей не было. Бабка и дед приехать на свадьбу застеснялись.

Сняли молодым квартиру – жить с невесткой Инесса Семеновна готова не была. Гриша заезжал два раза в неделю к родителям. На его лице блуждала совершенно идиотская счастливая улыбка. У порога Инесса Семеновна отдавала ему полную продуктов сумку. Денег, конечно, не хватало.

Люба ушла в декрет, у Гриши – стипендия. Работать Люба Грише запретила категорически («Ты голова, учись!»), а сама нашла надомную работу: вязала комплекты – шапочка, шарф, рукавицы. Получались приличные деньги. Гриша вечерами разносил почту. Квартиру оплачивали родители.

К сроку родился мальчик, крепенький и белобрысый. Инесса Семеновна скривилась: не наша порода. К внуку была скорее равнодушна, чем трепетна. Когда заезжала, поднимала крышки кастрюль и проводила рукой по поверхности мебели. Придраться было не к чему: на плите всегда обед, в доме чистота, в шкафу наглаженные рубашки, ребенок обихожен. Но все равно морщила носик. Жаловалась подругам, мол, деревенщина, книжек не читает, говорить с ней не о чем.

Те подруги, что подобрей, вступали с ней в спор. Чего еще надо? Чистота, порядок, сын накормлен, ребенок ухожен.

– Не ко двору, – огрызалась Инесса Семеновна. – А этот дурак мог гулять еще лет пять, а в такое ярмо влез.

– Но он же счастлив! – возражали подруги.

– Потому что идиот, – отвечала Инесса Семеновна.

А в общем, жизнь текла без особых эксцессов. Гриша окончил институт, ребенок ходил в сад, а Люба – Люба, конечно, работала. Что там Гришина зарплата школьного учителя русского языка и литературы?

В доме у них царил абсолютный лад и взаимопонимание. Летом с внуком на даче Инесса Семеновна не сидела, говорила, что очень хлопотно. Мальчик уезжал на все лето на дачу с детским садом. Гриша обижался, а Люба свекровь оправдывала: и вправду тяжело, ребенок-то шустрый.

Люба зарабатывала прилично – и особое удовольствие ей было одевать Гришу. Гриша ходил в дубленке и ондатровой шапке, а Любаня донашивала старое пальто и носила в починку сапоги. Инесса Семеновна предпочитала этого не замечать.

Потом стали уезжать Гришины друзья. Сначала уехал Ромка Кочан, потом – Илюша Рахмилович. Все писали письма. Всем было непросто, но никто о сделанном не жалел. Молодые и здоровые, они были уверены, что трудные времена пройдут и они обязательно встанут на ноги.

И Гриша принял решение. Люба его поддержала. «Как скажешь», – сказала она. Мужу Люба доверяла безоговорочно.

Гриша поехал к родителям. Те сказали, что держаться им не за что и они готовы поддержать компанию. Через полгода всем составом летели в самолете Москва – Тель-Авив.

Когда вышли на улицу, Инесса Семеновна недовольно поморщилась:

– Боже, какая жара!

Гриша спросил:

– А ты что, мам, была не в курсе?

Инесса Семеновна недовольно хмыкнула.

Кое-как обустроились. Гриша не мог найти работу – кому он там нужен со своим дипломом? Подался в сторожа на стройку, но там платили копейки, и Люба начала бегать по квартирам убираться. Пособие крошечное, нужно было выживать.

Инесса Семеновна капризничала: квартира маленькая и душная, жара невыносимая, цены бешеные, продукты невкусные... Вспоминала свою дачу и квартиру в Москве – и жизнь там теперь казалась ей раем.

На нервной почве Инну Семеновну стали мучить мигрени. Целыми днями она лежала на диване и говорила по телефону. Борис Ефимович старался удрать из дома – то магазин, то рынок, то шахматы с пенсионерами.

Люба прибегала после работы, готовила ужин на всю семью, стирала, гладила, прибиралась и терпеливо сносила капризы, нападки и критику недовольной свекрови.

Инне Семеновне не нравилось все: суп пересолен, мясо пересушено, на ковре пятна. Люба вздыхала и чистила ковер. Ни слова, ни возражения.

Борис Ефимович мыл лестницы в подъезде. Люба сидела с парализованной старухой и убирала чужие квартиры. Гриша сторожил уже два объекта – один днем, второй по ночам. Ребенок ходил в сад.

А у Инессы Семеновны появилось новое увлечение: она объявила себя больной и стала ходить по врачам. В свободное от посещений врача время продолжала лежать на диване и болтать по телефону. «Эта» страна ей решительно не нравилась.

Через три года Люба родила дочку. Гриша был счастлив. Люба вышла на работу через три месяца. Девочке взяли няню. Ребенок плакал по ночам и беспокоил Инессу Семеновну.

Решили, что надо разъехаться. Это было крайне невыгодно, но что делать? У родителей – возраст, им нужен покой, да и вообще все устали друг от друга. Инесса Семеновна объявила, что у нее серьезный невроз, и постель уже не застилала. И Люба взяла в свои руки еще и ее хозяйство.

– Устаешь? – сочувственно спрашивал Гриша.

– Что ты, все нормально, – вымученно улыбалась Люба.

Люба два раза летала в Москву. Сначала хоронить деда, а через полгода – и бабушку. Рассказывала страшные вещи: прилавки пустые, все по карточкам, с хлебом перебои, на улице тьма и разбитые фонари. Началась перестройка.

Все вздыхали и говорили одно: «Слава богу, мы уехали!» С удовольствием открывали холодильник, где рядком стояли пластиковые баночки с фруктовым йогуртом, лежали три сорта сыра, а в марте появлялась свежая клубника.

Конечно, материально все еще было трудно, но начали ездить первые туристы, Гриша окончил курсы и получил профессию гида. Платили неплохо. Дети росли, тьфу-тьфу, здоровые. Инесса Семеновна получала пенсию. Бориса Ефимовича повысили, он стал домоуправом. Люба работала в большом универмаге в отделе сумок.

Вечерами Инесса Семеновна надевала шляпу с полями и выходила на променад. У нее образовался узкий круг близких приятельниц – дама она была общительная.

Все подобострастно кивали, слушая Инессу Семеновну. А Инесса Семеновна поносила невестку. Теперь, помимо крестьянского происхождения и отсутствия интеллекта, она обвиняла ее еще и в том, что она не сделала никакой карьеры и работала продавщицей. О том, что Люба по-прежнему прибирала в ее квартире, готовила и приносила продукты, Инесса Семеновна умалчивала.

– Плебейка! – говорила она и тяжело вздыхала. – Мезальянс, он и есть мезальянс.

О том, что ее сын Гриша был столько лет безоговорочно счастлив с «плебейкой», она старалась не вспоминать.

А в России меж тем происходили разные события. Люба внезапно стала обладательницей несметного богатства. Ее ро-

довое гнездо (конечно, не дом, а участок) стоило теперь сумасшедших денег. Рублевка, близость к Москве и соседство с элитной Николиной Горой.

И Гриша с Любой отправились в Москву. Землю продали довольно быстро – спрос на нее был большой. Жили в гостинице. Ходили по Москве и удивлялись переменам.

– Европа! – восхищалась наивная Любаня.

– А пробки? А приезжие? – возражал уравновешенный Гриша.

Торопились обратно – дом есть дом. Дом там, где твои дети и где тебе хорошо.

Вернувшись, купили себе новую квартиру. Потом купили квартиру родителям – две комнаты, большая кухня, свой садик с розовыми кустами.

Сделали ремонт, обставили новой мебелью. Перевезли родителей. Наняли домработницу – готовка, уборка. Купили родителям тур по Европе. Положили на их счет приличную сумму.

После Европы Инесса Семеновна объявила, что ей нужно на воды, обязательно нужно, по состоянию здоровья. Люба купила ей путевку в Карловы Вары.

После Карловых Вар Инесса Семеновна захотела навестить подругу в Филадельфии и на месяц укатила туда. Когда старинные приятельницы задавали ей вопрос про невестку, она недовольно дергала плечом и неизменно говорила, что Гриша ее осчастливил, и непременно – что-нибудь про «мезальянс» и про «плебейку».

А Люба ни на что не обижалась. Она действительно считала, что вытянула счастливый билет. И еще она очень любила своего мужа Гришу и искренне благодарила судьбу.

А то, что кто-то кого-то недостоин и не подходит кому-то, это вообще большой вопрос. Ведь жизнь все равно проверит людей и расставит точки над «i». Это наверняка.

Подруги

Утро у Раи начиналось всегда одинаково. В пять часов (человеку деревенскому это несложно) она брала тряпку, ведро с водой и выходила на лестничную клетку. То, что ее ожидало, уже не вызывало удивления. Но все равно каждый раз она тяжело вздыхала, качала головой и смотрела на мерзкого зеленого цвета стену, где мелом крупными буквами, старательно было выведено: «ЗОЙКА – СУКА!»

С восклицательным, заметьте, знаком. Становилось понятно, что человек, написавший это послание миру, вложил в него всю душу и сердце. Буквы были правильными, жирными, с завитками.

Рая еще раз вздыхала и принималась оттирать стену, приговаривая при этом:

– Ну кому ж моя Зойка покою не дает? Мать твою...

Стена была вымыта – тщательно, без подтеков. Рая критично оглядывала свою работу, прихватывала ведро и уходила в квартиру пить чай. Теперь можно было еще поваляться и даже поспать, но она принималась за домашние дела. Что-то перебирала в гардеробе, тихонько, чтобы не разбудить спящую Зойку, гладила на столе Зойкины кофточки и бельишко, вытирала пыль с подоконника или поливала цветы – разросшееся до невероятных размеров колючее алоэ и мощный фикус с толстыми блестящими листьями.

Потом она садилась на стул возле Зойкиной раскладушки, скрещивала руки на животе и внимательно разглядывала спящую дочь. Та мирно посапывала, вытянув в трубочку пухлые губы. На смуглых щеках лежала тень от длинных пушистых ресниц.

Рая опять вздыхала и шла на кухню. Там она тихонько, стараясь не разбудить дочь и соседку Клару Мироновну, резала овощи на первое и варила макароны на второе.

В семь часов будила Зойку. Та вставала тяжело, хныкала и просила оставить ее в покое. Рая сдергивала с дочери одеяло. Зойка сворачивалась в комок. Потом Рая грозила водой из чайника. Зойка открывала глаза и, потягиваясь, начинала орать на мать.

Рая уходила на кухню и ставила на плиту чайник. Минут через десять, пошатываясь, из комнаты выходила заспанная лохматая Зойка. Она плюхалась на стул и брала бутерброд с колбасным сыром.

Медленно пережевывая, Зойка смотрела в окно и гундосила:

– Опять дождь. Туфли промокнут. На чулках две зацепки. На вечер в школу пойти не в чем. Сыр этот липкий надоел. Хочу колбасы с огурцом и кофе.

Мать молчала, отвернувшись к плите. Потом оборачивалась и говорила:

– Перебьешься.

Это означало – перебьешься без новых туфель, чулок, колбасы и кофе.

– И вообще – поторапливайся! – прикрикивала она. – Вон на часы глянь! Опоздаешь, не ровен час.

Зойка махала рукой:

– Куда спешить-то? На каторгу эту всегда успею. – И шла причесываться и одеваться. У зеркала она замирала и поворачивалась то в профиль, то в фас, каждый раз удивляясь своему отражению. Зойка и вправду была сказочно, невообразимо хороша. Что есть, то есть.

Рая смотрела в окно на медленно бредущую к школе дочь: небрежно заколотые волосы успели растрепаться от ветра, портфель почти волочится по земле.

– Жопой виляет, – качала головой мать. – Как баба прям, царица небесная, прости, Господи, нас грешных. – И, оглянувшись, Рая мелко и быстро крестилась. Потом она смотрела на часы и быстро одевалась, каждый раз радуясь, что работа у дома, в соседнем дворе, только перейти улицу.

* * *

Впервые Рая появилась в нашем дворе с трехлетней Зойкой в конце лета. В одной руке коричневый картонный чемодан, в другой – упирающаяся, орущая, толстая кудрявая девочка с красным атласным бантом в густых смоляных волосах.

Комнату они заняли в одной квартире с Кларой, старожилом нашего дома. После смерти мужа ее уплотнили, решив, что старухе хватит и одной комнаты. Куда больше? С жильем в столице, знаете ли...

Кларина мебель никак не вмещалась в маленькую комнату, и шифоньер из ореха с вырезанными на дверцах лилиями и гранеными стеклами остался в большой комнате, той, куда заселились Рая с Зойкой. Там же осталось и трюмо с перламутровыми кубиками, и огромная люстра с мутными подвесками и потемневшей от времени бронзой.

Тетки, сидящие на лавочке у подъезда, переглянувшись, принялись жарко обсуждать новую жиличку: гордая – морду задрала и мимо, – а девка чернявая, нерусской породы. И нищие, видать, из вещей только чемодан потрепанный.

В общем, не понравились им ни Рая, ни Зойка. Не понравились – и все.

Так и создалось в тот первый день общественное мнение. И, как часто бывает, осталось навсегда.

* * *

Неразговорчивую Райку считали заносчивой и гордой. А чем гордиться? Одна, без мужика, нищая как церковная мышь, работает диспетчером в ЖЭКе. Тоже мне, фифа!

А про Зойку и вовсе ходили самые противоречивые слухи. То Райка сбежала с табором – и это в пятнадцать-то лет! – а потом красавец цыган, ее возлюбленный, женился. Естественно, на своей, таборной. И Райка вернулась в деревню уже пузатая. Родители-староверы беременную дочь в дом не пустили, и рожала она у повитухи, которая скоро от нее избавилась.

Еще версия – Райка родила Зойку от негра. А в кого девчонка такая смуглая и губастая?

Дальше. Райка устроилась в богатую еврейскую семью. Домработницей. Сошлась с сыном хозяев, студентом. Когда забеременела, возмущенные и оскорбленные хозяева ее выкинули. Зачем им дура деревенская, сами посудите?

Правды никто не знал. Райка молчала как рыба. Общалась только с Кларой. Благодарила за шифоньер и трюмо, а вот люстру не любила – мыть «стекляшки» было муторно, да и свету мало. Как денег скопила, купила польский светильник. Три рожка и разноцветные пластиковые плафоны. Красный, желтый, зеленый. Как светофор.

А Кларину люстру вечером снесла на помойку. Утром ее уже не было.

Зойка была нелюдимой. Сама ковырялась в песочнице со своим единственным дырявым жестяным синим ведерком и ржавым совком. Девчонки возились рядом и подозрительно поглядывали на нее, а она глаз не поднимала и в игру не просилась. Гордая. В мать.

Тома Забелина жила в отдельной квартире над квартирой Зойки. С этой девочкой тоже не дружили, говорили, что она страшная и сопливая. Тома и вправду вечно хмыкала и хлюпала носом, сморкалась в грязный платок и красотой не блистала. Тощая, угловатая, с жидкими серенькими волосами, заплетенными в крысиную косичку, с вечно красными, воспаленными глазами в белесых редких ресницах, длинноносая, с узкими, всегда поджатыми губами.

Тома выходила во двор и садилась на лавочку рядом с бабками. Те двигали толстыми задами, освобождая место для тощей девочки. Ее жалели – называли болявой и доходягой. Томина мать работала в столовой поваром и продавала соседкам мясо и масло. По дешевке, разумеется.

Всем было выгодно – и соседкам, и ей самой: семья накормлена, и излишки сданы.

Светку, Томину мать, не любили, справедливо называя ворюгой. Но – между собой, шепотом. Дешевого мяса и масла хотелось всем. Томкин отец работал прорабом на стройке. Говорили, что денег гребет немерено – тоже ворует: то унитазы польские продает, то плитку салатовую, дефицитную, то обои в блестящую полоску.

Еще говорили, что дома у них все в хрустале и бархате. Правда, этого никто не видел – в дом никого не звали. Если звонил почтальон или соседка, Светка выходила на лестничную клетку и закрывала за собой дверь.

Тома с Зойкой – два изгоя – подружились, что вполне объяснимо.

* * *

Тома пригласила Зойку в гости. Та замерла на пороге комнаты.

– Это у нас зал, – строго сказала Тома. – Руками ничего не трогай!

Зойка сглотнула слюну и кивнула. Такой красоты она никогда не видела. Просто дворец царский, а не квартира! На окнах бархатные шторы, на стенах картины – цветы и фрукты. И еще – русалка на валуне. Красивая, как богиня. Мебель полированная, блестящая. Горит прям на солнце. И ваза на столе горит, переливается.

– Чешский хрусталь, – важно объяснила Тома.

В вазе цветы – странные, тряпочные (Зойка тихонько потрогала, когда подруга вышла из комнаты).

– Хельга! – так важно обозвала Тома низкий пузатый шкаф со стеклом, полный сверкающей посуды. И еще был цветной телевизор и ящик с пластинками. – Проигрыватель, – просветила Тома.

А еще на столе, рядом с вазой с ненастоящими цветами, стояла большая хрустальная миска, полная шоколадных конфет – «Мишек на Севере», «Белочек» и других, ярких и разноцветных, незнакомых Зое.

Впрочем, «Мишки» и «Белочки» тоже были знакомы не очень – пару раз угостила Клара на Новый год и Восьмое марта.

Потом Тома торжественно распахнула дверь в свою комнату. Там стояли ее кушетка, письменный стол и тумба с куклами.

– Можно потрогать? – прошептала Зоя.

Тома кивнула:

– Осторожнее только.

Кукол было много. Все с настоящими волосами, в платьях, носочках и туфельках. И даже в трусиках! Мама дорогая! Вот это богатство!

На пороге показалась Света, Томина мать. Недовольно оглядев нежданную гостью, она позвала дочку обедать.

– Подождешь? – спросила Тома.

Зойка кивнула. Конечно, подождет! Еще бы! Ведь она останется с этим богатством наедине! Пусть даже на каких-то полчаса.

Зоя потянула носом – из кухни раздавался восхитительный запах куриного бульона.

Она проглотила слюну и отвлеклась на кукол.

* * *

На ужин мать подала макароны с сыром. Голодная Зоя проглотила пару ложек и спросила:

– Мам, а почему у Томки курица на обед и шоколадные конфеты в вазе? Прям целая куча?

Рая внимательно посмотрела на дочь и сказала:

– Живут по-другому.

– А почему мы по-другому не можем? – удивилась Зойка. – Ну, чтобы курица и конфеты? И мандарины? И еще – кукол много! И каких, мам! И платьев у Томки целая гора, и туфель!

– Дурочка ты, – вздохнула Рая. – Не все так умеют. Да и не всем это надо. Я люблю по ночам спать. И потом, если что, на кого мне тебя оставить? Вот именно, не на кого. Одни мы с тобой на белом свете. А Томке своей не завидуй! На нее что ни надень – сопля чахоточная. Смотреть противно.

Зойка за подругу обиделась.

* * *

В школе она училась плохо. Ничего ей не давалось – ни математика, ни литература, ни химия с физикой. Дети дразнили ее тупицей, но она не обижалась. Зойка вообще ни на кого не обижалась. Даже на Тому, когда та обзывала ее жирной коровой, – Тому девочка считала подругой.

Учителя вызывали Раису в школу. Говорили, что нужны дополнительные занятия.

А чем платить? Жили они не просто скромно – бедно. Зойка росла как на дрожжах, вернее, на макаронах, картошке и хлебе с повидлом. Подтянуть девочку по математике взялась Клара Мироновна. Билась с ней часами. Зойка смотрела на соседку глазами, полными ужаса и смертельной тоски. И Клара со вздохом вынесла приговор: учить девочку бесполезно, лучше готовь ее, Рая, к замужеству. С такой красотой вытянуть счастливый билет совсем несложно. Только надо объяснить, что, как и почему.

– Как же я ее научу? – удивилась Рая. – Я и сама про это ничего не знаю!

* * *

Не ругал Зойку только физрук Арсен Степанович, прихватывая неуклюжую ученицу за аппетитное пухлое плечо.

Говорил:

– Чего тебе через деревянного козла прыгать? Ты, с такой красотой и фигурой, – тут он сладко причмокивал, – найдешь себе козла живого и богатого!

В девятый класс Зойку брать не хотели. Директриса заявила Раисе, что в школе ее дочери делать нечего – с такими-то оценками.

Мать пошла в роно. Писала заявления во все инстанции – девочке не дают получить среднее образование. Ее, мать-одиночку, притесняют. Решили с Раисой не связываться, и Зойку взяли в девятый класс.

Клара уговаривала соседку, как могла. Зачем Зойке образование? Надо получать профессию, стабильную и денежную, чтобы могла прокормить. Раиса стояла на своем – я без образования, сижу на копейках, а дочь должна учиться.

Появление Зойки после летних каникул было главным школьным событием. В школьный двор вошла высокая, лад-

ная девица с большой грудью, тонкой талией и широкими бедрами. На полноватых красивых ногах сверкали белым лаком босоножки на каблуках. По плечам были распущены роскошные смоляные кудри. Горели черные глаза, сияла смуглая бархатная кожа, алел полногубый и яркий рот.

Смутились не только мальчишки, но и учителя. Директриса шепнула завучу, что «это явление опасно для всей школы». Наверное, она имела в виду не только учеников в пышном пубертате, но и молодого математика, зрелого физика и разбитного физрука.

Девочки смотрели на Зойку с нескрываемой завистью. Мальчики – с повышенным интересом. Учителя – с опаской.

А Зойка ничего не замечала. По-прежнему с невыразимой тоской смотрела на классную доску, тщательно выписывала буквы в тетради, напряженно и внимательно слушая учителей.

Из хорошенькой толстушки она превратилась в писаную красавицу. Мальчишки бегали за девушкой все до единого, доходило до драк – каждый мечтал проводить Зойку до дома и донести ее портфель.

А вот на бедную Тому внимания по-прежнему никто не обращал, несмотря на ее наряды, дубленку и лаковые сапоги-чулки – зависть и несбыточная мечта всех девчонок и учительниц. Тома по вечерам торчала у зеркала, выдавливая крупные красные прыщи. Наутро все выглядело еще хуже. Накручивала жидкие волосы на бигуди и завивала челку щипцами. Локоны распадались через десять минут, и волосы опять повисали унылыми серыми прядями. Тома красила ресницы – на короткие тощие ресницы тушь ложилась неровно, осыпаясь грязными комьями. Тома тщательно замазывала лицо французской пудрой, но прыщи нагло лезли и из-под пудры, не поддаваясь маскировке. Хорошо держался только польский лак на ногтях. Но красить ногти в школу запрещалось.

Кстати, Тома свои ношеные белые лаковые босоножки, которые она милостиво подарила Зойке, потребовала немедленно назад. После первого сентября. Зойка безропотно ей их вернула, со вздохом надев старые коричневые туфли из «Детского мира».

С Томой они по-прежнему считались подругами. Вместе делали уроки – возмущенная Тома обзывала Зойку «тупой коровой», – вместе ходили в кино. Тома ловила восхищенные взгляды мужчин всех возрастов, брошенные на подругу. А та будто ничего не замечала и шла, высоко закинув голову назад и слегка прищурив глаза, – от усердных, но бесполезных занятий у Зойки сильно падало зрение.

Влюбился в девушку и Миша Пряткин, самый завидный из одноклассников: отличник, спортсмен, синеглазый красавец.

Вот тогда-то и стала появляться на зеленой стене подъезда та самая надпись цветным мелом – «Зойка – сука!». И тогда же у Раи началась ежеутренняя забота: смыть пораньше это безобразие, чтобы спозаранку все это не увидели соседи, спешащие на работу.

А беззаботная Зойка ничего не знала, пока однажды мать не заночевала у дальней родственницы в Орехове-Зуеве.

Девушка с удивлением посмотрела на настенные художества, покачала головой, пожала плечами и пошла дальше.

На перемене спросила у Томы:

– Видела?

Та скривилась:

– Да уж, как не заметить?

– И кому это надо? – удивилась наивная Зойка.

– А ты морду повыше задирай! – зло бросила Тома и проводила взглядом, полным тоски и отчаяния, Мишу Пряткина, идущего по коридору.

Зойка вздохнула и опять ничего не поняла. Что она сделала плохого? И кому?

На выпускном вечере, несмотря на все усилия и старания девочек, Зойка, конечно, была самой красивой. Правда, поплакала неделю – платье-то у портнихи сшили, а вот на туфли и прическу не хватило.

Клара ее утешила:

– Прическа тебе не нужна – твои волосы надо просто распустить, и это будет красивее любой прически. А про старые туфли не думай – при твоей красоте на них никто и не посмотрит. Мужики на это вовсе внимания не обращают.

– А девочки? – всхлипнула Зойка.

– А они по-любому тебя не простят! – рассмеялась Клара.

– За что? – удивилась Зойка.

– За все, – с коротким вздохом ответила соседка. – И за наивность твою и беззлобность заодно.

* * *

Школу окончили – Раиса наконец вздохнула полной грудью. В Зойкином аттестате одни тройки. Наплевать! А вот что дальше? В техникум она не хотела – опять учиться? Ну уж нет! Хватит с нее страхов и унижения!

И Зойка устроилась официанткой в ресторан. Взяли ее туда с удовольствием. Клиенты – в основном мужчины с Кавказа или просто «деловые» (а кто мог позволить себе в те времена ресторан?) – мечтали сесть за Зойкины столы. Заигрывали и предлагали счастливую, беззаботную жизнь: от ужина и поездки на море до полного содержания и даже законного брака.

Поклонники охапками дарили Зойке цветы, отсылали коробочки с золотыми украшениями и французскими духами. Она не брала ничего.

Жить стали полегче – прибавилась еще и Зойкина зарплата. Раиса брала половину дочериных денег – на хозяйство. Остальные копила ей на наряды. Зойка приоделась – платья, туфли, пальто. В ресторане всегда кто-то чем-то подторговывал. А вот духами пользовалась польскими и сережки носила дешевые.

Тома поступила в Плехановский институт, специальность – товаровед. Мать ей говорила, что при такой профессии голодать она никогда не будет.

На курсе образовывались парочки, только Тома ходила в гордом одиночестве. Подруг у нее не было, кавалеров тоже. Иногда звала Зойку попить кофейку. Жарко рассказывала про замечательную студенческую жизнь – веселую и разнообразную. Сочиняла истории про страстных назойливых поклонников. Курила финские сигареты, со свистом выпуская дым, и хвасталась новыми тряпками.

Зойка вздыхала:

– А у меня одна беготня, спина мокрая, ноги опухают. Клиенты достают.

– Сама виновата, – припечатывала Тома. – Пошла в халдейки – вот и терпи. Раз на большее мозгов не хватает.

Миролюбивая и невредная Зойка со всем соглашалась – такой вот характер.

Рая Тому ненавидела, завидовала, что у той студенческая легкая жизнь, что думать ни о чем не надо. Всего полно: и еды, и тряпок. Студенты – это не буйные, пьяные и назойливые сладострастники из ресторана. А дочери говорила:

– Что ж лучшая подруга тебя на вечера институтские не зовет? Или в театры, в киношку?

Зойка горестно вздыхала:

– Не пара я ей, мам. Ну что она про меня скажет? Подавалка из кабака? Даже техникум не осилила. Живу в коммуналке, отца нет. Книг не читаю. Стыдно ей за меня.

– Стыдно! – возмущалась мать. – За друзей стыдно быть не может! – И горестно добавляла: – Дура ты у меня, Зойка! Не серости она твоей боится, а красоты! Сама-то урод уродом! И тут ни тряпки не помогут, ни книжки прочитанные.

Зойка на мать обижалась и за подругу жарко заступалась. Всегда.

Но однажды все-таки Томку попросила:

– Возьми меня на новогодний вечер. Мы же подруги. А то в Новый год у меня одна компания – мама да Клара. Тоска.

Тома от возмущения задохнулась:

– Куда тебе? Там одни студенты! А ты – туда же, в калашный ряд.

Зойка впервые обиделась. Так обиделась, что дверью со всей дури шарахнула – штукатурка посыпалась. К телефону не подходила и дверь Томе не открывала. Та злилась – такое случилось впервые. Вышла Зойка из повиновения, вышла. Столько лет терпела, а тут... Мать Томе сказала:

– Возьми эту убогую. Что тебе, жалко? Не конкурент она тебе – коровища необразованная. Рот открыть не может. Глазами своими коровьими глупыми – хлоп-хлоп.

Тома решила подумать. Подруг, кроме Зойки, у нее не было.

Кстати, творения на стене по-прежнему появлялись. Каждое утро.

Тетки у подъезда продолжали бедную Зойку осуждать:

– Ишь, пошла, королевишна! А задом-то вертит! Вот прям сейчас этот зад и отвалится! А тряпки какие! Все яркое, заграничное! Сиськи вывалит – и вперед! Вокруг не смотрит! Взгляд поверх людей! С прищуром.

Не знали дворовые сплетницы, что «взгляд с прищуром», так же как и гордо вскинутая голова, – следствие сильной близорукости, а не гордыни. Тряпки – от спекулянтки Любки, тоже официантки. Да еще и ношеные – так дешевле. А про «вываленную напоказ грудь» – не помещалось Зойкино богатство в широкое декольте. Никак.

И подвозил Зойку после вечерней смены не любовник «из грузин», а бармен Витюша, которому она как любовница была не нужна по причине его увлечения отнюдь не противоположным полом. Девушка была ему просто подружкой. И еще – таким же изгоем, как и сам Витюша.

* * *

Тома подумала-подумала и Зойку решила взять. Ну что, уведет у нее она всех кавалеров? Да и кого, собственно, уводить? Где эти самые кавалеры?

Встретила Зойку у подъезда и важно объявила:

– Тридцать первого, в семь начало. – И добавила: – Не вздумай накраситься как проститутка. Губищи свои не малюй. Не поймут.

Зойка обрадовалась, как дитя. Обидные слова про «губищи» и «проститутку» молча проглотила. Ей и вправду косметика совсем не шла – только старила и утяжеляла. И так хватало природного буйства красок.

Боясь Томиного гнева, Зойка оделась скромно: узкая темная юбка, черный свитерок под горло. Совсем не накрасилась, только в уши вдела сережки с искусственным жемчугом, чтобы слегка оживить картинку.

И все равно была хороша так, что сама у зеркала притормозила. Поправила черные локоны и тяжело вздохнула: «Ну разве я виновата?» Так с чувством вины и смущения и выкатилась во двор.

Тома вышла через двадцать минут. Нарядная и благоухающая. Новая дубленка, сапожки на каблуках. На пальцах кольца, в ушах серьги, на шее медальон. Все – золото. Начес двадцать сантиметров, тени синие, черные стрелки до ушей, перламутровая помада. Гордая вышла, важная. Оглядела Зойку и скривилась:

– На поминки собралась?

Та растерялась:

– Ну, ты же сказала...

Тома скривилась:

– Нет мозгов – и не будет. Истина старая.

На вечер отправились на такси.

– Чтобы не повредить красоту, – объяснила Тома.

В огромном, сверкающем от многочисленных люстр фойе было шумно и многолюдно. Громко играла музыка.

Студенты кучковались группами, громко смеялись и пили шампанское. Тома, зло оглядев сокурсников, пару раз кому-то кивнула. К ней никто не подходил и в компанию не приглашал.

Зойку это удивило. Спросила у Томы, та с досадой ответила:

– Завидуют просто. И тряпкам моим, и цацкам. И тому, что учусь хорошо.

Зою это не очень убедило. Красивых и модных девчонок было немало. У многих золотые сережки и колечки. Нарядные платья, туфли на каблуках. Чему завидовать? Странно как-то. Может, и вправду дело в том, что Тома хорошо успевает?

Зойкины наивность и доброжелательность не имели границ. Не научилась она плохо думать о людях! И вредности – той, что есть у любой женщины, – у нее тоже не имелось. Такой уродилась.

Потом были концерт, фуршет, где Тома на нее зашипела:

– Много не жри! Скоро в дверях застрянешь.

Зойка покраснела и быстро положила бутерброд на край тарелки.

Потом били куранты, все громко кричали «ура!» и считали до двенадцати.

А дальше – приглушили свет, и начались танцы. От шума и двух бокалов шампанского у Зойки разболелась голова. А Тома все наливала себе и наливала. С красным злобным лицом она обсуждала и осуждала всех. Кивала и выносила свой беспощадный вердикт:

– Эта – дура деревенская. Эта – вообще потаскуха. Эта – спит с преподом. А у той уже три аборта.

Зойка стояла, открыв рот и глаза. Неужели все, все с изъянами? Кошмар какой-то!

– Все! – отчеканила Тома и залпом допила остатки вина.

А «ужасные» девчонки танцевали, смеялись и веселились. Новый год!

К Зойке подошел высокий смуглый парень с длинными, черными как смоль волосами. Он галантно поклонился и пригласил ее на медленный танец.

Зойка оглянулась на Тому. Та, зло усмехнувшись, отвела взгляд.

Зойка положила руки кавалеру на плечи и закрыла глаза. Медленно лилась, как тихая вода, музыка. Парень уверенно и спокойно вел Зойку в танце, и она чувствовала его сильные и нежные, ненахальные руки.

И второй танец они танцевали, и третий. Зойке казалось, что никогда не закончится музыка и никогда она не снимет с его плеч свои уже онемевшие руки.

Но музыка кончилась. Зойка открыла глаза. Парень смотрел на нее долгим и внимательным взглядом.

– А ты с какого курса? – спросил он.

И Зойка подумала: «Какой необыкновенный и странный у него голос – бархатный, глубокий, с легким акцентом».

Тут ее резко дернули за рукав. Она обернулась – Тома, с перекошенным от гнева лицом. Подруга еще раз дернула Зойку за руку и потащила к выходу. Девушка обернулась, кинув взгляд на кавалера. Он догнал их у раздевалки и сунул Зойке в руку бумажку. Тома этого не видела – истерично натягивала шубу и сапоги.

Вышли на улицу. Тома шла впереди. Зойка еле поспевала.

– Том, ну чего ты? – Зойка обогнала подругу.

– Чего? – заорала Тома. – Ведешь себя как б...! Вот чего! Стыда не оборбраться! Взяла ее, дуру непролазную. Пожалела! А она! Напилась и с иностранцем шашни развела! У меня еще из-за тебя неприятности будут!

Зойка совсем растерялась и остановилась.

– С каким иностранцем? Ты о чем, Том?

– С таким! – взвизгнула подруга. – Араб он. Ливанец. Сынок миллионера. Живет при посольстве, в трехкомнатной

квартире с прислугой. Жрет только из «Березки». Отдыхает во Франции. В общем, гад еще тот. Капиталистический.

Зойка ойкнула и закрыла рот рукой. Прошептала:

– Я же не знала, Том!

– А вести себя надо уметь! Тогда и знать ничего не надо будет!

Тома подняла руку и остановила такси. Сев на переднее сиденье, громко хлопнула дверью.

Машина рванула с места.

Зойка осталась на темной улице одна. Села в сугроб и разревелась.

* * *

Если не везет человеку, так не везет. И Зойка считала себя самой несчастной из всех живущих на земле. Ненавидела свои буйные кудри и буйную плоть. Тело просто рвалось наружу – из всех платьев и кофточек. А губы? Ну что это за пельмени такие? Может, и вправду в роду у Зойки африканцы? А мать говорит – не твое дело. Как не ее? Что, человек не должен знать, кто его предки? Хорошо матери – белокожая и белобрысая. Глаза голубые. А Зойка? Головешка какая-то. Да еще и кавалер этот! Иностранец. Вот влипла! С иностранцами у нас строго. Томка сказала, что затаскают по всяким страшным организациям. Потому что нельзя. Нельзя полюбить человека из другого мира. Тем более – с самого Запада. Хотя – нет, с Востока. Но суть от этого не меняется. К тому же – сын миллионера. Сразу «за жопу возьмут» – слова Томы. Вот что делать? А парень этот ей так понравился! Так, что сердце заходилось тогда, в танце, и голова кружилась. И руки у него такие – нежные, сильные. Пальцы длинные, тонкие. Аристократ, одним словом. А одеколон у него какой! И на тебе, опять неудача. Зойка бумажку с телефоном выкинула, предварительно порвав на мелкие кусочки.

Да еще и Тома рассердилась. Говорит, что Зойка вела себя как потаскуха. И еще – как полная дура. Глаза раззявила и рот губастый раскрыла. Вот и жди теперь неприятностей! Корова тупорылая.

Зойка плакала и просила Тому не обижаться. Ну что она такого в самом деле сделала?

Тома хлопнула дверью, чуть не прищемив Зойке нос. Матери, конечно, она ничего не рассказала – та тоже со скандалом не задержится.

По ночам Зойка хлюпала в подушку и вспоминала красавца Самира. А потом успокоилась. «Не по Сеньке шапка», как сказала Тома. И вправду – не по Сеньке. Молодые ребята на нее лишь пялятся, но не знакомятся, только вслед свистят. А клиенты... На все готовы. Только Зойке не надо. С души воротит, потому что не нужны ей ни поездки в Сочи, ни норковая шуба и бриллианты. И машина не нужна, и квартира отдельная. Ничего этого Зойке не хочется. А хочется любви.

От расстройства Зойка впервые похудела и осунулась – самой понравилось. А Томка сказала:

– Худая корова еще не газель.

И вправду – не газель. Но все равно ничего. Лучше, чем было.

Самир ждал Зойку у подъезда целых два часа. Замерз как цуцик. Потом – два часа в подъезде. Было полегче. Цветы – белые розы – положил на батарею, сам бы тоже на ней пристроился, но не поместился. Зойка вбежала в подъезд и стала стряхивать с куртки и шапки снег.

Самир шагнул ей навстречу. Зойка, охнув, прижала руки к груди. Он улыбнулся и протянул ей согретые и подвявшие розы. Зойка еще раз ойкнула и замотала головой. Потом, расплакавшись, зашептала:

– Уходи. Уходи скорее! А то увидят!

– Кто? – не понял он. – Ты кого-то боишься? Мужа? Или отца?

Зойка опять замотала головой:

– Какого мужа, господи? И отца у меня сроду не было!

Он недоуменно пожал плечами:

– Не понимаю.

И Зойка яростно зашептала:

– Что непонятного? Ты – иностранец. Капиталист. Ладно бы из «наших»: кубинец или вьетнамец, коммунист. А ты – чужеродный элемент. – Слова Томы. – Что у нас может быть общего? У нас с этим делом строго. Может, ты не знаешь?

Он улыбнулся:

– Да, не кубинец. И, извини, уж точно не вьетнамец. Капиталист, правда. Вернее, не я – мой отец. А про то, что у нас может быть общего... Знаешь, много чего, если подумать. Дом, например. Семья. Дети. – Он взял Зойкины руки. – И чего ты боишься? Зверские времена прошли. Никого за это давно не кушают.

Зойка всхлипнула и поверила ему – она привыкла верить людям. И даже начала успокаиваться, с Самиром почему-то вообще было спокойно. И совсем не страшно. Несмотря ни на что.

В подъезде простояли часа три. Самир рассказывал ей о своей стране, о родителях, братьях и сестрах. Семья была огромной – семь детей и уже куча внуков. Рассказывал, что мать очень плакала и не хотела его отпускать в Москву: боялась, что он здесь замерзнет и умрет с голоду. Но ему было интересно поехать именно в Россию, такую страшную и непонятную. Отец предлагал учебу в любой европейской стране, в Америке и даже Австралии. Но он настоял на своем. Правда, в первом письме домой попросил родителей прислать зубную пасту, крем для бритья и пену.

– Какую пену? – не поняла Зойка.

И мама опять горько плакала по телефону. Но потом все как-то устроилось и образовалось. Оказалось, что есть валютные магазины, а в них и зубная паста, и мыло, и крем для бритья. И даже хороший кофе, сигареты и привычные продукты. Еще можно через посольство снять приличную квартиру. И через три месяца он сбежал из холодного общежития, кишащего тараканами и клопами (ранее ему неизвестными). Но Россию Самир полюбил. Москву признавал самым красивым городом на земле. Полюбил и соленые, хрустящие грибы, и кислую капусту, купленную у бабок на рынке, и картошку с селедкой, и русскую водочку из морозилки. И русские песни, берущие прямо за душу и рвущие сердце непонятной тоской. И русских людей – грубоватых, но открытых и хлебосольных.

– А какие у вас театры! – воскликнул Самир. – А Ленинград, а музеи!

Рассказывал, что на долгие летние каникулы ездил в гости к брату в Париж и к сестре в Бергамо. А еще к тетке, в Лондон.

Правда, и домой на каникулы приезжал с удовольствием. Скучал по родным и по теплу – что было, то было.

Зойка слушала его молча, внимательно. Потом вздохнула:

– А мне рассказать тебе нечего. Я ведь даже в Питере не была и моря не видела.

Он рассмеялся:

– Увидишь еще! Все увидишь! И Париж, и Лондон, и моря с океанами!

Зойка удивленно посмотрела на него:

– Шутник. Скажешь тоже!

* * *

Теперь они встречались почти каждый день. Самир ждал ее за домом – так просила Зойка. Чтобы ни мать, ни Тома не узнали. Пришла весна, и они часами гуляли по улицам, ходили в зоопарк, на Красную площадь, в музеи и театры. Зойка

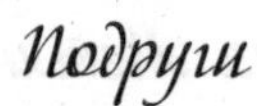

удивлялась – сколько же Самир всего знает про ее город, про ее страну! Даже стыдно становилось – какой она неуч! Права Тома.

Кстати, про Тому. Теперь подруги виделись редко – то у Томы сессия, то «мероприятия разные», как она сама говорила. Да и слава богу! Так Зойке спокойнее – не надо ничего придумывать и врать. Врать она не любила больше всего на свете.

В июне Зойка впервые попала к Самиру домой. Удивилась простоте и уюту. И еще – чистоте. Он, смущаясь, объяснил, что чистота – не его заслуга. Раз в неделю приходит женщина и наводит в квартире порядок. Зойка растерялась:

– И такое бывает!

– Да. В родительском доме есть прислуга и повар.

Ели они в тот день чудные макароны с ароматной травой, сыром и томатным соусом.

– Спагетти, – объяснил Самир.

Потом пили кофе – бразильский, аромата бесподобного – и ели такие пирожные, просто язык проглотишь!

А потом Самир открыл бутылку шампанского и предложил выпить за их «дальнейшую жизнь». Зойка не очень поняла, что это значит, но спросить не решилась. Потом они слушали музыку и опять пили кофе, теперь уже с конфетами и тончайшим, на просвет, ореховым печеньем.

Вечером Самир проводил Зойку домой. Долго стояли в подъезде и целовались, никак не могли друг от друга оторваться. Наконец абсолютно одуревшая Зойка вырвалась из тесных объятий и помчалась по лестнице. У дверей квартиры она притормозила, перевела дыхание, вытерла вспотевший лоб и щеки и открыла дверь.

Замученная вечными проблемами Раиса как будто ничего не замечала: ни шальных глаз дочери, ни опухших губ, ни красных пятен на шее (от волнения и поцелуев – два в одном).

Глаза ей открыла Клара. Как же можно этого не заметить? Раиса мяла в руках кухонное полотенце, вытирала вспотевшие от волнения ладони и лицо, виновато приговаривая:

– Как же так, Кларочка Мироновна? Как же так? И как я могла не заметить? Дубина стоеросовая!

За ужином она внимательно вглядывалась в лицо дочери. Тревожно осматривала ее фигуру – не поправилась, не похудела? Ест хорошо, с аппетитом. Не бледная вроде. Или нет, все-таки бледная? И синяки под глазами...

– А что это у тебя на шее?

Зойка, стоявшая в ночнушке перед зеркалом, быстро прикрыла шею рукой, покраснела и залепетала:

– Да косынкой натерла!

Раиса побагровела:

– Ах ты дрянь! Пошла вразнос! С кем скрутилась, отвечай! – И отвесила тяжелой рукой звучную пощечину. Правду пишут на стене, правду! Вот оно и вылезло – как есть. Путается, шалава. – Глаз не спущу! – крикнула мать. – С работы домой. По часам! Опоздаешь – бить буду. Смертным боем!

Зойка поверила сразу. Заперлась в ванной и там отревелась. А Раиса тем временем рвала в клочья ее нарядные кофточки с вырезом и узкие юбки, с наслаждением и без грамма жалости, хотя бедность научила ее не выбрасывать даже рваные и латаные-перелатаные чулки и трико.

Опять все рушится! И опять ничего у нее не получается! Есть на свете невезучие люди. Когда не везет везде и во всем. И среди них она, Зойка. В первых рядах.

А самое страшное, что никому, никому она не может доверить свою тайну и поделиться своим счастьем – ни маме, ни Кларе. А про Тому и думать нечего. Вернее – страшно подумать.

Конечно, любимому она все рассказала. Тот опечалился, но ненадолго. Бодро сказал:

– Все будет хорошо! – И... уехал на каникулы домой.

Зойка дежурила у почтового ящика, но писем не было. Ни одной весточки за три месяца! Она впервые похудела так, что впору в манекенщицы. Почти до невероятного прежде и столь заветного Томкиного размера.

Подруга зашла к ней перед поездкой на море. Хвасталась новым югославским купальником и чешскими босоножками. Зойка, понурая и потерянная, вяло кивала.

– Тощая ты какая! – удивилась Тома. И с садистским удовольствием добавила: – А тебе не идет! Как цыганка-перестарок. – И опять затрещала про курорт, танцы, сладкое вино и сочные персики. – А поедешь со мной? – вдруг неожиданно предложила она.

Зойка растерялась:

– Как с тобой? На море?

Тома кивнула. Зойка засуетилась – а деньги? Купальника нет вообще. Вдруг не дадут отпуск? Или не разрешит поехать мать? А билеты? Разве в сезон достанешь?

– Ну, решай, – жестко ответила Тома. – Еду через две недели. Решишь свои вопросы – значит, поедешь. А не решишь – кисни тут до скончания века. Мне тебя не жалко.

Отпуск дали – упросила. Клара обещала уговорить мать. Купальник купила в туалете на Кузнецком у фарцы. Дорого так, что самой стало страшно. Но какой это был купальник! Синие розы, лимонные листья на черном фоне. И застежечка из желтого металла – как золотая, ей-богу. Еще хотелось сарафан – белый или голубой, можно и розовый. Были такие из марлевки, индийские. Отстояла в очереди четыре часа в индийском магазине «Ганг». Достался, правда, темный, грязно-зеленого цвета, в бурых листьях. Не о таком мечтала, но все равно – счастье.

Мать сказала:

– С Томкой отпущу, – и дала денег на билет.

С билетом помогла сама Томка – со вздохом и большим одолжением. Пришлось заплатить пятерку сверху.

Тома размышляла. Ругала себя за свой порыв – не от жалости взяла с собой эту дуреху, не от жалости, понятно. Просто подумала, скучно ей будет одной, да и страшновато. Чужой город, разгоряченные солнцем, алкоголем и свободой мужчины. Ни на танцы одна не пойдешь, ни в кино. Ладно, пусть едет эта овца. Страшна сейчас, как образина. Не помеха. А Тома загорит, отъестся. И будет вам там ого-го! Да и еще – с такими тряпками! Короче, держитесь, мужики! А эта голь перекатная... Пусть и ей будет счастье, милостиво решила Тома.

Зойка удивлялась всему: поезду, мерно постукивающему колесами, полустанкам и деревням, коротким остановкам на станциях, где горластые и шустрые торговки продавали горячую картошку, соленые огурцы и черешню.

Она висела на ступеньках вагона – сходить боялась, вдруг поезд тронется! – и ей хотелось всего и сразу: и картошки, и огурцов, и невиданных по размеру ярких фруктов.

Торговки набрасывались на Зойку, как коршуны, чуя острым и ушлым нюхом наивную, готовую на любые подвиги покупательницу.

Тома гоняла их и утаскивала свою компаньонку в купе.

– Дура, простофиля, здесь все втридорога! Спекулянтки сплошные! Вот приедем – и пожрешь свои ягоды, никуда они не денутся.

Зойка не верила:

– А вдруг там ничего такого не будет?

Тома презрительно фыркала и отворачивалась к стене. О чем с этой дурой говорить?

Сняли комнату у армян – чистую, беленые стены, беленый потолок, две железные кровати, шкаф, над столом зеркало. На общей веранде плитка и холодильник. Там же, на открытой полке, кастрюли и сковородки.

Во дворе, чисто выметенном и посыпанном мелкой галькой, – огромная беседка, увитая виноградом, а в ней большой деревянный стол. Семья хозяев – три поколения: бабушка с дедом, сноха с мужем, трое детей. Два холостых сына – высоких, крепких, с яркими глазами и белоснежными до сахарности зубами. И старшая замужняя тихая дочь – с маленьким сыном и большим беременным животом.

Готовила мать – тазами, чанами. С утра ловко вертела долму, тушила мясо, пекла пироги. Пахло так, что кружилась голова. Слепая бабушка помогала невестке чистить лук и морковь. Старик там же, под алычой, в тенечке, слушал радио – судя по громкости, он был сильно глуховат. Иногда невестка покрикивала на него, тогда тот выключал звук и мгновенно засыпал. Дочь возилась с ребенком и вязала приданое для малыша. Все надеялись, что родится девочка. Мужчины приходили с работы, и начинался обед. Сначала ели молча, а когда подавали кофе – обязательно сваренный в турке на песке, – начинались громкие и отчаянные споры, о чем – непонятно, на родном языке. Спать ложились рано – это вы тут на отдыхе, а у нас завтра рабочий день.

Последней уходила с кухни Ануш, хозяйка, тщательно перемыв всю посуду и протерев так же тщательно веселую, липковатую, в ромашках, клеенку.

Ануш подруг непременно угощала: то супом, то горячим. И наливала кофе – густой, ароматный и чуть соленый. Сетовала, что старший, Вартан, никак не женится. А парень хороший, непьющий, да и зарабатывает прилично. А у младшего, Гаика, была невеста, но что-то разладилось, и свадьба сорвалась. В общем, материнские горести и печали. Зойка готова была сидеть с Ануш допоздна, а Тома злилась и тащила подругу на танцы.

Зойка, разумеется, покорялась. Ее приглашали сразу, при входе на танцплощадку. Тома маялась пару дней, но потом кавалер нашелся – из местных: тощий, вертлявый и хронически поддатый Витя по кличке Подонок. Так его и приветствовали – а он не обижался и вроде даже гордился «ласковым» прозвищем. Было очевидно, что Витей брезгуют и одновременно побаиваются его.

Во время танца он не выпускал изо рта сигарету и шумно сплевывал густую вязкую слюну. Тома морщилась, но делала вид, что ей очень весело – Витя шептал на ухо скабрезные анекдоты, она откидывала голову и громко смеялась.

Зойка шла танцевать, как на голгофу. Взгляд в сторону, руки подальше, расстояние пионерское. Закрывала глаза и вспоминала танец с Самиром. Его руки и запах. Вырывалась из цепких лап случайных кавалеров и, оглянувшись на подругу, двигающуюся в томной позе с полузакрытыми глазами, уходила с танцпола. Выпивала с Ануш чашку кофе и шла спать. Иногда с ними сидел Вартан. Молча курил и разглядывал ромашки на клеенке. Ануш беспокоилась о Томе:

– Знаешь, у нас тут нравы такие! Это местных девчонок не задирают, а вот с приезжими не церемонятся.

Зойка разводила руками:

– Что я могу поделать? У Томы своя голова на плечах.

Та приходила под утро, Зойка еще крепко спала. Однажды проснулась – Тома, зареванная, с разбитой губой и фингалом под глазом и на скуле, в разодранном платье, раскачиваясь, выла на кровати.

Сон слетел, как пробка от шампанского.

– Господи, Томка, что с тобой, боженьки мои!

– С девственностью простилась, – прошипела подруга и отвернулась к стенке. – Отстань!

Зойка залепетала:

– Это он, сволочь! Витя-Подонок! Говорили тебе, Томка! Говорили – подальше от него! И ведь избил, тварь! Давай в милицию, а, Том? – жалобно скулила она. – Или ребятам скажем – Вартану, Гаику, дяде Ашоту?

– Отстань, сказала, – шипела Тома. – Отлежусь пару дней, потом видно будет. А писать я на него не буду!

– Почему? – тихо спросила Зойка.

– По кочану, – сквозь зубы бросила Тома. – Потому что по доброй воле. Поняла?

Зойка вздохнула и не ответила – она ничего не поняла. Вот просто совсем ничего – ни про милицию, ни про «добрую волю».

Рано утром Ануш с беременной дочкой уехали к родне в деревню. До Томы никому не было дела, и она спокойно отлеживалась в комнате. Подругу гнала на пляж.

– Мне сиделка не нужна.

Зойка нехотя собирала пляжную сумку. Вечером ходила в кино. Слава богу, что кончились эти отвратительные танцплощадки! Век бы их не видеть!

Однажды ушла с фильма раньше времени – тоска зеленая! Зойка любила комедии – наши, гайдаевские, и французские, с Луи де Фюнесом. Открыла дверь в комнату – божечки мои! Витя-Подонок с Томкой кувыркаются! Отскочила от двери как ошпаренная. Бросилась на улицу – бегом, бегом. За углом налетела на мужчину. Темно, ранний южный вечер. Уткнулась ему носом в грудь, испугалась, отпрянула. Оказалось – зря. Напоролась Зойка на Вартана, шедшего с работы. Он засмеялся и взял ее за плечи.

– Плачешь, Зоя? Кто обидел? – Взгляд, полный ярости, глаза вспыхнули звериным светом.

Зойка плакала и мотала головой:

– Нет, никто. Никто не обидел. Просто так, бывает. Настроение плохое...

Он взял ее за руку и повел на берег. Сели на влажный песок и молчали. Долго молчали. А потом он проговорил:

– Пойдешь за меня, Зоя?

– Что? Куда пойду? – Зойка мотнула головой, чтобы сбросить оцепенение. – Не поняла. Повтори!

Он повторил. Сказал, что полюбил сразу, с первой минуты.

– Жить будем с моими. Поначалу. Потом свой дом построю – так у нас принято. А хочешь, в Ереван поедем? Там много родни. Или в Москву. Я – строитель, работа будет всегда.

Зойка тихо плакала и качала головой.

– Не могу, миленький! Не могу! Прости, бога ради! Жених у меня в Москве, – безбожно врала она.

Вартан молчал. Она погладила его по голове и молча, спотыкаясь, побрела к дому.

Ну почему же у нее все складывается так нелепо?

Тома лежала, отвернувшись к стене. Зойка скинула шлепанцы и присела на край кровати. Тома резко обернулась.

– Погуляла? – хрипло спросила она.

– Не спишь? – почему-то обрадовалась Зойка. – Ага, погуляла. А мне Вартанчик предложение сделал! – желая повеселить подругу, сообщила она.

Тома густо закашляла и сказала, как каркнула:

– Прям сразу и предложение! Смотрите, как складывается! Ну что, приняла?

Зойка растерянно замотала головой.

– А чего ж? Такая выгодная партия! Будешь на ужин барана тушить и барана с работы ждать! – Тома села, поджав под себя колени. – Оставайся, Зоинька! Семья большая, дружная. Народишь «вартанчиков»! С твоей-то жопой! Все лучше, чем перед этими же «вартанами» в Москве с подносом бегать! – зло засмеялась, опять зашлась в хриплом кашле.

Зоя сняла сарафан и легла в кровать.

– Ну надо же! Вот так прямо и замуж! – не успокаивалась Тома.

«Скорее бы домой! – повторяла про себя Зойка. – Скорее бы! Правда, и там, дома, тоже ничего хорошего».

Последние два дня Тома отлеживалась дома. Зойка уходила на пляж – только бы подальше от нее. На море и веселых отдыхающих глаза не смотрели. От всего с души воротило. К ней приставали какие-то парни, предлагали пойти на танцы или в кино. Вслед свистели горячие, темноголовые местные жители. Пыхтели, глядя на Зойку, и, отдуваясь, вытирали

пот с полысевших лбов солидные отцы семейств, окруженные детьми и пышногрудыми важными женами.

Все одно и то же. И все – осточертело до некуда.

С Вартаном она больше не виделась – сестра сказала, что тот уехал в командировку.

* * *

В поезде обе молчали. Тома пошла в вагон-ресторан, подругу с собой не позвала. Да и денег у Зойки уже не было. Купила у проводника пачку печенья и грызла, запивая сладким чаем.

В Москве Тома отправилась к стоянке такси, небрежно махнув растерянной Зойке. Та вздохнула и спустилась в метро.

Мать тревожно оглядела дочь.

– Что невеселая? Вроде с курорта! Устала отдыхать? – усмехнулась она.

Зойка выжала из себя улыбку:

– Устала, мам, жара там такая. И на пляже ступить негде. А в поезде душно и хлоркой воняет.

– Ишь, барыня какая! Душно ей! Вот в деревню к тетке бы поехала, и не воняло бы тебе!

На Самира она наткнулась в первую неделю сентября. Влетела в подъезд и в прямом смысле наткнулась, напоролась. Он взял ее за плечи и посмотрел в глаза.

Зойка попыталась вырваться, но Самир держал ее крепко, так крепко, что она разревелась.

– Пусти! Закричу, – задыхаясь, сказала она.

Самир замотал головой и улыбнулся:

– Не пущу. Теперь уже точно – не отпущу.

Расписались они в декабре, под Новый год, в Грибоедовском загсе.

Зойка – красивая, как богиня, в платье сливочного цвета и пышной фате, с волосами, убранными кверху, и с полыхающим огнями бриллиантовым кольцом на тонком пальце – подарок незнакомой пока свекрови. Жених – красавец, глаз не отвести (не отводили даже ждущие своей очереди невесты и их беспокойные мамаши), в строгом темном костюме и с невиданной бабочкой на шее.

* * *

Позади – красная и потная от волнения Раиса в нелепом, колючем розовом кримпленовом платье с безумной розой на плече, Клара, бледная, как накрахмаленная простыня, с трясущимися от старости и волнения руками. И два добрых молодца, Хасан и Ваня, – друзья жениха.

Поехали в «Метрополь», стол был заказан, меню оговорено. Войдя в зал, Рая споткнулась и беспомощно посмотрела на Клару.

– Иди! – шепнула ей та.

И Рая пошла, как овца на заклание.

Выпили за молодых, крикнули «горько». Пили, ели, танцевали – Ваня с новоявленной тещей, страшно смущенной и оттого неловкой, Хасан – с Кларой, кокетливо откинувшей голову и блиставшей словно наклеенной улыбкой, обнажавшей пожелтевший советский фарфор.

Молодой муж показывал новоиспеченной родне фотографии своей семьи и дома. Раиса, надев очки, мучительно вглядывалась в яркий глянец заграничной небывалой красоты и никак не могла связать воедино все это: дом в три этажа с белыми колоннами и пышным, ухоженным садом, ярких, пестро одетых людей, улыбающихся ненатужно и не поздешнему, вазы в рост ребенка, полные дивных незнакомых цветов, – и свою дочь. Свою Зойку – нищую, бестолковую, бесхитростную, точно медный пятак, сидящую сейчас, выпрямившись в струну, прекрасную и счастливую. Как, впрочем, и положено невесте.

* * *

На родину мужа молодые отправились в июле – Самир получил диплом инженера-гидростроителя и бесчисленные документы на вывоз жены, гражданки Советского Союза Зои Шихрази.

В Шереметьеве Рая не могла оторваться от замученной хлопотами Зойки. С воем бросалась на зятя, мяла его в крепких объятиях и умоляла не обижать дочь.

Зойку, бледную и потерянную, дрожащую не меньше матери, муж решительно оторвал от Раисы и... повел в неизвестную жизнь.

Она началась с таможни.

* * *

Зойка писала подробные письма. Очень подробные. Про всю огромную родню, перечисляя всех (Раиса шепотом повторяла незнакомые и чудные имена, пытаясь запомнить хотя бы одно). Живописала дом – каждую комнату, всего двенадцать. Описывала мебель: цвет диванов, ковров и стен. Подробно про обычаи, праздники, вечеринки. И очень подробно – про местные кушанья, которые подавала вышколенная прислуга.

На фотографиях Зойка выглядела счастливой. Такой счастливой, что у Раисы заходилось сердце.

Загорелая, с горящими глазами и улыбкой, любимая (от зоркого глаза матери не скроешь), любящая, беспечная, сытая, обласканная близкими, не думающая о хлебе насущном. Словом, прелестная, восхитительная и обожаемая молодая женщина.

И за что такое счастье? А за все. За Раисину изломанную, покалеченную жизнь. За бесконечное Кларино вдовство (три года счастья и война). За Зойкиных бабок, теток, знакомых и не очень.

За всех русских женщин – не знающих покоя, не ведающих беспечной и сытой жизни.

За них!

И все же материнское сердце болело. Восток, чужая страна, обычаи и уклад. Чужая семья – наверняка мечтали о другой невестке, это же понятно. А вдруг – развод? Эти восточные мужчины! Есть ли на них надежда? А детишки? Выгонит Зойку на улицу, отнимет детей и на билет обратный денег не даст! А если того хуже – захочет вторую жену завести? Это у них запросто! И заткнут Зойку на задворки или опять же на улицу, голую и босую.

И скучала по дочке Рая, ох как скучала! Все глаза проплакала, все ночи в подушку. На работу ноги не несут да и с работы тоже. Так и перебирает дочкины фотографии – весь вечер напролет. Пока Клара не постучится и на чай не позовет.

Та соседку ругала:

– Что, как по покойнику, слезы льешь? Что воешь, как бродячая собака? Дочка твоя в тепле и ласке. С подносами не бегает и от козлов старых не отбивается. А здесь? Что ее ждало? Замуж за алкаша? Вечная нищета и коммуналка? Хлеб с вареной колбасой? Очереди за куском мяса? Одни колготки на пять месяцев и сапоги на пять лет? Дура ты, Райка! Любая бы на твоем месте от счастья прыгала!

– А увидимся ли? – жалобно всхлипывала Раиса. – Деток ее увижу? Кровиночка ведь моя! Единственная!

Клара вздыхала:

– Богу одному известно. Что правда, то правда. Но! – Тут Клара поднимала скрюченный артритом указательный палец с морковным маникюром. – Надо надеяться! Без надежды – никуда! Нет без нее жизни!

Раиса сморкалась в платок и махала рукой:

– А ты, ты вот на что надеешься?

– Я? – смеялась Клара. – На легкую смерть!

И пили чай дальше – вкусный, индийский, «Три слона». Такие вот радости.

* * *

Тома Зойку ненавидела сильнее прежнего. Так ненавидела, что зубы сводило. За что этой дуре? За что? Кобыла тупая, сисястая. Живет как принцесса. А у нее, у Томы? Да ни черта! Витя-Подонок и душа окровавленная. Ну закончила институт. Глухо. Все дуры-однокурсницы замуж выскочили, кто уже и по второму разу. У кого-то любовники – при живых мужьях. Слышит Тома их разговоры в курилке – шепчутся, делятся. Крысы! Вот если бы у Томы был муж – свой, законный, единственный! Неужели она бы от него налево пошла? Тома же не шалава какая-то! Ноги бы ему мыла и воду пила! Ужин на белой скатерти накрывала! Подушку бы взбивала на ночь! А уж по ночам! Всю ласку ему, всю нежность! Не от вредоносного характера она на весь мир озлилась! От одиночества своего бабьего.

На работе мужиков достаточно. Одному – тоже Витя, господи! – все глазки строила, место в столовке забивала. На Восьмое марта выпили крепко, закусили салатами и пирогами. Он затащил ее в пустую комнату и оприходовал – грубо, по-быстрому, торопясь. А потом сказал:

– Пикнешь – пожалеешь. Не было ничего, поняла?

Она поняла. Все поняла. Позвонила его жене и рассказала – роман у него, с чертежницей Леной. Полгода уже воркуют и к Лене в Бирюлево ездят. Лена – мать-одиночка, замуж хочет до дрожи. Вот и думайте, милая, как семью спасать. У вас вроде бы двое детишек?

Ха! Всем досталось! Пришла эта бабища, Витина благоверная, завалилась в самый обед. А Лена чахоточная, сорок кэгэ живого веса – вот ведь сложилось, – с Витюшей за одним столом сидит, рассольник вместе хлебают и ржут, как кони, – Витя известный балагур.

Подлетела эта тетка шестьдесят восьмого размера – и рассольником Ленке в морду, а муженьку котлетами с пюре. Остывшими, правда. Сцепились не на жизнь, а на смерть.

Короче, Ленка с работы уволилась. Бабища эта пообещала ей веселую жизнь. А Витьку своего ненаглядного с работы встречала – каждый день в восемнадцать ноль-ноль, как часы. И сопровождала муженька до дому. Весь институт пальцами показывал. Даже хотели Вите поводок собачий подарить на день рождения. Не подарили, конечно, но посмеялись.

А дома у Томы тоска смертная: папаша загулял, с матерью скандалит, даже двинул ей со всей дури, башку разбил. Мамаша понесла заявление в милицию. А он вещички собрал и к любовнице съехал. Сказал, что на рожу жены ненавистную смотреть сил больше нет и на дочку злобную и придурошную – тоже. Как будто Тома и не его ребенок!

Сволочь! Чтоб сдох под забором! Мать только об этом Бога и просила.

А дальше еще беда, да пострашней. Взяли мать на проходной, а в кошелке мясо, масла брусок и яиц два десятка. Короче, посадили ее на три года. Андропов честный к власти пришел, чтоб ему... И жить стало тяжело. Невмоготу просто. Зарплата у Томы – кот начхал. Продукты в магазине не достать, очереди на три часа. Папаша грозится квартиру разменять. Тома ему то вазу сунет, то сервиз «Мадонна», то воротник норковый. Он и затихает на пару месяцев, а потом опять в дверь барабанит.

Пошла как-то Тома к Леопольду, часовщику на Арбате, часы мамкины золотые продать. Сидит в своей норе старый хрен – страшный, одноглазый. Пальцы скрюченные, ногу тянет. Часики взял и интересуется:

– А что у тебя, радость моя, еще хорошенького есть?

– Ну есть. А вам какое дело? Надо будет – принесу.

Через два месяца принесла. Цепочку золотую и кольцо материно обручальное. Зачем оно ей теперь?

Леопольд этот долго в руках крутил, бекал, мекал. Потом вздохнул:

– Маешься, миленькая? Тяжело тебе?

Пожалел волк кобылу. В ресторан пригласил, в «Прагу». Ну пошла Тома. От тоски, от отчаянья. Правда, стыдно было – старый хрен, косой и кривой. Глаза на людей не поднимала. Но стол накрыли – такого Тома не видела! Все со стариком здороваются, ручкаются: «Лео, Лео!» Он всех знает – и официантов, и гостей.

– Ешь, – говорит, – девочка. Не стесняйся!

Тома и не стеснялась. Икру черную наворачивала – дай бог! И коньячок армянский попивала, пять звезд, между прочим.

А потом в такси посадил, в щечку чмокнул.

Через месяц Тома к нему снова заявилась. Так, вроде шла мимо. Обрадовался, старый козел. Опять ресторан предложил.

Теперь в «Националь» отправились. На тачке, разумеется. Там он тоже свой в доску.

Тома от стыда напилась. А он, Люцифер, ручку гладит и нашептывает:

– Будь со мной, девочка! Не пожалеешь! В золоте будешь ходить! На серебре кушать! Шубку куплю – дубленочка-то твоя пообносилась! Вон, залысины на рукавах! Стыдно такой девочке хорошей!

В такси присаживает, сам рядышком. Таксисту адрес называет: Смоленский бульвар.

А Томе все равно. Голова трещит, тошнит. На душе – пустота. Ну и холера с ним! Пусть будет этот Лео кривоногий! Пусть лучше такой, чем никакого! Ничего, перетошнит! А не перетошнит – так вырвет! Тоже беда небольшая! Томе не привыкать!

* * *

К любовнику своему – кличка Тошнот – она наведывалась раз в неделю. Больше бы не выдержала. Да и ему, старому хрычу, больше не надо было. В самый раз. Квартира – огромная, темная и захламленная – казалась Томе пещерой какого-то страшного и злобного тролля. Впрочем, нет, злобным тролль не был вовсе. По-крайней мере с ней, с Томой. И все же каким-то пятым чувством она понимала: не дай бог что, вот не дай бог! Схарчит Леопольд ее, сжует со всеми потрохами. И косточки не выплюнет. Слышала, как он по телефону разговаривает: тихонько, вкрадчиво, вежливо. А становится страшно. Так страшно, что холодный пот по спине.

И ей сказал, тоже ласково и шепотом:

– Ты люби меня, Тома! А если не можешь – храни верность. И языком не мели! Поняла, девочка? – И страшненько так засмеялся, скрипучим и старческим смехом.

Она, сглотнув слюну, кивнула:

– Да, поняла.

Он погладил ее по голове.

– Вот и умница, понятливая девочка! А уж я тебя не обижу! Я верных людей не обижаю! – И снова трескучий и сухой смешок. А у нее мурашки по телу.

Но зато жить стало легче. Денег давал он ей щедро, шубу и вправду купил. Песцовую, до пят. Колечки разные, цепочки. Адреса магазинов – обувь, тряпки, продукты. Директора открывали перед ней двери в свой кабинет, товароведы заносили дефицитный товар. Тома томно покуривала и пила кофе. Пальчиком тыкала – то и это. Таксист ждал у заднего входа. Торгаши шепотком передавали «пламенный привет Леопольду Стефановичу».

С работы Тома уволилась. К чему ей это? Тряпок море, надевать некуда. Холодильник забит. Только скука страшная, смертельная. Душит по вечерам, сердце в тряпку выкручивает. Все есть, а жить неохота. И еще... Так ребеночка хочется! Малюсенького, толстенького, с душистым затылочком!

Смотрит на спящего любовничка и смерти ему желает, потому что понимает: подобру он ее не отпустит. «Денежки вложены – ха-ха-ха! А свое я просто так не отдаю!»

В квартире пыль вековая – домработницу в дом пускать нельзя. А Томе убираться неохота. Вазы, картины, часы на стенах. Статуэтки бронзовые. Понятно – все старинное, ценное, все антиквариат. Рассказал как-то, со смешком своим страшненьким, как бабулек арбатских охаживал. Молочко и саечки с изюмом носил. И покупал у бабулек этих вазочки, часики, колечки, статуэточки. За копейки, понятное дело. Говорил: «Люблю я, Томусик, старину. История в этих цацках есть, дыхание. Судьба у каждой игрушки. Это тогда – копейки. А дальше – цены этому всему не будет! Ты уж мне поверь!»

Она верила. Как не поверить? Только думала: «А кому ты все это оставишь? Ни семьи, ни детей...» Сказал, что была сестра родная. Где теперь – не знает. И знать не хочет. И про «родственные узы» ничего не понимает.

Однажды паспорт его нашла. И удивилась – всего-то пятьдесят семь лет! А она думала, что он глубокий старик. Вот откуда прыть его ненасытная! До утра может мучить, чтоб ему... Хорошо, что раз в неделю.

Фотки своих родителей показал, расчувствовался. Мать – красавица. Просто звезда кино, настоящая польская панна. И папаша ничего – вальяжный, в шляпе, с сигарой. Известный адвокат.

– А я... – он всхлипнул. – Няня коляску не удержала, та с лестницы покатилась. Выпал младенец, покалечился. Ручка, ножка, позвоночник. Уродом стал.

Мамаша с папашей бились, денег не жалели. Но ни профессора не помогли, ни операции, ни санатории. Все детство пролежал куколкой спеленатой. От боли выл. А когда родители поняли, что все равно человека из него не сделать, дочку родили, сестрицу Ванду проклятую. И вся любовь, вся нежность на эту чертову куклу ушла. Про него словно забыли. Ну лежит там калека в комнате, книжки свои читает. Есть-пить давали, конечно.

Но на курорты – с дочуркой, в театры – опять с ней. Что с ним позориться, взгляды людские привлекать? Машину купили, «Победу». Как он мечтал на ней в путешествие отправиться! В Крым, на Черное море! А они укатили без него, с этой дурой кудрявой.

Леопольд смотрел в окно, как родители чемоданы загружают, и плакал. Ненавидел их. Но больше всех сестру с розовой лентой в кудрявых льняных волосах. Мечтал, чтобы она утонула в этом Черном море, потерялась в Ялте или Севастополе. Чтобы они все выли от горя и тогда бы вспомнили про него.

Бойся своих желаний! Под Темрюком машина сорвалась в пропасть. Мать и отец погибли мгновенно. А эта пустоглазая выжила. Только позвоночник сломала. Да не так, как у него, а куда хуже! Лежачая на всю жизнь! И мамы с папой нет, чтобы за нее бороться! А с Леопольда какой спрос? Сам инвалид, да еще и тринадцать только исполнилось.

Ванду эту в больницу упекли на веки вечные. А к нему тетка матери заселилась, старая дева. Вечно губки поджатые, целый день Богу молится: «Матка боска, ченстоковска».

Платья маман на себя напялит, а они на ней как на корове седло.

Племянничка своего так и не полюбила, смотрела на Леопольда как на насекомое. А в детдом не отдашь – опекунство оформлено. Тогда из квартирки – тю-тю. Обратно в город Ковров, в комнату с печным отоплением.

Через пару лет тетка умирала от рака. В больницу он пришел один раз. Тетка его уже не узнала. Но ему было все равно. Через месяц Леопольду исполнялось восемнадцать, и это означало, что никакой детдом ему больше не грозит. Просто на-

до научиться выживать одному. Одному на всем белом свете. Про сестру Леопольд и не вспомнил. При чем тут она?

А потом один умный человечек подсказал, как дальше жить. (Дай Бог ему рая небесного, всем ему обязан.)

Все, говорил, у тебя будет – и хлеба кусок со сливочным маслом, и на коньячок хватит, и на бабенку теплую. Бабы у нас увечных любят. Потому что жалостливые! А уж если увечный и при деньжатах! Не сомневайся, согреет.

Выучился он на часовщика. Капала денежка, капала. Небольшая, но на хлебушек с маслом хватало. И даже на икорку поверх маслица тоже. А потом одна старушенция пришла – чистенькая, сухонькая, в шляпке потертой. И дрожащими ручками протянула ему брошечку, в батистовый пожелтевший платочек завернутую. Он эту брошечку взял и чуть не ахнул. Еле сдержался.

Сказал:

– Покажу, постараюсь помочь. Есть люди, есть, кто может заинтересоваться подобным.

Старушка все причитала, что брошечка старая, очень старая. Еще прабабкина. Прабабка на балах в ней гарцевала.

Жалко брошечку, но пенсии не хватает, наследников нет. Если что, не дай бог, все соседке, пьянчуге деревенской, достанется. Или участковому (и он не лучше, тот еще хам).

А если уйдет брошечка... Можно и в театры походить, и в зал Чайковского. И пальто новое пошить, и телевизор! Ух, сколько всего можно! С телевизором ведь совсем другая жизнь!

Брошечка эта оказалась восемнадцатого века, самого конца. Тот советчик умный ее и задвинул. Деньги такие вышли, подумать страшно! Бабке он положил, не пожадничал. Та ему руки чуть ли не целовала. Говорила: «На всю жизнь, на всю жизнь теперь! Забуду копейки считать!»

А не пожадничал он потому, что ему тоже досталось столько, что на пару лет бы хватило жить, ни в чем себе не отказывая.

Потом эта бабка подружку свою привела. С мешочком холщовым на шее. Помог, не побрезговал. Бабки эти его благодетелем называли, чай пить и пирогов откушать приглашали.

Захаживал, чаек попивал. Молочко приносил, творожок рыночный. Лекарства от давления. Скоро бабок этих у него было – целый детский сад. Точнее – дом престарелых.

И все они его жалели: «Левушка, бедный мальчик! Сирота и хроменький наш!»

Через пару лет он уже имел свою клиентуру. Знали – фуфло не подсунет, фуфла у него нет.

То, с чем расставаться не хотелось, оставлял себе. Фарца начала к нему подкатывать – отшивал. Мелкий народец, ненадежный. Сидел только на своих клиентах. Там люди серьезные, толк в вещах понимают. В живописи разбираются.

Один раз зацепили его, всего один.

Но больше не трогали – был один клиент из «высоких». Из таких, что и говорить вслух страшно. Жена его очень камешки любила. Просто до одури. Особенно старинные и крупные. А клиент до одури любил жену – тоже немолодую и крупную.

Только женщин он боялся как огня. Боялся и в дом пускать, и в душу. Боялся привыкнуть, прикипеть.

Были, были, конечно, бабы. Именно – бабы. Девки, проститутки. Видел, как морщились, морды кособочили, губы вытирали, мылись подолгу. Брал их и ненавидел. Всех ненавидел, до одной.

А потом эта девочка, Тома. Такая же несчастная, одинокая, неприкаянная. На весь мир озлобленная, на весь белый свет. Как и он – всех ненавидит и никому не доверяет. А еще Тома – завистливая. А зависть – двигатель прогресса, ха-ха. Он-то это знает! Кто лучше его?! Сам из битых-перебитых.

Нет, не то чтобы верил, что полюбит, нет. Зла в сердце много, черноты. А вот что прикипит, привыкнет... Да и жизнь сытую оценит! Вот это точно. Захочет за все реванш взять,

всем отомстить. И молчать будет, потому что жадная и трусливая. Уж он-то в людях разбирался, опыт был.

Может, и женится потом, почему нет. Жалко государству гнусному все оставлять, жалко. Впрочем, что бы он без этого строя, без этого блата и дефицита был? Ну, родись он где-нибудь в Европе, в Щвейцарии благословенной или даже в Польше – на родине предков? Да, жил бы в больничке чистой, нянечки бы постельку заправляли, супчик жидкий приносили. И прожил бы так, сколько отпущено калеке ущербному.

А здесь он – царь и бог. Большой человек. Уважаемый. С серьезными людьми раскланивается. Звонком может большие проблемы решить. Одним звонком.

Ест с серебра икорку белужью, помидорчики свежие среди зимы. Коньячком французским запивает. Сигары кубинские на десерт. Тряпки? Да любые, бога ради. Только они ему до фонаря. Никакие тряпки не украсят урода, как ни старайся. Автомобиль собственный? Куда ему, калеке, автомобиль? А такси все его, целую ночь будут у кабака стоять дожидаться. Знают, что хромой Лео не обидит.

И вот девочка эта, Тома. Томка-котомка. Морду не воротит, ногу больную растирает. Пусть живет и радуется.

А там посмотрим. Жизнь подскажет. Однажды ведь подсказала, не бросила.

* * *

Тома думала: «Слава богу, переехать к нему не просил! Слава богу! Любит сидеть, как сыч, в добре своем ковыряться. Иногда позвонит к ночи: «Поговори, Томка, со мной. Одиноко совсем как-то. Не читается и не спится. Поговори! Расскажи, как сильно любишь!» И опять смешок его. Скрипучий, как песок.

Она вздохнет, воздуха в легкие наберет и журчит, журчит. Несет что-то там. Что по телевизору видела, что в журнале

прочла, что купила из тряпок. Маникюр вот сделала. Завтра на укладку пойдет.

Он послушает минут двадцать, а потом зевнет: «Устал я, Томка, от твоих глупостей. Дурочка моя! Все, колыбельную спела. Я на бочок».

Трубку положит, а она усмехается: «Дурочка, как же. Ты у нас один умный, умнее нет. А кто кого вокруг пальца обведет, это мы посмотрим. Не вечер еще, ох не вечер!»

Раису встретила у подъезда под Новый год. Удивилась – постарела тетка, сдала. Глаза потухшие, ногами еле шаркает. Значит, не все так сладко у бывшей подружки, раз мамаша печальная.

Раиса ее остановила.

– Ох, Тамарка! А ты похорошела прям! Расцвела!

Дура. Дура деревенская. «Похорошела, расцвела». А что, раньше уродом была?

– Работаешь, Томка? Нет? А живешь на что? – Шубу новую оглядела, сапоги.

Тома отмахнулась:

– Ну, что за разговоры, ей-богу. Кто ж о таком, тетя Рая, спрашивает? Да еще и у молодой женщины? – Рассмеялась кокетливо. Перчатку тонкую, лайковую стянула, брюлики на пальцах под светом фонаря переливаются, играют. Дура эта на нее смотрит, башкой мотает.

– Ох, Томка, кто ж ожидал!

Идиотка тупорылая! Вся в дочурку свою.

Про замужество спрашивает, интересуется. Деток, мол, пора, не опоздай, Тамарка! Вон, у Зойки уже двое, пацан и девчонка! Хорошенькие, глаз не отвести! И фотки под нос сует, тычет, внучков своих кудрявых темножопых демонстрирует. Тома в долгу не осталась:

– А вы, теть Рай? Че к внучкам и дочке не едете? Или не зовут?

Та и сдулась в минуту. Как проколотый резиновый мяч. Сморкаться начала, сипеть. Сказать-то нечего. Нечем ответить. Хороша у тебя дочка, что и говорить! Помнит о маме, помнит! Вон какие фотки красивые шлет! Чтобы порадовалась мама за дочь родную и заодно на внучков полюбовалась. А ты таскайся, мама, в свой ЖЭК, нюхай пьяных слесарюг, живи на свои копейки, стой за вонючей колбасой в очередях и письма мои почитывай о красивой жизни. Радуйся, короче, за единственную дочу, за кровиночку. Пристроилась твоя кровиночка – лучше не пожелаешь!

С горячим приветом, мама! Целую и обнимаю! Привет родне!

* * *

Зойка жила, как... Как цветок на подоконнике. В красивом горшке, на солнечной стороне. Подоконник широкий, высокий. Ребенок или кошка до него не доберутся. Горшок керамический, удобный, с самого утра яркое солнышко. Створка окна открыта, и дует слабый нежный ветерок.

Поливают этот сказочный и пышный цвет по часам, удобряют. Ни одного сухого листика, ни одного засохшего бутона. Словом, ни одной проблемы – только радость, покой и счастье бытия.

В половине Зойки и Самира – четыре спальни и гостиная (салон). Везде ковры, вазы с цветами, мягкие пуфики. У деток – тоже по комнате. Игрушек море! Сад под окном, ручеек журчит. Тень и прохлада. В саду гранаты и инжир – подошел к дереву, руку протянул и сорвал. А какие цветы! Кусты какие! Если бы у Зойки была фантазия, то рай на земле она бы представила точно так. Ничего бы не изменила!

Семья Зойку приняла и даже полюбила. Видели, какая любовь у молодых, от родительских глаз правду не скроешь. Да и невестка из далекой страшной страны вполне ничего – ненаглая и нежадная. Золотом себя не обвешала, нарядов не накупает. Деток родила, здоровых и красивых. Мать прекрасная. А уж как на мужа смотрит!

Свекровь вздыхала и утирала слезу. Да, чужая. И что? Средний сын женился на своей. Росли вместе, хорошая семья, люди зажиточные, с положением. А сноха... Только магазины знает. Целыми днями скандалы в доме. К малышу не подходит, тот так у няньки на руках и растет. С утра, как выспится — впрочем, какое там утро! день на дворе! — в машину и по подружкам. И опять магазины и кафе до вечера. На обычаи плюет, постов не соблюдает. К мужу и его родителям ни малейшего уважения. Вот где плакать надо!

А русская невестка! Поклониться ей незазорно и спасибо сказать нетрудно. И в мечеть на праздники ходит, и голову покрывает, потому что приняла их веру. Без этого нельзя.

Семья у них вполне светская. Дети образование в Европе получили. Дочка машину водит. Но традиции есть традиции! Без них не будет ни страны, ни семьи. А еще традиции — это уважение к родителям.

Не знала свекровь, что остался в Зойкиной душе еще один бог: с грустными глазами и тонкой бородкой. А что тут такого? Живут они оба в большом Зойкином сердце — Иисус из Назарета и Аллах. Ничего, уживаются.

Завтракают у себя — служанка приносит кофе и тосты. Зойка всегда садится с мужем пить кофе, провожает его на службу. Детишек уже няня к этому времени умывает и тоже за стол усаживает. Зойка при этом присутствует. Потом няня уходит с малышами в бассейн, а Зойка идет со свекровью здороваться, и еще раз пьют густой черный кофе со сладкой пахлавой. Болтают о жизни, о воспитании детей. Зойка спрашивает у Биби-ханум совета, та с удовольствием делится богатым опытом. Потом можно поехать на рынок и в магазин. Биби-ханум продукты всегда закупает сама. В магазине пьют чай и переводят дух. Обсуждают вечернее меню. Ужин всегда

в родительской столовой, когда возвращается из офиса отец, глава семьи Джурабек-хан. Первым за стол садится он, а потом уже все остальные. За ужином смотрят телевизор и обсуждают мировые новости. Потом долго пьют чай, и старики играют с внуками. В доме еще живет незамужняя сестра Самира, Мерхаба, студентка второго курса. Она уже просватана, и все горячо обсуждают свадьбу, назначенную через полгода, изучают журналы мод со свадебными нарядами. По выходным приезжает с семьей старший сын. И он, и его жена – известные врачи, люди веселые и добродушные. У них своя клиника. По саду бегает малышня, и раздается то плач, то громкий смех. Все счастливы.

Нет, конечно, и в их семье были беды. Десять лет назад погиб младший сын, любимец семьи. Утонул. Огромное горе. Мать до сих пор носит траур. Была операция у свекра, диагноз страшный, оперировали в Париже, слава Аллаху, сейчас все позади. Дочка уехала в Лондон и там сошлась с англичанином. Приняла протестантство, отказалась от веры отцов. Тоже беда. Родители на свадьбу не поехали. Поехал только Самир, да и то – по-тихому. Хотел своими глазами на сестру и ее жениха посмотреть. Спустя пару лет мать с дочкой начали общаться, а вот отец не пожелал. Имя строптивой дочери при нем не произносили.

Зойка очень тосковала по матери. Так, что ревела ночи напролет. Собиралась в Москву. Но то дети заболеют, то свекровь захворает, то праздники, то свадьбы. Не оправдание, конечно, но что-то все время мешало.

Мать присылала веселые письма, не хотела расстраивать дочь: «Все хорошо, здоровье в порядке. Ноги не болят, давление нормальное. Собираюсь на пенсию. Будем с Кларой чаи распивать и в садике прогуливаться».

Ничего про свою тоску Раиса не писала. Счастлива дочка – это главное. А к своим бедам притерпимся, притремся. Нам не привыкать. И Рая, тяжело вздохнув, опять слала веселые письма: «Как ты там, деточка моя? Не обижают в чужой семье? Ладно ли у тебя с мужем? Спокойно ли на душе?»

«Ладно. Спокойно. Не обижают. Все у меня так... Как и во сне не мечталось. Потому что сны такие не снились. Не думала я, что жизнь такая бывает».

«Ну и славно. Ну и дай вам Бог. А я в церковь схожу, помолюсь. И свечку Николаю Угоднику поставлю. И еще попрошу – тихонько так, несмело. Может, даст мне Господь Всемогущий встречу с дочушкой и внучатами? Может, дождусь?»

Зойка полюбила свою новую родину. Приняла ее всей душой. Да и родина тоже приняла Зойку. За что же не полюбить? Зойка обожала жару, теплое, как парное молоко, море. Сочные диковинные фрукты – никак не могла наесться, – острые приправы, сочное терпкое мясо, приторные сладости с орехами, обжигающий ветер, печальную, монотонную музыку. Шумные праздники, нарядные, сверкающие огнями улицы, магазины, полные такой красоты, что перехватывало дыхание. Рынки, шумные, пестрые, с запахом пыли, моря, сочных трав и острых, душистых приправ.

Она видела, как сыты, веселы, спокойны и здоровы ее дети, и вспоминала свое детство – детский сад, спальню на тридцать коек, синие стены, выкрашенные масляной краской, неистребимый запах мочи и хлорки в туалете. Остывший блин манной каши, молоко, покрытое пенкой, которую не разрешали снимать. Тяжелые рейтузы с налипшими комьями снега. Шапку из искусственного серого меха – жаркую и неудобную. Байковое платье в скучную клетку, колготы с вытянутыми после первой стирки коленками. Мороженое по выходным – самая заветная мечта, ничего вкуснее нет на всем белом свете! И еще – банан. Упругий, твердый, с белой, душистой, слегка вяжущей мякотью. И пробовала его всего один раз в жизни – на празднике в школе.

И школу вспоминала, где одни унижения, окрики и тычки. И их с матерью вечную бедность, вечный подсчет копеек. Вечную экономию, вечный страх. Мать тащилась на работу с температурой. Возьмешь больничный – потеряешь в деньгах.

А дальше ресторан. Да, там отъелась, что говорить. Оглянувшись, быстро хватала куски, давилась – чтобы не заметили, не обсмеяли. И как рвалось сердце, что не может принести что-то домой, матери. Потому что нельзя. И еще знала: мать этого в жизни не попробует, устроит скандал и швырнет все ей в лицо.

Зойка смотрела на своих детей – загорелых, здоровых, сытых и нарядных. Она ждала со службы мужа – любимого и родного до спазмов в горле. Зойка уважала его стариков. Да что там уважала – любила. Зойка дружила с его сестрами и братьями, и они были ее семьей, семьей, которая всегда защитит, прикроет, встанет стеной и горой, пожалеет и обласкает. Это теперь была ее семья. Самые близкие люди. Вот только сердце болело за мать. Днем и ночью. Тосковала, ныла душа.

А что делать? В Москву муж отпускать ее не хотел, боялся. Там – перемены, а перемены – всегда страшно. Этой стране он не очень доверял, потому что хорошо знал историю.

Про тоску по матери Зойка ему не говорила. Почему? Чего боялась? Уж не гнева мужа точно. Просто думала – человек сделал счастливой ее жизнь, жизнь ее детей. У нее есть все, чего душа пожелает. Ни в чем отказа ей нет. Но захочет ли муж забрать ее мать насовсем? Захочет ли этого его семья? Захочет ли сама Раиса? И как у нее тут сложится? Как она ко всему привыкнет? Захочет ли быть на правах приживалки и бедной родственницы?

Сложно, все сложно. Зойка страдала, посылала матери веселые письма и, как всегда, надеялась, что все как-нибудь устаканится, рассосется, образуется. И кто-то – как всегда – примет за нее решение. Сама она это делать – увы! – не умела.

* * *

Хромого поляка убили ночью в собственной квартире. Тома подошла к дому днем, в обед, и увидела милицейские машины и людей в погонах. Во дворе толпились соседи.

Надвинув на лоб шапку и натянув очки, встала сзади, чтобы послушать разговоры. Соседи жарко обсуждали это происшествие, перебивая друг друга и настаивая на своих версиях. Ясно было одно – Лео задушили, квартиру обчистили.

Тома быстрым шагом пошла со двора. Времени у нее было совсем немного. Она собрала чемодан, деньги, драгоценности, выбежала из подъезда и поймала такси. На Курском вокзале взяла билет на поезд до Орска – это первое, что пришло на ум. Там жила дальняя родственница матери, но искать ее Тома не собиралась. Просто надо было уехать, срочно, в какую-нибудь глушь подальше от Москвы.

В Орске Тома сняла комнату в частном доме. Хозяйке сказала, что сбежала от пьяницы мужа и бесконечных побоев. Устроилась работать телефонисткой на почту и зажила, тихо и незаметно, упросив хозяйку доложить докучливому участковому, что она ее дальняя родственница из Питера, дочка троюродного брата.

Участковый выпил на кухне бутылку беленькой, купленную догадливой Томой, и от новой жилички отстал. Тихая, незаметная, мышь какая-то серая, тощая. Работает, не тунеядка, спиртного не пьет, мужиков не водит. Пусть живет.

Тома прожила в Орске три года. Три года тоски, нищеты, скрипучих полов и мышиного писка за шкафом.

А потом решила – хватит. Наверняка все успокоилось. Все прошло, и все всё забыли. Можно ехать домой. Сколько там осталось молодых годков впереди? Тьфу, и обчелся. А жизнь еще надо попытаться устроить. Жизнь у человека одна.

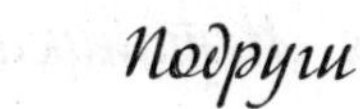

Тома с трудом провернула в замке ключ. Открыла дверь, зашла в квартиру и опустилась на стул. Сидела так до вечера, глазами в одну точку.

Квартира была пустая. Ни люстр, ни ковров, ни мебели, ни посуды. Голые стены, рассохшийся паркет, табуретка на кухне и грязная плита. Не было даже холодильника. Ни-че-го!

Можно было бы сказать – стерильно, если б не грязь, подтеки и спертый запах водки, пыли и тухлятины.

Долго не думала – все понятно. Папаша. Больше некому. Замки не взломаны, просто подобраны ключи. Его почерк. В почтовом ящике увидела письмо от матери. Та сообщала, что освободилась и «нашла свою судьбу» – вольняшку Федора Иваныча, человека хорошего и душевного. Посему жить остается там, в Мордовии. Работать будет в пекарне. Иваныч – руки золотые и человек золотой – строит пятистенок. К зиме, дай бог, заселятся. В планах хозяйство, огород, корова, куры. А «в столицу эту проклятущую» ее теперь и калачом не заманишь. Не город – жерло адское.

Звала в гости. «Хоть и стерва ты, Томка, последняя. Ни письма матери, ни весточки. А как там папаша? Не сдох? От всей души ему этого желаю. От всей своей измученной невзгодами души».

Томка письмо порвала. Поревела с полчаса и принялась за дело. Вызвала слесаря из ЖЭКа, поменяла замки. Нашла маляров и паркетчика. Сдала в ломбард все свои цацки, спасибо Лео.

Хватило и на скромный ремонт – главное, чтобы чисто, – и на скромную мебелишку: диван, телевизор из проката (новый не достать), холодильник «Саратов», подержанный, по объявлению из рубрики «Мебель на дачу». И как-то надо было жить дальше.

Про диплом свой она и не вспоминала – понимала, что работу по специальности вряд ли найдет. Да и не для нее это:

за копейки и от звонка до звонка. А там – все семейные, с детишками. Да и общаться ни с кем не хочется.

Потому что от всех тошнит. Да и от жизни тоже. Вот только ей претензии не предъявишь. Не услышит.

* * *

Зойка поняла, что так больше не выдержит. Письмо прислала Клара, рассказав, что у матери была операция, удалили желчный и что-то там по-женски. И еще – мать без зубов, вставить не на что, хлеб в чае размачивает. «А ты, Зоинька, живи и радуйся! Пусть у тебя все будет хорошо! Здоровья тебе и деткам! Вот только подумай: а что, если бы твои детки тебя на старости лет забросили? Представь, включи воображение! А Райка, дура, тебе ни про что не пишет. Боится жизнь твою сладкую подсолить. А тянула она тебя одна – на свои копейки. Это к тому, если ты совсем память потеряла. Если у тебя от счастья и сытости мозг твой нехитрый жиром заплыл.

И пенсии Раисиной – только на квартплату, лекарства и молоко с хлебом. Счастья тебе! С приветом. Клара Мироновна».

Зойка рыдала весь день. Так нарыдалась, что с сердцем стало плохо. Примчался с работы муж, и вызвали врача. Никто не понимал, что произошло.

Врач объявил семье, что у госпожи нервный срыв. Нужны больница, лечение и отдых. И никаких забот – ни-ни!

Зойка лежала на кровати, отвернувшись к стене. Муж сидел рядом и гладил ее по руке. Он пытался понять, что же случилось с любимой женой.

Зойка, не повернувшись, протянула ему письмо.

Билеты в Москву были заказаны на следующий день. Отъезд через две недели. Ехать Зойке в таком состоянии врач запретил категорически.

Через три дня она, ожившая и повеселевшая, встала с кровати и начала собирать чемодан.

* * *

А в России между тем стало совсем плохо. В стране неразбериха и переполох. Все боятся перемен и денежной реформы. Люди напуганы и, как всегда, не доверяют власти. Ходят разговоры, что рубль рухнет и нужно покупать доллары.

Тома сдала в ломбард оставшиеся непроеденные украшения. Решила купить валюту. У вагончика, в котором находился обменник, терся высокий тощий парень – подошел сзади и шепнул, что обменяет рубли по выгодному курсу. Тома посмотрела на длинную очередь и решилась:

– Ну идем.

Зашли в ближайший двор, под детский деревянный грибок. Тома вынула деньги, парень громко втянул носом воздух и пересчитал их. Потом достал пачку долларов, перетянутую аптечной резинкой.

– Считай! – сказал он и огляделся по сторонам.

Тома начала считать.

– Не хватает двух сотен! – сказала она.

Парень удивился:

– Просчитался, наверно.

Она протянула ему пачку. Тот быстро зашелестел купюрами и кивнул:

– Ты права, извини.

Достал из кармана две стодолларовые бумажки и помахал ими перед Томиным лицом.

Раздался громкий крик. Тома обернулась. Парень сунул ей в руки пачку банкнот, крикнул:

– Бывай! – И рванул с места.

Тома растерянно оглянулась. Закричала какая-то женщина. Парня и след простыл. Тома положила деньги на дно сумочки, подняла воротник и быстро пошла прочь.

Дома она достала деньги, решив разложить их по пачкам и спрятать в разные места – под подоконник (приклеить скотчем), в морозильник (в коробку из-под пельменей) и в карман старой драной отцовской куртки.

Тома стянула с пачки черную аптечную резинку, взвесила в руке – тяжесть и увесистость пачки обрадовали. Она сняла с нее резинку и остолбенела: с середины там лежала бумага зеленого цвета. Доллары были только сверху и снизу.

«Кукла, – вспомнила Тома. – Это же называется кукла!» Хромой Лео рассказывал ей про такие аферы! Как она могла забыть? Так лопухнуться! Потерять все и сразу, в одну минуту! В очереди стоять не захотела! Дождь и ветер, противно, видите ли! Курс ей, дуре, предложили повыгодней! Вот и получи, жадная идиотка! Все. Ничего у нее больше нет, кроме нескольких жалких бумажек.

Господи! Как жить? Или нет, не жить – выжить?

Не раздеваясь, не снимая пальто и сапоги, она упала на диван и разревелась.

Ну почему все это ей? Что она сделала плохого? Да, не ангел, не ангел, сама понимает. Но и не сволочь же! Есть на свете люди пострашней!

Ничего у нее нет: ни денег, ни тряпок, ни посуды, ни золота. Только эта квартира – с желтым ворованным линолеумом, ржавым и скрипучим холодильником, телевизором, взятым напрокат, треснувшим унитазом.

Тома пролежала почти сутки. Потом столько же просидела на кухне, вглядываясь в темную и дождливую позднюю осень, которая не обещала ничего хорошего.

Через три дня она работала диспетчером в ЖЭКе. Рядом с домом, сутки через двое. Зарплата маленькая, диспетчерская узкая. Лампа дневного света невыносимо жужжала и моргала на потолке. В комнатухе было холодно и дуло из-под рассохшихся дверных проемов и от рам. Тома сидела в старых валенках, оставленных кем-то из бывших работниц, и грелась у рефлектора.

Молодые, веселые, вечно поддатые электрики и водопроводчики развлекали ее сальными анекдотами и приглашали «весело посидеть» после работы. Тома окатывала их ледяным взглядом и посылала ко всем чертям. А через два месяца, под Новый год, выпив молдавского портвейна и закусив любительской колбасой, она привела к себе в квартиру электрика Вову, двадцатипятилетнего оболтуса из Верхних Лук. Вова, здоровый и крепкий детина, оглядев Томину квартиру, подумал, что попал в рай: три комнаты, отдельная ванная и туалет, а еще телевизор и двуспальная кровать. В ванной висело большое махровое полотенце и приятно пахло земляничным мылом.

Правда, при ближайшем рассмотрении все оказалось старым, ветхим, разваливающимся. Но здесь было куда лучше, чем в комнате в общаге (десять коек, сортир на другом этаже, на кухне мыши и тараканы).

Перекантоваться – самое то. Бабец, конечно, не Софи Лорен и не Ирина Алферова (любимая актриса кино): старовата, страшновата и тощевата. Но на безрыбье – и Томка баба. Ха-ха! А там – как фишка ляжет.

«Будем посмотреть», – как говорит инженер Петрович. Умный человек, между прочим.

* * *

Тома про Вовку все понимала: и что не любит ее, что пользуется, что из-за квартиры ее убогой прилепился. Как выпадет ему удача – видала она его, как же.

Все понимала, и было противно. От всего противно: от шуточек его дебильных, от запаха ног, от того, как он ест по-свински – жадно и второпях. Как спичкой в зубах ковыряется. Но терпела. Все мужик под боком. Все не одна. Да и часть зарплаты отдает – «на харчи». Кран починил, галошницу. Набойки на сапоги поставил.

Хозяин, мать его...

Обижалась, конечно. Ни в кино, ни в парк Горького. В выходной – лежит у телевизора и пиво сосет. На день рождения Томин принес бутылку водки и кулек пастилы. На три цветочка не разорился. Сволочь тупорылая, деревенская.

Вова прожил у Томы около года, а потом слинял – только его и видели. Свалил, когда она дежурила. Вещички собрал и был таков. Даже записки не оставил. Сволочь приблудная, чтоб он сдох.

* * *

Раису Тома встретила в булочной. Отвернулась, думала, не заметит. Заметила, старая карга. Разохалась:

– Ой, Томка! Мне сказали, что ты в диспетчерской сидишь! На моем, Томка, месте!

Сказали ей! Радуется, поди!

Нет, Рая не радовалась:

– Как же так, Томка? Ведь институт закончила, образование получила! И в ЖЭКе сидишь, алкашню нюхаешь!

Посочувствовала! Пожалела, блин. Знаем мы вашу жалость! А сама небось радуешься и дочке своей тупой толстожопой в письмах докладываешь: Томка, мол, подружка твоя закадычная, в обносках ходит и слесарюг строит. А ведь как жила! Как сыр в масле каталась! В доме всего полно! Тряпки заграничные носила, в лаковых сапожках и дубленке в институт бегала – с маникюрчиком и причесочкой.

Вот она, жизнь! Сегодня – полянка солнечная с травкой зеленой, с цветами да ягодами. А завтра – болото стылое и вонючее.

Круглая она, жизнь. Круглая. Каким боком повернется, как судьбой человеческой распорядится – никому не известно.

Раиса поковыляла в сапожищах своих раздолбанных прочь. Авоську еле тащит, головой мотает. Небось благодарит боженьку за то, что дочке жизнь сладкая выпала. Задница бы не слиплась от жизни этой сахарной! Толстая, кобылячья задница. Живет там на всем готовом, в ус не дует. А мамаша сумки с мороженым минтаем таскает.

Ну их к чертям! И всех остальных туда же, заодно.

* * *

О своем приезде Зойка сообщила матери за два дня. Раиса разохалась и запричитала:

– Как же так, Зоинька! Как же так! Я ведь и приготовить ничего не успею, и достать!

Зойка засмеялась:

– Какое «достать», мам! Пойдем на рынок и все купим!

– Да ты хоть знаешь, какие там цены? – возмутилась мать.

– Цены, мам? Да о чем ты? Нас этим не испугаешь!

Конечно, Раиса «достала» и курицу («Запечем в духовке», – сказала Клара), и копыта на холодец. Испекла пироги, с капустой и вареньем. Ну, селедочка с луком – там ведь наверняка селедочки нашей нет. А Зойка так любила «подсолониться»! Пару салатиков, капустка квашеная.

– Не оголодаем и в грязь лицом не ударим, – объявила торжественно Клара, оглядев накрытый стол.

В день приезда Зойки стояли у окна – плечом к плечу. Молчали – так велико было волнение. Наконец резко затормозило такси, и из машины вышла Зойка: роскошная, в шубе до пят, увешанная баулами и разноцветными, невиданными пакетами. Таксист волок огромный тяжелый чемодан.

Бросились к двери. Зойка, в аромате ярких густых духов и незнакомой жизни, вышла из лифта и, бросив на пол сумки, кинулась к матери.

Раиса подвывала, не выпуская дочь из крепких объятий. Клара потихоньку утирала слезы.

Ввалились в квартиру, Зойка сбросила шубу и принялась доставать из пакетов гостинцы.

На щедрые дары посмотрели, поохали, поахали и наконец уселись за стол. Раиса рядом с Зойкой, не выпуская ее руки.

– Дай поесть ребенку! – прикрикнула Клара.

Зойка набросилась на черный хлеб и селедку, потом на кислую капусту. Съела два куска холодца. А вот пироги и курицу проигнорировала.

– Пирогов не ем, посмотри, какая толстая! А курицей нас не удивишь!

Куры за границей – самый дешевый и доступный продукт!

Пили французский коньяк из Зойкиных шуршащих пакетов, закусывали шоколадом с орешками – швейцарским, лучшим.

Раиса и Клара долго вглядывались в фотографии детей. Раиса всплакнула:

– Увижу ли? Будет ли мне такое счастье?

Зойка рассердилась:

– Увидишь! И совсем скоро!

Раиса испуганно посмотрела на соседку.

– А я ведь за тобой, мамуль! – продолжила Зойка. – Увезу тебя я в тундру! – И расхохоталась. А потом добавила серьезно: – Уезжаем мы с тобой, мамуль! Насовсем! Вот оформим бумаги – и вперед! Хватит. Нажились мы друг без друга. Настрадались!

Раиса молчала и смотрела в одну точку. Зойка теребила ее за плечо. Наконец Раиса расплакалась. Клара тоже, и Зойка не отстала.

Всем полегчало.

* * *

Начались хлопоты с бумагами – долгие, нудные, кропотливые. Бегала Зойка – Раиса лежала с высоким давлением.

– Смотри не окочурься на радостях, – выговаривала ей Клара. – А то не доедешь до внуков, кондратий хватит!

Раиса встрепенулась и поднялась – испугалась. Ходила по комнате и перебирала свой жалкий скарб. Зойка сказала:

«Брать ничего не будем. Такое барахло и увозить смешно. Все купим на месте!» А Рая прятала на дно чемодана вазочки, завернутые в старые полотенца, чайные дулевские чашки из толстого фаянса, с клубничинами. Бережно обертывала в газету вилки и ложки (мельхиор, Кларин подарок на юбилей). Не могла расстаться с платьями немыслимых тоскливых расцветок из скрипучего ацетата, трикотажными трико и розовыми атласными лифчиками.

Зойка устраивала скандалы и выбрасывала из чемодана «это старье и тряпье». Мать обижалась, плакала и требовала, чтобы дочь возвратила в кассу ее билет.

И Зойка сдалась:

– Бери, фиг с тобой. Все равно потом выкинешь.

– Счас! – сердилась Раиса. – Не ты добывала, не тебе распоряжаться. Барыня какая! Ишь, старье ей и барахло! А в этом старье и барахле – вся человеческая жизнь, между прочим!

* * *

Зойка увидела Тому у подъезда. Обе остановились как вкопанные. Зойка, заморская гостья, в распахнутой, словно шелковой, шубе до пят, в ярком платке, из-под которого яростно выбивались непослушные смоляные волосы, румяная, раскрасневшаяся, смутившись своего удивленного взгляда, бросилась к подруге в объятия. Та отстранилась и, до щелок сощурив глаза, сухо проговорила:

– Явилась?

Зойка радостно забалаболила и принялась делиться новостями. Тома слушала молча, ничего не комментируя. Потом сказала сквозь зубы:

– Рада за тебя. Неплохо выглядишь! И шуба какая!

– Да что там! – Зойка смутилась. – Свекровь моя настояла. Боялась, что замерзну я в нашу-то зиму. Ей все таким страшным кажется! И зима, и страна.

– Заботливая она у тебя! – нехорошо ухмыльнувшись, заметила Тома и добавила: – Кормят вас хорошо, видимо, в гареме-то. Расперло тебя, мать! Легче перепрыгнуть, чем обойти!

Зойка грустно подтвердила:

– Что правда, то правда! И что со всем этим делать! Ума не приложу!

– А чего там прикладывать, когда прикладывать-то нечего! – сказала, как выплюнула, Тома и направилась к подъезду. – Жрать надо меньше, – обернувшись, сказала она и толкнула подъездную дверь.

Зойка еще долго стояла на ветру в распахнутой шубе, платок на плечах – упал-таки с непокорных волос, не удержался. Зойка не замечала ни мелкого, острого, режущего снега, ни ранней зимней темноты, постепенно накрывшей стылый город, ни ледяных рук, ни деревянных, окоченевших ног в легких, модных, остроносых сапожках.

Она стояла и думала о Томе, единственной своей подружке, единственной, кто заметил ее, Зойку, нищую, в байковом платье с заплатами на локтях, в серых деревенских теплых, но таких стыдных валенках. С обкусанными ногтями, спутанными кудрями, косолапой походкой. Нелепую, никому не нужную Зойку. Обсмеянную, робкую, стеснительную, краснеющую по любому поводу.

Вечную двоечницу и неудачницу.

Зойка, вздохнув, мотнула кудрявой головой, словно отгоняя наваждение. Медленно она зашла в подъезд и медленно, как старуха, поднялась по лестнице. Лифт, остро пахнувший мочой, как всегда, не работал.

Мать и Клара ждали ее с ужином. Она от еды отказалась. Встала под горячий душ, долго отогревалась, наконец ей стало душно от плотного пара, и даже слегка закружилась голова. Она вышла из ванной, укуталась в старый фланелевый ма-

теринский халат, пахнувший хозяйственным мылом, и легла на диван.

«Бедная Тома! – подумала Зойка. – Бедная мать, бедная Клара. Все одинокие, затравленные и нищие. Такие же, как эта страна – тоже затравленная и нищая. Так тут и проживается жизнь. Вся жизнь – в страхе, борьбе и вечной мысли о куске хлеба и завтрашнем дне. И никто не знает, что бывает по-другому. Совсем по-другому. Что бывают нарядные и теплые страны, яркие цветы, сочные фрукты. Свежее мясо, терпкое вино. Кружевное нежное белье, ласкающее кожу. Удобная и мягкая обувь, аромат духов, вселяющий в женщину уверенность и дарящий надежду.

Что бывают улыбки – просто так, случайно встреченному прохожему. И почтительность продавцов, и внимание официантов. Улыбки и утешительные слова врачей в идеально накрахмаленных халатах. Больницы с кипенно-белым, ослепительным бельем, с цветами в вазах, телевизором и телефоном. Блестящие машины с мягкими сиденьями, услужливо катящие тебя по ровным, словно зеркальным, дорогам.

Все это – бывает! Вот только не здесь. А может, и счастливы они своим незнанием всего этого? Может, это и спасает их от непролазной мутной тоски?

Мать. Слава богу и слава Аллаху, скоро она увидит другую жизнь. Успеет прочувствовать и почувствовать ее. Вкусить. Насладиться ею. И забудет, забудет о долгих, бесконечных, нерадостных годах, прожитых в горе, нищете, одиночестве.

А Клара? Совсем старая и почти немощная Клара? Она-то останется здесь. И совсем одна. Никого на всем белом свете. И все мысли сейчас о том, кого подселят в Раисину комнату. А вдруг – пьяницу? Или скандальную бабу? И жизнь окончательно превратится в ад, из которого уже не будет выхода. Только один – доживать, доживать свою жизнь, и как можно быстрее.

Вот и Тома. Томка. Подружка. Вот ведь судьба. И все у человека было. Всё. Мать, отец, отдельная квартира. Лаковые туфельки и нарядные платья. Апельсины и шоколадные конфеты – не на праздники, так, каждый день, в вазочке на столе. Музыкальная школа и черное лаковое пианино – несбыточная Зойкина мечта, только бы подойти и погладить белоснежные, полированные клавиши. Хорошие отметки, белое платье с кружевом на выпускной вечер, институт.

Все было – и ничего нет, ни любящих родителей, ни нарядных вещей. Нет даже пианино – мать видела, как крепкие мужики выносили его на ремнях из подъезда.

А Томино скудное пальтишко и облезлые сапоги? А работа в диспетчерской?»

Зойка помнила это жуткое место – запах перегара и мужских носков, рваный линолеум, заплеванная раковина, вечный нестерпимый грубый мат. Холод зимой и духота летом. В телефонной трубке скандальные выкрики вечно недовольных жильцов. Невыносимый запах рыбы, лежащей в раковине. И радость матери – на ужин сегодня котлеты.

Все пытаются унизить: от воспитателей в детском саду до медсестры в поликлинике и продавщицы в несвежем халате и с облупленным лаком на красных коротких жадных пальцах. От школьной директрисы до вокзальной кассирши и уборщицы в «Детском мире». Унижающим других, им, униженным, становилось легче. И никто – почти никто – не желал быть терпимее и добрее. В злобе и ненависти выживать почему-то легче.

Зойка встала, оделась, сказала:

– Я скоро, мам! – Набросила на руку шубу и вышла на лестницу. У Томиной двери Зойка на секунду задержалась, задумалась и решительно нажала на кнопку звонка.

Дверь распахнулась. На пороге стояла хозяйка и с прищуром и ухмылкой смотрела на нежданную гостью.

– Чего тебе? – грубо бросила она.

Зойка шагнула в прихожую. Потом она торопливо начала снимать с пальцев кольца. Стянула с запястья тяжелый браслет, вынула из ушей серьги. Не глядя на Тому, положила все это на тумбочку. Потом на табуретку аккуратно пристроила шубу и, красная от смущения и неловкости, тихо сказала:

– Пожалуйста! Не обижайся! – И подняла на Тому полные страдания и мольбы глаза.

Та, закусив побледневшую губу, небрежно бросила:

– Да что там! Куда уж нам обижаться! В нашем положении, знаешь ли, не до обид! – Потом бросила взгляд на тумбочку и табуретку и криво усмехнулась. – По мозгам-то не получишь от свекрухи своей щедрой?

Зойка мотнула головой, выскочила за дверь и, спустившись на свой этаж, громко разревелась.

Тома, еще раз взглянув на щедрые дары, пошла на кухню и достала из холодильника бутылку водки. Выпив полстакана, она завыла – по-собачьи, в голос.

* * *

Такси в аэропорт подъехало ранним утром. Клара и Раиса рыдали у двери – понимали, что прощаются навсегда. А позади была целая жизнь.

Зойка торопила мать и вытирала ладонью слезы. В Кларином кухонном шкафчике, в старой кастрюле с отбитой эмалью, лежала плотная пачка денег. Зойкина прощальная хитрость.

Наконец подошли к лифту.

Не без усилий загрузили чемоданы с Раисиным бесценным барахлом и спустились. Таксист, бросив на женщин возмущенный взгляд, медленно и нехотя, словно делая большое одолжение, вразвалочку вышел из машины и открыл багажник. Неспешно достал папиросу и смачно затянулся.

Зойка, усмехнувшись, принялась укладывать чемоданы сама. Двинулись. Раиса оглянулась на дом, где прожила все эти долгие годы, перекрестилась и хлюпнула носом. Дочь нежно взяла ее за руку.

На зеленой стене подъезда крупными буквами, размашисто и от души коричневой масляной краской была выведена знакомая уверенная надпись: «ЗОЙКА – СУКА!» Только не было больше Раисы с тряпкой и ведром, тщательно, с горечью и обидой стирающей это безобразие.

Она была уже далеко. Так далеко, что не достанешь, – в ярком и голубом, абсолютно безоблачном небе.

Грехи наши

Когда произошло это страшное событие, Елена, конечно, забрала Лизу сразу к себе, в один день перечеркнув и забыв все свои старые и заскорузлые обиды. Так получилось, что семейная Лиза в своей беде оказалась одна. Муж-профессор уже пятый год читал свои лекции в Бостонском университете, ему вообще всю жизнь, кроме науки, не нужно было ничего, а сейчас и подавно. Лизина дочь, вечно вздрюченная, безумная Ирка, как всегда, разводилась с очередным мужем и была вне себя.

Беда с Лизой произошла, как водится, внезапно. Из полноватой, веснушчатой, полной жизни и энергии, еще не старой женщины Лиза за полгода превратилась в сухую, серолицую мумию – без остатка прежних внешних и, казалось, неисчерпаемых внутренних сил. Казалось, что неисчерпаемых. Елена взяла ее к себе по нескольким причинам: во-первых, загород, воздух – она теперь круглый год жила на старой, теплой кратовской даче. Во-вторых – уход. Кто, кроме жертвенной Елены, с таким терпением будет выносить капризы тяжелобольного человека? Чокнутая Ирка? Она-то быстренько управится – подтолкнет мать к краю могилы и руки отряхнет.

Лиза сначала сопротивлялась – не хотела уходить из своего дома. Но недолго. Все быстро поняла и оценила. В ней была всегда практичность. А вот обязанной быть ненавидела. Особенно кому? – Елене, которую всегда считала немного убогой. Но жизнь распорядилась иначе. И беспомощность, и зависимость ее и угнетали больше всего. А куда деваться?

Обе старались держаться достойно. Получалось не всегда. Особенно у Лизы. Но с нее сейчас спроса не было. И потом, надо было ценить: кто еще, кроме Елены, нагреет рефлектором ванную комнату, вымоет сестру мягкой мочалкой, сшитой из старого махрового полотенца, осторожно оденет в проглаженную фланелевую пижаму и отведет в чистую, свежую, после зимнего сада, постель. А потом еще нальет густого клубничного киселя и сварит жидкую манную кашу – легкую, как для младенца.

Сестры с детства дружны не были – слишком разный темперамент, хотя разница самая позволительная для дружбы – в четыре года. Елена была старшей: немного угрюмая, необщительная, малоразговорчивая и очень правильная девочка. Почти отличница и вечная помощница по хозяйству. Мамина лучшая подружка. Внешность Елены не вызывала ни умиления, ни отрицания – выше среднего роста, широкая в спине и плечах, с крупными кистями некрасивых рук. Да и лицо без фантазии, только волосы хороши – светло-русые, густые, слабой волной. Но кто видел их красоту? Вечный старческий пучок на затылке.

Лиза родилась проказницей, кокеткой, упрямицей и капризулей. Младшая сестра! Внешне славная, но до красавицы не дотягивала. А миловидности – сколько угодно. Блондинка с конопушками на вздернутом носу. И зубы! Сама про себя говорила: «Голливуд!» Улыбалась к месту и без. Но это в юности.

У нее была своя компания, свои подружки. Сестру не звала – да та и не рвалась: сидела у себя, что-то вязала, шила, читала. «Синий чулок», – говорила о ней Лиза с презрением, махнув рукой.

Замуж младшая сестра выскочила рано, в восемнадцать лет. За чудного и странного парня с мехмата. Что нашла она в этом заумном очкарике, было непонятно. Мать отмахнулась. «Вот увидишь, через год разведутся», – говорила Елене.

Не развелась, а родила через год в страшных муках дочку Ирку. Было все: и угроза выкидыша, и страшный токсикоз, и ягодичное предлежание, и ручное отделение плаценты... И все это досталось девятнадцатилетней девочке. Из роддома вышла притихшая и какая-то прибитая.

С ребенком помогали и мама, уже тяжело болевшая злокачественной гипертонией, с бесконечными каретами «Скорой помощи», и, конечно, безотказная Елена. С ног сбивались все. Кроме математика. Он, казалось, не слышал ни душераздирающих криков ребенка, ни истерик Лизы, ни скандалов между женщинами. Выходил из своей каморки-кабинета (бывшая темная комната), шел в туалет, мыл руки, не глядя, съедал, что дадут, и уходил к себе. Не муж, а золото. Или наоборот.

Лиза кричала, что не может жить таким кагалом, и вытрясла из матери деньги – первый взнос на кооператив. Потом, счастливая, говорила Елене: «А этот хлам (имея в виду и неухоженную старую квартиру, и ветхую мебель) оставь себе».

Через год они уехали в новый дом на Юго-Запад. Елена туда приезжала как за город. Роща, воздух, церковь, деревушка возле церкви. Приезжали с мамой навестить племянницу Ирку, тогда еще хорошенькую полноватую девочку. Лиза тут же выскакивала из квартиры. Это у нее называлось «съездить в центр, проветрить мозги».

Они кормили Ирку, гуляли с ней в роще, укладывали спать. К десяти вечера являлась Лиза. Ни «спасибо», ни «как дела?» – вообще никаких разговоров.

– Ну что, вы поехали?

Мама дорогой плакала, говорила, что больше к Лизе не поедет. Елена Лизу оправдывала, дескать, засиделась одна, ей тоже не позавидуешь в этих «выселках». Приезжали домой голодные – у Лизы старались не есть, да и, честно говоря, особенно нечего было. Долго пили чай с колбасой и калачами на кухне и, отплакавшись, шли спать.

Лиза образования не получила – какое образование, когда в восемнадцать лет уже семья? Смеялась, что муж образован так, что хватит на пятерых. С этим не поспоришь. Елена этот брак не понимала и однажды все-таки осторожно спросила у Лизы, близкие ли они с мужем люди.

– Близкие не близкие, а он гений, я это знаю, – амбициозно ответила Лиза. – Он будет скоро очень крупной величиной, а это престиж, деньги, командировки, переизданные труды.

– Тебе так все это важно? – удивилась Елена.

– Да, для меня это главное. А потом, он не пьет, не гуляет, а все остальное я переживу.

Что такое «остальное», Елена спрашивать не стала, постеснялась.

Лиза рвалась на работу, искала няню, но с Иркой никто долго сидеть не хотел. Уже тогда, девочкой, она становилась неуправляемой. Потом все-таки Лиза работала пару лет на кафедре в Станкине секретарем. Работой была довольна – с ней считались, да и с чужими людьми она ладила легко. Ее вообще почему-то считали человеком легким и необидчивым.

Но проблемы и болезни дочки перевесили, и Лиза окончательно осела дома. «На хозяйстве», как говорила. Хотя дом вести не любила, готовила плохо, по необходимости, убирала нехотя. Но Ирку исправно мотала по кружкам, музыкам, гимнастикам, плаваниям... Та, правда, нигде долго не задерживалась. Лиза всех обвиняла, скандалила, верещала, что не смогли привить ребенку интерес. Ее стали остерегаться и связывались с ней неохотно.

Елена окончила пединститут. Биология на английском. Кому тогда была нужна биология на английском? Преподавала в школе просто биологию на русском, школу полюбила, детей тоже. Но школьники с ней не считались – не чувствовали в ней силу, да и предмет, по их мнению, был побочным, незначительным. Когда наладилась халтура, переводила статьи для научных журналов.

Мама долго и тяжело болела, но умерла в почтенном возрасте, совсем измотав безотказную Елену. Елена горевала безутешно. А Лиза на поминках сказала: «Слава богу, *все* отмучились», подчеркнув почему-то это «все». Наверное, она была права, но Елена этих слов сестре не простила.

Еще до смерти мамы у Елены начался бесконечный роман с редактором одного крупного научного журнала, где она брала халтуру. Естественно, он был женат, микробиолог, книжный червь, грибник и лыжник – полностью родственная Елене душа. Жену он не любил (как говорил), но и не разводился из-за болезненной и слабой единственной дочки Регины. Ее очень жалел. Будучи человеком чрезвычайно порядочным, он понимал, что такое положение вещей унизительно для тонкой Елениной организации, и просил подождать, пока Регина окончит школу и поступит в институт. В институте от ответственности и перенапряжения у Регины начались неврозы и срывы. Он плакал, говорил, что она несчастная, болезненная, зеленая. Елена так и называла ее – «зеленая Регина». Про себя, естественно.

А когда он в очередной, сто восьмой, раз пытался заговорить с Еленой об их совместном будущем, она его твердо остановила: оставим все как есть. Он, кажется, облегченно вздохнул. Потом вообще случилась страшная трагедия: его жене кто-то сообщил о его тринадцатилетнем романе. Жена травилась, но выжила, а вот «зеленая Регина», будучи в то время сильно беременна, чего ждала почти семь лет в браке, от этих событий ребенка выкинула и больше так и не родила. Микро-

биолог этого не перенес – мучился после инсульта недолго, около года. Ухаживала за ним нанятая посторонняя женщина, тайно оплачиваемая Еленой. На похороны Елена, естественно, не пошла.

Вот после этой ужасной истории она ушла из школы и уехала жить на дачу, в Кратово. И еще обратилась к Богу, стесняясь почему-то. Стала ходить по воскресеньям в храм, потом еще и в среду. Становилось легче. Не это ли главное?

Иногда ездила в Москву, встречалась с работодателями – появилось множество толстых глянцевых журналов про природу и животный мир. Тут-то и пригодился в полной мере ее английский. Елену ценили за опыт, профессионализм и пунктуальность. Зарабатывала она вполне прилично. А много ли ей было надо?

Загородную жизнь она полюбила сразу и безоговорочно. И вечерние прогулки по любимым тихим сосновым улицам, и «золотые шары» у калитки, и утренние походы на станцию за ранней зеленью и кисловатыми подмосковными ягодами... Поездки в Жуковский за продуктами и купание в старом, заросшем кратовском пруду. Подругами не обзавелась, но с соседями общалась. Дом был старый, теплый, уютный, с маленькой печью-камином.

Вечерами вязала свои бесконечные шали крючком, а потом не знала, кому их подарить. Раздавала соседям. Читала, много спала днем, а ночью, естественно, маялась. Жизнь ее текла спокойно и неспешно. По ее сути, под стать ей самой. До болезни Лизы.

В ее старой московской квартире жила теперь племянница Ирка с новым мужем. И однажды Елена туда заехала что-то забрать – и увидела, что старая мебель, дорогие сердцу мамин комод и трюмо, выброшена, чашки разбиты и все переставлено и осквернено. Долго плакала на кухне, а потом, что смогла и что уцелело, забрала и больше решила в квартиру не приезжать. В бесцеремонности Ирка переплюнула свою мать.

Когда Елена забрала Лизу и обустроила их совместный быт, почему-то скрывала под разными предлогами свои походы в церковь. Стеснялась сестры, ее острого языка. И страшно смутилась, когда Лиза увидела на ней крестик – теперь Лиза ее высмеивала и презрительно звала «богомолкой». Сама же Лиза была из воинствующих атеистов. Впрочем, отрицала она многое, не только это – такой характер. Спорить с ней не хотелось. Однажды все же завела с захолонутым сердцем разговор на религиозную тему. Цель была одна – окрестить Лизу. Но та, уже почти бессильная, завелась ужасно. Плакала, выкрикивала Елене обидные слова:

– Где он, твой Бог? Я еще молодая, а вот подыхаю, а ведь младшая, между прочим, сестра. Отвечай!

Потом, обессилев, уснула. Елена смотрела на нее, и сердце рвалось от жалости. Подумала: даже вот перед лицом смерти ничего не может с собой поделать. Страшное дело – гордыня!

Ирка приезжала навещать мать примерно раз в две недели. Вот это был кошмар! Она то рыдала, то ржала, как лошадь, много ела, выкуривала несметное количество сигарет, всех поносила, жаловалась, кричала на безропотную тетку и уже бессильную мать. Лиза ее гнала: «Уезжай, мне от тебя совсем плохо, уезжай». Та, оскорбившись, хлопала дверью и следующие две недели не звонила.

Ничто не могло их примирить. Потом Лиза жалела дочь, говорила, что она несчастная баба, издерганная, замотанная. Елена не соглашалась: «Все не хуже, чем у других. А что ни с кем не уживается, то характер жуткий. И вообще, нервы тоже лечат. Здоровая кобыла, хоть бы помогла мать помыть или постель перестелить, конфетки в дом не привезет». Но это все про себя, про себя, а так в ответ Лизе кивала, соглашалась.

Лиза угасала медленно, но с каждым днем какие-то крупицы жизни из нее вытекали. Елене это было прекрасно видно, и смотреть на это было невыносимо. От бессилия Лиза становилась тише. И сестры впервые начали разговаривать. Не переговариваться, а именно разговаривать. Сначала ни о чем, потом вспоминали что-то из детства – рано умершего отца, оказалось, Лиза его совсем не помнила, вспоминали мать, старый двор, легкую и молодую дачную жизнь. А вот личные вопросы как-то обходили стороной. Да и какие там личные вопросы? Что было обсуждать-то? Лизиного гениального примороженного математика? Или Елениного несчастного микробиолога? Тоже мне тема! Да и Ирку обсуждать не хотелось. Зачем причинять человеку боль?

По воскресеньям Елена ездила в свой любимый храм Космы и Дамиана, в Москву, туда, где крестилась. С упоением отстаивала долгую службу, подпевала хору. Умиротворенная, возвращалась домой. И попадала под прицел Лизиных усмешек. Изо всех сил сдерживалась, чтобы не отвечать. Получалось. Чему-чему, а смирению православие учило хорошо.

К октябрю Лизе стало совсем худо. Елена съездила в Москву к районному онкологу и вернулась с упаковками сильнейших обезболивающих, тех, что стоят последними перед наркотиками. Больше всего она боялась, что у Лизы начнутся боли. От уколов и слабости Лиза почти целый день спала, ела один раз в день, и то как птичка. Иногда минут двадцать смотрела телевизор. Сама уже не читала. Порой просила почитать вслух Елену. Та читала ей Бунина и Куприна. Иногда Лиза беззвучно плакала. Теперь она уже совсем не вредничала и не спорила.

Елена спросила как-то:

– Может, вызвать из Бостона математика?

Лиза вяло отмахнулась:

– На черта он мне сдался? Да и тебе лишние хлопоты.

– Как хочешь, – удивилась Елена.

Однажды вечером, ближе к ночи – Елена была уже у себя, но дверь она теперь не закрывала, чтобы слышать сестру, – Лиза позвала ее.

– Сделай мне кофе.

– Сейчас, ночью? – испугалась Елена.

– Очень хочется.

– Да-да, конечно.

Елена накинула халат и побежала на кухню. Почему-то побежала. Кофе сварила с пенкой, в старой медной, еще маминой джезве. Крикнула:

– С молоком?

– Все равно, – ответила Лиза.

Потом осторожно, с ложечки поила Лизу. Та причмокивала от удовольствия.

– А завтра свари гороховый суп с ветчиной, ладно?

– Господи! – От радости Елена расплакалась. – Какое счастье, что ты захотела супу! Хочешь, сейчас пойду варить, ты проснешься и поешь, – причитала Елена.

– Успеется, – усмехнулась Лиза, – блаженная ты, посиди просто.

Елена кивнула:

– Да-да, конечно.

– А знаешь, ведь все мне поделом, – сказала Лиза.

– Ты о чем?

– О чем? Ты ведь даже не знаешь, какая я страшная грешница. Страшная. Мне все *это* поделом.

«Бредит, уже бредит, меня предупреждали», – подумала с ужасом Елена.

– И что у Ирки так, я виновата! Когда она с первым мужем развелась, помнишь, у нее была операция, ну там, киста, гинекология? – Елена кивнула. – Так вот я попросила врача, да что там попросила, заплатила, и он ей трубы перевязал. Подумала, есть ребенок, зачем этой дуре рожать второго? Сама сумасшедшая и наплодит таких же и еще мне подкинет. Вот так-то. А ты говоришь, на все воля Божья. Не на все. А потом, когда она с Генкой стала жить – неплохо, кстати, жить, он один ее в узде держал, – он детей хотел, а она не понимала, почему не получается. Я, естественно, не созналась – испугалась. Он ее и бросил. Тогда-то у нее все совсем разладилось и покатилось под откос. Я виновата. – Лиза громко вздохнула и откинулась на подушки.

– Ты ведь хотела как лучше, – тихо и неуверенно сказала Елена.

– Ну да, а получилось как всегда, – хрипло рассмеялась Лиза. Помолчав с минуту, она продолжила: – И жене твоего лыжника тоже я позвонила.

Елена поняла не сразу. Когда дошло, в ужасе прошептала:

– Ты?

– Я, я. Тоже скажешь, хотела как лучше? А ведь правда хотела. Хотела, чтобы он их бросил и к тебе ушел. А что получилось? Что молчишь? Ну, оправдывай меня!

Елена закаменела. А Лиза продолжала свой людоедский монолог:

– И еще я с Левкой жила.

– Левка – это кто? – одними губами спросила Елена.

– Левка – родной брат моего математика.

Елена смутно помнила этого брата – такой же невзрачный и субтильный очкарик, только тот гений, а этот рядовой инженер.

– Жила с ним пятнадцать лет, пока он в Канаду не уехал.

– Зачем? – только и спросила Елена.

– А мой вообще ничего не мог, все в мозги ушло, – легко сказала Лиза. – Вот я и приспособилась. Удобно. Я даже не знаю, от кого Ирка. А какая разница? Даже фамилия одна. – Лиза зашлась в кашле и страшном смехе. Елена молчала. – Это ты у нас молодец. Все всегда делала правильно. Жила честно и праведно. Молодец! Правда, для себя жила. – «Вот тебе и раскаяние с покаянием», – подумала Елена. – А у меня дочь – сволочь, мужа считай что нет. И меня самой тоже уже нет. Вот так-то.

Господи, опять характер паскудный вылез. Даже сейчас.

– Спи, – твердо сказала Елена. – Будет тебе завтра гороховый суп.

Она резко встала и ушла к себе. Сначала закрыла дверь и прислонилась к ней спиной, как бы отгораживаясь от всего, что она узнала этой страшной ночью. Но потом все же оставила слабую щель. Легла. Лиза долго ворочалась и вздыхала. Елена не спала ни минуты, а в пять утра встала, чтобы замочить горох.

В комнате сестры было тихо.

В начале восьмого она пошла в церковь, не в свою, дальнюю, а рядом, в местную, близкую, полчаса ходьбы. Надо было просто скорее дойти. И просить, просить у Бога прощения за Лизу. Всеми силами просить. И поговорить с батюшкой. Она стояла и молилась так истово, как никогда раньше.

– Господи! Прости мою сестру! За все прости! Она не ведала, что творила! Но раз она рассказала мне все это, значит, страдала. Ты уже и так наказал ее самым строгим судом! Прости ее, Господи! Я буду молиться за нее, сколько буду жить! Хватит с нее испытаний и боли! Не посылай ее в ад, Господи! Ад был у нее на земле!

Молитва была своевременной. В девять утра Лиза умерла. Умерла во сне, спокойно. Слава богу, без болей.

Здоровая Елена пережила сестру всего на четыре месяца – пьяный подросток на ворованных «Жигулях» сбил ее, ехавшую из храма после службы в день большого церковного праздника. Моментальная смерть. А куда определили сестер в той, другой, жизни, если она там есть, и что вымолила Елена, мы не узнаем, этого нам не дано.

Прощеное воскресенье

Марина Северьянова готовилась к войне. Доставала доспехи, латы и мечи, это ее, как всегда, бодрило. К боевым действиям ей было не привыкать. Чаще внушали опасения передышка и затишье. Жизнь приучила ее к непрерывной и неустанной борьбе, и в этом состоянии, надо сказать, ей вполне было привычно и комфортно. Воин должен быть в строю. Иногда на плацу. Правда, учения давно уже закончились, хотя, как говорится, век живи... Всегда готовая к обороне, сейчас она должна быть готова еще и к нападению. Повод был, и, надо сказать, вполне серьезный. Серьезнее некуда. Когда в опасности бизнес и привычное благополучие – это одно. А когда в опасности твой ребенок... Твое единственное и обожаемое дитя. Самое дорогое существо на свете. И самое ранимое и незащищенное. Хотя, позвольте, как это незащищенное? А где же тогда она, Северьянова Марина Анатольевна? Да нет, слава богу, здесь она, здесь. На месте. И в полной боевой готовности. И берегитесь все, кто против нас. Тысячу раз подумайте, прежде чем нанести нам обиду. Так-то!

А дело было вот в чем. В субботу вечером, часов в одиннадцать – Марина уже засыпала, – позвонила Маргоша. Хорошего от нее не жди. От Маргоши либо сплетни, либо ужасы и кошмары. Человек-негатив. Это, конечно, от безделия. Маргоша была богата – всех бывших мужей, совсем, кстати, непростых парней, раздевала до нитки. В этом она просто ас. Беспокоиться ей было не о чем, кроме как о целлюлите на внутренней стороне бедер, новой коллекции от «Прада» и о мерзкой стерве домработнице (примерно десятой или двенадцатой за последний год), которая Маргошу, естественно, опять не устраивала. Услышав в трубке Маргошин голос, Марина сквозь зубы простонала:

– Господи! Сейчас пошлю к черту эту бездельницу!

Но оказалось, Маргоша звонила по делу – важному и неотложному, в принципе редко с ней бывает. Маргоша доложила Марине, что обедала нынче в ресторане (простенько, недорого, просто рядом оказалась, оправдывалась Маргоша). Так вот, обедала она, обедала, вдруг бац – услышала, как за соседним столиком сладко воркует парочка. Маргоша от неожиданности чуть не подавилась карпаччо из лосося. Пригляделась – точно он. Не обозналась. Он, Маринин зять Миша, собственной персоной. С кем? «С девкой, конечно, стала бы я тебе просто так звонить среди ночи, что я, дура, что ли? Да-да, с молодой девкой, блондинкой, разумеется. Сейчас же они все поголовно блондинки», – зло добавила Маргоша, натуральная шатенка, между прочим. Сон отлетел от Марины в тот же миг. Как не было. Она резко села на кровати, подобралась, сгруппировалась и начала задавать конкретные вопросы. Без всяких там ахов, охов и «да что ты говоришь», «не может быть», «ты не ошиблась?». Во-первых, Маргоша не ошибалась никогда. Глаз – алмаз. Всегда с предельной точностью она могла на ком-то определить год выпуска коллекции, страну-изготовитель и цену. Так же на расстоянии двух-трех метров она определяла запах духов и каратность бриллиантов. Думать, что

Маргоша что-то перепутала, не приходилось. А во-вторых, Маргоша была какой угодно – капризной, скупой, мелочной, завистливой, – но точно не врушкой. Ну нет у человека такой черты в характере. Итак, вопросы были такого свойства: держались ли они за руки или, может, наблюдались другие нежности? Каким было выражение лица зятя Миши – идиотско-счастливое, восхищенное, ровно-спокойное? Теперь о блондинке. Подробно. Рост, вес, что в ушах, на пальцах и на теле. Курит, пьет, томный взгляд, кокетство, равнодушие, молчит или трындит? Слушает ли открыв рот или незаметно позевывает? Что пили и что ели? Все это восстанавливает истинную картину происходящего и выявляет степень опасности. И вообще, предупрежден – значит, вооружен.

Маргоша не ожидала, что ей придется так скрупулезно все восстанавливать. Нет, память, конечно, отличная, тьфу-тьфу, но ей это все стало уже неинтересно. Скучновато даже. Интереснее было бы обсудить новые сумки от «Луи Вьюиттона» (цены – ужас! Совсем охренели!).

Но Марина впилась цепко – вот пиявка, и не отвяжешься. Маргоша вяло отчиталась, зевнула и повесила трубку. Марина, встав, пошла в ванную, умылась холодной водой и внимательно и пристально взглянула на себя в зеркало. На нее смотрела худая, темноволосая, коротко стриженная женщина, со строгим взглядом холодных голубых глаз, со сведенными к переносице узкими бровями и тонкими, плотно сжатыми губами.

– Прорвемся! – уверенно сказала своему отражению Марина.

Потом она прошлепала босыми ногами по теплому, с подогревом, мраморному полу на кухню, открыла холодильник и вынула банку пива. Встала к окну, отдернула плотные шторы и медленно, маленькими глотками, стала пить ледяное пиво. По ярко освещенному Кутузовскому проспекту пролетали нередкие теперь ночные машины. Марина допила пиво и села в кресло. Сна как не бывало, а были мысли о дочке Наташке.

Наташку Марина родила в девятнадцать. В дурацком и краткосрочном ребяческом браке. Наташкин отец, длинный, худой и сутулый, как вопросительный знак, Славик, был НИ-КА-КИМ. Ну вообще никаким – ни глупым, ни умным, ни занудой, ни остряком. Он просто все время молчал. Ел – и молчал, стирал пеленки – и молчал, смотрел телевизор – и молчал. Только отвечал на вопросы. Но вопросы задавать скоро расхотелось. И еще – вечно маячил по квартире. Марина постоянно на него натыкалась. Вроде он был длинный и худой, а ей казалось, что он занимает все ее жизненное пространство. Через три месяца после рождения Наташки она его выгнала. Ушел он тоже молча, ничего не выясняя. Физически без него стало тяжелее – продукты, стирка, ночные бесконечные вскакивания к дочке. А вот морально – лучше. Почему-то сделалось легче дышать. Теперь вечно сонная Марина натыкалась не на Славика, а на углы – от постоянного недосыпа. Иногда приходила помогать мама – всегда с недовольной миной на лице: бровки домиком, рот гузкой. Наташка начала болеть с первой недели своего земного существования. В роддоме подхватила стафилококк, дома бронхит, далее дисбактериоз с колитом, две пневмонии до года, аллергия на молоко, детские смеси, не говоря уже про мясо, рыбу и яйца. Ела только смолотый в кофемолке до пыли геркулес на воде и пила воду, настоянную на кураге. Раздирала пылающие, покрытые сухой корочкой щеки и ладошки. Плакала с утра до вечера. Марина была измучена вконец и научилась спать стоя и везде – в метро, во дворе, качая коляску, у телевизора, в детской поликлинике, прислонившись к косяку. А еще надо было на что-то жить. Добропорядочный Славик, правда, носил исправно каждый месяц двадцать рублей. Плюс жалкое пособие – привет от родного заботливого государства. Что-то подбрасывала мать. Еле хватало на геркулес, курагу, детский крем, зеленку, чай с сушками для самой Марины и на оплату коммунальных услуг. Высохла она тогда до сорокового размера – брючки и кофточки

покупала себе в «Детском мире». А однажды поняла: жить так больше нельзя, ну невозможно просто – сама дошла до ручки, дочка одета с чужого плеча – и стала искать работу. Сначала устроилась на почту – разносила утренние письма и телеграммы. Начиналась каторга в шесть утра, и это после бессонной ночи. Наташку сажала в манеж, боялась, из кровати выскочит. А вечерами мыла два подъезда – свой и соседний. Наташка – в том же манеже у громко включенного телевизора, чтобы соседи не жаловались, что ребенок орет. Однажды прибежала, а ребенок бьется в истерике, и весь рот в крови, сломала свой первый зуб – стукнулась о железный крючок манежа. Марина дочку умыла, успокоила, а потом села на пол и ревела долго и в голос, пока всю свою боль не выревела. И поняла, что все это не выход – не деньги и вообще не жизнь. И выписала из деревни одинокую тетку матери – бабу Настю. Та собралась быстро – в деревне ей жилось нелегко. Через неделю Марина с Наташкой ее встречали на Ярославском вокзале – баба Настя приехала с заплечным мешком на спине. Была она человеком непростым и суровым, но с Наташкой управлялась лихо – вырастила трех своих племянников, опыт имелся. Девочка стала лучше есть и крепче спать. Баба Настя варила густые мясные щи, квасила капусту и пекла без устали большие и неровные пироги – тесто, тесто и совсем немного начинки. Сказывалась извечная бедняцкая привычка. Марина пришла в себя, отоспалась, быстро отъелась на теткиных пирогах и пошла учиться на вечерний. А еще через год бросила свои телеграммы и швабры и пошла работать в универсам, в бухгалтерию.

Теперь они зажили почти роскошно. Старый, дребезжащий «Саратов» был набит всякой разной всячиной: копченой колбасой, бужениной, свежими огурцами, шоколадными бутылочками с ликером. Больше всех этому изобилию и дефициту радовалась баба Настя. Часами она перебирала все эти богатства, не виданные ею доселе, гладила разноцветные баночки и коробочки, резала на просвет колбасу и сыр и долго смаковала это все, громко причмокивая, покрякивая от удовольствия и зажмуривая глаза. Никогда прежде не жила она так вольготно и сытно. А к Наташке, несадовскому ребенку, продолжали липнуть вечные простуды и инфекции. За пару лет она успела переболеть всем и подряд – от легкомысленной ветрянки до угрожающей скарлатины, не пропустив ни свинку, ни корь, ни краснуху. Девочкой она была высокой, худой и, увы, очень сутулой. Вся в этого нелепого Славика, огорчалась Марина. А вот от матери ей достались густые и жесткие темные волосы и голубые прозрачные глаза, только у Наташки они были растерянные и близорукие. Очки ей надели в четыре года. Маринина мать наезжала с инспекцией и вечно критиковала и дочь, и старую тетку, Марину она называла «типичной торгашкой». О том, что уезжала она от дочери с туго набитой кошелкой, старалась не думать. А тетке пеняла, что та готовит жирно, посуду моет грязно. И что она может дать ребенку? Внучкой она тоже была недовольна.

– Девочку надо развивать, – строго напоминала она перепуганной бабе Насте и уставшей и замученной Марине. На выбор она предлагала многочисленные кружки – лепка, рисование, музыка, танцы. С танцами у нескладной и неловкой Наташки не сложилось, а вот с рисованием они попали в яблочко. Наташка оказалась самой способной из всех. Теперь баба Настя, кряхтя и охая, три раза в неделю таскала девочку в кружок. Наташка была счастлива – рисовать она могла часами. В шесть лет сама ставила натюрморт – вазочка, яблоко, лимон. Придумывала пейзажи – поле, узкая тропка по краю леса. Усаживала бабу Настю и пыталась писать портрет. Но с портретом было хуже – она была еще слишком мала.

А Марина тем временем влюбилась. Избранник ее, директор того самого универсама, где она старательно трудилась, был очень собою хорош – высок, крепок, седовлас и сероглаз. Звали его Георгий Иванович. Был он, естественно, женат и имел двоих вполне половозрелых детей. Сказал честно и сразу – не разведусь никогда, лучше время на меня не теряй. Она, естественно, не послушалась. Звала она его Герой, и человеком, надо сказать, он оказался легким, остроумным и щедрым. С одной стороны, торгаш, а с другой – меломан, театрал и вполне образованный человек. И эти две составляющие в нем прекрасно уживались и не пересекались. С ним Марина открыла для себя театр «Современник», Габриеля Гарсия Маркеса, музыку Вивальди, Коктебель и Каунас, но, самое главное, с ним она открыла себя. А точнее, свою женскую сущность и таинственную плоть – радости, неизвестные ей доселе. То, что Гера никогда не уйдет из семьи, она поняла и осознала сразу и навсегда, и это ее совсем не угнетало. Человеком она была рациональным, практичным и вполне понимала, что ей достается лучший Гера, известный только ей одной – до конца, до донышка. А это куда больше, чем норковая шуба и белая спальня «Людовик». В общем, статус любовницы ее не беспокоил. Ее интересовала любовь. А любовь у нее была. Когда наступили времена больших и малых перемен, ее умный возлюбленный выкупил свой замшелый универсам и превратил его в один из первых в городе супермаркетов. Они вместе летали за границу, часами ходили по торговым залам крупных магазинов, изучали все до мельчайших подробностей – ассортимент, емкость холодильных камер, последовательность расположения товаров, форму продавцов, отделы кулинарии и полуфабрикатов. Все начинали с нуля и вместе. Головой, конечно, был Гера, Марина на подхвате, но в нужный момент она что-то напоминала ему, открывала свои записи – словом, со своей природной смекалкой и женской интуицией была ему необходима и незаменима. К концу девяностых она стала его полноправным партнером и соучредителем, и у них уже был не один, а пять супермаркетов. Дальше – больше. Теперь они и вовсе не бедные люди, но стало как-то не очень до любви, слишком много хлопот и проб-

лем, слишком изменились и они сами, видимо, не вполне замечая этого, жизнь покрутила, побила, похлестала, сделав из них людей новой формации, взращенных нашей суровой действительностью, без сантиментов и почти без слабостей. Иначе и не выстоять. Так жизнь диктовала свои условия. Слабостью оставалась дочка Наташка.

После школы Наташка не расцвела и не похорошела – наоборот, укрупнилась, еще больше ссутулилась. Носила тяжелые очки с большими диоптриями и ни разу в жизни не сделала маникюр. В общем, классический синий чулок и бесспорная кандидатка в старые девы. Поступила в Строгановку, но и там никаких компаний, никаких романов – в общем, никаких атрибутов студенческой жизни. Так и моталась со своим этюдником – музей, натура, дом. Марина не на шутку волновалась и пыталась что-то изменить:

– Хочешь лучший салон, массажистку и косметичку на дом? Абонемент в лучший фитнес-центр?

Наташка от всего отказывалась – просто беда. Рестораны не выносила, магазины терпеть не могла, все, кроме книжных. Там зависала на несколько часов. А однажды и вовсе пресекла Маринины попытки – не старайся, ничего не выйдет. Буду жить как хочу, и не мешай мне быть счастливой.

Марина уже почти со всем смирилась, но помог случай, и замуж дочку она все же выдала. Все получилось совсем неожиданно. В Москву приехала из Чебоксар ее институтская подруга Любочка Светлова. Приехала не одна, а с сыном Мишей, скромным и стеснительным очкариком. Марина сразу смекнула и оставила Любочку у себя: «Что ты, какая гостиница, мы же подруги!» Хотя чужих людей в доме терпела с трудом. Но тут все грамотно рассчитала и в который раз не ошиблась – Наташка с Мишей в одночасье спелись. Она таскала Мишу по музеям, Марина покупала им билеты в лучшие театры. В общем, они оказались родственные души. Миша с Любочкой уехали, и дети начали переписываться.

– Можно же позвонить! – удивлялась Марина.

А Наташка продолжала строчить километровые послания. На зимние каникулы Миша приехал, и они решили пожениться. Любочка радовалась – так удачно пристроить сына! В Москву, в богатый дом, да еще и не к чужим людям. Но больше Любочки была счастлива Марина, не чаявшая уже вообще когда-либо выжить замуж свою странную девочку. От пышной свадьбы молодые отказались – Марина и Любочка нехотя смирились. Просто посидели дома, тихо, по-семейному, а на следующий день улетели во Францию – Маринин свадебный подарок. Дети вернулись, и Марина вручила им ключи от новой, отремонтированной и обставленной квартиры. Теперь Марина осталась одна. Баба Настя уже жила в деревне, в новом, построенном Мариной же большом рубленом доме с удобствами. Правда, теперь наладилась наезжать новая сватья, Любочка, тайно мечтавшая окончательно перебраться в столицу, и застревала надолго у молодых. Но Марина твердой рукой эти попытки быстро пресекла. Сиди в своих Чебоксарах и не рыпайся. Радуйся за сына.

Марина заезжала к детям раз в неделю, конечно, с полными сумками. Принюхивалась – живут вроде мирно, тихо, как мыши. Читают, смотрят телевизор, ходят в театры. А однажды Наташка ей сказала: «Хватит, мам, не помогай нам больше, теперь мы сами. Мишу это унижает». Так, приехали! Унизили их, стало быть! Ничего про эту жизнь не знают, а собрались сами. Смешно, ей-богу. Но выход придумала. Тиснула зятя Мишу в одну солидную инвестиционную компанию. Помог Герин приятель, который был ему сильно обязан. Исполнительный и скромный Миша быстро пошел в гору и очень скоро пообтесался, от бывшего провинциала не осталось и следа – хорошая стрижка, стильные очки, приличные костюмы, недешевая обувь, иномарка, правда, подаренная Мариной к пятилетию их с Наташкой свадьбы. А дочка оставалась все такой же – ни грамма косметики, короткие ногти без маникюра,

«хвост» на затылке, джинсы, ветровки, кроссовки. Марина начала волноваться, но, как тогда оказалось, напрасно: жили они по-прежнему тихо и мирно и к тому же родили ребенка, любимейшую внучку Машеньку. Машенька стала главной Марининой радостью и забавой. С двух лет девочка обожала наряжаться, в магазинах безошибочно тыкала пухлым пальчиком в лучшие туфельки, платьица и пальтишки. Тут уж Марина отрывалась по полной. Наташка, конечно же, этого не одобряла. С матерью спорила, возмущалась бездуховностью маленькой Машки, обращавшей внимание в музеях только на резные золоченые рамы и атрибуты прежней роскошной жизни – старинную мебель, изысканные туалеты и изящные украшения. Возмущалась, но ничего поделать ни с матерью, ни с дочерью не могла. Сама Наташка преподавала теперь в частной гимназии живопись и историю искусств. Слава богу – нашла себя и работу свою обожала. И вот сейчас вся эта такая, казалось бы, налаженная и благополучная жизнь была под реальной угрозой. Господи, все это так тщательно спланированное и выстроенное благополучие двух самых родных и любимых Мариной людей, дочки и внучки, просто грозило рухнуть в одночасье. Конечно, что говорить, в последнее время Марину часто посещали поганые мысли и холодной змеей заползал в душу липкий страх – на Мишу легко могут найтись желающие, или он вдруг посмотрит на жену другими глазами. Ведь сколько там, на работе, молодых, длинноногих, в свободном полете девиц! Но мысли эти черные она от себя отгоняла – да нет, все нормально. И потом, он так любит Машку! Хотя кому и когда дети были помехой...

Итак, Марина решила действовать. Для начала она вызвала к себе на разговор (очень личный – предупредила Марина) начальника службы безопасности своих магазинов. Это был человек из органов, полковник-отставник по имени Николай Фадеевич. Человек он был надежный и проверенный жизнью. Мишин телефон был поставлен на прослушку. А через два дня

Фадеич – так по-свойски называла его Марина – представил ей подробный отчет по блондинке. Зовут Катей, Мишина землячка из Чебоксар, вдова тридцати двух лет с трехлетним сыном Артемом. В Москве владеет собственным бизнесом – маленьким косметическим салоном в районе Октябрьского Поля. Бизнес идет так себе, ни шатко ни валко, но на кусок хлеба с маслом хватает. И на внедорожник «Toyota Rav-4», и на няню для ребенка, впрочем, тоже. Дорогой зять встречается с ней примерно раз в неделю. Иногда вечером или в обед в кафе, иногда заезжает за ней на работу и на пару часов поднимается к ней в квартиру – съемную, кстати. С собой обязательно прихватывает пирожные и игрушку для блондинкиного ребенка. Распечатки телефонных разговоров с блондинкой были, кстати, довольно безобидны – как дела, как здоровье, как ребенок. Никаких там «любимая», «малыш», «хочу» или «люблю». Но это Марина отнесла на счет Мишиной сдержанности. Теперь она его почти ненавидела. Почему «почти»? Ну, потому что, будучи человеком здравым и реальным, по-человечески понять его могла – не сорваться хотя бы раз и не сходить налево от ее буки Наташки было бы, в общем-то, странно. А ненавидела за все остальное – тут же припомнив ему и про «из грязи в князи», и про занюханные Чебоксары, и про теплое местечко на работе, и про квартиру, и про машину. В общем, гад, сволочь и предатель. Ответишь за все.

К дочери теперь заезжала почти ежедневно, хотя на работе уставала как собака. Тревожно и внимательно разглядывала ее – не замечает ли чего, не подозревает? Но Наташка была, как всегда, ровная, спокойная, сдержанная. Что-то пеняла строгим голосом капризной Машке, готовила ужин, гладила мужу сорочки. В общем, похоже, ни слухом ни духом, слава богу. «Бедная моя девочка! – страдала Марина. – Как она переживет все это, если вдруг... Страшно подумать!»

– А где твой муж? – интересовалась она.

– Работы много, задерживается, – отвечала дочь.

«Знаем мы эту работу», – кипела про себя Марина. Иногда сталкивалась с Мишей – наблюдала. Да нет, с виду вроде все нормально – чмокает жену, обнимается с дочкой, ужинает с удовольствием. Значит, там не ел. С одной стороны, хорошо, а с другой – чем занимался, если было не до еды? Видеть его было невыносимо. Марина выскакивала за дверь и долго сидела в машине – тряслись руки и бил озноб. А ночью она не спала – продумывала стратегию и тактику. Сначала надо загнать его в угол – чтоб в себя пришел и очухался. Это значило оставить его без работы и соответственно без хорошего заработка. А то оперился и расслабился, забыл, гад, кому и сколько должен.

Попросила Мишиного шефа, Юрия Андреевича, о встрече. Решила играть открыто, правда, нервничала будь здоров. Рассказала ему про зарвавшегося, наглого блядуна-зятя, которому она, Марина, собственно, сделала всю жизнь, а он, сволочь, не смог оценить и живет в свое удовольствие, не думая ни минуты ни о жене, ни о дочке.

– Что же ты от меня хочешь? – удивился Юрий Андреевич. Искренне так удивился. – Парткомов сейчас, если ты помнишь, нет, – напомнил он Марине.

– Я хочу, чтобы ты его съел. И выгнал с позором.

– На основании чего? – еще больше удивился Юрий Андреевич. – Он прекрасный работник, вполне приличный человек, с какой стати, Марина? И потом, хорошего топ-менеджера сейчас днем с огнем не найти, ты же знаешь, сама в бизнесе. И извини, но это твои внутрисемейные разборки, при чем тут я? У меня, знаешь, и так башка кипит. И вообще-то это не мой уровень – такими делами заниматься. Да и чего ты этим добьешься? Ну уволю я его, он на другую работу устроится – парень он толковый.

Марина молча курила, глядя в пол и покачиваясь в мягком вращающемся кресле. А потом подняла глаза и, глядя на Мишиного шефа в упор, медленно и тихо произнесла:

– Я помню, Юра, что Георгий оказал тебе однажды услугу. Серьезную, как я понимаю. И ты, наверное, об этом не забыл? – Она вздохнула и поломала в пепельнице окурок. – Так вот, не нужно вдаваться в подробности – это мое личное дело. А твое – исполнить мою просьбу. Не так много, верно? А дальше я сама разберусь. Не маленькая. – Сказав все это, она широко улыбнулась и откинулась в кресле. – Ну придумай, Юрочка! – заговорила она умильным голосом. – Ну подлог какой-то в документах, ошибку маленькую, но вполне достаточную для твоего большого разочарования в Михаиле Светлове. А хорошего менеджера я тебе доставлю в лучшем виде. От себя оторву, а к тебе приведу. Ничего не потеряешь. Ты мне веришь? – лучезарно улыбалась Марина.

Юрий Андреевич долго и молча разглядывал золотую паркеровскую ручку, а потом тяжело вздохнул и сказал:

– Ладно, Мариш, что-нибудь придумаю. – И добавил: – Поклон Георгию!

– Обя-за-тель-но! – по складам ответила Марина. А у двери обернулась: – Спасибо, Юрочка. Я твоя должница.

Юрий Андреевич молча махнул рукой.

Мишу уволили через десять дней. По статье «халатность». Причина – из его кабинета исчезли ну очень важные документы. Шеф объяснился с ним коротко:

– Теперь мне будет сложно вам доверять.

Пункт номер один был выполнен. Пусть попробует устроиться в приличную фирму со статьей о халатности! И кому он нужен без денег и положения! Следующим пунктом Марина взялась за блондинку. Сначала так, по мелочи, – налоговая, санэпидстанция, пожарный надзор. Трясли ее как грушу пару месяцев. Побледнела, похудела – тут не до любви. А потом и вовсе подкатили серьезные ребята и внятно объяснили, что заинтересованы в данном помещении, ну просто позарез нужны им эти шестьдесят квадратных метров у метро «Октябрьское Поле». Так что бизнес девочке придется продать. Ска-

жи спасибо, что сроку даем месяц. А будешь капризничать – уйдешь сегодня в чем была. С нами не спорят и не ссорятся. С нами вежливо соглашаются. Через месяц она подписала все документы. А еще через неделю снялась из квартиры и вместе с ребенком укатила к родителям в Чебоксары. Зализывать раны – перепуганная до смерти. Теперь при слове «бизнес» и «Москва» ее начинало трясти.

А вот зять Миша пребывал в глубокой депрессии. Ну никак он не мог понять, как из его личного сейфа исчезли те самые злополучные документы. Две недели он сидел молча, уставившись в одну точку, а потом сильно запил.

Ничего, думала Марина. Все по сценарию. Блондинка – в Чебоксарах, прибитая и раздавленная, будет знать, как чужих мужей уводить. Про себя она в этот момент не думала. Да и кто же себя возьмется судить? Мы – хорошие, мы – другие. Мы не со зла, просто так жизнь повернула. Зятьку тоже на пользу, пусть очухается без копейки в кармане. Это даже полезно, что его так тряхануло. А то память короткая, забыл, кому всем обязан. Ничего, оклемается и на работу пристроится. Зато будет знать свое место. Наташка, правда, ходила бледная, замученная, с воспаленными глазами, рассеянная больше обычного. «Переживает за этого гада! – думала Марина. – Не беда, все устаканится. И заживут они, как прежде, спокойно и счастливо. Тьфу-тьфу, не сглазить».

Стоял необычайно теплый октябрь, поехали на дачу – на последние шашлыки. Марина раскладывала на тарелке зелень и следила за Машкой – та возилась в песочнице. Миша жарил на мангале мясо. Наташка с книжкой лежала в гамаке. Вдруг она вскочила и бросилась к кустам у забора. Марина слетела по ступенькам за ней. Наташку выворачивало наизнанку.

«Залетела!» – поняла Марина.

Потом, когда дочь умылась, она уложила ее в комнате на тахту, прикрыла теплым пледом и принесла горячего чаю с лимоном.

«Вот и славно! – подумала Марина. – Теперь он точно никуда не денется, все-таки двое детей. Черт с ним, надо помочь этому дураку с работой, а то совсем присосется к бутылке и безделью».

– Будешь рожать? – ласково спросила у дочери Марина.

Наташка всхлипнула и кивнула.

– Вот и славно, вот и хорошо, – приговаривала Марина, гладя бледную дочь по голове.

– Нет, мам, нехорошо, – помолчав, тихо сказала Наташка.

– Да ладно, все утрясется, и Миша устроится, и будет в доме лад и покой, – убаюкивала дочь Марина.

– Нет, мам, не утрясется. Потому что все не так, мам. Все гораздо хуже. Ты даже себе представить не можешь, как все ужасно. – Наташка отвернулась к стене и горько заплакала.

Господи – у Марины остановилось сердце.

– Что ты, доченька, что же тут страшного? Ну, у всех бывает – поссорились-помирились, проблемы, трудности, со всем справимся. Мне-то ты веришь? – горячо шептала Марина.

– Ох, мама, что я наделала! – Наташка села на кровати и схватила Маринину руку. – Все не так, мам! Я влюбилась! Понимаешь? И от Миши я ухожу. И ребенок этот не от него, а от другого человека. Я дрянь, да, мам! Ох, какая же я дрянь!

– Ты что? С ума сошла, какого человека? – не поняла ошарашенная Марина. – А Миша знает? Что ты такое несешь, Наташка? – Марина не могла прийти в себя.

– Да, мам, я сошла с ума. По-другому и не скажешь. Я полюбила, мам, первый раз полюбила, понимаешь? А мне уже тридцать лет. И это так в первый раз, понимаешь? С Мишей у нас, ну, ты же знаешь, мы были как брат с сестрой, как родственники, что ли. А здесь все по-другому, я и не знала, что такое бывает. Может, я и гадина последняя, но поделать с собой, мам, я ничего не могу. – Наташка замолчала, и Марина почувствовала, какие у дочери ледяные руки.

– Ну и кто он? – спросила Марина.

– Его зовут Аркадий, он преподает историю в нашей гимназии. Мам, ну прости меня, пожалуйста!

– За что простить, господи, о чем ты, Наташа? – сказала Марина.

– Только мне Мишу очень жаль, мам, у него и так сейчас все хуже некуда. Такой жуткий период. А тут еще я. Но врать ему я больше не могла, понимаешь? В общем, я ему все рассказала. И про ребенка тоже. Вот такая я сволочь, мам.

«Боже мой! Моя тихушница Наташка! И такое выкинуть! Завела роман, залетела, а я все пропустила, ничего не заметила. Вот это поворот, господи. А сейчас она, бедная, мучается из-за этого ничтожества, слезы льет, с ума сходит. Господи, а нервничать ей сейчас никак нельзя».

– За Мишу переживаешь? – усмехнулась Марина. – А вот это зря. Твой дорогой Миша даром время не терял. Крутил за твоей спиной роман с блондинкой по имени Катя. А ты – ни сном ни духом. Так что совесть тебя пусть не мучает, дорогая! – оживилась Марина.

– С какой Катей? – спокойно уточнила Наташка. – С Катей Виленской, что ли?

– С ней, с ней, видно, еще с чебоксарских времен этот романчик тянулся. А ты откуда про нее знаешь? – спросила обалдевшая Марина.

– Господь с тобой, мам, какой там роман, что ты. Она была женой его школьного друга, Вадима. Он погиб три года назад, на машине разбился. Ну помнишь, Миша еще на похороны ездил? Вот он Катюхе и помогал, ну, поддерживал как мог. Она тогда еле выкарабкалась, не дай бог. Ребенок еще грудной был. Миша к ней заезжал, я мальчишке игрушки передавала. В общем, подбадривали ее, что ли. Жизнь у нее была очень непростая – бизнес еле шел, ребенок болел, в общем, билась она как могла, а тут еще на нее серьезно наехали, она за мальчишку испугалась и уехала к родителям. Какой роман, о чем ты, мам? Ладно, мам, ты иди, я хочу побыть одна, извини.

Шашлыки Марина не ела, а выпила залпом стакан водки и ушла к себе. Не выходила из комнаты почти сутки. А потом поднялась, встала под душ, накрасилась и приказала себе: ничего не вспоминать. Ну, ошибочка вышла. Осечка. С кем не бывает. Что искать себе оправдание? В конце концов, она билась за своего ребенка, а здесь, как известно, все способы хороши. Цель оправдывает средства. Ну, погорячилась, не разобралась – у нее тоже, извините, эмоции. Тоже живой человек. Так, надо все это просто из головы выкинуть и забыть, забыть, забыть. Теперь надо решать другие проблемы. Теперь новые заботы – что еще за птица этот Аркадий? Господи, там зарплата наверняка три рубля, и, может, еще и семья есть, дети. С этим всем надо разобраться, разобраться. Ведь он, между прочим, отец ее будущего внука. Про Мишу она больше не думала – интересовать он ее перестал. Жизнь в корне менялась, и надо было быстро ориентироваться в новых обстоятельствах. Если этот новый кандидат женат, значит, надо с этим что-то делать и устраивать новую Наташкину жизнь. В общем, переживать и каяться времени нет, да и какой со всего этого навар? Жизнь – борьба. И на это нужно очень много сил.

Наташка развелась с Мишей через два месяца – мирно, без скандалов. И Миша укатил на родину, в Чебоксары. Беременность дочь переносила тяжело и почти все время лежала. Ее возлюбленный, Аркадий, навещал ее два раза в неделю – он, конечно же, оказался женат и, судя по всему, хоть мучился, страдал и рефлексировал, но не очень торопился с разводом.

Видя его нерешительность, Марина собралась заявиться к его жене и расставить наконец все точки над і. Конечно, кошки на душе скребли, да и вообще как-то грубо и неэстетично, но было крайне мало времени на тонкие интриги – аврал на работе, растущий Наташкин живот, ее страдающие глаза.

Глубокий вдох – и Марина нажала на кнопку звонка. Дверь открыла очень маленькая женщина в блеклом сатиновом халате. «Хвост» на затылке, бледное лицо, сухие губы.

– Разрешите? – Марина вступила в крохотную прихожую, женщина растерянно кивнула, Марина прошла на кухню.

На кухне стояла старая мебель из семидесятых годов прошлого века – Марина вспомнила ее название: «Яблоневый цвет». На плите в сковородке лежали макароны. Марина присела на край табуретки. Женщина смотрела на нее испуганно и теребила тонкий серебряный крестик на шее. И Марина начала свой спич.

– Знаете, – как бы доброжелательно усмехнулась она, – жены обычно узнают все последними. Мне очень жаль, но все зашло так далеко, и, мне кажется, пора бы и вам быть в курсе.

Она сделала паузу и посмотрела собеседнице в глаза. Та еще ничего не понимала, но уже чуяла беду – глаза ее были полны страха.

– Ну, не буду тянуть. У вашего мужа серьезные отношения с другой женщиной. И даже более того – эта женщина ждет от него ребенка. Отпустите его! На черта он вам нужен при таком раскладе?

Женщина прислонилась к дверному косяку и побледнела. Она рванула тоненький шнурок, на котором висел крестик. И было слышно ее свистящее и шумное дыхание.

– Ну вот, – испугалась Марина. – Ну что вы так разнервничались? Обычная ситуация, рядовая. Это просто надо пережить. Может, вам воды или капель? – осведомилась она.

– Уйдите, – чуть слышно просипела женщина. – Умоляю, скорее уйдите.

Марина дернула плечом и быстрым шагом вышла за дверь.

Ничего! Переживет! От этого еще никто не умер. Жалко бабу, конечно, но дочь жалко больше. Вечером эта чахлая жена устроит скандал – и он будет свободен. Соберет вещички и окажется у Наташки. Что и требовалось доказать.

Аркадий и вправду оказался свободен на следующий день. Его жена, страдающая с детства бронхиальной астмой, умерла в тот же день – асфиксия и сердечная недостаточность вследствие сильнейшего стресса. Ей было тридцать четыре года.

Наташка приехала к Марине вечером следующего дня.

Не снимая куртки и сапог, не проходя в комнату, она кричала шепотом, с ненавистью и ужасом глядя на мать:

– Что ты наделала, что ты делаешь с людьми? Ты въезжаешь в чужие жизни и души на своем внедорожнике с шипованной резиной! Теперь я понимаю, что это ты устроила ад Кате и расправилась с Мишей. Только сейчас это дошло до меня, после того, как я узнала, что ты приходила к жене Аркадия.

– Господи! – закричала Марина. – Да все в этой жизни я делаю для тебя. Для тебя и для Машки. Для тебя! Чтобы ты не собирала чужие плевки в подъездах, как собирала я. Чтобы ты не знала, что такое суп из плавленого сырка и батон хлеба на четыре дня. Миша твой ничтожество – сложился пополам сразу. Таких жизнь быстро проверяет на излом. Там, в своих сраных Чебоксарах, небось с вдовицей не скучает. Будь спокойна – утешился. А этот твой доходяга бородатый в портках двадцатилетней давности тоже устроился – мотается из дома в дом, всех жалеет. Знаю я таких чувствительных. Всем жизнь испортит. И еще будет себя в грудь бить, что он приличный человек. Я сама всю жизнь одна, на заднем дворе. И тебе такого не пожелаю.

Обессиленная, Марина опустилась в кресло и закрыла глаза.

– Ты монстр, мама, ты чудовище. И самое страшное, что ты уверена в правоте своих действий и в своей непогрешимости. У меня нет ни сил, ни желания искать тебе оправдание. Ты смертоносное оружие, мама, ракета «земля – воздух». И меня больше нет в твоей жизни.

Жизнь не потеряла смысл, она просто закончилась.

Цепь, как известно, состоит из звеньев. Зло порождает зло. Несчастье – несчастья.

Через трое суток Маринину машину выловили из Москвыреки. Ночью, пробив чугунный, крашенный черной краской

парапет, она ушла на грязное дно – вместе с Мариной. Случайность? В ее жизни так мало было случайностей. Но как было на самом деле, уже не узнает никто.

Наташка позвонила Любочке, и они приехали на похороны вместе с Мишей. Особняком стоял поникший, моментально потерявший весь свой лоск Гера, Наташку держал под локоть Аркадий – светило ненадежное мартовское солнце, и было очень скользко.

Хоронили Марину в Прощеное воскресенье. Опять случайность? Просто так совпало. Хотя, наверное, прощение ей было нужнее всего. Хотя бы после жизни.

Испуг

Опять выехали с дачи поздно – и, как следствие, постоянно торчали в пробках. Полинка кусала губы от злости. Раздражало все. С начала и до конца. С самой первой и до самой последней минуты.

«Надо разводиться, – подумала Полинка. – Это не жизнь. Это мука. Я не девочка, все понимаю, все бывает. За десять лет так надоешь друг другу – хоть вой». Но у всех – то так, то этак. А у нее, у Полинки, плохо всегда. Это потому, что не любила. Никогда.

Замуж вышла – время подошло. Все подружки уже с колясками по двору мотаются, глаза мозолят. А она все порхает. Допорхалась до двадцати пяти. А тут – Павлик. Стройный, кудрявый, симпатичный. Умеет брюки гладить и картошку жарить. Где еще такого найдешь, когда тебе уже не семнадцать? Провожал до дома – не терся, не потел. На майские родители уехали на дачу – все и случилось. Ничего особенного, но не противно. Бывало и похуже. В августе сыграли свадьбу.

Мать Павлика всю свадьбу прорыдала – чуяла, видно, что жена из Полинки будет никакая. Жить стали у Павликовой бабки в двушке на Варшавке. Бабка была противная, вредная, Полинку невзлюбила и все стучала свекрови, что сноха ничего не готовит и не убирает. Не жена, а так, барахло. Так и говорила – барахло. От возмущения и обиды Полинка задохнулась, а потом, поостыв, подумала: а ведь бабка права. И решила не обращать на них внимания. На всю эту семейку. Включая Павлика.

А ему хоть бы хны. Вечером придет с работы, картошки нажарит, котлет накрутит: «Садись ужинать, Поль! Хочешь, щи сварю, а, Полинка?» А Полинке все равно. Вари, не вари... А потом сядет и на гитаре начнет бренчать. Весь вечер – «Солнышко мое». И смотрит на Полинку, улыбается. «Идиот. Это я-то солнышко? – злорадно усмехается Полинка. – Ну-ну!»

Через два года родила девочку. Павлик умолил назвать Полиной. Полинка говорила, что это бред, но ей было приятно. А Павлик радуется: хоть одна из Полинок будет его любить. Что ж, наверное, прав. Дочке и стирал, и гладил, и готовил, и гулял в выходные. Бренчал ей свои песенки, когда та плакала, – ничего, замолкала, слушала. В общем, была у них полная идиллия.

Бабка девочку полюбить не успела – померла. Образовалась целая отдельная двухкомнатная квартира. Павлик сам сделал ремонт. В спальне (а теперь у них была спальня) обои розовые с золотом – любимый Полинкин цвет, а в детской – ежики в охотничьих шапочках. Зачем им гостиная? Полинка гостей не любила – готовить, убирать, ну их.

Дочка получилась в Павлика – улыбчивая и кудрявая. Вот они и спелись. Они вместе, а Полинка так, сбоку вроде бы и ни при чем. Кто рожал? Обидно, да ладно. Сначала Полинка часто плакала – от всего: от обиды, от жалости к себе, о жизни, которая не удалась. Потом плакать надоело. Что изменится? Только выплачешь свои карие глаза, свою красоту – сколько ее осталось?

Павлик устроился на хорошую работу – двери обивать. Непрестижно, зато денег много. Приходил усталый, но все равно веселый и опять не жаловался.

А Полинка жаловалась – целый день стирала.

– А что машинка делала? – удивлялся Павлик.

– И борщ целый день варила.

– Так долго? – опять удивлялся Павлик.

– А соломкой все нарезать, а потушить? – распалялась Полинка.

Павлик вздыхал и соглашался:

– И вправду, Поль, тяжело.

Через год взяли домработницу на два раза в неделю – убрать, погладить. У Павлика совсем не было времени. Он теперь открыл свою фирму, дверную. Хозяином стал. Сначала – фирму, потом – магазин. Сначала – один, потом – второй. Потом поменяли квартиру – старый центр, четыре комнаты. Полинке-маленькой наняли няньку. Полинке-большой купили шубу из бобра и еще одну – из белой норки. Длинную и короткую. Съездили на Мадейру. Мадейра как Мадейра. Посмотришь – в жизни у Полинки все изменилось. Но никто не знает, что, в общем-то, не изменилось ничего. Все – как было. А она-то знала. И продолжала злиться на жизнь и на Павлика заодно.

Павлик закурил и открыл окно. Полинка поморщилась. Ветер был в ее сторону и относил на нее весь дым. Павлик выбросил сигарету. Потом начал напевать «Yesterday». Безукоризненно. У него был абсолютный слух. Полинку передернуло, и она включила радио. Громко. Павлик качнул головой и усмехнулся. Потом он резко затормозил, и не пристегнутая ремнем Полинка резко подалась вперед.

– Аккуратней нельзя? – прошипела она.

Павлик, извиняясь, показал на идущую впереди машину. Полинка отвернулась к окну, да так, что от угла поворота раз-

болелась шея. Но позы она не поменяла. Хотела от Павлика дистанцироваться.

– Слушай, Полька. – Она ненавидела, когда ее называли Полькой, особенно Павлик. – Слушай, а может, нам развестись, а? Ну сколько ты будешь еще мучиться? Ты же еще молодая, встретишь человека, будешь счастлива, а?

Полинка замерла. Говорил он все это так обыденно и спокойно, что ей стало не по себе. Но она не отвечала, ждала развития событий.

Павлик замолчал и через минуту опять стал напевать шлягер битлов. «Пробивает, – почему-то облегченно подумала Полинка. – Ваньку валяет, смелый какой, разведется он, как же».

Она крепко сжала губы и опять начала злиться, сама не понимая на что.

– Нет, правда, Поль, это же не жизнь, это мука. Мне тебя, ей-богу, жаль по-человечески, – мягко журчал Павлик, глядя перед собой на дорогу. – Да и потом, мне тоже несладко твои страдания видеть. И вообще, у меня есть человек, ну, женщина, в общем, и я ее люблю.

Полинка замерла – у нее перехватило дыхание.

В этот момент Павлик опять резко тормознул.

– Ну ездят же, гады! – ругнулся он.

Полинка качнулась вперед и дотронулась лбом до лобового стекла. Не больно. Или больно? Она не поняла. Но в первый раз в жизни у нее не вырвалось ни бранного, ни уничижительного слова в адрес мужа. Первый раз она смолчала. От испуга, что ли? Сама не поняла.

Родные люди

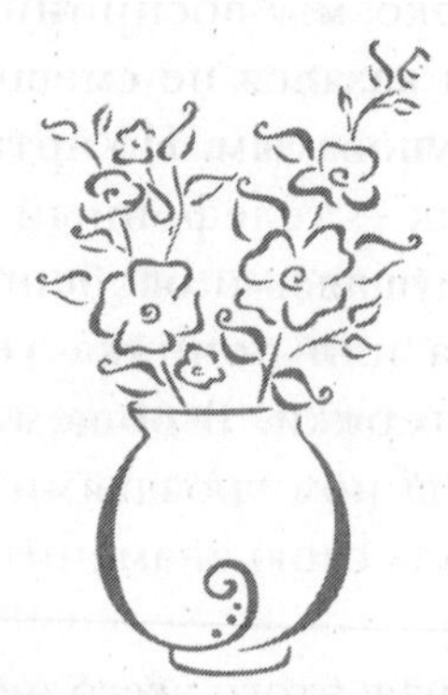

— Смотри, сколько я даю молока в фарш, — покрикивала на меня тетка. Я равнодушно кивала и, дожевывая абрикос, смотрела в окно. Тетка была высока, мощна, с крупными, хорошо развитыми икрами ног. Мой муж говорил, что она напоминает ему женский фрагмент композиции «Рабочий и колхозница». Все над ней подтрунивали. Тетка учила меня жить. В ее понимании это означало грамотно сварить настоящий украинский борщ с мозговой костью, зажарить баранью ногу, шпигованную чесноком, испечь пышные пироги и правильно сварить обязательно густое варенье. Без этих навыков она не воспринимала жизнь вообще и женщин в частности. Она действительно была удивительно талантливая кулинарка. Просто так оторваться от ее стряпни было невозможно. Только в изнеможении отвалиться.

Жила тетка в маленьком южном приморском городке, который все-таки слегка не дотягивал до статуса курорта. Была она замужем, но Бог детей не дал. И всю свою нежность и любовь она выплескивала на нас, тощих и бледнолицых москов-

ских и ленинградских племянников, в обязательном порядке приезжавших к ней на лето. Набираться сил.

Муж ее, дядя Миша, был мал ростом, тщедушен и бесконечно весел. Когда он открывал рот, предварительно оглядев «зал», мы с восторгом замирали, предвкушая его хохмы. Конечно, так ярко мы воспринимали его в детстве. В юности он уже нам казался не смешным, а провинциальным и даже слегка глуповатым. Но артист – это наверняка. Душой – артист, а так – телефонный мастер. Изменял он тетке нещадно, не смущаясь и особенно этого не скрывая. Очередная установка или починка телефона выливалась в страсти, слезы, истерики. В общем, жизнь бурлила. Бабы почему-то висли на нем гроздьями. Тетка отмахивалась и неизменно повторяла свою знаменитую фразу: «Не мыло, не измылится».

Я, юная и влюбленная, этого всего не одобряла. Мой молодой брак был безупречен и крепок. И по наивности мне казалось, что так будет всегда. Тетка замешивала дрожжевое тесто на вечерние ватрушки и покрикивала на меня:

– Учись, пока я жива. Иначе будешь не баба, а полное барахло.

– Слушай, – сказала я, – вот ты лучшая хозяйка в городе, добрый и приличный человек, так почему же твой ненаглядный Миша шляется, как шелудивый пес?

Я была конкретна и жестока. Молодость.

– Потому что идиот, – спокойно ответила тетка и прикрикнула: – Вбей в творог яйцо!

Я махнула рукой и проскользнула в спальню, где меня ждал нетерпеливый молодой муж. Проблемы пищеварения мне осточертели.

Однажды я спросила у мамы, как это Анюта терпит такое вот уже столько лет, непонятно.

– Ты многого не понимаешь. Он ее никогда не бросит, и потом... есть всякие нюансы, – уклончиво сказала мама.

Когда я, не успокоившись, стала пытать маму про эти самые «нюансы», она мне, бестолковой, объяснила, что тетка не могла иметь детей и чувствует свою вину за это всю жизнь. Поэтому позволяет Мише шляться, да и прожита жизнь – а это не шуточки. Люди уже почти родственники – не до страсти. *Родные люди*, понимаешь?

– Но не у всех же так? – с надеждой сказала я (имея в виду, что не до страсти). А про себя занервничала: у меня-то так не будет.

– И потом, – продолжала мама, – Мишу женили на Анюте, он был нищ, как церковная мышь, а она, в общем-то, старая дева. Всем вроде бы хорошо.

– Вот именно, вроде бы, – желчно согласилась я. Мне было очень жаль добрую и несчастную тетку, но ненавидеть Мишу тоже как-то не получалось. Все-таки ненависть – сильное чувство. А он был по-своему милый и родной. Катал меня в детстве на лодке к маяку и на балконе сушил в марле пойманных головастых бычков.

С нашим взрослением жизнь тетки только осложнилась. По вечерам мы бегали на танцульки и свидания, а потом обзавелись семьями и, как следствие, детьми. Но так же продолжали ездить к ней на лето. Правда, теперь мы созванивались и хоть как-то пытались координировать график наших приездов – ведь наши семьи очень разрослись. Непостижимо, как ее стандартная трехкомнатная квартира вмещала такое количество народу. Тетка с годами все больше тяжелела, а Миша, наоборот, становился еще меньше и суше. Но по-прежнему в юморе и, видимо, в сексе был неукротим.

Сначала я приезжала в любимый городок с первым мужем, потом – с ним же и с нашей маленькой дочкой, позже – со вторым мужем и с младшим сыном уже от второго брака. Нашей семье было у тетушки тесно, и мы снимали квартиру ближе к морю. Но обедать все равно шли к ней. Иначе – обида на всю жизнь.

Пока мое семейство мыло руки и смотрело телевизор, я помогала тетке дошинковать салат или разделать селедку. Она же меня пытала.

– Ну? – говорила она и пытливо смотрела на меня. – Ну развелась, опять выскочила. Что поменялось?

Ей очень хотелось понять суть этого процесса.

– Просто я разлюбила, а потом опять полюбила. – Я старалась конспективно изложить то, что терзало, мучило и рвало меня на части три года. Мой сумасшедший роман, бесконечный болезненный развод и новый брак по большой любви.

Ее не удовлетворило это объяснение. И, махнув рукой, она припечатала: все равно все одно и то же.

Интересно, подумала я, откуда ей-то это знать, с ее-то опытом?

– А потом опять разлюбишь? И опять полюбишь? – ехидно любопытствовала она.

– Нет! – Я рассмеялась. – У меня уже не хватит на это ни душевных, ни физических сил. Не волнуйся, – успокоила я ее.

– А мне-то что... – Тетка махнула рукой. И мы понесли в столовую пирожки с мясом, икру из синеньких, рыбу в томате. И это было только начало.

А потом случились большие перемены в стране. И в нашей жизни. И стало возможным то, о чем мы не могли даже помечтать.

У мужа успешно пошли дела, и мы изменили наши маршруты. Теперь мы отдыхали на Средиземном и Красном морях и даже на некоторых океанах. К тетке я не ездила несколько лет. Но она оставалась верна себе, и в августе, как «Отче наш», мы встречали на Курском вокзале неизменные тяжелые баулы – с грушами, золотистой, одуряюще пахнущей тюлькой, солеными бычками и неподъемными банками с маринованными помидорами. И с этим ничего нельзя было поделать. Когда моя мама кричала тетке в трубку, что этого делать не надо и что у нас все есть, тетка неизменно отвечала одно: «Я тебя умоляю». Дальше диалога не было.

Однажды позвонила мама и сказала, что у Миши завелся на стороне ребенок. У шестидесятипятилетнего идиота. Тетку он и вправду не бросил, а жил теперь на два дома. Мило, подумала я, набрала теткин номер и удивилась ее бодрому голосу.

– Гад, – сказала я, – вот гад. Такое на старости лет с тобой сотворить! – Я хотела было еще повозмущаться, но тетка меня перебила.

– О чем ты? – не поняла тетушка и умильно проворковала: – Такое счастье, у Миши родился ребенок, он уже и не мечтал. И такой чудесный мальчик!

Я обомлела.

– А ты что, его видела? – с ужасом спросила я.

– А как же? – гордо ответила тетка. – Миша с ним ко мне приходит по воскресеньям. И даже назвал его в честь моего отца, – гордо объявила моя чокнутая тетушка. – Они все приходят по воскресеньям, – повторила она. – Ну ты же знаешь мои воскресные обеды, – хвастливо напомнила она.

– Кто все? – пролепетала я.

– Как кто? Миша, мальчик и его мама, – объяснила тетка мне, бестолковой.

«Да, – оглушенно подумала я. – Мне это понять очень сложно. Просто почти невозможно. Но точно ясно одно: воистину *родные люди*».

Легкая жизнь

Отца мать прозевала из-за своего патологического для женщины нелюбопытства, ни разу не задержавшись после работы с бабами у подъезда. Бабы за это считали ее высокомерной и слегка недолюбливали, хотя и уважали. Мать работала старшей сестрой в районной поликлинике. И, конечно, в доме многие к ней обращались: выписать рецепт, померить давление, да просто пожаловаться на какую-то хворь, безусловно тайно ожидая совета. Мать была человеком строгим, даже сухим, но с чувством юмора и без занудства. Проходила как-то вечером мимо соседок на лавочке, кто-то ее окликнул: Лида, мол, посиди, переведи дух. Мать шла с работы и по дороге купила мяса и большого, еще живого сома – сумка была тяжелой, но это была все равно удача. Мать же не притормозила, а бросила:

– Не могу, семью надо ужином кормить.

Ехидная и зловредная Нинка Уварова прошипела вслед:

– Семью, а где она, семья-то?

Мать остановилась, резко развернувшись, и спросила Нинку:

– Ты о чем, Нина?

— Иди-иди, Лида, — засуетились бабы. — Кого ты слушаешь?

— Нет, Нина, погоди. Что ты имеешь в виду? — настаивала мать.

— Что имею? А то, что твой уже год к Ритке-балерине бегает. Вот что имею!

Мать побелела, а бабы смущенно зашушукались и отвели глаза. Никто информацию не опроверг. Мать медленно, пешком поднялась по лестнице и зашла в квартиру. Отец уже был дома.

— Это правда, Гоша? — спросила мать.

— Что правда? — растерялся отец.

— Про тебя и про Ритку?

Отец молчал.

— Собирай вещи, Гоша. Ужин отменяется. Я тебе помогу, — устало сказала мать.

Он кивнул. Вещи быстро собрали и сложили в клетчатый матерчатый чемодан — да и какие там вещи, а потом, ведь человек не на Северный полюс уезжает, а всего лишь на два этажа выше.

— Иди, Гоша, — кивнула мать. — Разговоров не будет, что тут обсуждать!

Мать вышла курить на кухню. Когда Ладька вернулся вечером со двора, мать все еще курила на кухне.

— А чего поесть, мам?

— Ну да, поесть, — повторила мать и тряхнула головой. — Открой банку шпрот, или ветчины, или еще чего там есть.

«Чего там есть» — это нижняя полка в комнате в буфете, куда складывались «дефициты», как говорила мать. Все, что удалось отхватить в очередях тех скудных лет, и еще заначки из продуктовых заказов. Все береглось на праздники и даты — дни рождения, Новый год, майские и октябрьские.

Ладька не поверил своему счастью и рванул в комнату, пока мать не передумает и не отварит вермишель или разжарит картошку в мундире.

Радость, наверное, какая-то, мелькнуло у Ладьки в голове. Он лихорадочно перебирал отложенные баночки. Либо бате

премию дали, либо вообще ордер на отдельную квартиру, хорошо бы в Черемушках, куда уже переехал закадычный дружок Толик Смирнов.

Ладька нахально выбрал большую банку колбасного фарша и еще венгерское лечо в томате. Мать по-прежнему стояла на кухне лицом к окну. Он торопливо сорвал с банок крышки и ложкой стал выковыривать бледно-розовый фарш.

– Хлеб возьми, – не оборачиваясь, бросила мать.

Когда первое чувство голода прошло, Ладька буркнул матери:

– Сама-то поешь.

Она махнула рукой:

– Иди спать.

Ладька икнул, довольный, и пошел к себе в комнату. Уже на пороге он крикнул:

– А что, праздник, мам, какой?

– Праздник, – кивнула мать. И, помолчав, добавила: – Твой отец от нас ушел. К Ритке на четвертый этаж. Вот и весь праздник.

– Ну и шутки у вас, боцман! – разозлился Ладька.

Заснул он быстро и легко, но почему-то ночью проснулся, тихонько подошел к смежной родительской комнате, аккуратно приоткрыл дверь и увидел сидевшую на кровати мать в белой и длинной ночнушке, с распущенными по плечам волосами. Отца рядом не было – и тут до Ладьки дошло, что все это самая настоящая и страшная правда. Он почему-то побоялся окликнуть мать, тихонько забрался к себе в кровать и начал кое-что припоминать. Как, например, на Восьмое марта отец, думая, что Ладька спит, спрятал маленькую бархатную красную коробочку под диванный валик – ночью Ладька валик приподнял и открыл коробочку: там лежало тоненькое золотое колечко с розовым камушком, похожим на леденец. Еще тогда Ладька засомневался, что колечко влезет на крупную материну руку, но за мать был рад, да и за отца тоже – что тот сообразил. Но на Восьмое марта отец подарил матери букет мимозы и зефир в шоколаде. А вот подарка в виде бархатной коробочки почему-то не было.

«Наверное, решил, что все равно матери мало будет, и отнес обратно в магазин», – промелькнуло тогда у Ладьки в голове. Промелькнуло – и тут же из этой головы и выветрилось. Еще вспомнилось, как отец мерил новую нейлоновую рубаху и галстук с переливом, а на галстуке – павлин какой-то. Мать усмехнулась тогда и покачала головой:

– Пошлость какая, совсем на старости лет чокнулся.

– Какая еще старость? – обиделся тогда отец.

А еще с зарплаты без материного спроса купил себе новые туфли, «Цебо» называются. Мать это тоже не одобрила и даже обиделась:

– Говорили же про зимние сапоги, а то ведь пятый год в старых хожу.

И еще отец стал поливаться одеколоном и стричься коротко, а чуб – подлиннее, как на фотографии у мужика в окне парикмахерской.

А вот мать – мать не менялась. Носила гладкий пучок на голове, а на затылок втыкала резную коричневую гребенку. Красила только губы – бледной, почти бесцветной помадой, а глаза и ногти – никогда. И одежду носила какую-то серую – серую юбку, серую кофту. А зимой – вообще дурацкий большущий мохнатый берет на голове. Ладька этот берет ненавидел. И даже стеснялся матери в этом берете. Просто совсем бабка какая-то. А ведь еще не старая, а очень даже молодая бывает. Особенно когда волосы распустит и смеется.

Припомнив эти мелкие подробности, Ладька понял, что все это похоже на самую страшную и противную правду. Тут он подумал, похолодев, что будет твориться во дворе от этой новости, и у него заболел живот. Ладька скривился и застонал. Вот стыдоба-то, мало того, что бросил их с матерью, да еще и в их же подъезде, просто на пару этажей выше поднялся.

Хотя, если быть честным, в душе Ладька отца понимал. По-мужски. Ритка-балерина была тайной мечтой всего двора. Всех мальчишек от десяти до двадцати лет. А про других Ладька просто не знал. Ритка-балерина жила одна в крохотной семиметровой комнате и работала в театре Станиславского, как говорили соседки, на задних ролях. Ясно, что не на передних, жила бы она в этой комнатухе! Не носила бы высокие лаковые вишневые сапоги с черными пуговицами с сентября по май. Была она тощая, слегка рыжеватая, с конопушками на маленьком красивом носу. И было что-то неуловимое, притягательное во всем ее непонятном и нездешнем облике. Шла она по двору, высоко перебирая своими «цапельными» ногами, и пушистые волосы, перехваченные яркой шелковой косынкой, развевались на ветру. И еще у Ритки были зеленые длинные глаза, которые, не скупясь, она подводила черным карандашом стрелками, к вискам.

Она не зазнавалась – даром что артистка. Всегда рассеянно кивала и бабкам у подъезда, и ребятам во дворе. Но вместо того, чтобы яростно не любить ее за неземную красоту, отрешенность и одиночество, почему-то все ее даже слегка жалели. Вот и отец пожалел, гад, подумал Ладька и заплакал.

Утром пили с матерью чай. Мать была бледная и с синевой под глазами.

– После школы в буфете поешь, на тебе рубль, и в кино сходи, если хочешь, а если отец зайдет, с ним ни о чем не говори, понял меня? – повысила голос она. Ладька молчал. – Он тебе отец, а остальное – мое с ним дело.

Ладька кивнул – мать всегда была главным авторитетом в Ладькиной жизни. После уроков вместо обеда Ладька взял в буфете три сосиски и коржик с орехами, а потом сгонял в кино на исторический фильм «Даки», который он смотрел уже раз шесть. Когда он пришел домой, дома был отец. Не поднимая глаз, он перебирал какие-то книжки, и на столе стояли его вещи – подстаканник и бритвенный прибор.

– Такие вот дела, сын, – вздохнул отец.

– Знаю, – бросил Ладька. Ему хотелось поскорее вырваться во двор.

– Не обижайся, сын, потом поймешь.

– Да ладно, дело ваше. – Ладька торопился на свободу.

– На вот тебе. – И отец протянул Ладьке три рубля – невиданное богатство. – Если что, заходи, я тут в семьдесят третьей, – рассеянно бормотал отец.

Ладька выскочил во двор. Стыдно было признаться, но он как-то не проиграл от этого дела. Отцу теперь будет не до уроков и дневников, а мать вообще про это забывает, и деньги подкидывают оба – жалеют, наверное, и чувствуют свою вину. И обеды мать перестала варить – надоели эти щи и макароны до смерти. И в кино среди недели пустили. «Да нет, ничего такого в этом нет, – подумал Ладька, гоняя по двору мяч. – Все даже совсем неплохо складывается».

Но щи и макароны с котлетами появились уже через три дня, а мать еще больше посуровела и взяла на работе еще полставки. Дома теперь ее почти не было.

Жизнь у Ладьки шла вроде бы и неплохая, вполне даже вольная и хорошая, пока однажды не увидел он, как через весь двор, наперерез, взявшись за руки, направляется Ритка-балерина, грациозно перебирая ногами в вишневых сапогах, смеясь и щурясь от весеннего солнца, а рядом – его отец в новых туфлях «Цебо», в расстегнутом по-молодежному плаще и сам какой-то незнакомый и молодой, даже на прежнего отца непохожий. Двор замер, и замерло Ладькино сердце, застучавшее где-то в горле. А они так и прошли, смеясь и взявшись за руки, и всем стало как-то немножко неловко, как будто все они, весь шумный двор, подсмотрели что-то, что им и не собирались показывать. Когда те двое зашли в подъезд, бабки зашушукались, оборачиваясь на Ладьку, а Ладька еле сдерживал рыдание в своем маленьком детском сердце.

– Айда к метро за мороженым! – крикнула умная Алька Соткина и дернула Ладьку за руку. Она спасла тогда Ладьку от позора – разреветься в голос перед всем двором.

У метро купили цитрусовое за девять копеек и пирожки с повидлом. Алька шепнула ему на ухо:

– Не обращай ни на кого внимания, – и мудро, по-женски, вздохнула. – Все пройдет, Ладька, не б...

Отец заходил редко и всегда старался, чтобы матери не было дома. А однажды позвал Ладьку к себе. Ладьке было, конечно, интересно, как у них там все, и, смущаясь, он поднялся к отцу в его новое жилище. Комната у Ритки была крохотная, но какая уютная!

Занавески зеленые с ромашками и такой же абажур – низкий, над маленьким круглым столиком. В углу комнаты стояла тахта, Ладька почему-то отвел от нее взгляд. Ритка-балерина приветливо кивнула и вышла в коридор. А потом зашла с подносом. На подносе стояли коричневые керамические чашки, желтые внутри. На блюдце лежали сыр с большими дырками и маленькие печенья, пахнувшие корицей.

– Давай, Владислав, пить кофе! Любишь кофе?

Голос у Ритки был низкий, хрипловатый. И называла она его не домашним именем – Ладька, а по-взрослому – Владислав. И кофе предлагала тоже по-взрослому.

– Георгий сказал, что ты кофе не пьешь, но не лимонад же идти тебе покупать, – тихо рассмеялась она.

Ладька не сразу понял, кто такой Георгий, потом дошло – отец. Отец был какой-то чудной, молодой, рот до ушей – чудик, ей-богу. Ладька даже хмыкнул от пренебрежения. Кофе Ладьке не понравился, горький. Вот мать дома пила вкусный и сладкий кофе из высокой жестяной баночки с надписью «Напиток “Летний”». А вот печенья с корицей были хрустящие и нежные, прямо распадались на языке. Выпив невкусный кофе (слава богу, хоть чашка маленькая), Ладька встал, сказал «спасибо» и «мне пора».

– Дела ждут? – насмешливо осведомилась Ритка-балерина. Ладька, смущаясь, кивнул.

– Заходи, сын, – как-то просяще сказал отец.

Ладька выскочил из квартиры с облегчением и твердо решил: ему там больше делать нечего. Во-первых, все что надо он увидел, ничего интересного, а во-вторых, и мать может на такие вот заходы обидеться. У них своя жизнь, у нас – своя. Вечером мать спросила:

– У отца был?

Откуда узнала? Ладька кивнул. Других вопросов мать не задала.

– Больше не пойду, – коротко бросил Ладька.

– Что, так не понравилось? – усмехнулась мать.

Ритку-балерину и отца вместе Ладька видел еще всего один раз. Шли они уже не держась за руки и почему-то уже не смеялись. Бабы на лавочке слегка поговорили, опять, мол, глаза мозолят, но уже как-то вяловато. Эта история постепенно потеряла свою актуальность. А мать – мать совсем замкнулась, здорово похудела, теперь юбки и пиджаки на ней болтались, Но почему-то она этому совсем не радовалась, а ведь раньше как мечтала похудеть! Зато курила еще больше и уже совсем не красила губы. Ладька смотрел на нее и тяжело вздыхал, думая о том, что вообще-то понимает отца, да и Ритка-балерина... Да что там говорить. Однажды у подъезда Ритка окликнула Ладьку с укором:

– Совсем к нам не заходишь.

Ладька пожал плечами.

– Пойдем, отца нет, он в командировке в Омске, я одна. Вот бублики купила и колбасы «Любительской», идем чай пить!

Ладька сглотнул слюну. Бублики с колбасой! Да еще с «Любительской»! Эх!

В маленькой комнате было все по-прежнему, только прибавился магнитофон «Комета» – несбыточная Ладькина мечта. Колбасу Ритка нарезала толстыми кусками, а бублики просто

разломила пополам. Кивнула – лопай, не стесняйся. Была она какая-то грустная и поникшая. «По бате, видать, скучает», – решил Ладька, наворачивая колбасу.

Ритка пожевала немножко и откинулась на диванную подушку. Потом сказала:

– Вот так-то, Владик, такие дела.

Что это значит, Ладька не понял, но на всякий случай жевать перестал. Ритка помолчала, затянувшись тонкой сигаретой с золотым ободком, а потом произнесла:

– Не понимает меня твой отец, Владик. – А потом еще раз по слогам: – Не по-ни-ма-ет.

Ладька замер, на откровения он как-то не рассчитывал.

– Ну не могу я сейчас рожать, понимаешь?

Ладька кивнул.

– Не могу, да, лет мне немало, не девочка, но впервые появился какой-то шанс, пусть крошечный, но шанс, понимаешь?

Ладька в волнении сглотнул слюну и опять послушно кивнул. Первый раз взрослый человек доверял ему свою, да еще какую важную, тайну!

– Вот такие дела, Владик. А он ничего слушать не хочет. Он не понимает, что я прежде всего артистка, а уж потом все остальное. А он не понимает, говорит, что ему дико все это слышать. – Ритка горько усмехнулась и помолчала. – Не понимаю, чего ему еще надо? Есть же у него один сын – ты, правда?

С этим нельзя было не согласиться. И Ладька опять, как болванчик, кивнул.

– Ладно, иди, – негостеприимно закончила Ритка. Она встала, всхлипнула и ладонью стерла потекшую тушь.

Через неделю отец зашел к ним с матерью. Принес вафельный торт и деньги в конверте, сел и замолчал.

– Чаю хочешь? – спросила мать. Он кивнул. Ладька тоже пристроился, выпил две чашки чаю с вафельным тортом, а потом ушел к себе – делать уроки.

Сначала родители молчали, а потом начали вполголоса говорить – сперва отец, долго, сбивчиво. Мать молчала. Потом заговорила мать. Ладька слышал обрывки ее фраз:

– А ты чего хотел? Так не бывает, любишь – терпи. – И еще что-то в этом роде.

Потом отец спросил:

– Ну скажи мне, что это за женщина, которая не хочет иметь детей?

– Женщины разные бывают, – уклончиво ответила мать.

А потом Ладька уснул.

Беда с отцом стряслась спустя полтора года, в Рязани, куда он поехал в командировку на опытный завод. «Уазик» врезался в столб – водителя занесло на скользкой после дождя дороге. Водитель и пассажир на переднем сиденье, главный инженер завода, погибли сразу. Отец выжил, но повредил позвоночный столб. Было еще много всего – да что говорить.

Привезли его в Рязанский военный госпиталь, там были лучшие специалисты – помог завод. Мать с Ладькой выехали в тот же день, как узнали о случившемся. Мать говорила с врачами, спорила, ругалась, но от нее не отмахивались. Ритка-балерина приехала через неделю – у нее были спектакли. Она громко, навзрыд, рыдала в коридоре больницы, причитала, подвывала – в общем, раздражала всех, а толку никакого. В палату к отцу заходить боялась, вцепившись побелевшими пальцами в халат врача. Мать ей сказала, поморщившись, жестко: «Лучше уезжай побыстрей». Ритка оказалась сговорчивой и уехала тем же днем.

Через месяц отца перевезли в Москву, в Бурденко, мать взяла отпуск и жила практически в больнице. Ладьке вечерами сухо докладывала: динамики нет! Ладька не понимал, что это, но точно чувствовал, что плохо.

Потом мать повеселела и сказала, что отец заговорил и заработала правая рука, и еще – что это очень и очень большие сдвиги. И слава богу, динамика уже положительная. От этой вот динамики, как понял Ладька, теперь и зависела дальнейшая отцова жизнь. Когда он пришел к отцу, то не сразу его узнал – отец был похож на сморщенного старичка. Но Ладьке обрадовался и долго его гладил по руке. Мать кормила его с ложки киселем.

Вечером, когда Ладька уже почти засыпал, клюя носом над «Графиней де Монсоро», он услышал в комнате матери приглушенный разговор. Вылезать из-под одеяла страшно не хотелось, но любопытство взяло верх, и Ладька тихонько подкрался и осторожно приоткрыл скрипучую дверь. В комнате за столом сидели мать в старом байковом халате и Ритка, тоже в халате, похожем на стеганое одеяло.

Ритка плакала, что-то доказывая, стучала длинным ногтем по столу. Мать отвечала ей резко и сурово, но все это почти шепотом. Разговор их был яростный и горячий, и обрывки фраз, что услышал сонный Ладька, не объяснили ему ничего. Правда, ему показалось, что Ритка просит у матери прощения и повторяет без конца одну и ту же фразу, что чего-то она не может сделать, и еще просит мать не губить ее молодую и несчастную жизнь.

Наконец их спор утих, и мать сказала, что она ставит одно условие: чтобы ее, Ритки, в их доме больше не было.

– Меняйся, съезжай, – говорила решительно она.

Из больницы отца перевезли к ним.

– Теперь мы будем с тобой в одной комнате, сын.

Бывшую Ладькину комнату оборудовали под отца – стул с дыркой посередине, кровать со съемной доской – чтобы ночью не упал, резиновые ремни, чтобы отец мог самостоятельно на этой кровати садиться, и еще маленькая шведская стенка – для лечебной физкультуры. Теперь мать приходила с работы и, выпив чаю, занималась с отцом: заставляла сжимать и разжимать резиновые мячики, делала отцу массаж, разводила черное вонючее мумие, настаивала травы в банках. Брила отца, мыла в старой желтой коммунальной ванне. Через год отец уже ходил потихонечку с палочкой по длинному коридору. Настроение у него улучшилось, теперь он подолгу курил с соседом Петровичем на кухне и нетерпеливо ждал с работы мать. Во время ужина отец старался сказать что-то остроумное, торопился неловко помогать матери убрать со стола и почему-то часто повторял ее имя – «Лида, Лида». И еще приезжали к отцу коллеги с завода, долго с ним о чем-то говорили. После их ухода отец был очень возбужден и даже плакал, приговаривая:

– Все-таки я там нужен, Лида, все еще нужен!

И уже совсем отец пошел на поправку, когда с завода домой ему стали привозить чертежи и он смог работать.

А в августе мать пришла с работы веселая, с цветами, и сказала, что с понедельника у нее отгулы и они с Ладькой поедут смотреть новую квартиру, которую ей выделил райздрав. Квартира была и вправду чудесная – две комнаты, кухня и свой, отдельный, туалет. На улице Ладька оживленно тараторил и спросил у матери, знает ли об этом отец. Вот, наверное, уж он-то обрадуется?

– Отец? – жестко усмехнулась мать. – А при чем тут твой отец? Здесь будем жить мы с тобой вдвоем.

– А отец? – еще раз растерянно и тупо повторил Ладька.

– Отец твой уже почти здоров, мы с тобой свое дело сделали, и теперь пусть уж он как-то сам. Теперь мы заживем каждый своей жизнью. Мы – своей, а он – своей.

– Мы его с собой не возьмем? – чего-то все-таки не понимал Ладька.

– А предателей с собой не берут, – спокойно и твердо сказала мать, и они с Ладькой спустились в метро.

Всю неделю, пока мать собирала их вещи, Ладька сквозь сон слышал разговоры родителей, вернее, бесконечные монологи отца.

Но ничего не изменилось, и Ладька с матерью уехали на Академическую. Кстати, Новые Черемушки и закадычный дру-

жок Толик Смирнов были совсем рядом, минут пятнадцать пешком.

Мать замуж больше не вышла, Ладька ездил к отцу примерно раз в месяц – ведь у него, у Ладьки, была теперь своя, полная впечатлений, новая жизнь. Отец так и жил бобылем, много работал, ходил на улицу с палочкой и сам научился себе варить первое и гладить рубашки.

Ладька женился рано, на первом курсе своего автодорожного. И свою юную, белокурую, уже беременную жену Зою привел к матери на Академическую. Там мать поднимала их с Зоей двойняшек – Мишку и Валюшку.

В середине девяностых уже не Ладька, а Владислав Георгиевич, человек солидный по возрасту и положению, начальник отдела логистики большой торговой компании, и его белокурая и верная жена Зоя отдыхали в Египте. Мать осталась дома с мальчишками. Владислав Георгиевич с удовольствием так бы и валялся на пляже и пил бы свое пиво, а потом уходил бы спать в прохладный номер до самого ужина, если бы не любознательная Зоя. Она обожала всяческие экскурсии и путешествия, и Владислав Георгиевич, конечно, нехотя ей поддавался. Выезжали из отеля рано, в семь утра, по дороге забирая туристов из других отелей. Ехали к известным пирамидам.

– Быть в Египте и не видеть это чудо! – восторженно восклицала Зоя.

Наверное, она была права. Владислав Георгиевич в автобусе задремал, но вскоре проснулся, и ему показалось, что слышит он чей-то отдаленно знакомый хрипловатый голос. Он обернулся и увидел сильно пожилую и очень худую, ярко накрашенную даму в белых брюках и открытой белой рубашке. Дама сидела в компании молодых людей и, видимо, рассказывала что-то остроумное и увлекательное, так как периодически раздавались взрывы хохота. Потом он услышал, как молодой человек обращается к даме Марго. И тут окончательно узнал ее. Владислав Георгиевич напрягся и услышал квинт-

эссенцию ее повествования и то, что и определяло ее саму, и, видимо, всю ее жизнь, и все его воспоминания и впечатления от встреч с этой женщиной в его далеком детстве. Марго кокетливо наставляла молодежь, что никто никому ничего в этой жизни не должен, и еще что-то о своем благодатном одиночестве и отсутствии долгов – человеческих, разумеется. И что-то о том, что главное, главное – это понять и не переусердствовать, так как жизнь, в общем-то, легкая и приятная штука, если уметь к ней правильно относиться. Потом он вспомнил, как эта женщина прошла однажды по жизни их семьи, походя и невзначай, оставив за собой, собственно, руины, и еще подумал, что своим установкам она, видимо, действительно не изменяла всю жизнь. А потом ему все это стало неинтересно, и он опять заснул, мечтая о том, чтобы путь к пирамидам был неблизкий.

Ошибка молодости

Он приходил каждую неделю. Как часы — в девятнадцать пятнадцать. Видимо, после работы. Садился на скамейку у третьего подъезда и доставал пачку сигарет. И так — в любое время года. Если температура на улице зашкаливала за двадцать мороза, иногда забегал в подъезд — погреться. Клал руки на батарею и притоптывал ногами.

Жильцы, проходящие мимо или гуляющие во дворе, только поначалу смотрели на него с подозрением и опаской. А потом и вовсе перестали замечать — привыкли.

Так он проводил время до определенного момента — момента, когда во двор входила пара, мать и сын. Завидев их, подозрительный незнакомец вздрагивал и отступал назад. Когда эта пара входила во двор и направлялась к третьему подъезду, он нервно затягивался сигаретой, бросал окурок в урну и делал шаг вперед. Навстречу.

И тут натыкался на взгляд женщины — жесткий, колючий, раздраженный. Почти ненавидящий.

Впрочем, не почти. А даже откровенно, яростно ненавидящий. Такой, от которого хочется скрыться, испариться, исчезнуть моментально и необратимо. Словно тебя никогда и не было на этой земле.

Он резко отступал назад, несколько шагов, еще пару. Прижимался к стене дома, почти съеживался, опуская руки и голову.

Исчезнуть, исчезнуть. Раствориться в пространстве. Чтобы никогда – никогда – не наткнуться на этот взгляд. Потому что невозможно, немыслимо его выдержать. Потому что бесчеловечно и жестоко – так.

Хотя что там говорить – заслужил. А раз заслужил – так и получи!

Медленно, трясущимися руками он раскуривал очередную сигарету и, шаркая ногами, словно старик, двигался прочь. Со двора. Прочь!

– Никогда больше! – бормотал он. – Никогда! Хватит унижений, хватит боли! В конце концов... У меня своя жизнь. Ну уж какая есть. Не приду. Больше не приду. Идиотская затея.

Но он знал, что через несколько дней придет сюда снова.

Мать и сын шли всегда неспешно, всегда под руку. Шли и оживленно разговаривали. Иногда было видно, что они горячо спорят. Тогда они останавливались, сын размахивал руками, а мать смеялась и, поправляя на мальчике шапку, обязательно чмокала его в нос, после чего смеялись уже оба.

Были они удивительно похожи: курносые, сероглазые, темнобровые. Оба в очках – очевидно, близорукие.

Мать всегда встречала сына у школы. Завидев ее, мальчик радостно махал рукой и торопился как мог. Она всегда успевала выкрикнуть:

– Не спеши! Не беги! – И лицо ее при этом искажалось гримасой беспокойства.

А он все равно торопился. И пытался бежать – как мог. Получалось плоховато – мальчик сильно хромал. Портфель он держал в правой руке – левая безжизненно висела вдоль угловатого подросткового тела.

Мать делала шаг навстречу, мальчик, поставив портфель, обнимал ее здоровой, левой, рукой. Они обменивались последними школьными новостями и не спеша отправлялись домой.

Частенько их можно было видеть в кондитерской. Мать садилась за стол, а сын шел к прилавку. Там он заказывал кофе для матери, чай для себя и пару пирожных – шоколадный эклер и безе.

Они смаковали все это баловство с явным и неспешным удовольствием и с таким же явным и неспешным удовольствием продолжали общаться.

Иногда, перекусив, направлялись в кино. Или в сквер – если была приятная погода. Там, сев на скамейку, они доставали книжки и очень сосредоточенно читали, тоже с явным интересом и удовольствием. В это время мать и сын не общались – молчали, не мешая друг другу. Чтение – вещь интимная.

Молодые мамаши, караулящие в школьном дворе своих первоклашек, разглядывали эту пару с интересом и завистью. Однажды рискнули все же обратиться к женщине, послав представителя – самую бойкую и общительную.

Та извинилась и задала маме мальчика один вопрос:

– Как вот сделать так, чтобы... Короче говоря, чтобы сын любил родителей, уважал, относился к ним бережливо и трепетно, как ваш мальчик.

Мать сначала рассмеялась, потом растерялась, залилась румянцем и в смущении развела руками:

– Да бог его знает! – А потом, сдвинув густые красивые темные брови, медленно и задумчиво произнесла: – Ну... Любить, наверно...

Интервьюерша удивилась – ответ ее явно не удовлетворил, она даже разочаровалась.

– Ну, любить... А кто же не любит своих детей?

– Ой, правда! – Женщина опять густо зарумянилась, снова крепко призадумалась и, наконец, произнесла: – Вот уважать, наверно, еще надо. Никогда не отмахиваться. Всегда находить на ребенка время. Даже если ты очень занята – готовка там или уборка. Ведь ребенок важнее, верно?

Молодая мамаша кивнула.

– Да, – уверенно повторила мать мальчика. – Ребенок важнее всего! Думаю, так. Впрочем, какой из меня советчик и педагог? По образованию-то я химик-технолог! И опыта у меня никакого! Сын первый и единственный! Все – по наитию, все от сердца! Смелей – и оно не обманет!

Потом женщина увидела в толпе подростков своего мальчика и, привстав на цыпочки, помахала ему рукой.

Собеседница ее больше не интересовала.

В воскресенье мать и сын выходили на прогулку с высоким седовласым мужчиной, отцом семейства. В середине – мать и жена, любимая маленькая женщина, по бокам – сын и муж. Они оживленно беседовали, и взрослые чуть замедляли шаг, стараясь попасть в такт шагов мальчика.

Возвращались они с пакетами и сумками из магазина и с рынка. Частенько обедали в соседнем ресторанчике, объявив, что сегодня у любимой мамы выходной.

Переехали они в наш двор не так давно, каких-нибудь пять или шесть лет назад.

С бабушками на скамейках, местными дворовыми «авторитетами», женщина не общалась, только вежливо, с улыбкой здоровалась. Но дворовые всезнайки знали, что зовут ее Люба, хроменького сына – Сережа, а глава семьи – Евгений Андреевич. Все. Больше никакой информации, что, естественно, огорчало и не удовлетворяло в полной мере любопытство завсегдатаев двора.

Относились к этой семье с уважением – мать-то какая! Всю жизнь больному дитю посвятила! А папаша! Ни разу пьяным не явился. Ну ни разу! Только с пакетами и рысачит каждый вечер. Да еще и цветы прихватит или торт. Приличная семья, ничего не скажешь! Вот захочешь – и не скажешь. Потому что нечего. Только жалко – такая семья, а мальчишка больной. Не повезло людям, не повезло! А когда приличным людям везло?

Когда Люба ловила на себе жалостливый или участливый взгляд, ей становилось смешно. Наивные глупцы! Ее ли, счастливейшую из женщин, надо жалеть? Вот как им рассказать, что она счастливее их всех, вместе взятых? Ведь не поверят! Она относилась к ним снисходительно – с высоты своего счастья, своей удачи – и улыбалась открыто и задорно.

Потому что счастливому человеку улыбнуться несложно.

* * *

Николаев не хотел себе признаваться – даже сейчас, спустя много лет, – что не хотел этого ребенка. Ни этого, ни какого другого. Какой ребенок? Они с женой студенты, живут в квартире его родителей. Мать относится к молодой снохе не очень, честно говоря.

– Люба твоя – блаженная! Всю жизнь проходит в розовых очках! На все – с улыбкой и со смешком. Ну не дурочка ли? Все ей в радость, все нипочем. Точно – дурочка. Глазки нараспах.

Он буркал:

– А что, это плохо?

Мать отвечала с тяжелым вздохом:

– Да, сынок. Плохо. Жизнь – штука серьезная, и к ней надо относиться с почтением. Тогда и она тебе тем же ответит.

А если к ней, как к подружке, беспечно, так она потом по морде настучит, не сомневайся!

Женился Николаев на втором курсе. Рано, конечно. Только влюбился и – море по колено. И на все сложности наплевать. Если бы он знал тогда, что тогдашние трудности – смех, пыль, ерунда по сравнению с тем, что еще предстоит. И на что он, как всегда, по привычке, по свойству натуры и характера, решит «наплевать».

Всю беременность Люба ходила с улыбкой. Трогала веточки пушистой вербы – радовалась. Букету полевых колокольчиков – радовалась. Пломбир в стаканчике – тоже счастье. Всё – счастье: синичка с желтой грудкой, котенок соседский, бродячий лохматый пес. Яблоко – какое сладкое! Сыр – боже, до чего пикантный! Хлеб – такой теплый! А дождь? Какой потрясающий дождь! А до чего приятно пахнет асфальт после дождя! Комедия какая чудесная! А книга – просто гениальная! Все талантливо, все замечательно! И люди вокруг – одни прекрасные и одухотворенные лица!

– Ты дура? – говорил он. – Не видишь алкашей, слякоти, очередей? Обмана? Пустословия, ехидства, зависти? Разбитой мостовой, хамства окружающих? Лицемерия знакомых? Ничего не видишь?

Она пугалась и мотала головой. Правильно говорит мать – дура. Блаженная. И как с нею жить?

Женщина должна быть такой, как его мать, например: собранной, жесткой, объективной. Без всяких там – пуси-муси. А как выжить иначе? Мать всегда впереди, всегда главный советчик и поддержка. Женщина должна вести дом, рассчитывать бюджет – кому туфли, кому пальто, сколько на отпуск отложить и на черный день.

А эта? Увидела кофточку и схватила. Потом еще одну. Сколько можно? Потом плакала – прости, так захотелось, просто до слез!

Вот и поплачь, поплачь! Поизвиняйся. Вместо того чтобы на коляску, например, отложить. Или на манеж. Стыдно? То-то!

Мать сетовала:

– О чем ты, Люба, думаешь? Вот где у тебя голова?

Та совсем расстроилась, даже жалко стало. А потом – дура есть дура! – пошла эту несчастную кофточку к галантерее продавать. Стоит, дрожит как осиновый лист. Милиционера увидела – и со всех ног. В ее-то положении! Еще одно подтверждение – дура!

На дороге упала, спасибо что не под машину. Головой ударилась и спиной.

Мать сказала:

– Тебе только башкой ударяться! Все равно опилки внутри. – И отнесла назавтра кофту эту чертову на работу. Конечно, продала. Еще и на пятерку дороже!

Не то что эта... «Несклепа» – правильно мать ее называет. Зайчик солнечный на стене. Поверни зеркальце – и нет.

Дурак. Зачем торопился? Гормоны, правильно сказала мать. Повелся на поводу своих желаний, вот теперь и расплачивайся за ошибку молодости. А тут еще ребенок!

Если бы Николаев знал тогда, если бы мог предположить, что она, эта девочка, тоненькая, светлоглазая, курносая, окажется сильнее всех женщин на земле!

* * *

Роды были до срока. Ранние и тяжелые. Осложненные роды. Воды отошли, схватки дикие, а ребенок все не шел. Тянули щипцами. Вытянули. А он не плачет. Молчит. Зато мамаша кричит:

– Почему он молчит, почему?

Истерика, понятное дело. Откачивали долго. Акушерка глянула на часы и посмотрела на врача. Тот насупил брови и бросил:

– Еще!

Закричал! Точнее – пискнул. Недоношенные не кричат, пищат, как мышата. Ну и слава богу! Вытащили. А что потом?.. Хорошего мало, конечно. Акушерка опытная, все видит. Да и педиатр хмурится – хилый ребеночек, дохленький. Не жилец, по всему видно.

Ладно, не их дело. Их совесть чиста. А там – как судьба распорядится. На них греха нет.

А мамаша уже смеется:

– Сыночек мой! Звездочка! Солнышко мое ясное!

Охохошеньки! Грехи наши тяжкие. И за что ей, такой молодой? Впрочем, хорошо, что молодая. Еще родит. Если бог даст.

Кормить малыша не приносили. Говорили, так слаб, что сосать грудь не сможет. Лежит в камере с подогревом, под колпаком. И кормят его внутривенно. А она заливалась молоком. Не женщина – молокозавод. Сцеживать грудь было невыносимо больно. Она плакала и кусала до крови губы. Ее молоком кормили троих малышей.

Вечером, держась за стену, на дрожащих от слабости ногах Люба брела к реанимации. Если дежурила сестра Нина, она тащилась обратно. Нина была злая и вредная, а Надя, Надюша, тихонько кивала и впускала Любу в палату. «На одну минуту», – предупреждала строго.

Люба заходила в палату и смотрела на сына: крошечный, беднющий, вздрагивающие ножки-прутики. На сморщенном личике гримаса боли. Пяточки темно-синие от уколов. Весь в проводах, в пластыре. «На аппарате» – Надюшины слова.

Она шептала:

– Сыночек! Не подведи! Борись, мой миленький! Только не сдавайся! Сейчас все зависит от тебя! А дальше – мы вместе! Я буду с тобой! И я обещаю. Обещаю – слышишь? Все будет нормально! И даже – замечательно! Ты же мне веришь? И я тебе! Держись, мой любимый! Я знаю, как тебе тяжело!

Надюша заглядывала в палату и шипела:

– Все. Свиданка закончилась.

Она готова была целовать этой Надюше руки.

И опять по стеночке ползла в палату. Падала без сил, не чувствуя боли в груди и внизу живота, и, счастливо улыбаясь, засыпала. Знала – все будет хорошо. Верила в то, что сыночек ее не подведет. Выкарабкается.

По-другому не может быть никак.

* * *

Педиатр, молодая красивая женщина с туго затянутым блестящим пучком на затылке, вышла в холл для беседы с родственниками. Эту обязательную часть работы она не любила больше всего, потому что приходилось часто говорить о неприятном. А неприятности она просто не выносила. Да и родственники попадались разные, в том числе очень нервные: начинали истерить и хватать ее за руки, пытались сунуть в карман открахмаленного до голубизны халата деньги. Еще не хватало! В деньгах она не нуждалась – полковничья жена. И в подарках тоже.

Но эти – эти были вполне вменяемы. Высокая, ухоженная, строгая женщина (свекровь, понятно) и совсем молодой, просто юный, растерянный папаша. С такой тоской в глазах! Даже жалко стало бедолагу.

А правду сказать все равно пришлось, несмотря на сочувствие. Все по букве закона и врачебному кодексу.

– Да, ребенок недоношенный, слабый. Лежит в кювезе на искусственной вентиляции легких, а это далеко не плюс! Никак не можем раздышать. Ну а посему – возможны всякие последствия. Предугадать какие – трудно.

Высокая женщина задавала четкие вопросы. Не рыдала и не сморкалась. Все по делу, грамотно. Общаться с ней было приятно, если может быть приятно в такой ситуации. Пришлось даже сказать главную правду, хотя произнести ее непросто:

– Да, лучше бы... Уж вы меня извините, но, я вижу, вы женщина выдержанная и разумная. Простите, бога ради, я, конечно, не должна этого говорить, однако... Из чистой человеческой симпатии и уважения, так сказать. Они такие молодые. Будут еще дети. Не сомневайтесь. А здесь... Всем мука. Всем – и ребенку, и родителям. Последним в особенности. Я-то знаю, во что превратится их жизнь. Так что советую подумать. Настоятельно советую, от всей души.

Высокая женщина свела брови и кивнула:

– Вы правы, безусловно. И спасибо вам за правду. Огромное!

Молодой папаша вздрогнул и вжал голову в плечи. Мать бросила на него строгий, даже суровый взгляд.

Педиаторша вздохнула и пошла к следующим страждущим. Свою миссию она посчитала выполненной.

* * *

Люба лежала на узкой жесткой больничной койке и смотрела в потолок – грязно-серый, в желтых подсохших разводах. «Безрадостный такой потолок, безнадежный», – подумала она.

Да что там потолок! Жизнь оказалась куда безрадостнее и безнадежнее. Вбить бы в этот потолок прочный металлический крюк и оборвать одним махом свою жизнь. Просто взять и закрыть эту тему. Раз и навсегда. И не будет больше слез и страхов. Не будет тоскливых, сверлящих голову мыслей: «А что же дальше? Как вообще со всем этим жить?»

Она не спала уже четвертую ночь. Встать с кровати совсем не было сил, а тут еще это бесконечное, словно река, текущее из груди молоко. Молоко, которое не нужно ее ребенку! Не пригодилось вот. Обильное, жирное, пахнущее чем-то сладким.

Боже, какой кошмарный запах – молока, больницы, пригорелой каши и ее страха!

Соседки по палате кряхтели, стонали, жаловались, обменивались впечатлениями, но они жили, им приносили на кормление младенцев! Женщины, не замечая Любу – счастье эгоистично, – сюсюкали с малышами, теребили их за щечки, нюхали жидкий пух на крошечных головках, разглядывали пальчики на руках.

Они кривили от боли лица, когда младенцы, жадно вцепившись в грудь, прихватывали перламутровыми деснами потрескавшиеся соски. Постанывали от боли, закрывали глаза, но... Люба видела, как они счастливы! Нет, не видела: конечно, она не могла на это смотреть – отворачивалась к серой стене и зажмуривалась. Она не видела – чувствовала, какая благость разливается по палате, как замирает, останавливается, а потом звенит, словно хрустальный, воздух. И счастье, огромное, точно пышное и мягкое розовое облако, накрывает этих бледных, измученных молодых женщин и их малюток, сосредоточенно и важно исполняющих свое главное на сегодняшний день дело.

Николаев к окну палаты не подходил. Все подходили и кричали: «Таня, Олька, Светик!»

Тани, Ольки и Светики вскакивали с кроватей и, наспех пригладив ладонями волосы и запахнув сиротские казенные халаты, бросались к окнам.

Иногда подносили к окнам малышей.

А Люба опять смотрела на серую стену, до боли сжимала глаза, губы и затыкала пальцами уши.

Муж написал ей записку. Одну-единственную: «Поправляйся, ешь фрукты, набирайся сил».

Вместе с запиской нянечка принесла пять яблок, пастилу и апельсиновый сок.

Соседка по палате покрутила пальцем у виска:

– Дурак твой! Какие цитрусы? Разве кормящим можно? – Потом вспомнила: – А, да ты у нас не кормящая...

Молоко у Любы перегорело накануне. «Все, – сказала она себе. – Я больше не молочная ферма, и слава богу, если уж я своего не кормлю».

Медсестра перевязала ей грудь. Туго, больно, но стало легче. К вечеру поднялась температура под сорок. Люба стряхнула градусник и ничего медсестре не сказала. «Сдохну – и славно! Как будет хорошо!»

А ночью начался бред и судороги. Соседки вызвали дежурного, и ее перевели в отдельный бокс.

Через пару дней принесли записку от свекрови. Та высказывала Любе сочувствие и делилась своими переживаниями – за нее. О ребенке там не было ни единого слова.

Люба сползла с постели и вышла в коридор. Голова закружилась, она только успела выкрикнуть:

– Помогите!

Врач Инна Ивановна сидела на краю кровати и гладила ее по руке.

– Нет, мальчик жив. Про то, что здоров, говорить не будем. Физически чуть окреп, самую малость. Да, в кювезе, но аппарат отключили – раздышался, слава богу. А ты, – она сдвинула брови, – должна держаться! Слышишь? Другого выхода просто нет. Кто, если не ты? Мужики, они знаешь, девочка... За себя-то частенько не отвечают! А тут за больного ребенка! На мужа не рассчитывай. Струсит. Молодой, трясется, как заяц, аж пот по лицу льется. А свекровь твоя... – Врач помолчала. – На нее не надейся. Не нужны ей ни ты, ни дитя. Так она мне и заявила. Поэтому спасешь его ты и только ты, поняла? Ты, как я знаю, сирота? Детдомовская?

Люба кивнула.

– Тетка есть в Казани, сестра отца. Но она и меня-то не взяла, когда родители погибли. Так, навещала в интернате иногда. Овсяное печенье и леденцы привозила.

Инна Ивановна стояла у окна и молчала.

Потом повернулась и спросила:

– Что делать-то будем, девочка?

– Жить, – тихо ответила Люба.

Инна Ивановна улыбнулась:

– Вот теперь я вижу: у тебя будет все хорошо. – Она кашлянула и смущенно бросила: – Пойду покурю. Страшное дело – зависимость.

* * *

Она вышла из роддома через месяц – одна, без сына: мальчика перевезли в больницу еще на три месяца.

С мужем они не разговаривали. Совсем. Он прятал глаза и старался убежать из дома. Свекровь, придя с работы, однажды жестко бросила:

– А суп не могла сварить? Или хотя бы картошки? Все работают, между прочим. Все делом заняты! Кроме тебя! Валяешься целый день с опухшей мордой и себя жалеешь! А лучше бы мужа своего пожалела! Уж он-то с тобой влип по уши! С тобой и с твоим... – она замолчала, бросила в мойку чашку. Та с жалобным звуком звякнула и разлетелась на мелкие осколки.

– Моим? – переспросила Люба. – А к вам он отношения не имеет? Ваш собственный внук?

– Внук? – свекровь рассмеялась мелким, дробным смехом. – Нет, милая! Он мне не внук! В нашей семье никогда уродов и инвалидов не было!

– Были! И есть, – ответила Люба. – Вы и ваш сын, к примеру.

Свекровь резко развернулась и хлестко ударила ее по лицу.

Мальчик все время спал. Плакал так тихо, что казалось, под шкафом пищит мышонок. Ел по капельке, отворачивался от бутылки и жалобно морщил нос. Даже пустышку не мог удержать. Она подкладывала под щечку свернутую пеленку. Тонюсенькие, как прутики, ручки. Словно две палочки, бледные ножки. А вот волосики были густые, светлые, заворачивались в запятую на затылке. И глаза удивляли – серые, огромные, с темными и длинными ресницами.

Приходила медсестра, делала массаж.

* * *

– Какой хорошенький мальчик! – умилялась она. – Чудо, а не ребенок! И спокойный какой! А сил, мамаша, наберет! И тельце нагуляет! Не сомневайтесь даже! Я таких деток видела! Не приведи господи. А ведь родители их вытаскивали. С того света, за шкирку. Любовь, мамаша, главное! Любовь! А с ней-то и черт не страшен!

Люба кивала, утирая ладонью слезы. И в этот момент верила. Абсолютно верила словам этой простой и бесхитростной женщины – все будет хорошо!

Потому что главное – любовь! А уж этого у нее в избытке!

* * *

Спустя почти два года после рождения Сережи Люба вспомнила разговор с Инной Ивановной, обещание жить, которое тогда ей дала. Но жить с каждым днем становилось все невыносимее, у нее больше не было сил находиться в атмосфере постоянной ненависти и лжи. И она позвонила Инне Ивановне, нашла ее в отделении, сама не понимая, что творит, ведь, по сути, какое дело немолодому и малознакомому человеку до ее горя.

Инна Ивановна вспомнила Любу и даже назвала по имени, а потом, затянувшись сигаретой, сказала, что через два часа за ней заедет.

– На сборы – всего два часа, поняла? – строго повторила она и положила трубку.

Люба, словно соскочив с раскаленной сковородки, заметалась по комнате, бросая в старый чемодан свои и детские вещи.

Мужа не было дома. Свекровь пила кофе на кухне.

Услышав возню у двери, она вышла в коридор и удивленно приподняла узкую накрашенную бровь:

– Далеко ли?

– Далеко, – коротко бросила невестка. – Так далеко, что, надеюсь, больше никогда не увидимся.

Свекровь, кивнув, усмехнулась:

– Счастливого пути!

Бросив вещи в коляску и подхватив на руки сына, Люба вышла на лестничную клетку и нажала кнопку лифта.

Дверь квартиры с громким стуком закрылась.

Инна Ивановна стояла у такси и, разумеется, курила. Увидев Любу, выходящую из подъезда, бросила окурок и подскочила к ней. Взяла сверток с мальчиком, откинула край одеяльца.

– Ну! – протянула она. – Ты же просто красавец, малый! Прямо Аполлон Бельведерский! Или Вячеслав Тихонов – тоже неплохо!

Люба плакала и смеялась.

Жила Инна Ивановна в двушке на окраине Москвы, почти у самой Окружной дороги.

– Хоромы не богаты, – вздохнула она, открывая простую, довольно обшарпанную деревянную дверь.

Провела Любу в маленькую комнату и сказала:

– Теперь это ваши апартаменты. Располагайтесь. А я пока с ужином чего-нибудь покумекаю. Знаешь, Любаша, хозяйка из меня... Раньше мама готовила, пока жива была. А теперь... Для себя одной готовить-то не будешь. Неохота. Так и гоняю чаи с утра до вечера. С хлебом и маслом. Иногда украшаю стол сыром или колбаской. Такие вот дела.

Люба положила сына на кровать и огляделась. Желтые обои в мелкий цветочек, выгоревшие и отклеенные по углам. Узкая тахта, письменный стол, двухстворчатый древний шкаф с мутным зеркалом и старый торшер с дряхлым абажуром.

Было понятно, что ремонт здесь не делали сто лет.

И еще было понятно, что это – ее дом. Ее и Сережи. Их первый в жизни дом.

* * *

Сидеть на шее Инны Ивановны было невозможно. Невыносимо просто. А что делать? Хорошо еще, что она взялась делать Сереже массаж – уже экономия на массажистке. На все остальное едва хватало, даже при их скромнейших запросах. Люба взялась за готовку. И это тоже облегчило положение. Из одной синюшной, вырванной в тяжелых битвах курицы ей удавалось сварить и первое, и второе и растянуть это на три-четыре дня. Придя с работы, Инна Ивановна кричала из коридора:

– Любаша, а первое у нас есть? Так хочется горячего супчика!

Люба ставила на плиту кастрюлю. Едок из Инны Ивановны был самый что ни на есть благодарный. Ела, закатив глаза от удовольствия, и постанывала. Ее худое морщинистое лицо порозовело и округлилось.

– Скоро в юбку не влезу! – вздыхала она. – А юбка-то всего одна!

Люба купила плотной серой ткани и сшила юбку. Обновка пришлась впору. Инна Ивановна прослезилась:

– После смерти мамы никто обо мне так не заботился!

– А вы обо мне? О нас с Сережей? – теперь расплакалась и Люба. В общем, развели сырость на пару.

А с Сережей все было непросто. Правда, вес он понемногу стал набирать, произносил какие-то невнятные слова и даже

передвигался по комнате в ходунках. Еще с удовольствием слушал книжки, любил гулять и засыпал под колыбельную, спетую хриплым, прокуренным голосом любимой «Ии». Так он называл их благодетельницу. И еще помогали – нет, просто спасали – Иннины связи. Нашлись и опытнейший педиатр, и невролог, и логопед, и инструктор по лечебной гимнастике. Кто-то брал небольшие деньги, а кто-то консультировал за так, бескорыстно, из уважения к коллеге. В общем, вытягивали Сережу всем миром.

Любе было трудно. Очень. Особенно когда она видела здоровых, крепких детишек Сережиного возраста, активно копошившихся в песочнице и на качелях. Детки уже вовсю лепетали, строили песочные замки и куличики, ловили мячи и устраивали между собой шумные разборки. А ее сын только-только пытался ходить – несмело и неловко, крепко вцепившись в материну руку.

Врачи советовали море – надолго, минимум на три месяца. Солнце, песок и вода должны были сотворить чудеса. Грязевой курорт, лечебные ванны.

А денег на море не было, хоть плачь, вой, кричи, умоляй или молись.

Не говоря ничего Инне Ивановне, она решила позвонить бывшему мужу. Ох, как не хотелось! Так не хотелось, что от одной этой мысли начинало тошнить и кружилась голова.

И все-таки она решила: «Наплевать! Здоровье Сережи важнее моих амбиций, страха, унижения – всего».

Она позвонила из телефона-автомата. Никак не могла проглотить ком, застрявший в горле. На лбу выступила испарина, похолодели и задрожали руки.

Трубку взяла бывшая свекровь.

– А, это ты! – разочарованно произнесла она. – Ну! И что ты от нас хочешь?

Люба что-то бессвязно залопотала.

Свекровь ее резко остановила:

– Что? Деньги? Какие деньги? На море? В санаторий? Ты что, спятила, матушка моя? Откуда у нас деньги? Я все время на больничных – по состоянию здоровья. Не без твоего, кстати, участия. – Она повысила голос. – А Петр с тобой развелся. Официально. Развели – тебя-то найти возможности не представилось! Сбежала, как вор с места преступления. Некрасиво. Ни «до свидания», ни «спасибо». Не объяснили тебе, что за добро нужно людей благодарить! Где уж там, в приюте... Там научат! Как прописку московскую получить и инвалида выродить. А еще приличным людям жизнь испортить.

Люба молчала. Было так страшно, так мерзко и горько, до желудочных спазмов, что она не смогла произнести ни слова в ответ этой гадине. Этому животному. Этому ходячему кошмару и чудовищу.

– Да! – выкрикнула свекровь. – И не смей сюда больше звонить! У Пети своя жизнь. Слава богу, без тебя и твоего... Он женился! Удачно, слава богу! У него прекрасные жена и ребенок. Замечательный мальчик. К тому же – абсолютно здоровый! И про алименты забудь – мы еще докажем, что ребенок не от Петра! У нас в роду дебилов не было! Это тебя родители выбросили на помойку! Вот там инвалидов и ищи!

– Бога поминаете... – прошептала Люба.

Свекровь рассмеялась:

– Это я так, к слову! Какой бог, помилуй! Я всю жизнь в райкоме партии проработала!

Люба вышла из телефонной будки и опустилась на скамейку. Страшнее, унизительнее и мучительней минут в ее жизни не было. Ни в детском доме, ни после рождения сына. Никогда. «И больше не будет!» – решила она. Протерла горящее лицо горстью снега и медленно, пошатываясь, пошла к подъезду. У подъезда от резкой, горячей боли в животе ее скрутило пополам и вывернуло наизнанку. А к вечеру поднялась температура – высокая, под сорок.

Инна пришла с работы и заметалась – ни красного горла, ни ломоты, ни кашля, а крутит девку, как в аду на чертовом колесе.

Напоила теплым молоком и дала аспирин. К утру Люба была здорова. Только двигалась по стенке еле-еле – от слабости. А к вечеру, сама не ожидая, рассказала все Инне Ивановне.

Та слушала молча. Ничего не комментировала. Дослушав до конца, вздохнула и подняла на Любу глаза.

– Все, забыли. Нет таких людей в нашей жизни. И ничего от них нам не надо, даже алиментов паршивых. Сами Сережку вытянем, слышишь? Сами! Мы теперь – семья. И друг за дружку... – Она резко встала, отвернулась к окну и закурила. – Чайку-то попьем? Как всегда, на ночь? У нас еще вроде вафельный тортик в холодильнике завалялся?

– Завалялся, – улыбнулась Люба и поставила на плиту чайник.

* * *

А на море поехали! Всем чертям назло! Инна Ивановна отнесла в ломбард свою единственную драгоценность: золотые часики с браслетом, доставшиеся от папы.

Купили путевку и – вперед! Сережа увидит море! Да и Люба заодно. Первый раз в жизни, кстати!

После санатория – два месяца, два полных срока – Сережа здорово окреп. Почти бегал, подволакивая левую ножку. А вот с рукой было по-прежнему плохо – не мог держать ни ложку, ни карандаш. Спасибо, что левая.

Осенью получили путевку в специальный садик – для деток с ограниченными возможностями. Ее выбила Инна. Писала во все инстанции и по ним же пару месяцев моталась без продыху. В садик устроилась и Люба – нянечкой. Стало полегче. В четыре года Сережа знал все буквы и пытался сложить слова. Мог часами слушать пластинки со сказками. Замирал, когда по «Маяку» передавали классическую музыку. Вытягивался в струнку и застывал. В школу он пошел семи с половиной лет. Умел читать и писать – буквы аккуратные, четкие, ровные. «Не пропись, а загляденье», – говорила учительница.

Люба заливалась краской и была счастлива так... Как никогда в жизни.

В восемь лет Сережа вполне прилично играл в шахматы – Иннина школа. А дальше – шахматный кружок. И там он опять впереди!

* * *

Мать проедала плешь:

– Надо жениться, Петр. Надо.

– Для чего? – вяло отбрехивался Николаев. – Один раз попробовал.

Жениться, разумеется, не хотелось. Вот совсем. Иногда мучила совесть, случалось такое. И тогда появлялись мысли найти Любу. Нет, ребенка видеть не хотелось. Да и не помнил он его совсем – так, какой-то кусочек плоти, мелкий, красный, пищащий. Что там можно было полюбить? К чему прикипеть? Бред какой-то.

Нет, мать, разумеется, несет чушь – определенно. В том, что это его ребенок, он ни минуты не сомневался. Люба и измены? Уж ее-то он знал хорошо. Но это еще больше огорчало Петра – то, что ребенок его. Значит, и он неполноценный, ведь в мальчике течет его кровь! Да, мать, конечно, права. С ними надо было расставаться. Другого выхода не было. Жить с этим кошмаром, с этим чувством вины? Смотреть, как его ребенок отличается от других, здоровых, красивых... нормальных?! Катать мальчика в инвалидном кресле? Вытирать слюни на подбородке? Кормить с ложки жидкой кашей? Менять обделанные штаны? Короче говоря, перечеркнуть всю свою жизнь? Одним махом?! Забыть про все: про приятелей, поездки в разные города? А на море? В театры? Куда ж с инвалидной коляской, господи?

Все помыслы, планы... все деньги, наконец, принести в жертву этому ребенку?! Да что там планы и деньги... Всю жизнь! Которая, между прочим, дается, как известно, человеку один раз!

И надо прожить ее так, чтобы не было обидно за бесцельно прожитые годы. Кажется, так у классика?

* * *

Женя появился в их жизни, когда Сереже было почти девять. Ленинградец, сын Инниной школьной подруги. Перевелся в Москву в Генштаб, до этого прослужив много лет в Забайкалье.

Первый брак развалился через полгода после приезда семьи в гарнизон. Не выдержав первых серьезных испытаний, ничего не объяснив и даже не оставив записки, молодая жена упорхнула к родителям. А может быть, просто не любила? Или не успела полюбить? И такое случается. Брошенный муж – позор на весь городок – ее не осуждал. Тихая, изнеженная и избалованная ленинградская девочка, мамина и папина любимая дочка.

Уехала и уехала. Счастливого пути! И тут хороводами заходили потенциальные невесты: продавщицы, медсестры, парикмахерши и официантки из офицерской столовой. Такие круги наматывали, что от их напора он здорово сдрейфил. Но подоспел перевод в столицу. Вовремя, надо сказать, иначе он, кадровый офицер, молодой, крепкий, сильный духом мужчина, такого напора не выдержал бы.

Дали комнату в общежитии. Обещали квартиру – намекнули: как окольцуешься, так сразу.

Он рассмеялся:

– Не дождетесь! В ближайшие планы это точно не входит!

Надо еще от того предательства отойти. Обида была – чего скрывать! Живой ведь человек! К тому же мать ему написала: «Видела твою бывшую с новым мужем, беременную».

Бог с ней! Пусть будет здорова и счастлива. Вот зла он ей точно не желал.

К любимой Иннуле заглянул сразу, как устроился. За чаем долго болтали, вспоминали смешные случаи из его детства. Вернее, вспоминала Иннуля, а он краснел и смущался. Очень. Потому что рядом хлопотала прелестная молодая курносая и сероглазая женщина с прекрасным именем Люба. Любовь. Какое чудесное слово!

А возле нее крутился и тоже был явно смущен такой же сероглазый и курносый маленький человек по имени Сережа.

Поженились они через три месяца. Хотя предложение Женя ей сделал через две недели после знакомства. Потому что наконец понял, что такое настоящая любовь.

* * *

Светуля – именно так, а не иначе – оказалась коллегой матери. Точнее – секретаршей райкомовского секретаря, босса, или «папы», как называли его за глаза. Светуля пришла на день рождения маман. С тортом собственного изготовления и букетом белых гвоздик.

– Как невесте! – зарделась маман.

Светуля накрывала на стол, протирала хрустальные бокалы и расставляла в вазах цветы.

У маман был юбилей. Гостей пришло много, самое почетное место (кресло – не стул) досталось «папе». Он был громогласен, велеречив и внушителен. Много и шумно ел и, не дожидаясь тостов, частил с «беленькой». Впрочем, любил и речи – с усилием выпрастывался из кресла, стучал ножом по фужеру, призывая соблюсти тишину, и утомительно долго, путая падежи и не сдерживая отрыжку, пел осанну юбилярше, скромно потупившей глазки в тарелку. Не забывал и о «боевой подруге», своей секретарше Светульке.

Та глазки не тупила. Только ручкой махала:

– Да ладно вам, Василь Семеныч! Чего уж там. Работа такая!

На кухне мать спросила Николаева:

– Ну, как тебе Светулька?

– Кто? – переспросил он.

– Кретин ты, Петя, – ответила маман и бросилась в ванную на шум падающего тела.

Василь Семеныч к тому времени был уже определенно «телом». Сразу вызвали личного «папиного» шофера Костика, который благополучно это «тело» и откантовал: сначала в черную служебную «Волгу», а потом – домой, в объятия горячо любящей супруги Антонины Палны, женщины крепкого сибирского здоровья.

Вместе и переложили «тело» на широкую полированную румынскую кровать. «Уконропупили», по выражению Антонины Палны. А потом супружница «папы» накормила Костика огненным малиновым борщом. С мозговой косточкой.

Добрая женщина.

* * *

Светулька отправила маман «отдыхать» и принялась намывать посуду. Потом взялась за полы.

Следующим этапом – по плану – был он, Петюшка. Звучало панибратски, прямо скажем. Николаев недовольно дернулся.

Светулька, не отрывая от Петра взгляда, тщательно вытерла руки кухонным полотенцем и взялась за него. В прямом и переносном смысле.

Николаев задохнулся от ее крепких рук и кислого привкуса вина на губах и почему-то подумал, что пропал. Теперь не вырваться.

* * *

Стеснять Инну Ивановну не хотелось. Да и как разместиться всем в ее крошечной квартирке? Но и уйти так сразу было невозможно. Люба видела, как Иннуля за нее рада, даже не рада – счастлива! Но также она замечала, как Инна замирает у окна, громко вздыхает по ночам и явно не спит, как застывает ее взгляд и сколько в нем тоски из-за снова надвигающегося одиночества.

Решили так: Люба и Сережа остаются пока у Иннули – до получения новой квартиры. Женя приезжает к ним на выходные, или Люба к нему в общежитие – на этом настаивала мудрая Иннуля. Сережка по-прежнему ходит в свою школу. А дальше... дальше все ясно: квартиру обещают трехкомнатную. Женя не верит, говорит, вряд ли. Но все равно, невзирая на количество комнат, Иннуля, конечно, переезжает с ними. Без вариантов.

Люба приезжала к мужу в субботу утром, и они шли гулять по Москве. Любе хотелось в музеи – Женя смеялся, что после Питера столичные экспозиции его вряд ли удивят. Они просто бродили по улицам. Как всякий питерец, Женя любил покритиковать столицу. Люба обижалась и спорила, словно сама была столичная штучка. И все же определились с любимыми местами – Замоскворечье, конечно, Арбат.

Бродили часами. Женя читал ей стихи, и каждый раз она смотрела на него с восторгом. Потом пили кофе в кафе, обязательно с мороженым. Вот здесь он не спорил, признавал: московское мороженое вне конкуренции. Ночевали в общежитии, а наутро ехали к Сереже и Иннуле.

Сережа висел на подоконнике и не отрываясь смотрел в окно. Иннуля безуспешно – увы! – пыталась приготовить немудреный обед. Сережа бросался к Любе и Жене одновременно, широко расставив руки, пытаясь обнять, обхватить обоих. Люба даже немного ревновала. Иннуля, заметив это, покрутила пальцем у виска и вздохнула:

– Да, не ожидала. Держала тебя за умную.

Люба, видя неумелую, подгоревшую Иннулину стряпню, вставала к плите и принималась за готовку.

А потом семья – семья! – садилась обедать. С разговорами, обсуждением дальнейших планов на жизнь, с долгим чаепитием. И опять – с разговорами.

Квартиру Жене дали через полтора года – двухкомнатную, как и предполагалось. Смотреть поехали все вместе. Люба ходила по пустым, гулким комнатам и молчала. В горле стоял комок. Женя с Иннулей обсуждали будущий ремонт и покупку кухонного гарнитура.

Люба открыла окно и задохнулась от свежего порыва весеннего ветра и слез. Женя, подойдя сзади, обнял ее за плечи.

Ремонт делали сами, помогали Женины друзья. А мебель достала Иннулина бывшая пациентка, не без Иннулиной помощи разрешившаяся два года назад крупной двойней мужеского пола.

А вот переезжать в новую квартиру Инна Ивановна категорически отказалась. Резко пресекла все уговоры.

– У меня есть квартира, где прошла вся моя жизнь, где жили и умерли мои старики. Здесь мне уютно и привычно, я сама себе хозяйка. А вот в гости приезжать буду, не сомневайтесь! Потому что жить без вас уже не смогу! – твердо сказала она и вытерла набежавшую слезу.

* * *

Свою беременность – анализ «на мышку» – Светуля предъявила через месяц после первого, полупьяного, соития. Причем сначала она поделилась этой радостью с потенциальной свекровью.

Та присвистнула и улыбнулась:

– Молодец, Светуля! Ловко поддела моего дурачка!

Теперь улыбнулась и Светуля.

– Ладно, не радуйся! – продолжала «свекровь». – Ты еще ребеночка здорового роди! А уж потом тебе медаль и всяческая моя поддержка, не сомневайся! Но! – Она свела брови и бросила на Светулю грозный взгляд. – Про сигареты и коньячок забудь! И про подружек своих шальных тоже! Знаю я вас! С этого дня – фрукты, овощи и трехчасовые прогулки!

За этим я послежу! Будешь хорошей женой – поддержку тебе гарантирую во всех, так сказать, смыслах. А начнешь дурить... Вышибу вмиг! Ни ребенка не увидишь, ни света белого. – Она села на стул и устало прикрыла глаза. – Ребенок мне нужен здоровый! Ясно тебе?

Светуля с готовностью кивнула.

– А то была тут одна... Сирота детдомовская. Без роду, без племени. – «Свекровь» поморщилась. – Родила мне урода... Все ясно?

Светуля испуганно сморгнула и снова кивнула. И еще поняла, что здорово влипла. Крепко так, капитально. И вряд ли получится что-то исправить. Например, сбегать в очередной раз в абортарий.

Теперь ее точно не выпустят. Попалась птичка.

* * *

Жизнь была прекрасна! Господи, какая же чудесная настала жизнь! Люба днями хлопотала на кухне – пекла пироги, замысловатые торты, мудрила над экзотическими салатами. Только чтобы порадовать своих любимых мужичков, как она их называла. Как она украшала квартиру! Свою первую в жизни квартиру! Окна мыла раз в неделю, занавески стирала раз в две. А уж пыль и полы! Каждый день, а то и не по разу. Собирала букеты – везде цветы, в комнатах и на кухне. Зимой – веточки сосны, весной – вербы или багульника. Вязала кашпо из макраме. Вышивала на полотенцах имена: Женюра, Серенький, Люба.

Муж приходил с работы и, поев, садился заниматься с Сережей. Играли в шахматы – Женя говорил, что Сережка гений. Смотрели футбол или хоккей. Шумно болели за любимые команды. Спорили, остроумничали, делились впечатлениями.

Люба суетилась на кухне и иногда заглядывала в комнату. А потом садилась на кухонный табурет и шептала:

– Мамочки мои! И за что мне все это? За какие заслуги?

Сережа учился прекрасно. Успевал и по точным наукам, и по гуманитарным. В шахматном кружке его считали самым перспективным, самым способным. Интересовался искусством – живописью и классической музыкой. Последнее – влияние Жени. Люба взяла абонемент в Пушкинский на лекции по живописи. Женя покупал билеты в зал Чайковского.

Летом, в июне, на белые ночи, обязательно ездили в Питер. Женина мама, Лариса Петровна, принимала гостеприимно. В своей комнате размещалась с Сережей, а крошечную гостиную отдавала «молодым».

Сережа, по понятным причинам, ходить пешком долго не мог. По окрестностям Питера их возил на собственных «Жигулях» Женин двоюродный брат Антон. Ездили в Кронштадт, Павловск, Репино. За городом жарили шашлыки, и Антон пел под гитару бардовские песни.

Ходили и по гостям – у Жени была куча друзей: одноклассники, одногруппники, приятели по спортивной секции и по двору. Люба видела – ее муж, ее любимый Женька, всегда впереди, всегда на первых ролях. Остряк и весельчак, добряга и умница. В общем, есть чем гордиться.

Сережу всегда брали с собой – и в гости, и в театры. Люба видела, что сын устает, переносить такие нагрузки ему все же сложновато. Но муж успокаивал, объяснял, что мальчик не должен себя чувствовать инвалидом, слабым и ущербным. И она понимала: Женя абсолютно прав.

Однажды спросила о том, что ее постоянно мучило: о ребенке, их с Женей общем малыше. Сказала, что все понимает и готова родить.

Муж долго молчал, а потом ответил:

– Вот Сережку поднимем, и тогда... Тогда будет видно! С двумя ты не справишься. Сейчас главное – Сережа. Его надо развивать, с ним надо заниматься. Парень ведь необыкновенный! – горячо добавил Женя. – Столько в мальчишке талантов! Я просто теряюсь, в какую сторону его направлять.

Люба хлюпнула носом и тихо сказала:

– Спасибо тебе. За Сережу и вообще... за все. Но я же понимаю, что тебе хочется своего!

Женя сел на кровати и, посмотрев на жену, удивленно покачал головой:

– Дурында ты, Любашка! А он мне что, не свой? И спасибо еще...

В общем, с маленьким решили пока подождать. И, честно говоря, Люба облегченно вздохнула. Эгоизм, конечно, но... Только она знала, как за все эти годы она устала и чего все это ей стоило! Только одна она. А другим знать и не надо. Тем более – близким и любимым! Зачем им расстраиваться?

* * *

Светуля с маман готовились к свадьбе. Денег маман не жалела. Платье от Зайцева, туфли только итальянские. Норковый палантин, бриллианты на пальцы и в уши.

Разумеется, ресторан. «Прага», не меньше. «Чайка» для разъездов по городу. Маршрут известный – Ленинские горы, Могила Неизвестного Солдата, Красная площадь и Мавзолей.

Допоздна сидели со Светулей на кухне и обсуждали. Светуля ни с чем не спорила, со всем соглашалась. А если и пыталась слабенько возразить, маман бросала гневный взгляд и строго говорила:

– В советах твоих не нуждаюсь. Рановато тебе мне советовать!

Светуля краснела и замолкала. А Николаев, женишок, так сказать, видел, какой белой злобой наливались ее глаза. У него сводило зубы от всей этой суеты. И от Светули тоже. Однажды в порыве злобы, не выдержав, бросил маман, что от всего этого предприятия его тошнит и корежит.

Та ответила:

– Пойди поблюй. И морду перекошенную поставь на место! Ты позора моего хочешь? Чтобы она по всей Москве понесла, что сын Николаевой ее обесчестил и с пузом оставил? А она понесет, не сомневайся! И туда, – маман подняла глаза и палец к потолку, – и еще куда надо! И попрут меня с работы с такой репутацией! Ты что, не соображаешь? За ней не заржавеет! Как портки стягивать с пьяных глаз – на это ты скорый. Влип один раз – поплатился. И опять полез, мало было.

– Я не люблю ее! – взмолился Николаев. – Ни ее, ни этого ребенка! И как я буду с ней жить? – Он сел и заплакал.

– Будешь! – усмехнулась маман. – И жить будешь, и ребенка любить! Ты вон ободранку свою любил! А что ж ребеночка ее не полюбил? Да потому, что уродца того полюбить было сложно! И в колясочке возить стыдно! У всех – румяные и здоровые, а у тебя – ни мышонка, ни лягушка. И быстро ты Любку эту разлюбил. И забыл быстро, из жизни вычеркнул. Потому что та жизнь была не жизнь – морока одна. Вот ты и рассудил – жизнь-то у тебя одна, другой не будет! И правильно, кстати, рассудил, сынок! Хоть на это ума хватило!

– Не без твоей помощи, – буркнул он.

– Вот-вот! Чистая правда! Так что еще и спасибо за это скажи! А за Светку ты не волнуйся! Приструним эту щучку, если что! Пока она от меня зависит, рта не откроет, потому что хитрая и жизни сладкой хочет!

– Ты в этом уверена? Что рта не откроет? – усмехнулся Николаев.

Маман рассмеялась.

«Хорошо смеется тот...» – подумал он и вышел из комнаты.

Свадьба получилась пышной, сытной и пьяной – райком гулять умел. Были еще какие-то важные гости, перед которыми маман приседала в реверансе.

Светуля скромно тупила глазки под белой фатой. Были ее родители: тихая мамаша с мышиными глазками и папаша, перепуганный отчего-то до смерти – от роскоши мероприятия, что ли, – и посему нажравшийся в первый час банкета до невменяемости. После ресторана родню молодой отправили к их же дальним родственникам, естественно, на торжество не приглашенным.

Маман отобрала у Светули конверты с деньгами и ушла к себе в комнату – подбивать дебет и кредит. Светуля, позеленев от злости, содрала с себя узкое колючее платье и залегла в кровать, отвернувшись к стене. «Молодой» лег рядом и тоже отвернулся.

Началась семейная жизнь.

Светуля капризничала – тошнит, воняет, душно, холодно. Маман скрипела зубами и помалкивала. Дышать воздухом Светуля отказывалась, есть полезный творог тоже. Грызла шоколадки и валялась у телевизора. Хозяйство игнорировала. Маман приходила с работы и вставала к плите. Светуля с недовольной гримасой ковыряла вилкой в тарелке и молча удалялась к себе. Маман бросала в мойку посуду и тоже шла в свою комнату. Николаев вставал со стула и со вздохом убирал следы «удачного» семейного ужина.

В июне Светуля уехала к своим в Кострому. Вернулась к августу и через две недели родила мальчика – крепкого, здорового и пухлого. Было все, что полагалось иметь здоровому младенцу: румяные круглые щеки, перевязочки на пухлых ножках, хохолок на затылке и резкий, громкий, очень требовательный голос.

Маман стояла над детской кроваткой и умилялась. Просто до слез. На этот раз ее не разочаровали – ни бестолковый раззява сынок, ни капризная неумеха невестка. Маман проведенной операцией была весьма довольна.

А эти... Разберутся как-нибудь! Куда им деваться! Все равно этот дурак Петька ни на что путное не способен. Весь в сво-

его папашу! Так что пусть живет с этой Светулей. А то еще какую-нибудь притащит! И прописать захочет! У этой хоть прописка есть. И комната в коммуналке. Если что, будет куда отправить. Одну, разумеется. И она загугукала над проснувшимся внучком. Зазвенела немецкой погремушкой.

Николаев стоял в дверном проеме и недоуменно размышлял над неприкрытой и откровенной страстью своей суровой родительницы к этому толстому, громко орущему младенцу. Странно как-то. Никогда ведь не испытывала сильных чувств к кому бы то ни было. А тут ишь как разобрало! Видно, некогда было раньше любить: работа, карьера. Его, Николаева, растила старенькая баба Надя. Когда бабуля померла, он уже вырос. Глупо как-то лезть с нежностями к колючему, ершистому подростку. И не любит маман всякие сюси-пуси, да и он бы сам этому сильно удивился. Не вспоминались как-то ни ее объятия, ни разговоры, ни поцелуи.

«Мать при должности», – важно говорила гордая за дочь баба Надя и орден «За трудовые заслуги», приколотый к бархатной тряпочке, хранила на видном месте. Ей, простой малограмотной чернорабочей, казалось, что дочка достигла немыслимых высот: кабинет, служебная машина, водитель, обильные, невиданные еженедельные деликатесы в картонной коробке, которые бабка разбирала медленно, с торжественным трепетом и благоговением, долго нюхая и подробно разглядывая.

А уж когда любимая доча пошила важную шубу из черного каракуля, баба Надя и вовсе не спала неделю, потихоньку гладила шелковый мех и, так же как колбасу из коробки, оглянувшись по сторонам, дабы не быть замеченной и обсмеянной, тоже подолгу нюхала.

Когда она умерла, Николаев долго плакал. Почти неделю. Конечно, потихоньку от матери. Понимал просто, что теперь его любить некому, и баловать тоже, и жалеть, и гладить по голове, и пить вечерами чай на кухне – «со сладеньким» – не с кем.

— Жизню-то надо подсластить! — беззубым ртом смеялась бабулька.

И еще некому печь пирожки с повидлом — огромные, с толстыми, неровными краями, презираемые брезгливой матерью и так обожаемые им.

И никто не будет вздыхать по ночам в кровати и шептать что-то про «боженьку» — естественно, втихаря от суровой дочки. И рассказывать про войну, про деда-солдата, удалого молодца, уведшего Надьку-молодуху у ближайшего друга по причине неземной страсти. И про отца, Николаева-старшего, — шепотом, только шепотом, чтобы, не дай боженька, не услышала строгая дочка. Про то, что человек он был тихий, добрый, но слабый. И жена, конечно, его придавила. Так придавила, что он задыхаться стал. А потом сбежал — без чемодана, наспех. Вышел за папиросами и не вернулся. В розыск подавать мать не стала, говорила: «Ре-пу-та-ция». Стыдно. Объявила, что он на Север уехал, в командировку. И начала его проклинать.

— А ты, сынок, на него здорово похож! И лицом, и натурой. Ничего от матери у тебя нет. Ничего! — вздыхала баба Надя, то ли досадуя на это, то ли...

И еще дочку жалела — не выйдет та больше замуж. Не выйдет! Кто ее утерпит? Никто. Нет таких мужиков.

— Вот если бы генерал... Или космонавт, — мечтательно говорила баба Надя. — Но генералов на всех не напасешься! А уж космонавтов — тем более!

* * *

Светуля была матерью равнодушной. Нет, все, что положено, исполняла. Кормила, гуляла, купала — под присмотром свекрови, разумеется.

Но Николаев видел — ребенок Светулю не забавляет и не умиляет. Совсем. Ни нежных пришептываний, ни колыбельных на ночь, ни поцелуев, от которых не откажется ни одна нормальная мать.

Мальчик, названный Александром, Сашенькой, Шуренькой (вариант маман), рос крепким, здоровым, с отменным аппетитом и отлично развитыми голосовыми связками. Первый зубик прорезался к шести месяцам, ползать малыш начал в восемь, встал на ножки в девять и скоро пошел – сразу довольно устойчиво и бодро.

В восемь месяцев бодро отвечал «Га-га-га» на бабкин речитатив «Гуси-гуси». Первое слово малыша, к великому, несказанному удовольствию трепетной «бабули», было, разумеется, «баба». Тут и поставились точки над «i» – не только кто в доме хозяин (с этим и так было все ясно), но и кто самый главный «распорядитель и получатель» ребенка. Маман, разумеется.

Впервые Николаев с удивлением наблюдал, как его властная мать в один момент, в долю секунды, превращается в самую трепетную и нежную, самую ласковую и любящую, вечно сюсюкающую бабушку. Это было для него большим открытием и откровением. Им, своим сыном, она по-прежнему пренебрегала, смотрела на него с иронией и раздражением. А невестку, уже и не скрываясь – теперь-то к чему? – ненавидела. Могла ей выкрикнуть в лицо:

– Кто ты есть? Насекомое под ногами!

Скоро их взаимная ненависть достигла такого предела и накала, что только лишь искры не летели и не было драк. Впрочем, все понимали, что до этого недалеко.

Питались раздельно, вместе за стол не садились. Маман хватала Шуреньку и усаживала его в деревянный детский стульчик напротив себя. Размашисто, ложкой, укладывала на белый хлеб черную икру. С горкой. Клубника в январе, парная телятина с рынка, домашний творог. В субботу гоняла водителя Федю в далекую деревню под Кимрами – за парным молоком, деревенским маслом и свежими яичками. Оттуда же привозились сметана и домашние куры.

Шурик ел хорошо, глаз, что называется, радовался. А бабка продолжала умиляться:

– Прелесть какая, господи! И ест за троих, и вес набирает! И требует своего, как заправский мужик! Орет дурниной. Казак, одним словом! Чистый казак!

«Вспомнила на старости лет про свои казацкие корни», – с раздражением думал Николаев.

О детском саде разговор был один.

– Шуреньку в детский сад? К этим ублюдкам? И чего он там наберется? Нет, ни за что.

Наняли няню – для прогулок. В пять лет пришел учитель английского. В шесть было куплено пианино и приглашена учительница по музыке.

Няня сбежала через две недели – после того как Шуренька ударил куском кирпича на детской площадке трехлетнюю девочку. Малышке наложили три шва, и вечером заявился с претензией ее папа.

Маман сладко улыбалась и извинялась. Предлагала «попить чайку». Отец девочки отказался и принялся угрожать судом. Маман предложила деньги. Он и от этого отказался. Тогда маман пошла на него с размахом. Всем, так сказать, корпусом. Голос ее окреп, и интонации стали привычными. Папаша ретировался, проблеяв, что «так это все не оставит».

Маман рассмеялась смехом трагикомической уездной актрисы и громко хлопнула дверью.

Ни Светуля, ни Николаев во время разговора из своей комнаты не вышли – маман не велела. Притихшего внучка она тут же пожалела и посоветовала ему не расстраиваться.

– Пока бабуля рядом... – сладко мурлыкала она.

Шуренька вытер ладонью скупую слезу, смешанную с соплями, и попросил «мороженку». Бабуля погрозила пальцем и достала из морозилки «эскимо».

Светуля сделала очередную рожицу, хмыкнула и принялась красить ногти.

Николаев сорвал с вешалки куртку и, хлопнув дверью, выскочил из квартиры.

Маман недовольно поморщилась и обтерла салфеткой густо испачканный шоколадом пухлый ротик любимого внука.

Шуренька ударил ее по руке и радостно заулыбался.

– Дура! – весело сказал он.

Бабуля погрозила ему пальцем.

Он засмеялся. Было совсем не страшно.

У «англичанина» (пять рублей за урок) он вытащил из кармана пальто кошелек, пока скромный учитель тщательно мыл в ванной озябшие руки – требование бабули. Кругом инфекция.

Кошелек был спрятан под бабулин диван. Деньги смышленый малыш к тому времени вытащил.

После предъявления растерянным учителем факта воровства его же моментально, с угрозами и выставили. В дверь он колотил недолго – бабуля пригрозила милицией.

С «музыкалкой» было и того проще. Шуренька вытащил из кладовки молоток и прошелся по клавишам. Сила, надо сказать, для шестилетнего ребенка у него была немалая.

На сей раз бабуля отругала проказника и даже лишила телевизора и конфет. На три дня. Впрочем, этим же вечером сообразительный малыш открыл буфет и съел конфет пятнадцать подряд. Назло. Пока не затошнило.

Бабуля поняла, что методы запрета оказались недейственными, в чем она и не сомневалась.

– С ребенком надо договариваться, – резюмировала она.

Обиженный Шурик на контакт идти отказывался.

Светуля устроилась на работу – в роно, инспектором. Работа непыльная, да и крайне приятная: все шли к ней на поклон, а она это очень любила. Как-то значительней себя чувствовала, особенно после притязаний свекрови. И вообще, власть – приятное дело, даже самая незначительная. Да и не дома же сидеть – с «этим придурком» и «этой старой сукой». Правильно рассудила. Дома ей было невыносимо. Ребенок раздражал, муж бесил, а про свекровь и говорить нечего. Ту она просто ненавидела.

Сходила с подружкой к гадалке. Старая косматая цыганка, небрежно разбросав карты, крепко затянулась «Беломором» и усмехнулась:

– Не боись, девка! Это сейчас у тебя каторга. А скоро все наладится. И мужика найдешь приличного, и от свекрухи-кровопийцы избавишься. Все у тебя будет неплохо. – Тут старуха замолчала на несколько минут. А потом со вздохом сказала: – Только дитя у тебя непутевое. Намучаешься ты с ним.

– Знаю, – нетерпеливо перебила ее Светуля. – Тоже мне – открытие! – Она положила пятерку на цыганкин стол и пошла на выход.

На улице вдохнула полной грудью и улыбнулась. Жизнь обещала наладиться! И сколько всего впереди! Она резво пошагала к метро, напевая себе под нос веселую песенку.

Скоро будет счастье! Целый вагон и маленькая тележка! И забудет она этих чертовых Николаевых как страшный сон. Выплюнет и забудет.

Осточертели.

* * *

Сережу рвали на части – тренер по шахматам, учитель по рисованию. Математичка умоляла принять участие в городской олимпиаде. Словесница послала его эссе о Пушкине в детский журнал, умоляла туда же отправить и стихи. Сережа отказывался, отвечал, что стихи – это слишком личное. Мать и отец с ним согласились. Еще появилась театральная студия, где Сереже предложили роль маленького Пушкина. С ролью юного гения он справился прекрасно, сорвал шквал аплодисментов.

Теперь Сережа занимался еще и в художественной школе при Третьяковке. Преподаватель объяснял растерянным родителям, что парня надо развивать, игнорировать такие способности большой грех.

Люба нервничала, советовалась с Иннулей. Та считала, что художник – профессия ненадежная. Лучше подумать о чем-то реальном, тем более что парню все по плечу. Выбор должен оставаться за ним. Женя ее полностью в этом поддержал – человеку необходимо заниматься любимым делом, вот в чем залог успеха, развития, гармонии и счастья.

Люба согласилась и успокоилась. Впереди еще столько времени! Хватит подумать и определиться. Главное – чтобы здоровье не подводило. Сережино здоровье ее волновало, это было единственное, что омрачало жизнь. Мальчик быстро уставал, болели рука и нога, мучили частые головные боли, скакало давление, барахлили почки и желудок. Однажды врач сказал:

– Не перегружайте парня! Вы должны понимать, что здоровье у него как у очень немолодого человека.

«Сколько еще испытаний впереди? – думала Люба. – А как сложится его личная жизнь? С такими-то проблемами?» Она поделилась своими тяжелыми мыслями с Женей, тот рассмеялся:

– Да до этого совсем далеко.

Она успокоилась, но тревога, конечно, никуда не делась.

* * *

Роман Светуля закрутила совсем скоро после визита к гадалке, через пару месяцев. Подошел на улице приятный мужчина и – понеслось! С «полюбовником» – называла она его именно так – удалось даже смотаться на неделю в Сочи. А в городе Сочи, как известно, темные ночи. Пряные, густые, как душистое, слегка засахаренное варенье из роз.

«Полюбовник» со звучным именем Альберт занимался, судя по всему, какими-то темноватыми делишками. Светуля догадывалась – что-то типа фарцы. Власть Советов презирал, ненавидел и страстно мечтал «свалить отсюда на фиг». Пространно рассуждал об отъезде, о прелестях «тамошней» жизни. Насчет «прелестей» он не сомневался, жарко убеждал подругу, что там точно рай на земле. Светуля усмехалась:

– Уговариваешь, что ли?

– А почему бы и нет? Вместе, подруга, пробиваться легче. А ты ведь мне подруга?

«Подругой» быть не хотелось. Хотелось быть женой, спутницей и еще – любимой. Любимой она никогда не была. Ни разу в жизни.

Альберт был кавалером щедрым. Очень. Деньги швырял направо и налево. Любил кабаки и пышно накрытые столы. Купил «подруге» золотые сережки. После праздника возвращаться к осточертевшему мужу и ненавистной свекрови было невыносимо. Просто дурно становилось от одной этой мысли.

Светуля раздумывала. С «полюбовником» ей было хорошо. Так хорошо, что душа улетала. Но все же Светуля была дамой замужней и к тому же с ребенком. Сына она так и называла – ребенок. Без имени.

Но и милый друг ничего конкретного не предлагал. Так, разговоры, размытые, непонятные. Отъезд – в каком качестве туда отправится она? Получалось, что только в качестве «законной». По-другому не выехать. Ладно, надо переждать, что-нибудь и как-нибудь разрешится. А пока нужно затаиться.

После той поездки в Сочи свекровь сверкнула глазами:

– Ишь, загорела-то как у тетки под Псковом!

Светуля ничего не ответила. С мужем все было по-прежнему: глухая ненависть и раздражение. По вечерам Светуля уже в открытую, не таясь, наряжалась, обильно красилась, обливала себя, не жалея, духами и выскакивала за дверь.

Свекровь стояла в коридоре и молча наблюдала за действиями невестки: руки крестом на груди, взгляд испепеляющий. Светуля, накладывая толстый слой помады, смотрела на нее из зеркала и нагло ухмылялась.

Свекровь коротко бросала:

– Не споткнись по дороге! Бежишь больно резво!

Светуля ответом не удостаивала – чести много! Но понимала – она победила, обрела свободу от деспота. Потому что законная мать. Мать «ребенка». И никто ее этого не лишит. Даже всемогущая маман. Не за что лишать ее материнства! Не пьяница, не тунеядка, работает в хорошем месте и на хорошем счету. Здоровая, молодая. А то, что к любовнику бегает – ха-ха! – вы еще докажите! И к тому же это еще не повод лишать женщину материнства. А про то, что у свекрови в голове, догадаться можно. На фиг ей Светуля не нужна! Глаза бы ее не видели! А вот внучок – это да. Свет в окне. Вся ее жизнь. Лишиться внучка – лишиться смысла жизни. И даже просто – жизни. «Вот на чем мы и сыграем, – мудро решила Светуля. – Сколько выгоды можно из этого извлечь, если хорошенько подумать! Тут и квартирку можно требовать, и деньги. И еще кучу всего. Посоветоваться нужно с умными людьми. С Альбертом, например. Только он пока молчит. Ладно, время есть, подождем».

Только вот недооценила Светуля свою свекровь. Хорошо ведь знала, а недооценила должным образом. Не понимала по слабости ума, с кем дело имеет. Бедная.

* * *

Люба все время думала – вот за что ей, обычной женщине, ни умом, ни красотой не блещущей, такое счастье? Муж, Иннуля – ближе родной матери, свекровь – человек чуткий и ласковый, Женины друзья – все друг за друга горой, прибегут на помощь в одну секунду и снимут последнюю рубашку.

А главное – сын. Сережа. Умница, талант. Самый нежный сын на земле. Близкий дружочек. А то, что он нездоров... Бога она никогда не гневила. Рук не заламывала и не восклицала: «За что?» Потому что никакого наказания, никакой божьей кары в этом не видела. Была уверена: сын – ее абсолютная награда и счастье.

Про то, что тяжело больна Иннуля, они долго не догадывались. Просто смущало немного, что она теперь к ним не приезжала, ссылаясь то на давление, то на погоду.

Женя привозил ей продукты и однажды сказал Любе:

– Что-то с теткой не так. Ходит по стеночке, бледная в синеву, кладу в холодильник продукты, а там еще с прошлой недели полно. Будто и не ела ничего.

В тот же вечер Люба поехала к Иннуле. Когда вошла в ее комнату, сразу все поняла. Она села на край кровати и спросила:

– Как же ты могла? Как могла такое скрывать? Кто, кроме друг друга, есть у нас на белом свете? – И Люба заплакала. Иннуля взяла ее за руку.

– Я врач, детка. Все понимаю. Лучше других. Была у своего приятеля институтского, он в онкологии большой человек. Попросила сказать правду. Он и сказал. Про то, что уже поздно – только меня и окружающих мучить, продлевать ненадолго жизнь, которая будет весьма далека от нормальной, человеческой. Кроме того, это значит, что нужен уход. Больница, сиделка, химия. У вас своих забот полон рот. Женька работает, на тебе и дом, и Сережа. – Она попыталась присесть и хрипло закашлялась. – Вот и скажи, кому все это надо, вся эта суета и дребедень? Попытка обмануть себя и Господа Бога. И еще – деньги, деньги, деньги. А у нас их нет. Ты же знаешь, я транжира жуткая! Получку спускала в первые три дня: кофе, эклеры, тарталетки. Барыня вшивая, прости господи. Ничего не скопила и не нажила. Даже подношений от благодарных пациентов не брала, совесть не позволяла – только цветы. Так что ты мне предлагаешь? Свалить на всех это нелегкое бремя? Какое я имею право усложнять вашу без того нелегкую жизнь? И вообще – пожила, хватит. Сколько можно небо коптить? – Она рассмеялась и опять зашлась в тяжелом кашле.

Люба заплакала. Ревела и приговаривала:

– Как же ты с нами так могла? Как же так? Кто у меня есть роднее тебя?

– Женька, – ответила Иннуля. – Сережка. Семья твоя. Мало? Вот их и тащи! О них заботься!

На следующий день они перевезли Иннулю к себе. Люба, нерешительная и мягкая, здесь была тверже скалы.

– Сопротивление бесполезно, – твердо заявила она.

А у Иннули и не было сил на это.

Четыре последних месяца ее жизни Люба, Женя и Сережа сделали все, что могли. Эти дни были доверху наполнены любовью, заботой и вниманием. Почти перед самой смертью она сказала:

– Знаешь, Любаша, есть такая пословица: человек, имеющий дитя, живет как собака, а вот умирает как человек. А бездетный – живет как человек, а умирает как собака. А я вот и умираю, как человек. И за что мне такое счастье?

Через пять дней Иннулю похоронили.

* * *

Альберт, Светулин «сердечный друг», наконец-то определился:

– Разводись. Решено, едем. Вызов уже в кармане. Поедем в Канаду, там у меня тетка по матери.

– А ребенок? – спросила счастливая Светуля.

Он пожал плечами:

– А что ребенок? Не удастся пристроить – заберем с собой. Я не против. А если папаша с бабкой согласятся оставить на пару лет, пока обустроимся, – еще лучше. Приедем, разберемся, найдем работу, снимем хату. Короче, оклемаемся слегка – и вперед, бери своего пацана. Что я, зверь лесной? Ты мать, все понимаю. Только учти – трудно там будет первое время. Это точно. А с пацаном еще сложней. Вот и думай, мать. Шевели мозгами.

Светуля мозгами, как могла, пошевелила. Объявила Николаеву, что хочет развод. Он ответил: не вопрос, хоть завтра. Чем быстрее, тем лучше.

– А что с сыном? Вряд ли маман сдастся без боя, – спросил он.

Она ответила неопределенно:

– Поживем – увидим.

Увидела быстро, не успев пожить. И услышала тоже. Свекровь молча ее выслушала и сказала тихим и страшным голосом:

– Тебя, пыль под ногами, чем скорее забуду, тем лучше. Забуду как страшный сон и даже помогу ускорить твой отъезд, пусть мне это будет стоить работы. Я переживу! А вот внука тебе не отдам! Это даже не обсуждается! Ни теперь, ни потом! Захочешь со мной связаться – пожалеешь. Ни тебя, ни твоего хахаля не выпустят. Ты с работы слетишь – путь только в дворники. А его еще за темные делишки прихватят, не сомневайся! Мне про него все известно. Дальше – моя воля. Усекла?

Светуля кивнула. Усекла, не дура. А может быть, все к лучшему? Пацан при бабке, чего беспокоиться? Она ему в задницу дует. А им с Альбертом там и вправду придется нелегко. Дальше же – время покажет! Эта старая карга тоже не вечная! Скопытится ведь когда-нибудь! Разберемся. Все складывалось на редкость удачно! А если что – ребеночка Светуля еще родит. Новенького. Да к тому же от любимого! Что у нее, здоровья не хватит?

* * *

Больше всех по Иннуле тосковал Сережа. Женя в работе, сплошные дальние тяжелые командировки. Люба закрутилась в делах и заботах – в Питере хворала свекровь. В выходные Люба садилась на «Красную стрелу» и мчалась туда: прибраться, закупить провизию, приготовить на неделю обед.

А Сережа страдал. Повесил над столом фотографию любимой тетки. Писал стихи, посвященные Иннуле. Рисовал эскиз будущего памятника. Как-то резко и быстро повзрослел – сразу, одним днем.

Весной стали думать об отпуске. Сережа мечтал о Карелии: байдарки, сплавы, палатки, рыбалка, костер.

Обсуждали поход с отцом. А вот Любе было тревожно – с Сережкиным здоровьем! Такие нагрузки выдержит не каждый взрослый здоровый мужик. А тут мальчишка, да еще больной!

* * *

Светуля и Альберт подали заявление в загс. Светуля металась по Москве в поисках свадебного наряда. Жених удивлялся:

– И зачем тебе все это надо? Что, в первый раз под венец? Девочка-ромашка! Ребенок пошел в школу, а она фату вышивает!

Светуля объясняла:

– Да, в первый раз. По-настоящему, по любви. А все, что было там, – не считается! Ни свадьба, ни муж, ни даже – страшно признаться – ребенок! – Тут Светуля вздрагивала и потихоньку перекрещивалась. Помнила, как бабка в деревне шептала: «Прости, Господи!» Вот и Светуля, бывшая комсомолка, работница райкома, тоже осеняла себя крестным знамением, неумело и отчего-то стыдясь.

После спокойного и равнодушного развода, кивнув на прощание бывшему мужу и отцу своего ребенка, Светуля прыгнула в машину любимого.

– Все! – облегченно выдохнула она. – Кончился ад. Начинается новая жизнь, где все: любовь, страсть, нежность и еще – куча надежд. На удачу и светлое будущее.

Про все то, что осталось в прошлой, постылой, жизни, Светуля старалась не вспоминать. В том числе и про сына, которого она называла «ребенком», а Альберт – «пацаном».

От любви к Альберту буквально заходилось сердце!

Все справедливо. Должно же быть и у Светули счастье – после такого кошмара!

Свадьбу сыграли в ресторане. Дружки жениха – люди деловые, сразу видно. Серьезные, солидные. Одеты, как с картинки модного журнала: дубленки, обувь нездешняя, стрижки модные. И подруги у этих модников под стать: высокие, длинноногие, фигуристые. С такими прическами и в таких нарядах! А на пальцах и в ушах! Светуля даже покраснела от злости. Что там подарки жениха! Слезы, по-другому не скажешь.

Девицы эти томно курили на диванах, небрежно ковырялись в вазочках с черной икрой, пили черный несладкий кофе и говорили на своем птичьем языке. Суть беседы «молодая» не улавливала, даже щурилась от напряжения. Поняла только, что речь о диетах, заграничных курортах – Балатоне и Золотых Песках. А еще о фирменных тряпках, общих парикмахерах и косметологах, что-то там о бассейне «Москва», стоматологе Вахтанге и «суке Варенцовой и гадине Кокошкиной».

Светуля, бедная, осознала: не из их она стаи, не из их. И не того птица полета. Ей до них ползти и не добраться. И еще. Самое неприятное. На Светулю, невесту и главную виновницу торжества, никто внимания не обращал. Никто. Ни модные и «упакованные» Альбертовы друзья, ни эти «птицы», чтоб их... Гадины лощеные. Светуля скрипнула зубами и зло посмотрела на молодого мужа. Посмотрим еще, кто кого! Будешь у меня по струнке! За все отыграюсь. И за твои копеечные сережки тоже!

Настроение Светули было сильно подпорчено. Просто разреветься хотелось. И еще обидно – родители жениха на свадьбу не явились. Ехать им, видите ли, далеко! Смех один – из подмосковного Подольска. Матушка прихворнула – давление поднялось. Ну и черт с ними! И с ними, и с его деловыми друзьями. И уж тем более – с их подружками!

Никогда еще Светуля не чувствовала себя такой униженной и оскобленной, даже в доме бывшей Кабанихи-свекрови.

Денег после свадьбы совсем не осталось. Альберт объяснял, что все спустил «на кабак». Светуля раскричалась:

– А поскромнее нельзя было? Не на пятьдесят человек и не в таком кабаке?

– Нельзя, – ответил муж. – Ни меньше, ни кабак поплоше. Дело престижа. Иначе – засмеют. Скажут, жлоб Альберто. Просто жлоб и выжига. У нас так не положено. На свадьбах и поминках не экономят. Не поймут. Разговоры пойдут – скурвился парень.

– А тебе не наплевать? – продолжала орать Светуля.

– Дура ты, – небрежно бросил новоиспеченный супруг. – В каждом обществе свои законы. И понты.

– «В обществе», – хмыкнула она. – И вот это ты называешь обществом? Спекулянтов твоих и фарцу? Девок этих центровых и панельных? Кавказцев стремных с золотыми печатками и зубами? Шулеров картежных? Ломщиков валютных?

Он усмехнулся:

– Да, это у тебя было общество! Свекровь, курва райкомовская, сука партийная. Коллеги ее с красными рылами. Муженек твой – затрапезник рублевый и бракодел. Одного урода физического заделал, другого морального. Папашка пропитый и мамашка-ворюга, расхитительница общественной собственности. Вот у тебя было общество! Не нашему чета! Что говорить! – Он шмякнул кулаком по столу и вышел из комнаты.

Первую брачную ночь «молодая» провела в гордом одиночестве и в слезах. «Молодой», хлопнув дверью, исчез. На три дня.

Светуля поняла – надо молчать. Закрыть свой рот раз и навсегда. Иначе беда. Впереди – отъезд. Эмиграция. А это совсем страшно. Так страшно, что хоть в свою коммуналку беги или к родителям, в их лачугу с вечным запахом перегара и кислых щей.

* * *

Николаев не понимал, как жить дальше. На работу таскался как на каторгу – там все скучно, серо, тоскливо. Даже имитировать деятельность никому не хотелось, никто не утруждался. Читали газеты, обменивались невзрачными новостями. Женщины вязали, красили ногти и сплетничали. Мужики бесконечно бегали в курилку и играли в шашки.

Оживлялись в обеденный перерыв. После ругали столовскую еду и жаловались на испорченные желудки. Тетки бегали по магазинам и занимали очереди. Если удавалось что-то «оторвать», весь оставшийся рабочий день обсуждались покупки: колготки, польский шампунь, лак для ногтей или импортный лифчик. И мужики от безделья тоже принимали жаркое участие в этих обсуждениях, что казалось совсем противным.

Дома было не лучше. Маман с годами становилась невыносимей. Попрекала неудачными браками и тряслась над внуком, толстым, раскормленным, ленивым и наглым мальчишкой.

Оба – маман и Шурик – его ни в грош не ставили. Откровенно презирали. Шурик хамил – открыто, с наслаждением. Бабка делала вид, что ничего не слышит.

Однажды он влепил сыну пощечину. Подскочила маман – безумная, растрепанная, с сумасшедшими глазами – и кулаком ударила его по голове.

Он опустился на стул и заплакал. Сынуля заржал и на полную громкость включил кассетник. А Николаеву захотелось исчезнуть. Испариться. Растаять. Умереть. Просто сдохнуть.

Он начал пить. Дома, один. По вечерам, когда маман, ставшая почти безумной в слепой любви к внуку и такой же слепой и ярой ненависти к нему, сыну, засыпала. А Шурик, наплевав на тревожный бабкин сон, врубал свою безумную музыку.

Николаев напивался медленно, с расстановкой, накачивался – по-другому не скажешь, постепенно наблюдая, как опускается куда-то глубоко, на какое-то невидимое далекое дно. Там отчаяние и жгучая тоска его отпускали, но ненадолго, на какой-нибудь жалкий час или два, чтобы снова накрыть, равнодушно и холодно, словно расчетливый профессиональный убийца, не знающий пощады и жалости.

Шурика выгоняли из – какой по счету? – школы. Бабка ходила по инстанциям, умоляла и угрожала, кричала, что ребенок – сирота, брошенный подлой шлюхой-матерью. Отец – пьяница и прощелыга. Она одна бьется, как может, а силы на исходе. Ее жалели и в очередной раз внука пристраивали, до следующего раза.

Родители одноклассников Шурика писали в роно и требовали «избавить детей от этого хулигана». Бабка грозилась судом. В восьмом классе любимый внук, сам обкуренный вусмерть, попался на торговле травкой. Бабку сразил инфаркт, потом – проводы на пенсию, в стране начинались перемены.

Шурик состоял на учете в милиции. Его нерадивый папаша потерял работу. Бабка почти не вставала с постели. Жили на ее пенсию. Шурику не хватало – и он устраивал истерики. Потом перешел к действиям: ограбления машин (магнитолы и колеса), торговых ларьков. С рук до поры сходило. Появились кожаная куртка, сапоги-казаки, новый магнитофон и деньги, небольшие – на дешевых девочек и дешевые кабаки: водка, шашлык, салат.

Жизнь вроде бы и налаживалась, да только как-то слабенько, серенько. Быстро надоели девки с начесанными челками, в ажурных колготках, пластиковые липкие столы в затрапезных забегаловках и плохо говорящие по-русски официанты в несвежих рубашках. Мелко все как-то. А по городу – темному, страшному, к вечеру совершенно пустому – уже разъезжали «бээмвухи» и «мерсы», пригнанные из далекого далека и казавшиеся несбыточной сладкой мечтой. В центре распахивали двери новые кабаки: с хрустальными люстрами, белоснежными скатертями, коврами и услужливой обслугой. Появлялись и магазины – в центре, в самом сердце столицы. И там, в хорошо освещенных витринах, стройные муляжи с тупыми пластмассовыми лицами демонстрировали голодному городу роскошные шмотки, явно отличающиеся от того турецкого и китайского ширпотреба, которым торговали в Лужниках.

Было к чему стремиться. Была цель! Да и способов достижения оной имелось множество. И Шурик начал думать и придумал. Впрочем, это было совсем несложно в те-то годы! Заиграться он не боялся. Смелый оказался мальчик.

* * *

Мать его, Светуля, понимала, что будет трудно, и быстро догадалась, что Альбертик – фрукт еще тот! Уже в Москве стало ясно: щедрости в нем на копейку. Все показное. Деньги считать любит, особенно на семью. Не жалеет только на понты – здесь вынет последнее и «накроет поляну». А назавтра будет ныть и требовать сдачу из булочной.

На «деловые встречи» наряжался тщательно. Себе на тряпки не жалел, поливался духами так, что Светулю начинало подташнивать, и даже в лютый мороз она распахивала окна. В кабаках зависал до утра. На следующий день отсыпался до вечера. С похмелья был зол и придирчив. В еде капризен –

говорил, что привык к кабакам и эти «помои пойдут только свиньям».

На свои тусовки жену не брал. Светуля подозревала, что и погулять он не дурак. Нашла в кармане предметы защиты от случайных неприятностей, предъявила. Он разорался и пропал на два дня.

Светуля считала копейки – в буквальном смысле, не переносном. Однажды увидела на дороге вымазанную в грязи десятку, так рванула, что чуть не угодила под колеса. Десятку отмыла и высушила утюгом. И сколько было счастья! Купила новые колготки, польскую пудру и кремовый торт. Ела столовой ложкой в одиночестве на кухне и в голос ревела.

Пошла работать, точнее – прислуживать. Халтуру нашел любимый муж. Какая-то его дальняя родственница, древняя и богатая старуха, разумеется, одинокая, искала домработницу. Светуля убирала квартиру, мыла старуху, стригла ей ногти и ходила за продуктами. Квартира старухина была похожа на темное и мрачное логово. Свет хозяйка не включала – берегла электричество. На старой антикварной мебели стояли вазы и статуэтки, покрытые пылью. Вытирать пыль с них старуха не разрешала. На стенах висели портреты в тусклых затейливых рамах. Телевизора и радио не было – старуха часто сидела в глубоком кресле и молчала или дремала, громко, по-вороньи, каркая во сне.

Зарплату Альбертик у Светули отбирал – деньги должны быть у хозяина! Советовал приглядеться к старухиным богатствам. Светуля его не поняла:

– В каком смысле?

– В прямом, – усмехнулся он. – Мелочовку можешь прихватить, старуха не заметит. А там посмотрим! – И он заржал в полный голос.

Светуля была кем угодно: плохой матерью, неважной хозяйкой, корыстной и мелочной, скандальной и истеричной бабой. Но не воровкой. И становиться ею не собиралась –

должны же быть и у неважного человека положительные качества!

А Альбертик продолжал:

– Ну, не созрела? Тушуешься, дура? Там что ни цацка – все деньги! Прихвати фигурку ерундовую или половник серебряный! Хотя бы такую херню!

Он уже не усмехался – требовал. Светуля плакала и отказывалась. А потом сдалась. Обливаясь холодным потом и немея от ужаса, прихватила два серебряных ножа с костяными ручками и фигурку пастушки с козочкой и свирелью.

Альбертик покрутил в руках ворованное, сделал кислую мину и вздохнул:

– Ладно, на первое время сойдет! А вообще включи соображалку! Бери, что ценнее. Серебро это копеечное, «глина» тоже не фонтан.

Дальше были еще какие-то вещи, она плохо понимала, что делает. Было противно и страшно. Хотелось одного – чтобы этот ад поскорее закончился, пока старуха не обнаружила пропажу вещей: имелась у нее привычка обходить все с инспекцией.

Когда пришло разрешение на отъезд, Светуля наконец вздохнула.

Уезжали налегке: только одежда, пара фотоаппаратов, янтарные и коралловые бусы, шерстяной ковер, советские часы и пара банок икры. Неделя в Вене, в накопителе. Город видели из окна автобуса, с территории их не выпускали. Далее – Италия. Тоже из окна. Привезли их в маленький городок на побережье, расселили. «Русские» – так их называли местные жители – ходили на базар и пытались пристроить свое барахло: павлопосадские платки в сочных розах, блестящих матрешек, приборы из мельхиора, самовары и льняные скатерти. На ура шли икра и водка. А вот все остальное брали плохо и за копейки. На базар ходили в основном мужчины – так безопаснее. Но Альбертик отказался, заявил, что себя не на помойке нашел. Пил пиво с пиццей и валялся на пляже. А на базар – шумный, орущий, невыносимо жаркий – ходила Светуля. С торговлей у нее получалось плоховато, и муж опять злился – продешевила.

Ее новая приятельница, одесситка Роза, дама в возрасте и опытная, бывшая директриса ресторана, сказала как-то в задушевной беседе:

– Влипла ты со своим законным, ой как влипла! Приедешь в Америчку – сортиры пойдешь мыть. А хрен твой будет бабки отбирать и на диване лежать. Помяни мое слово! Ни на какую работу в жизни не пойдет! Я таких знаешь сколько перевидела! Там-то фарцевать нечем, а больше ни на что он не годится. Ты хоть сама это понимаешь? Беги от него, спасайся, потом поздно будет. Он ведь клещ – всосется, не отдерешь! Он тебя за это и взял – баба простая, русская, жалостливая. В беде не бросит. Щи из топора сварганит, да еще и коня остановит, и в горящую избу попрется! Не дурак он у тебя и жизнь легкую любит. А вот пахать – ни за что. Такие, как он, считают, что не для этого на свет рождены. Ты уж мне поверь! Я таких перцев за свою жизнь навидалась! И мой Аркашка такой. Только мы с ним жизнь прожили, двух парней подняли. И когда меня посадили на два года, он каждый месяц ездил и передачи возил. А я добро помню.

Все Светуля понимала. Все. Только сейчас, на пересылке, Альбертика не бросишь. А там... Посмотрим. Кто знает, как жизнь повернет! А вот что бежать от мужа надо, понимала. И еще понимала, что теперь она одна на всем белом свете. И любит его, своего нерадивого муженька. Все еще любит. И ничего с этим поделать не может.

Дальше была Америка, тихий городок под Филадельфией. И все точно так, как обещала толстая одесситка. Альбертик лежал на печи, пил пиво, смотрел телевизор и капризничал. Светуля пахала как проклятая. Днем на кассе в супермаркете, вечером выгуливала лохматого и брехливого старого шпица соседки, по выходным убирала в семье уже успевших прочно обосноваться эмигрантов.

Когда Альбертику удавалось с истериками и угрозами «покончить свою несчастную жизнь» вытащить у жены немного денег, он срывался в Атлантик-сити, в казино.

Иногда деньги просто воровал, как бы Светуля ни прятала.

В общем, рая на земле она не обрела.

* * *

Шурик хотел стать бандитом – была у человека такая мечта! А в бандиты просто так не брали, желающих много. Там ценились спортсмены, крепкие ребятки, прошедшие Афган, либо просто – беспредельщики, готовые на все. Мальчик Шура не подходил ни по одному критерию, но сильное желание ему помогло. Взяли. Мелкой «шестеркой», сошкой, фунтом. А Шурик старался! Ой как он старался! И его заметили. Даже сами удивились – странный парень! То ли денег так хочет, то ли просто беспредельщик, и такая жестокость в крови чертом дадена. И то и другое – вполне имело место. Шурик Николаев «поднялся» быстро. Теперь у него самого появились подчиненные – сошки и «шестерки», рядовые бойцы вполне видимого фронта. Денег теперь у Шурика было море. И девки такие... Раньше и в самом сладком сне не привидится! И кабаки с хрустальными люстрами и крахмальными скатертями, и охотно прогибавшие спины официанты и метрдотели. И тачки – «бээмвухи» и «мерсы». И дорогие «котлы» из чистого золота. И «голда» в палец на шее. И хата, съемная, но при делах: мебель, телик, видик, койка-аэродром – с «лялькам» покувыркаться.

Все теперь у Шурика было, даже «погоняло»: Шура-бык. А бык – животное сильное, смелое. С кровью налитыми глазами и тяжелыми рогами. Шурик гордился и кликухой, и делами ратными. Всей своей жизнью гордился. Удалась.

Про бабку знал – не встает, копыто сломала. Папаша убогий пьет. Чуть ли не побирается. А про мамашу он не вспоминал, потому что больно было. И еще – обидно. Потому что на хахаля родного ребенка променяла. Сука щипаная!

Как слышал песню про матерей – а блатные эту тему любили, – рыдал, как пацан. Даже стыдно было перед братвой. Хотя те ржачку не устраивали, все понимали. У самих, у доброй половины, мамаши такие же курвы: кто в тюряге, кто пьет беспробудно. А кто еще дитем своего ребеночка в приют подкинул.

* * *

Николаеву иногда хотелось в церковь. Просто зайти. А что там будет, он не знал, не понимал. Стоял у входа и боялся. И еще – стыдился. Вида своего стыдился. Бабки, вечные церковные обитательницы, проходили мимо и бросали на него взгляды – кто суровый, кто осуждающий, а кто и жалостливый. Одна такая подошла, маленькая, сухонькая, платочек серый на голове, чуни на ногах стоптанные. Говорит: «Что, сынок, не заходишь? В глаза *Ему* посмотреть боишься?»

Он молча кивнул.

– Не боись, – успокоила бабка. – К нему такие ходят! Почище тебя! Хотя у грехов меры нет! У кого-то грех – буханку спереть, ежели голодно. А у кого-то жену отравить – чтобы век его не заедала. А у тебя, вижу, своя беда – жизнь разбитая. В глазах такая тоска, о веревке думаешь. Это потому, что совестливый. А греха на тебе нет.

– Нет, мать! Не совестливый, ошиблась ты. И грех на мне есть. Да такой, что... Сына я больного бросил и мать его. Забыл про них. Жизнь свою устраивал, с белого листа хотелось, словно их и не было. А получилось... Совсем плохо... И лист тот оказался не белый, а чернее черного.

– Так повинись! – всплеснула руками бабка. – Повинись перед ними. И перед *Ним*, – кивнула на храм, – тоже. Он и простит! И будет тебе облегчение.

– Бог-то простит, – ухмыльнулся Николаев. – А вот они... Да и я сам себе индульгенцию не выпишу.

Бабка смутилась от незнакомого слова и перекрестилась. А он, стыдясь очередной слабости и откровения, пошел прочь.

Мать не могла пережить перемены в стране, потери идеалов, а главное – исчезновения любимого внука. Она задыхалась от злобы и бессилия, кричала в голос, рвала в клочья газеты и разбила пепельницей, тяжелой, хрустальной, из бывших подношений, телевизор. Метнула с такой силой, что в осколки – и ящик, и пепельница. Жили на ее пенсию и на его зарплату. Совсем смешно – Николаев сторожил теперь гаражи в соседнем дворе. Он и два приблудных пса, лучшие и единственные друзья, Борька и Малыш, огромные, свирепые, натасканные дворняги. С ними делил и хлеб с колбасой, и досуг.

На огромном черном джипе однажды заехал Шурик. Из машины вышли его друзья. Все, как на подбор, чудеса селекции. Пацаны – так они назывались – громко ржали, беспрерывно смолили и громко сплевывали себе под ноги. Ждали Шурика. Он зашел к бабке. Та в истерику – внучок, любимый! Подойди, обниму!

– Ба! Ты давай без базара! – строго сказал Шурик и посмотрел на часы. – Вот гостинцы. – Он поставил на стол три огромных пакета. – И еще тут, – Шурик смутился, – лаве, короче, бабло. Пока хватит. – На стол легла тугая пачка денег, перехваченная аптечной резинкой.

Бабка разрыдалась.

– Короче, – продолжал вконец смущенный внук, – не жалей денег! Трать от вольного! Ну, питайся там хорошо. Врачей зови. И это... – Он оглядел комнату, поморщился, потянул носом. – Ну, приберитесь тут, что ли. Вызови кого. А то сдохнуть тут у вас можно, ссаньем провоняли до некуда!

Бабка мелко закивала. Шурик вышел из комнаты. На кухне сидел папаша. Шурик увидел гору немытой посуды, пустые бутылки и полные окурков пепельницы.

– Как свиньи, ей-богу! – бросил он. – Разберитесь хоть! А то... Не как люди!

– А ты? – спросил отец. – Ты – как человек?

Шурик цыкнул зубом:

– Много ты сделал, чтобы я был «как человек»? Или сука твоя? Ты ведь даже на меня не смотрел, как не видел. Одна бабка билась. Как могла. – И он пошел к двери. Обернулся. – Телефон мой запиши. Если что. Ну, если бабок надо. Или обидит кто. – Он записал свой номер на стене, прямо на обоях.

Николаев смотрел в окно, как сын Шура садился в машину. Почему-то он подумал, что больше они не встретятся.

Николаев позвонил Шурику лишь однажды – когда умерла мать. Механический равнодушный голос ответил, что такой абонент в сети не зарегистрирован. Думать можно было всякое, но Николаеву почему-то вообще не хотелось думать на эту тему. По ящику каждый день говорили о взрывах машин, расстрелах в кафе и ресторанах, стрелках, сходках, разборках – обо всем, что входило в атрибутику тех «славных» лет. Телевизор Николаев не включал – боялся услышать свою фамилию или увидеть изуродованное тело сына.

А жизнь его, обесцененная, пустопорожняя, опостылевшая до некуда, нелепая и ненужная даже ему самому, все еще продолжалась.

Если вообще все это можно было назвать жизнью.

* * *

Сережа пошел все-таки в Строгановку. Решил заниматься театром всерьез. Уже на третьем курсе про него пошла молва – есть такой парень, что называется. Может учудить всякое! Спектакль оформить так, что зритель повалит только на декорации и костюмы. К защите диплома его ждали пять столичных театров, да еще и соревновались между собой — пытались перекупить молодого гения.

На семейном совете решили: работать по контракту, брать только тот материал, который творчески интересен. Работать в меру сил, не надрываться. Помнить о своем здоровье! Здесь настаивали и мать, и отец.

Конечно, это оказалось невыполнимым — потому что интересно было все: и классические постановки прославленных мэтров, и поиски молодых новаторов.

Сережа был счастлив — эти театральные люди были абсолютными фанатами. Глаза их горели, идеи рвали на части. Кого-то осеняло поздней ночью, а кого-то — ранним утром. Раздавался звонок, и лилась беседа эмоционально, воодушевленно, с непременными вскриками: «Гениально!», «Ну ты даешь!». А после премьеры: «Старик, ты гений! Ты наше все». Ну и так далее.

После спектакля ехали к кому-нибудь на квартиру. Обычно — в центре, захламленную, как водится у «гениев» и просто творческих людей.

Да, Сережа чувствовал себя счастливым. Впрочем, за всю свою недолгую жизнь он не мог вспомнить практически ни одного несчастливого дня. Если только ночные слезы матери... Тогда, в Иннулиной квартире, в далеком детстве. Но эти воспоминания, или, скорее, ощущения, были неточными, расплывчатыми, не вполне внятными.

Утром мать улыбалась. Всегда. И он начинал думать, что ему приснился плохой и тревожный сон.

А потом появился отец. Новая квартира, шумный и счастливый переезд, веселое обустройство. Поездки на каникулы к бабушке в Питер, походы в Карелию, друзья отца, счастливые глаза матери, долгие разговоры с Иннулей. Школа, институт — все было счастьем.

На годовщину родительской свадьбы он подарил им поездку в Париж. А в день рождения отца утром под окном у подъ-

езда стояла новенькая, кокетливая «японка», зазывно сверкая гладкими полированными боками.

Впервые он увидел слезы в отцовских глазах.

Сережа предложил поменять квартиру – побольше, попросторней, поближе к центру. Зарабатывал он так, что любые варианты были возможны.

Родители отказались:

– Мы тут привыкли! А вот тебе о жилье подумать надо. Все верно, в центре, старом и тихом, поближе к работе, поменьше терять времени в пробках.

Он даже обиделся:

– Гоните?

Отец ответил спокойно и серьезно:

– Ты – все, что у нас есть. Вся наша жизнь. Наш воздух и наше дыхание. Мы счастливы быть рядом. Но ты человек взрослый. Надо строить свою жизнь.

В этот момент мать расплакалась и отвернулась к окну.

Сын обнял ее за плечи:

– Потерпишь еще, если мы пока тут, все вместе?

Мать обернулась, и он увидел ее заплаканные счастливые глаза. Отец вышел из комнаты. Люба обняла сына за шею и еще раз подумала: «За что мне, обычной детдомовской девчонке, выпало такое огромное человеческое счастье?» Ответ на этот вопрос, который мучил ее всю жизнь и который она неоднократно себе задавала, по-прежнему не находился.

* * *

Сережа влюбился. Это было видно и по его глазам, и по счастливой, отрешенной, блуждающей улыбке. Улыбке влюбленного человека.

Родители затаились и ни о чем не спрашивали. Любино сердце было не на месте. Отвечает ли взаимностью та женщина? Кто она? Да, Сережка замечательный – тонкий, умный, талантливый! Необыкновенный! Но его увечье, его здоровье... Кто, кроме матери, способен нести этот крест?

Ошибалась Люба, ошибалась и зря тревожилась и не спала ночами. Избранница была представлена как невеста. Тихая девочка, скрипачка театрального оркестра. Хорошенькая, умненькая и воспитанная. Какая-то родная, что ли. С первого взгляда. Свадьбу назначили на лето. Июнь, тепло, первая зелень. Начались хлопоты: платье, туфли, костюм, кольца, ресторан. Лидочка – так звали будущую невестку – приходила к ним на выходные. Они вместе с Любой готовили ужин.

Перед свадьбой купили квартиру у Чистых Прудов, маленькую и уютную двушку. Женя занимался ремонтом – Сережа был слишком занят.

* * *

Николаев стоял в подъезде и жадно курил. Потом, бросив сигарету, прильнул к грязному окну. Из подъезда напротив вышла молодая пара. Кудрявый светловолосый мужчина в сером костюме и тоненькая женщина в шелковом кремовом платье и веночке из мелких живых цветов. Мужчина шел медленно, заметно прихрамывая, а спутница его не торопилась, стараясь приноровиться к неспешному шагу. Следом вышла невысокая полноватая женщина в нарядном костюме и туфлях на каблуках. Ее кудрявые волосы были тщательно уложены в высокую прическу. Под руку женщину поддерживал высокий седоватый мужчина явно военной выправки.

Они о чем-то поговорили с молодыми и уселись в машину. Седоватый мужчина за руль, кудрявая женщина рядом. Молодые устроились сзади.

Машина развернулась и медленно выехала со двора.

Ошибка молодости

* * *

Николаев вышел на улицу, огляделся и закурил очередную сигарету. Потом поднял голову и посмотрел на распахнутые окна третьего этажа. Там медленно и лениво колыхались светлые легкие занавески, совсем не защищая квартиру от густого и назойливого тополиного пуха.

Он стоял долго, прикуривая одну сигарету от другой. Потом, понуро опустив голову, обреченно поплелся прочь.

Жизнь продолжалась. И ничего с этим нельзя было поделать.

Мадам и все остальные

Мадам умерла в пятницу вечером, в больнице. Кира с тоской подумала, что такие долгожданные выходные безнадежно пропали. А это значило, что отменяется утренний сон в субботу – долгий и сладкий, потому что надо ехать в квартиру к Мадам и искать белье и платье, копаться в ее шкафах. Ехать в больницу – отвозить вещи. Забирать из больницы то, что Мадам уже никогда не понадобится. Общаться с жуликоватыми агентами ритуальных услуг. Выбирать гроб. Заказывать отпевание. Обзванивать родню и знакомых (впрочем, насчет этого Кира сильно сомневалась). В общем, Мадам в очередной – и, скорее всего, последний раз, – как обычно, подложила свинью.

Ночью Кира спала плохо – оно и понятно, перед такими хлопотами. Утром в субботу набрала Нью-Йорк. Трубку снял Митя.

– Ну ты даешь, ночь на дворе! – сонным голосом возмутился он.

– Мать умерла, – сказала Кира.

– Да? – удивился он. – А почему?

Кира разозлилась:

– Да потому, что ей восемьдесят три года. Вполне весомая причина.

– Ну да, в общем, – согласился он.

Она слышала, что он вышел из спальни, закурил. Голос его окреп.

– Короче, тебе надо вылетать, Митя, – вздохнула Кира.

– Как ты себе это представляешь? – опять возмутился он. – Виза, билеты, как я успею?

– По-моему, все решаемо, – устало ответила она.

– Это тебе так кажется, – почти обиделся он.

– Ну, смотри, дело твое. Спокойной ночи, малыш.

Она сидела на кухне и смотрела в окно. По небу неспешно плыли тяжелые серые облака, обещавшие дождь. Кира налила в чашку кофе, закурила и опять взяла телефонную трубку.

Трубку на том конце взяли на седьмом звонке. Раздалось Каринино протяжное:

– Ало-у!

– Здравствуй, – сказала Кира. – В общем, умерла бабушка. Надо ехать в больницу и все оформлять. Отвезти в больницу вещи. Заниматься всем этим, короче говоря.

– Кир, ты что? – возмутилась Карина. – У меня четвертый месяц. Пузо тянет, тошнит, мне, знаешь, совсем не до этого.

– А мама? – спросила Кира.

– При чем тут мама? – резонно удивилась Карина.

– А при чем тут я? – спросила Кира. И положила трубку.

Она вошла в квартиру Мадам – и в нос ей ударил запах старости и пыли. Она прошла в квартиру, открыла настежь окна и сняла пальто. С портрета на стене на нее смотрела Мадам, как всегда, с вызовом и укоризной.

– Ну вот, моя милая, – сказала Кира. – Хочешь или не хочешь, а придется заниматься всем этим мне. Родственники у тебя еще те. Как всегда, соскочили. Впрочем, есть в кого.

Кира вздохнула, открыла шкаф и стала перебирать вещи. И вспоминать.

* * *

В лифте Митя обнял ее и сказал:

– Мадам – человек специфический, и это мягко говоря. Вообще-то она Бармалейша будь здоров! Но ты не тушуйся. А то точно сожрет.

Он рассмеялся и чмокнул Киру в нос. Она жалобно улыбнулась.

Мадам открыла дверь и долгим оценивающим взглядом посмотрела на Киру.

– В общем, так, мам. Это Кира, моя жена. Прошу любить и жаловать.

Мадам молчала. Было видно, что «жаловать» и тем более любить она вовсе не собирается.

– Почему сюда? – спросила Мадам.

– А куда? – удивился Митя. – Кира не москвичка, живет в общежитии.

– Ну, в этом я не сомневаюсь. – Мадам развернулась и пошла в свою комнату.

Кира растерянно стояла на пороге. Митя рассмеялся:

– Ну вот, я так и знал – испугалась!

Он взял ее за руку, и они зашли в квартиру.

Кире тогда было семнадцать. Студентка-первокурсница. Мама и папа в Калуге.

С Митей она познакомилась на улице – обычное дело. Встречались три месяца. Мотались по улицам, целовались в подъездах. В общежитии было строго – никаких гостей, тем более мужского пола.

Им казалось, что друг без друга они не проживут и дня. Выход один – пожениться, чтобы каждый день вместе, каждую ночь. И конечно же, на всю жизнь. Кто бы сомневался?

На следующий день Мадам отчеканила:

– О прописке не мечтай. Я не идиотка.

– А мне и не надо, – тихо ответила Кира.

– Ну, расскажи, – усмехнулась Мадам.

В общем, зажили. У них своя полка в холодильнике. Жили на две стипендии. В воскресенье Кира делала уборку – пылесосила, мыла кафель, плиту. Мадам выходила из своей комнаты и указательным пальцем проводила по поверхности мебели, проверяла на чистоту. Вечерами, по счастью, дома бывала редко – театр, подружки.

Хуже всего было в выходные по утрам, когда все сталкивались на кухне. Кира предлагала Мадам омлет, а та демонстративно разбивала на сковородке два яйца и жарила на соседней конфорке. Кира уходила в комнату и плакала. Митя утешал, смеялся и просил не обращать внимания.

Через полгода Кира поняла, что забеременела. Взяла в поликлинике справку – очень тошнило и кружилась голова. Полусидела-полулежала на высоких подушках. Открывала глаза, и на нее начинал падать потолок. Рядом с кроватью стоял большой эмалированный таз. Мити дома не было.

Мадам без стука вошла в комнату, села на стул напротив кровати. Обе молчали. Потом Мадам сказала:

– Это невозможно.

– Что? – спросила Кира.

Мадам кивнула на ее живот.

– Беги, пока не поздно, на аборт.

– Вы что, с ума сошли? – задохнулась Кира.

Та медленно покачала головой:

– Отец у Митьки был шизофреник. Там по всему роду идет эта болезнь. Через третье поколение. Страшные судьбы. Всю жизнь по психушкам. Его родная сестра повесилась. Брат прыгнул с моста. В шестнадцать лет. Он сам, Митин отец, всю жизнь на препаратах. Тяжелейших. Месяцами не вставал с кровати. – Она замолчала и тяжело вздохнула. – Ты этого хочешь?

Ошарашенная Кира медленно покачала головой.

– Тогда беги. Беги, пока время есть. Через третье поколение, понимаешь?

Кира кивнула.

– Я могла бы от тебя это скрыть, но у меня есть совесть. Митьке ничего не говори – ему будет стыдно от того, что ты все знаешь про его отца. Придумай что-нибудь, ну, что еще рано, успеете или по показаниям. В общем, решай сама. Моя совесть чиста.

И вздохнув, Мадам вышла из комнаты.

Кира сидела на кровати, обхватив колени руками. Это все было невозможно. Страшно. Дико. Ужасно. Она вспомнила соседскую девочку в Калуге – слабоумную, с трясущимися ручками и струйкой слюны на подбородке. Девочка не понимала слов и смотрела на людей пустыми, немигающими глазами.

Через неделю Кира сделала аборт. Митя среагировал както удивительно спокойно:

– Рано, говоришь? Ну что, наверное, ты права, малыш. Все еще у нас с тобой будет.

Но – странно – отношения их после этого стали постепенно ухудшаться. Сначала остыла страсть – их уже так не бросало друг к другу, потом начались придирки, ссоры, а потом и скандалы. Так проскрипели еще два года.

Потом Кира ушла. В общежитие она не вернулась – сняла вместе с подружкой Ленкой комнату в коммуналке. Помогали родители.

Митю она долго не могла забыть, но жизнь, как водится, брала свое. Кира окончила институт и пошла на работу. Через два года вышла замуж, теперь уже официально – с загсом, рестораном, белым платьем и пластмассовым пупсом на машине.

Но семейная жизнь не заладилась – Кирин муж очень хотел детей. Ничего не получалось – три выкидыша за три года.

Бесконечные больницы и врачи, уколы и таблетки, тревоги и страхи. В результате развелись.

Муж быстро женился, и у него родились двойняшки – мальчик и девочка. Он позвонил Кире и сообщил радостную весть. Она ответила «Сволочь!» и горько расплакалась.

Потом Кира купила однокомнатный кооператив – спасибо родителям. Перешла на другую работу, стала неплохо зарабатывать. Сошлась с мужчиной по имени Борис. У него была семья, и Кире он ничего не обещал. Но ее все устраивало. Она привыкла к своему одиночеству и даже уже находила в нем прелесть и удовольствие.

Однажды в автосервисе (что-то случилось с машиной) она встретила Митю. Тот очень изменился – пополнел, полысел. Он очень обрадовался встрече, уговорил зайти в соседнее кафе.

За кофе он рассказывал, что успел два раза жениться, родить в одном браке дочь, в другом – сына, но как-то не сложилось, и он вернулся к Мадам.

– Как она? – тихо спросила Кира.

– Да все так же, – хохотнул он. – Строит меня и живет в свое удовольствие. Внуки ей до фонаря. Я тоже. Все как обычно.

– А дети твои, как дети? – спросила Кира.

– А что дети? – удивился он. – Нормальные дети. Дочка в музыкалку ходит, вроде у нее способности. А сын со своей матерью в Германии – про него я мало что знаю.

– Они здоровы? – спросила Кира.

Он удивился и пожал плечами.

– Да все нормально, Кир, как все дети. Ну, ветрянка, краснуха, сопли. А так все обычно вроде.

Кира кивнула:

– Слава богу, Мить, слава богу.

Потом Митя рассказал, что собирается в Америку. Появилась девушка, ну, не девушка, конечно, женщина. Американка. Зовут Келли. В общем, скорее всего, они поженятся и он уедет с ней в Америку.

– А мать, мать ты заберешь с собой? – спросила Кира.

– Я же не самоубийца! – рассмеялся Митя. – Ну, и вообще, у нее своя жизнь. Никто ей не нужен. – А потом как-то грустно добавил: – Жаль, Кирюх, что у нас с тобой не срослось, правда жаль. Молодые были, зеленые. Ни черта в этой жизни не смыслили. А может, если бы ты родила тогда, может быть, и ничего, сложилось, а?

Кира кивнула:

– Может быть.

Потом они обменялись телефонами, и Митя чмокнул ее в щеку, по-братски.

Он позвонил примерно через полгода и обратился с деликатной просьбой. Объяснил, что оставляет энную сумму для поддержки Мадам, но все деньги отдать ей нельзя – обязательно вложит в какую-нибудь пирамиду, впутается в аферу или просто спустит все в одночасье. Словом, просил он, нужно привозить ей в месяц понемногу, чтобы на жизнь хватало. Тогда душа у него будет спокойна.

– Не хочется обременять тебя, Кирюш. Но больше мне доверить это некому.

– А твои жены, друзья, наконец? – удивилась Кира.

– Друзьям не доверю, с моими бабами у Мадам как-то не сложилось. А с матерью дочки, Карины, они вообще лютые враги. – И что-то еще опять про доверие и надежность ее, Киры.

– Подумай сам, Мить, – сказала Кира. – Зачем мне все это надо? Думать об этом, помнить, ездить к ней, терять время?

– Все так, – согласился он. – Это наглость, конечно, с моей стороны.

И все же он уговорил ее. Умудрился. Кира согласилась.

Так в ее жизни опять появилась Мадам. Она здорово сдала, но по-прежнему была величава и надменна. Крупная, с седой

косой, закрученной на затылке, с темной полоской усиков над верхней губой. С непременной сигаретой в углу рта. Только в глазах появился страх – страх одиночества.

Кира приезжала к ней раз в месяц – привозила деньги. Иногда Мадам просила прихватить по дороге продукты – хлеб, молоко, что-то по мелочи. Зимой она из дома не выходила – боялась упасть. Иногда они пили чай на кухне, и Мадам показывала фотографии Мити и его семьи. В Америке у Мити был красивый дом с бассейном, стройная американская жена и двое мальчишек. Кира вглядывалась в фотографии детей – обычные здоровые и озорные дети. Ничего настораживающего.

«Четверо детей, – думала Кира. – Четверо абсолютно здоровых детей. Господи, слава богу! Природа оказалась к Митьке милосердна».

Мадам привязалась к ней – часто звонила, часами рассказывала про болячки и просила Киру не забывать ее. Когда деньги кончились, она позвонила Мите и сказала, что теперь от обязательств свободна.

Он благодарил:

– Да, да, Кирюш, спасибо, буду отсылать деньги по почте.

А Мадам продолжала звонить. Она уже вошла в Кирину жизнь, и ничего нельзя было с этим поделать. Кира продолжала к ней заезжать – что делать, такой характер. Ругала себя на чем свет стоит – но продолжала к ней ездить. Последний раз отвезла ее в больницу – две недели назад.

Кира достала из шкафа нижнее белье и стала перебирать платья. Выбрала темно-зеленое, в желтых ромашках, любимое платье Мадам. Все сложила в пакет и вспомнила о документах на захоронение. Когда-то Мадам показала ей, где лежат все бумаги – в старом Митином «дипломате» в темной комнате.

Она нашла этот портфель и стала перебирать бумаги. Какие-то старые счета на квартиру, редкие письма от родни,

Митин школьный аттестат – в общем, обычная бумажная белиберда. А потом увидела выписку из больницы. На Митиного отца. Старую, пожелтевшую, замятую на сгибах. Причина смерти – прободная язва. Сопутствующие заболевания – хронический бронхит, пиелонефрит, гипертония. Никаких намеков на душевную болезнь. Консультация невролога и психиатра – практически здоров. По их ведомству – ровным счетом ничего. Ни-че-го. Значит, Мадам ее тогда обманула. У Мити – четверо абсолютно здоровых детей, у нее – ни одного. Она одна как перст на этой земле. А Мадам не нашла времени покаяться, попросить прощения за ее, Кирину, поломанную жизнь.

Кира долго сидела в кресле, час или два. Потом встала, открыла записную книжку Мадам и принялась обзванивать знакомых. Кого-то не было дома, кто-то ссылался на болезнь, а кто-то просто говорил, что не считает нужным прийти и попрощаться.

– Значит, опять я, – сказала она вслух и глубоко вздохнула. – Значит, опять я, больше некому.

Она взяла пакет с вещами Мадам и вышла из квартиры.

В понедельник, в девять утра, она стояла в больничном морге в зале прощания. Мадам лежала в гробу – величественная и грозная. «Теперь тебя никто не боится, – подумала Кира. – Никто! И я в том числе. И мое прощение уже вряд ли тебе нужно. Хотя кто знает».

Она подошла к Мадам и положила в гроб шесть белых гвоздик.

«В конце концов, многое мы делаем для себя. Исключительно для себя», – думала Кира.

В зале зазвучала траурная музыка.

Она провожала Мадам в другую жизнь.

Нелогичная жизнь

Как там принято считать? По заслугам, по заслугам – а как же иначе? Умным и красивым – счастье. Добрым, сердечным, заботливым, хозяйственным, рукодельным – тоже.

Ничего подобного! Вот никакой логики! То есть – абсолютно.

Сколько мелькало перед глазами на долгом жизненном пути примеров! Вот эта – красавица, боже ж мой! Ну просто глаз не отвести! Ни на что создатель не поскупился, да и родители от души постарались. А умница какая! И книжки читает, и в живописи с музыкой разбирается! А вяжет, а шьет! И в доме такой уют! А какой вкус! Просто из ничего конфетку сделает! А разносолы! Про ее столы ходят легенды! А какая трепетная мать! И результат – детки чудные! Загляденье просто, а не детки. Все логично – у нее, у этой трудяги и умницы, просто не может быть по-другому, если вообще есть в жизни справедливость!

И вот у нее, у этой трудяги, умницы, верной и преданной жены и матери, нет счастья. Например – муж гуляет, да еще и внаглую, или денег не носит. А она бьется, как на Ледовом побоище, чтобы «у всех все было». И у детей, и у этого...

Или вообще ужас, потому что пьет. И как она с этим ни борется, все впустую.

Вот тогда понимаешь – нет в жизни справедливости!

Очень обидно становится от всей этой алогичности.

И, как говорится, наоборот – зеркальное, так сказать, отражение ситуации.

Вот есть женщина: слова доброго не скажешь при всем желании.

Не красавица, мягко говоря, неопрятна, неумна, необразованна. Хозяйка нулевая. Бывает – нет способностей. Но ты хотя бы постарайся! Не надо многослойных тортов, сложных рулетов, тончайших блинов и банок с солеными помидорами и грибами. Есть же блюда простые, но вкусные. И книги кулинарные есть – всегда были.

Но – не хочет. Готовить не хочет даже для самых близких и любимых. И полы вымыть не хочет, и красивые шторы повесить. И накраситься, и похудеть неохота, и брови выщипать, и надеть новый халат – взамен старого и дырявого.

И книжки читать, в театры ходить лень – сериалы доступней. И гостей созывать хлопотно.

Ей даже путешествовать неохота.

И, кроме всех вышеперечисленных «достоинств», она еще и сплетница, злоязыкая, недобрая к людям. Завистливая. Жадноватая. Равнодушная к чужой беде. Плачет только во время бразильских сериалов. Одним словом, совсем неважный человек. Дети ее раздражают. Подруги и соседки – тоже. Свекровь... Ту вообще глаза бы ее не видели.

И у такой женщины – прекрасный, любящий, заботливый муж. Щедрый и непритязательный. А как бы иначе он смог с ней жить, спрашивается?

Или давно со всем смирился? Или? Просто любит?

Ох, нелогичная жизнь! Нелогичная.

* * *

Нет, здесь было все не так криминально. Неважных людей точно не было. А вот все остальное, увы, имелось.

Три женщины, о которых пойдет речь, были очень некрасивы... Ну просто пугающе нехороши – так, что при встрече хотелось отвести глаза. И еще задать вопрос: ну почему? Почему так несправедливо, так жестоко обошлась с ними природа?

Конечно, они не виноваты! Разумеется. И все же... Был бы у них «изюм» какой-то. Не горсть – так, пара ягод. Обаяние хотя бы. Или какая-нибудь другая особенность: остроумие, тяга к знаниям, увлечение или хобби, рассудительность, женская премудрость, пылкое сердце.

Нет. Ничего этого не было. Все три, как на подбор, скучны, вялы, однобоки и пресны.

А еще все как из одного ларца – просто хромосомное извращение.

Бабка, мать и внучка. Аннета Ивановна, Изольда Александровна и София Вячеславовна.

Серые мыши, белые моли – что там еще?

Правда, дружны, ничего не скажешь. Прогуливаются «на променаде» рядком. В основном – молчат. Говорить не о чем. Книг не обсуждают – не читают. В кино не ходят, политикой не интересуются. Субботние ужины, когда собирается вся семья, не обсуждаются тоже...

Не оттого, что возвышенны, а оттого, что плохие хозяйки.

Моя бабушка их передразнивала: «Картошку сварим. Или макароны – с ними меньше хлопот. И откроем консерву. А чаек попьем с печеньем».

И это в самые яблочные годы, когда со всех участков разносились сладкие запахи яблочных пирогов, варенья и компотов.

А они яблок даже не собирали. Приходила деревенская молочница Дуся и уносила их ведрами – на радость своим кабанчикам.

В доме этих трех женщин (кстати, добротном и просторном) было «как в казарме» – тоже слова моей бабули: ни скатерки, ни покрывала, ни вазочки, самой простенькой, керамической, из местного сельпо, хотя бы с полевыми цветами.

Даже посуда у них была скучной – казенной, что ли. Как в дешевой столовке.

Соседки разводили георгины и розы, пускали по сетке разноцветный клематис, варили повидло из слив, закатывали банки с соленьями. Сушили на зиму мяту и зверобой – над печкой на нитке сладко пахли сухие грибы.

Нет. Ничего этого на восьмом участке, где проживали наши героини, не было. А что было? Сложно сказать.

Но зато эти три женщины, бабка, дочь и внучка, эти три «красавицы и хозяюшки», были абсолютно счастливы в браках. Правда, и в их жизни однажды случилась некая проблема... По части мужской верности.. Но – так, мимолетно. Все пережили. А в целом...

* * *

Впрочем, как соседи, они были просто замечательны. Наши заборы граничили друг с другом. Редкий штакетник, сквозь который, как на ладони, была представлена вся соседская жизнь. Что-то вроде коммунальной квартиры.

Все знали, когда и кто выходит в огород, кто подрезает кустарники и стрижет траву, кто собирает смородину и крыжовник, кто развешивает свежевыстиранное белье и насколько хорошо оно выстирано. Кто и какой варит суп – от запахов никуда не денешься. Кто печет пирог. Кто и с кем скандалит и выясняет отношения. Как много сумок привезли молодые на выходные старикам и детям. Кто из бездельников валяется в гамаке или загорает на травке. К таким отношение было, мягко говоря... Ну, это понятно. Когда женщины разрываются между внуками, готовкой и посадками, что, кроме презрения и зависти, могут вызвать праздношатающиеся?

Бабушка моя, не сидевшая ни минуты без дела – обед, штопка, стирка, уборка, цветы и морковь, – бросала на соседний участок редкий взгляд. Брови ее сходились к переносице, и губы складывались в «бутон».

Она качала головой и громко вздыхала. От зависти или осуждения? Не думаю, что от первого. Она просто не могла усидеть без дела. Если присаживалась, то на пару минут, и сидела как-то неспокойно, ерзая и теребя бретельку старого, в горошек, фартука. Посидит, встанет и скажет виновато:

– Не сидится как-то!

А тем временем... Тем временем на восьмом участке по-прежнему ничего не происходило! Так, какое-то вялое перемещение, почти незаметное глазу. То Аннета – без отчества, так короче, – та, что бабка и мать, присаживалась в гамак, лениво обмахиваясь пожелтевшей газетой, то Изольда – Доля, – ее дочь, плюхалась в соломенное кресло и равнодушно оглядывала заросший бурьяном участок. То София – дочь и внучка – заторможенно полоскала в эмалированном тазу чашки от завтрака. А потом и она присаживалась. Например, на колченогий стул у крыльца. И засохшим лаком пыталась накрасить короткие неухоженные ногти.

Они негромко и довольно редко перебрасывались какими-то незначительными фразами.

– А не подшить ли мне голубой сарафан? – спрашивала Софья у Изольды.

Та кивала:

– Да, подшей.

Бабка Аннета похрапывала в гамаке.

– А может, поменять на нем пуговицы? – продолжала, позевывая, Софья.

– Поменяй! – кивала мать.

– А если сварить зеленые щи? – вдруг осеняло Изольду.

– Свари, – соглашалась дочь. – Хорошо бы! Со сметаной и яйцом!

– И еще – охладить! – Изольда мечтательно прикрывала глаза.

И все оставались на своих местах. Теперь уже подремывала и Изольда, Аннета внушительно похрапывала, а Софья зевала и рассматривала свеженакрашенные куцые ногти.

Потом, словно очнувшись, Изольда снова вступала в разговор:

– Покосить бы! А то по пояс уже!

Дочь вздыхала:

– Позвать надо Федьку-пьяницу.

Мать тоже вздыхала и произносила с нескрываемым огорчением:

– И коса тупая. Совсем.

– Поточит! – успокаивала ее дочь.

И все опять замолкали. Потом, словно очнувшись, воскресала бабуля.

Приходило время обеда. Изольда тяжело поднималась со стула и задавала один вопрос:

– Гречка или лапша?

Софья кривила губы:

– Надоело. Давай картошечку отварим.

Изольда скрывалась в доме. Минут через пять раздавался ее голос:

– Картошка пропала. Одна гниль. Сходи на станцию!

– Тогда – макароны, – обрывала дискуссию дочь.

– А хлеб черный есть? – оживала бабка. – Свеженького хочется, с маслом.

– Черный тебе вредно, – назидательно говорила внучка. – У тебя колит. А про масло я вообще не говорю! И свежий завозят с утра. Теперь наверняка расхватали.

Аннета смиренно замолкала.

После обеда они «отдыхали». Это святое. От чего, спрашивается?

Бабка опять ныряла в гамак. Бог с ней, со старухой. Хотя моя бабушка моложе была ненамного...

Изольда укладывалась на раскладушке под яблоней – со старым журналом. Шарила рукой по траве и выуживала пару-тройку побитых, вялых яблок – обтирала их об халат и принималась грызть. А Софья плелась в мансарду – там хоть и душно, зато тишина.

К пяти стекались опять. Долго пили чай, смотрели вечерние ток-шоу и наконец отправлялись «променадиться», как говорила моя бабушка.

Вот ей-то было не до этого – определенно.

И шли они, наши «красавицы», по песчаным дорожкам, обмахивались веточками от комаров и прочей нечисти, перебрасываясь редкими фразами. Видимо, совсем незначительными, судя по отсутствию эмоций на лицах. Раскланивались с соседями – вполне доброжелательно, что есть, то есть. И даже любовались богатыми палисадниками, с большим, надо сказать, удивлением.

Так они и прогуливались неспешно – три абсолютно нелепые и некрасивые женщины, похожие между собой так, словно их сорвали с одного обветшалого, непородистого сорнякового куста: тонконогие, широкоспинные, длиннорукие, безгрудые. Со стертыми, равнодушными лицами и бедными волосами, забранными в одинаковые старческие пучки.

С трудом верилось, что у трех этих женщин были образованные, успешные мужья. А еще – красивые, очень.

И что самое главное – любящие и заботливые.

* * *

– Боже! – пафосно восклицала Милка, моя красавица тетка, родная сестра мамы, заехавшая к нам на выходные после очередной неудачной попытки устроить свою личную жизнь. – Ну где справедливость? – Она бросала на себя в зеркало мимолетный, очень довольный взгляд и кивала на соседний участок, наблюдая тамошнюю жизнь. – Чтобы «этим»! И – так!

Бабушка поднимала глаза и жестко пресекала Милкин пафос:

– Мозги надо иметь! А у тебя вместо них – жопа. Правда, красивая, сказать нечего. – Она принималась ожесточенно крошить свеклу на винегрет.

Моя легкомысленная тетушка весело хохотала, поворачивалась к зеркалу спиной и радостно хлопала себя по совершенно идеальным бедрам.

Потом она хватала яблоко и прыгала в кресло.

Бабушка крутила пальцем у виска и многозначительно смотрела на меня.

Тетку я любила, восхищалась ее легкостью, оптимизмом, веселым нравом и – увы – полной безответственностью. Замужем она была три раза, и «все по любви», как говорила бабушка почему-то с явным осуждением.

– Разве по любви – это плохо? – удивлялась я.

– В третий раз – плохо! – уверенно отвечала бабушка. – И самое главное – на этом все не закончится!

Она, как всегда, была права. Но речь сейчас, в данный момент, не о моей шалопутной красавице тетке.

Речь о наших героинях, о тех, кто на соседнем участке.

* * *

Аннетка – так называла ее моя бабуля – происходила из приличной семьи земского доктора и акушерки. Жили небогато, но и не бедствовали. Только грустила Аннеткина мать, глядя на свою некрасивую дочь: «Ну почему в отца? Почему? Нет, он замечательный человек – душевный. Прекрасный доктор. Да, нехорош собою, но что это значит для мужчины? Ровным счетом – ничего. А вот для девицы...

Выдать удачно Аннетку – вряд ли получится. Просто бы выдать. Нет, разумеется, за приличного человека! О другом не может быть и речи! Но... Городок крошечный, все женихи на виду. А невест еще больше. И красавиц среди них, и богачек...» – переживала мать, заплетая в косу жидкие волосы дочери. Нужна хорошая специальность, чтобы рассчитывать только на себя, чтобы эта специальность всегда могла Аннетку прокормить, даже после их с отцом смерти. Ждать удачного брака – смешно и глупо.

Вот только способностей к чему бы то ни было у дочери не обнаруживалось. Отправлять в медицину – жалко: труд тяжелый и не для всех. Учительство – хлеб сухой и нелегкий. Рукодельницей Аннетка не была – не шила, не вязала, на пяльцах не вышивала.

Пока мать не спала ночей, в городе объявился молодой инженер. Приезжий, из Москвы. Командированный.

Приехал на три недели, жил в единственной гостинице на центральной улице. И тут неприятность – заболел, отравился: выпил холодного молока, и прихватило живот. Да так прихватило, что понадобился доктор.

Аннеткин отец красавца инженера вылечил. И тот в знак благодарности нанес визит – с пирожными и букетом.

Вот что он увидел в бледной, невзрачной дочери доктора? Что разглядел? Он – красавец, умница, гордость семьи. Завидный жених даже в столице? Что? Что можно было увидеть в этом хилом растении? Ни красоты, ни блеска в глазах. Ни живости ума. Душу – скажете вы? Не знаю, не уверена. Хотя... Чужая душа – потемки.

А вот факты есть факты: инженер из столицы сделал Анете предложение через неделю, освободив тем самым мать девушки от тяжелых раздумий.

Родители не верили своему счастью. А Аннетка... Она была по-прежнему бесстрастна и совсем равнодушна. Нет, ей нравился жених – ничего плохого про него сказать было нельзя.

И умен, и воспитан, и галантен, и даже красив. Но головы она не теряла ни на минуту!

По-прежнему крепко спала, много ела и совершенно не нервничала – ни перед свадьбой, ни перед переездом в столицу.

Мать даже злилась и тормошила дочь.

– Какая-то ты, Аннетка, равнодушная, будто примороженная, право слово! Ведь как повезло! Каков жених! И впереди – Москва, столичная жизнь! Театры, синема, магазины, кафе. – Она горестно вздыхала, думая про свою почти прожитую и такую, в общем-то, серую, наполненную трудами и заботами жизнь.

Аннетка равнодушно пожимала плечами:

– Ну да, столица. Да, магазины. Да, жених вполне хорош. И что? Мне теперь от счастья помешаться?

Мать осуждала:

– Какая-то ты черствая, словно и радоваться не умеешь! Не понимаю я тебя, ей-богу! А может, ты его не любишь? – пугалась мать.

Аннетка опять пожимала плечом.

Земский доктор рассматривал свою дочь, видимо, не только с родительской позиции, но и с профессиональным интересом. Тяжело вздохнув, отец пришел к выводу: душевно черства, эмоционально глуха, интерес к жизни потерян. Хотя нет, не так – он, этот интерес, никуда не исчез, как часто случается при некоторых заболеваниях, его просто нет. И не было вовсе. Отца, конечно, этот вывод расстроил, ввел в недоумение: почему? Видимых причин он так и не нашел и, как водится, смирился. А что еще может бедный родитель?

Была слабая надежда, что после родов дочь наконец встрепенется, придет в себя, оживет, и проснется в ней женщина!

А пока – дай бог терпения ее прекрасному мужу!

Обустроились в Москве. Сняли квартиру, по воскресеньям ходили к родным мужа на обеды. Семья, состоявшая из матери (свекрови) и сестры (Лизы, незамужней, образованной, очень хорошенькой к тому же), приняла Аннету хорошо. Удивления своего не высказали – ни взглядами, ни жестами, – не те люди. Сестра Лиза предлагала освоить культурную столицу – с ее же помощью. Аннетка придумывала разные отговорки: то погода дождливая, то голова побаливает. Чуть оживала у витрин магазинов – так, на секунду – и, зевая, шла дальше. И в театре она зевала, на вернисажах у нее болели ноги, в гостях было шумно и скучно.

Муж позволил нанять кухарку и горничную. Претензий к ним Аннетка не высказывала, в хозяйство не лезла. Уже через месяц, разобравшись в ситуации, хитрая горничная плотно сидела у них на шее и манкировала прямыми обязанностями, а кухарка, будучи от природы женщиной честной, принялась понемногу приворовывать. Грех ведь не взять, когда учету нет!

Муж относился к молодой жене нежно и даже чувствовал свою вину – думал, что увез ее от родни, вот бедняжка и грустит. «Меланхолит», – говорил он.

Ничуть! Ничуть Аннетка не грустила, потому что, по сути, ничего в ее жизни не изменилось – так ей казалось. К мужу она относилась с уважением, понимала, что человек достойный. А вот любовь...

Если бы кто-то задал ей этот вопрос, она бы обязательно растерялась, потому что просто не знала, не ведала, что это за «зверь» такой – любовь.

Бедная, бедная Аннетка...

Знакомые и родня продолжали пребывать в недоумении, вели тихим шепотом разговоры. А потом, не найдя ответа, все пришли к выводу: семейная жизнь – потемки. Ее интимная часть скрыта от посторонних глаз. А значит... Ну взяла же эта женщина чем-то! Может, трепетностью души, покорностью нрава, глубиной чувств...

Ох, как бы посмеялся над последними предположениями молодой муж! Ничего похожего! Там, в той области семейных

отношений, она была так же вяла, неинициативна и равнодушна. И он не обольщался, принимая это за стыд или неопытность.

И все же... Любил.

Интересно, кто наверху, в небесной канцелярии, ведает этим вопросом, составляя списки семейных пар, сводя людей на долгие годы брака? Или они там лодыри все? Неумехи? Откровенные непрофессионалы?

Или все для баланса, для равновесия? Сильной непременно достается слабый, сильному, словно в насмешку, – домашняя квочка, умной – дурак, умному – ох, ну и не повезло же! Красивой – неказистый, фактурному – бледная моль. Богатый берет бедную, чтобы знала – осчастливил!

Та, что с приданым, уверенная и смелая, влюбляется в нищего труса.

Ох, не знаю. И видимо – не только я. Там, наверху, они тоже, похоже, запутались.

* * *

Жили тихо и мирно, без скандалов. Муж предлагал жене купить наряды, та пожимала плечами. Он наблюдал – в магазине глаз ее не вспыхивал женским ведьминским огнем. На море Аннетка ежилась от свежего ветра и боялась заходить в воду. Любимых блюд в ресторане не требовала – ко всему была довольно равнодушна. Ну, если только сливочное мороженое...

Однажды сестра Лиза спросила его: как, за что и почему?

Покраснела и извинилась – говорить на подобные темы не принято. Просто недоумение ее, видно, было столь велико, что справиться стало уже сложновато. Он пожал плечами, закуривая сигарету:

– Странный вопрос!

– Дай странный ответ, – потребовала сестра.

Дал:

– Люблю. За что – себя не спрашивал. Да и как можно объяснить любовь? Да, она странновата, это так. Но знаю наверняка – никогда не предаст.

Господи! Ну конечно же, не предаст! От порядочности или отсутствия повода – другой вопрос.

Была у него одна история в далекой юности. Когда воздушная и белокурая Зиночка Изварова отказалась от его любви. Некрасиво отказалась – ушла к его лучшему другу Генику Шварцу.

Ох, как же он тогда страдал! Даже держал грешные мысли – принять яду. Но пожалел матушку и сестрицу. С тех пор стал сторониться хорошеньких женщин, игривых кокеток, приносящих с собой одни беды и страдания.

В общем – жили. Мирно, сытно и спокойно. До поры.

Ничто не обошло стороной – все то, что коснулось и всех остальных.

В тридцать восьмом инженера взяли. Среди ночи – ну, как обычно.

По счастью, не погиб – попал в «шарашку»: хорошие мозги отсеивали с точностью машины. Ему даже разрешали свидания. После одного из которых ни о чем не подозревающая Аннета ушла чуть-чуть беременная.

Началась война. «Шарашку» эвакуировали неизвестно куда. Писем не приходило. Аннетка с золовкой и свекровью тоже должны были уехать из Москвы. Лиза собрала и беспомощную невестку, и почти неходячую мать. Двинулись в Казахстан. В поезде у Аннетки начались роды. Сняли ее на станции, чуть-чуть не доехали до места. Лиза с матерью сойти не смогли – мать от слабости и истощения на ногах не держалась.

Родила Аннета девочку. В грязной сельской больничке, на рваных серых простынях под окрики нетрезвой фельдшерицы.

– Ой! – пьяно икнула та, рассмотрев младенца. – А девка-то вылитая ты! Такая же плоскомордая! Да, не повезло, что девка. Лучше бы хлопец родился. У них – что ни урод, все в цене.

Аннетка громко разрыдалась.

Фельдшерица, испугавшись, принялась ее утешать:

– А еще выправится! Ты не горюй! Может, еще такой принцессой станет! Всех мужиков подожмет!

Аннета отвернулась к окну.

– Слухай! – всплеснула руками окрыленная фельдшерица. – А давай ей имя красивое дадим! Царское какое-нибудь! У такого имени не будет некрасивой хозяйки! – Потом она с сомнением посмотрела на мать и добавила: – Ну или хоть имя у нее будет красивое. Уже – утеха.

Аннете было все равно. Она думала только об одном – как подняться на ноги и найти своих.

Фельдшерица носила ей из дома жидкий суп из пшена и картошку. Однажды принесла литровую банку молока. Потом обмолвилась, что за молоко снесла серебряные сережки – мужнин подарок.

Малышку вечно пьяненькая фельдшерица называла Изольдой. Изанькой. Нет, лучше – Долечкой. Нежнее. Так и записала ее в сельсовете. Аннете было все равно. К дочке по имени она не обращалась. Очень долго.

После больницы три месяца прожили у фельдшерицы.

Аннета смотрела на дочь и задавала себе вопрос: кто этот маленький человек? Зачем он ей? Как им вдвоем выживать? Как отыскать своих? Жив ли отец девочки? Господи, столько вопросов – и ни на один нет ответа.

Но все образовалось. До своих она добралась. Лиза малышку взяла на себя, старуха свекровь находилась в полузабытьи, сознание прорывалось к ней нечасто.

Лиза работала в совхозе учетчицей. Аннета следила за девочкой и за старухой и пыталась неумело вести хозяйство. Картошку чистила так... «Как и богатеи не чистят», – упрекала ее Лиза.

Свекровь схоронили на местном кладбище – степь, песок и ветер.

Наконец засобирались в Москву. Квартиру инженера давно отобрали. Поселились в двух комнатушках умершей свекрови. Работала Лиза – Аннета сидела с вечно болеющей дочкой. А через три года вернулся инженер – худой, седой, с дрожавшими руками и затравленным взглядом. Но живой!

Девочку свою с рук не спускал. Она плакала и вырывалась – никак не могла к нему привыкнуть. Поклонился сестре – за мать и за свою семью. Целовал руки жене – в благодарность за уход за больной матерью. Сказал, что будет это помнить всю жизнь.

Слово свое сдержал.

А потом жизнь постепенно наладилась. Инженеру дали квартиру. Доля пошла в школу, Аннета «вела хозяйство», как всегда – без огонька.

Муж приходил в субботу с цветами. Благодарил и нахваливал мясной бульон, заправленный вермишелью. (Мясо из бульона – на второе. Гарнир – все та же вермишель.)

Вставал из-за стола и целовал жену.

– Божественно, милая! Просто гастрономический кульбит!

Без тени иронии – как всегда, искренне и от души.

Доля влюбилась в девятом классе в главного красавца школы. Переписала письмо Татьяны и отправила предмету девичьих грез.

Белокурый и черноглазый красавец Фомин оглянулся на Долю, покрутил пальцем у виска и в голос заржал. Биологичка вызвала его к доске. От Доли он теперь шарахался, как от чумной. Надо сказать, что перемен, которые наивно пророчила фельдшерица в сельской больничке, не произошло. Доля по-прежнему была точной копией матери – ширококостная, угловатая, с тонкими ногами и большими руками, с плоским и невнятным лицом, на котором плохо читались глаза, брови

и губы. Лидировал только нос. Ну, может быть, еще бросались в глаза зубы – мелкие, неровным заборчиком. Волосы – жидкие, непослушные – не поддавались никаким нововведениям вроде шестимесячной завивки и накрутки волос на бигуди и жидкое разливное пиво.

Доля поступила в педагогический и продолжала любить ветреного красавца Фомина.

Тот куражился недолго – в двадцать лет сел за пьяную драку.

Из тюрьмы вышел абсолютно другим человеком – сломленным, растерянным и совершенно не приспособленным к жизни. На работу устроиться не мог, только грузчиком в магазин. Начал спиваться. Прежние подружки от него отвернулись – кому нужен нищий и пьющий красавец?

Сошелся с продавщицей, женщиной сорока лет с двумя отвязными подростками. С парнями отношения не сложились. Пару раз возникали нешуточные стычки и даже драки. Ушлые пацаны грозили заявлением в милицию и как следствие – вторым сроком. Мамаша их понимала, что удержать молодого сожителя может только бутылкой.

И Фомин понимал – пропасть. Почти край. Еще шаг – и полет вниз. И оттуда – ни-ко-гда! Никогда!

Порывался уйти – возвращался. Родители умерли, в квартире сестра с тремя детьми и мужем-буяном. Тоже ад. Не лучше прежнего.

Короче, сдохнуть – и все дела. Такой вот единственный выход.

И тут в его жизни возникла Доля. Столкнулись на трамвайной остановке. Он узнал ее сразу – почти не изменилась, «красавица» еще та. Но! В своих белых носочках, крепдешиновом голубом платье, с белым бантом в жидкой косице и с портфелем в руках – она казалась ему призраком из той, прежней, жизни.

Доля пригляделась и тоже его признала. Покраснела как рак. Разговорились. Она смущалась и отводила глаза – от его

рубашки с потертыми обшлагами, от разбитых ботинок, немытых кудрей, черных каемок под ногтями.

Почему-то Фомин рассказал Доле все. И про страшную тюремную жизнь, и про не менее страшную эту – уже вольную, если можно назвать ее таким словом.

Они шли по переулкам, и Фомин все говорил, говорил... А Доля молчала, иногда вспыхивая щеками, утирала слезы и боялась поднять на него глаза.

Через месяц они поженились.

Не без помощи новой родни молодожена устроили в вечерний строительный техникум. Помогли с работой – на одной из больших строек, подведомственных новоиспеченному тестю. Отмыли, приодели, заселили.

Он спал на чистых простынях, ел горячую еду, пил чай с отцом жены и разговаривал с ним, разговаривал – бесконечно. Удивляясь, как много знает и что пережил этот человек, несмотря на все сохранив себя и свое достоинство. Видел, как трепетно тесть относится к теще.

Удивлялся тому, что в этом доме никогда и никто не повышает друг на друга голос, все стараются друг друга не обидеть и считаются с чужим мнением.

Как все уважают друг друга.

В тестя, Александра Игнатьевича, он был почти влюблен. С нетерпением ждал его с работы – скорее бы налить крепкий чай в стаканы с серебряными подстаканниками и, позвякивая ложечками, начать неторопливый разговор: о политике, газетных заметках, новых открытиях в науке, о достижениях в медицине, о машинах, книгах, армянском коньяке и породистых собаках – обо всем на свете.

Женщины, теща и жена, смотрели в гостиной телевизор. Мужчинам никто не мешал.

Через полгода он стал приносить жене цветы – по субботам, как было заведено в этой семье. Его семье! И он был счастлив, потому что уже почти не вспоминал прежнюю жизнь. И это оказалась одна из составляющих его теперешнего, удивительного, устойчивого счастья. И еще потому, что закончились его ночные кошмары. Навсегда.

Через два года у них родилась дочка. Назвали Софьей.

* * *

В полгода маленькую Соню вывезли на дачу – любовно построенную заботливым дедом. Фомин, вспомнив про свои деревенские корни, засадил участок картошкой и прочими корнеплодами.

Вокруг девочки нестройно и неловко суетились бабка и мать, благо, девочка была спокойной. Очень спокойной. И еще... очень некрасивой. Опять некрасивой! И опять – точная копия матери и бабки, словно в этом процессе ладные красавцы мужья снова участия не принимали. Не досталось бедной Соне ни карих, больших и глубоких отцовских глаз, ни буйных его золотистых кудрей, ни прямого, четкого носа, ни ярких, пухлых губ. Ничего! Опять – ничего!

Но, разумеется, это не помешало близким буквально боготворить малышку. Особенно умилялся дед, находя во внучке черты любимой жены и обожаемой дочки.

* * *

Из того, что я помню. Шестидесятые годы. Я – совсем кроха, но, надо сказать, очень понятливая. Внимательно ловлю слова взрослых, ушки, что называется, на макушке. Мне все интересно, особенно разговоры про знакомых. Не то чтобы сплетни (это у нас было не очень принято), а так, из серии обсуждений. Я уже в кровати, дверь приоткрыта – я боюсь темноты. Прислушиваюсь к голосам на веранде. Слышу раскатистый Милкин смех, строгий шепот мамы и возмущенный голос бабушки. Улавливаю – тетя уговаривает бабулю «согрешить хотя бы раз в жизни, чтобы было что вспомнить». Ба-

бушка называет Милку беспринципной и мучается, в который раз, вопросом: «В кого она такая? Таких у нас в роду не было».

Мама тоже ругается с сестрой и предлагает ей «не мерить всех по себе».

И опять звонкий Милкин смех:

– Вы обе дуры! Так дурами и помрете!

Еще я помню, что инженер – дядя Саша, муж скучной Аннеты – приходит к нам ежевечерне: бабушка переводит ему статью с немецкого. Они сидят на веранде одни. Мама и Милка уходят к себе – не мешать. Чему? Разумеется, их работе. Тетя смеется над бабушкой, что та ворует у нее помаду и перед приходом соседа втихаря красит губы. А еще потихоньку душится Милкиными польскими духами «Быть может». Я тоже украдкой открываю золотую пробочку и, закрыв глаза, жадно вдыхаю волнующий сладкий запах. А вот душиться боюсь – был такой опыт, и Милка отстегала меня крапивой по заднице.

Перед приходом инженера бабушка печет лимонный пирог и бросает тревожные взгляды на калитку. Я ничего не понимаю – только отмечаю эти незначительные изменения.

Бабушка и дядя Саша долго вычитывают статью, что-то правят в рукописи, и потом бабуля предлагает соседу выпить чаю. Он не отказывается.

– Такие запахи с вашего участка, Мария Павловна! Такие запахи!

Они долго пьют чай из самовара и о чем-то беседуют. Я прислушиваюсь – ничего не слышно. Пытаюсь прорваться на веранду – мама резко хватает меня за руку и уводит на просеку «прогуляться».

Когда мы возвращаемся, инженера уже нет. А бабуля смотрит в одну точку, курит свои папиросы и молчит.

Я уже в кровати и слышу, как она рассказывает маме:

– Он, Таша, сказал: «Вы такая хозяйка, Марь Пална! Какие у вас пироги! А чай какой – аромат невозможный! И чистота такая! А от ваших флоксов просто кружится голова! Немыслимый запах!»

– А ты? – интересуется мама.

– А что я? – удивляется бабушка. – Я сказала, что в пирог просто кладу корицу, в чай – чабрец и мяту. А флоксы... Просто хорошие сорта. Элитные, с выставки...

– Понятно, – грустно вздыхает мама. – Все у тебя «просто». Как всегда. Так просто, что никаких вопросов.

– А ты что хотела, Таша? – удивляется бабушка. – Здесь и вправду все просто. Проще не бывает. Мало ли что кому показалось! Мне, тебе или... ему. Да и возраст такой – стыдно, ей-богу! Жизнь уже прожита, Таша. Хорошо ли, плохо ли, а как есть. Да и вообще – смешно говорить об этом. Смешно и как-то... Некомильфо. Ты ж не Милка, ты ведь со мной согласишься!

– Какой возраст, господи! Тебе всего пятьдесят три! Ты еще и не жила толком! С тридцати – вдова. И больше – никогда, ни разу!

– Хватит, Таша! – строго обрывает ее бабушка. – И как тебе не стыдно, право слово! Ты же не Милка, в конце концов! Да и потом... Смешно просто! Соседи. Через забор! Грязно даже говорить об этом! Неприлично думать – не то что обсуждать.

Смысл всего услышанного я поняла спустя много лет, когда произошла другая история. Некрасивая – и это мягко говоря. О ней – ниже. А про бабушку... Я потом поняла, что перевод с немецкого, и долгие чаепития с соседом, и, видимо, возникшая взаимная симпатия или даже – что-то больше... Все это было. Точно. Потому что еще помню – очень отчетливо, – как при встрече с бабушкой на улице или в магазине дядя Саша краснел и суетливо раскланивался, а бабушка моя, честная моя Марья Павловна, заливалась густой краской и стремительно проскакивала мимо.

Разумеется, поздоровавшись с соседом.

А та история, которая «некрасивая»... разумеется, связана с Милкой. Все, что из «некрасивого», – это точно от нее. И снова вопрос: «Ну в кого она такая?» И опять нет ответа.

Милка закрутила роман с Фоминым, мужем некрасивой бедной Доли.

– Такая у Доли доля! – развлекалась наша остроумица и красавица.

Роман случился между ее вторым и третьим браком, что называется, в период простоя. Милка скучала, денег на курорт не было, и она сидела в свой отпуск на даче, маялась бездельем.

Фомин, по пояс голый, видя в окне красавицу соседку, яростно размахивал косой и боролся с сорняками, а еще, видимо, с искушением. Наша Милка точно была искушением. Да еще каким! Тетушка моя, расположив свои роскошные длинные ноги на подоконнике, курила сигареты через перламутровый мундштук и попивала полусладкое «Псоу». Фомина она разглядывала с интересом и без стеснения – последнее ей вообще было вряд ли знакомо.

Тот нервничал и отирал со лба пот.

Нервничал не один Фомин. Вместе с ним нервничали и бабушка, и мама.

Бабушка гнала Милку от окна, а мама предлагала ей прогуляться в лес или на озеро.

– Только с ним! – усмехалась «позор семьи», не отрывая глаз от Фомина.

Бабушка и мама растерянно переглядывались.

«Прогулялись» Милка с Фоминым на озеро в ту же ночь. Все не спали и караулили Милку – и у нас, и у соседей горел свет на веранде.

Наша красавица явилась под утро: мокрая, пьяненькая и очень довольная. Я услышала звонкий звук пощечины и крик мамы. Милкин смех.

И еще слова:

– За вас, глупых, отдуваюсь! За обеих! Одна – всю жизнь покойнику верность хранила, а другая – пять лет после развода никак не отдышится. Все рыдает по ночам.

Это – про бабушку и маму. Я поняла. И еще поняла и почувствовала, что Милка сказала что-то ужасное. Страшное и невозможное.

Конечно, все всё узнали. Ошалелый Фомин сидел на крыльце и смотрел на окно, из которого торчали бесконечные Милкины ноги. С покосом и сорняками было покончено. Любовники так обнаглели, что даже не особенно скрывались. Фомин – понятно. Потерять от моей тетушки голову было несложно – и не такие зубры горели. А вот Милка... Да, стерва была наша Милка, во все времена. Наплевать ей было и на мать, и на сестру. Что говорить про соседей? Милка развлекалась, и ей не было скучно, а «скука – главный враг человечества».

Милка поправляла здоровье – ее слова, – а Фомин... Он, похоже, подыхал от любви.

Бабушка из дома не выходила, даже собирать клубнику для обожаемой внучки. Мама уехала в Москву – «подальше от этого позора».

Мне было все равно, и я жила своей жизнью. А вот Сонька, моя подружка и соседка, приходить ко мне перестала. Видимо, ее не пускали в это «гнездо разврата». Ну и ладно. Сонька – скучная и занудливая. Мне интересней с Шурочкой и Анюткой. Без Соньки Фоминой мы не грустили.

Милкин отпуск подходил к концу. Бабушка пила валерьянку и не могла дождаться его окончания.

На соседнем участке тоже пахло сердечными каплями, и даже пару раз приезжала «Скорая» – «откачивать Дольку», как сказала соседка Нина Федоровна моей бабушке.

Рано утром у нашего участка раздался шум автомобильного мотора. Милка выскочила с собранной сумкой. В машине сидел ее бывший муж Вилен. Он чмокнул Милку в щеку и кивнул бабушке:

– Привет, Марь Пална! Как драгоценное?

Бабушка захлопнула окно. Вилена она не переносила.

Милка плюхнулась в машину и укатила. Бабушка перекрестилась и одновременно чертыхнулась.

– Избавились, слава те, господи!

Фомин бросился за ворота и закричал:

– Мила! Вернись!

Машина скрылась за поворотом, Милка не обернулась.

Фомин, вдрабадан пьяный, пришел вечером к нам и, уронив буйну голову в ладони, спрашивал одно и то же:

– Как же так, Марья Пална? Как же так? А я уже разводиться надумал!

– Ну и дурак, – припечатала бабушка. – Иди к Изольде, прощение вымаливай. Она простит, не сомневайся! А ты кайся – с кем не бывает! И вали все на эту стерву!

Фомин заплакал.

А на следующий день уехал в город. Бабушка беспокоилась, что он бросится искать ее непутевую дочь. Но – нет. Фомин завербовался на Север. Вернулся через полтора года. Изольда его простила, разумеется. Никто и никогда не попрекнул Фомина ни единым словом: ни жена, ни теща, ни тесть. Маленькая Сонька ничего еще не понимала – папа в командировке, подумаешь!

Помирились соседи через пару лет. Бабушка и мама продолжали здороваться с потерпевшими, они кисло кивали в ответ.

После возвращения Фомина ситуация стабилизировалась, и на Сонькин день рождения был принят из рук «злодеев» знаменитый бабушкин лимонный пирог.

Только своей дочери Милке бабушка приезжать на дачу запретила – в ближайшее десятилетие. Да та и не особенно рвалась: ее новый муж был из Абхазии, и отпускной сезон они проводили на берегу Черного моря, в Сухуми, у родственников. Так что Милка не горевала.

* * *

Софьино детство и юность прошли без особых потрясений – впрочем, как и у остальных детей, родившихся в начале шестидесятых: сад, школа, музыкалка. Институт – педагогический, по стопам матери. Соня была тихой, послушной и непритязательной. Американских джинсов не требовала, ногти голубым лаком не красила, в подъезде не курила и по дискотекам не моталась.

А вот на четвертом курсе тихоня Соня закрутила роман. С одногруппником из Ижевска. Парень был довольно видный – светлоглазый и темноволосый. Росту огромного, под два метра. Спортсмен. Учился он слабовато и постоянно был под угрозой вылета. Комсомольская ячейка постановила: взять на поруки студента Ильина. Поручили Соне – не как самой ответственной и толковой, а как той, которая не может отказать. Другим девчонкам было не до нерадивого великана. Тоже мне – жених! Койка в общаге и пустота в голове.

Занимались в общежитии. Вот только чем? Вопрос. Через четыре месяца тихушница Соня поняла, что попалась. Было так страшно и гнусно, что просто не хотелось жить. Она и представить себе не могла, как скажет обо всем этом ужасе родителям. Дедуля точно – не переживет. А папа? Чтобы его любимая и приличная дочь Соня смогла совершить такое?

Нет, лучше не жить.

Пока она продумывала способы ухода из жизни и в перерывах блевала в туалете, виновник трагедии, великан Ильин, ни о чем не подозревал. Впереди маячило очередное отчисление. И, как следствие, отъезд на родину, в Ижевск.

А там маман с новым мужем и новым ребеночком. Плюс армия. А такого амбала сразу в стройбат. Или в десантуру. Или в Афган – еще не слаще. Но тут подоспела Сонина подружка в роли доброй вестницы. И объяснила ему ситуацию.

– Сонька беременная, ты козел, ума нет. Здоровый, но тупой. Эта дура хочет спрыгнуть с моста. А я на тебя покажу. Говорю честно. Чтобы знали, сволочи! А то все мы, бабы! – И она вытерла маленькой ладонью злые слезы.

Было понятно – подружка тоже из пострадавших.

Ильин прикинул: а, собственно, почему бы и нет? Девка тихая, спокойная. Гулять точно не будет – на ум пришла его непутевая мамаша и старшая сестра. Семья приличная, интеллигентная. А главное – прописка! Ильину не надо будет возвращаться в Ижевск к ненавистным родственникам.

Короче, пришел к этой дурочке с повинной, а она в рев – от счастья и от того, что самоубийство, судя по всему, отменялось.

Ильину ее стало жалко, и даже как-то сердце трепыхнулось. Он, как всякий большой и физически сильный человек, был из жалостливых и сентиментальных.

Сыграли свадьбу и подарили молодым однокомнатный кооператив в Черемушках. Ильин о таком и не мечтал. Тесть отдал ему старенькие «Жигули», Соня писала за него конспекты. Институт он окончил – с горем пополам. И еще с радостью. Потому что на свете уже была дочка Машка.

Абсолютная ильинская копия!

Так природа извинилась перед женской половиной этой семьи.

Машка была писаной красавицей с первых дней своей жизни и с каждым годом становилась все краше и лучше.

У нее были отцовские бездонные глаза, золотые кудри деда, элегантность и утонченность прадеда. У нее было все. Все, чем может одарить капризная природа в зависимости от своего настроения. А настроение у нее, природы, судя по результату, было в тот момент замечательное.

Ильин оказался неплохим мужем: не вредничал по пустякам, не занудствовал. Жалел – а мы помним, он из жалостливых – болеющую тещу и бегал в аптеку. Смастерил бабушке Аннете скамеечку под ноги, для удобства просматривания телепередач.

Помогал тестю с машиной – он был толковый в технических вопросах.

Возил старика инженера в санаторий и навещал в больнице. Отвечал за продовольствие в голодные времена – «доставала» был из него ловкий.

К жене относился с почтением: видел, как относятся к женщинам в этой семье. Налево его не тянуло. Ну, было так, пару раз, и то – ерунда, не о чем говорить. Пить не любил, помнил своего пьющего папашу, никогда не забывал его отъявленного скотства.

А свою красавицу дочку обожал до сердечной дрожи! Просто до невменяемости и какой-то патологии, что ли.

* * *

Машка ходила по земле так, словно крутила фуэте – будто слегка парила.

Училась она шутя. Не то чтобы с интересом, а просто все ей давалось без усилий. Над уроками не корпела, на занятиях могла спокойно читать под партой любимую книгу, а поднимет озорницу учитель и задаст вопрос, чтобы застать врасплох, – не тут-то было. Машка затормозит всего лишь на секунду, чуть сдвинет свои соболиные брови, чуть прищурит небесные очи и... выдаст ответ. Разумеется, правильный и предельно точный.

В танцевальном кружке она была примой. В театральном – ведущей актрисой. В хоре – солисткой. На всех концертах – ведущей. На уроках домоводства у нее получались самые вкусные торты и салаты, самая ровная строчка на фартуке. На физре – самый длинный прыжок. На литературе она демонстрировала самое глубокое знание русской поэзии. На математике удивляла тем, что писала контрольные за двадцать ми-

нут. Никто даже и не завидовал – ну, родилось такое вот чудо под названием Маша Ильина. Что с этим поделаешь?

К тому же она со всеми дружила. Ни одна даже самая заядлая сплетница и завистница не могла сказать про нее не то что гадость – дурное слово.

Ну а мальчишки... Что говорить о них? Несчастные создания, замученные ночными кошмарами и дурными снами. И главная героиня этих бдений – конечно же, Маша Ильина.

В пятнадцать лет девчонки начали эксперименты со своей внешностью. Маша тоже попробовала – ну, брови подщипать, ресницы подкрасить. Посмотрела на себя в зеркало и решила: а на фига? Мало что изменилось. И с попыткой преобразований было покончено.

Машка поступила в университет – легко и просто, как в кино сходила, а не на экзамены.

И так же легко училась: ни одного «хвоста».

В нее продолжали влюбляться – теперь уже и преподаватели, причем разных возрастов, и лучшие мальчики курса, потока, факультета. Лучшие мальчики с других факультетов.

А Машка все крутила свои фуэте, легко сбегала по лестнице, кивала направо и налево и...

Взгляд ни на ком не фиксировала. Смотрела поверх и сквозь.

Но... Так же не могло быть всегда. Это ведь противоречит законам природы, верно?

И на третьем курсе Машка Ильина влюбилась.

* * *

То, что мой сын был влюблен в Машку, я, конечно, знала с самого раннего его детства – как только они встретились в колясках на просеке. Сын смотрел на девочку не отрываясь. В песочнице всегда ее защищал от недругов. Твердо пообещал в шесть лет, что женится на соседке или в крайнем случае на мне – ну, если с Машкой не срастется. В подростковом возрасте писал стихи и дрался тоже из-за Машки. Тяжело вздыхал, не спал по ночам и высматривал ее из окна.

Первая любовь. Понятно. Машка взаимностью не ответила, но дружили они всерьез.

* * *

– Неземная она какая-то, – сказал однажды сын. – Нереальная.

– Правильно! – обрадовалась я. – Машка – мираж. Для первой любви подходит. А вот для жизни – вряд ли.

Сын кивнул. Я успокоилась и выдохнула. Забор, что ли, возвести трехметровый? Впрочем, соседи нам не докучали. Скорее, мы иногда вторгались в их спокойную жизнь.

А на первом курсе мой ребенок женился. Такой вот скоропалительный и, по счастью, удачный брак. Редкий случай.

А Машка влюбилась.

Не многовато ли тебе будет, Маша Ильина? Не слишком ли? Не подавишься ненароком?

И Бог, что называется, послал...

Вот именно – каламбур. Ей послал и, как следствие, ее послал. Туда, где счастья нет и не будет. И радости не будет, и легкости, и веселья.

Возлюбленного Маши Ильиной звали Эдиком. Фамилия не лучше – Пугало. Эдуард Пугало. Ударение на букве «а». Он на этом настаивал. А все остальные предпочитали «ударять» на букве «у». Что вполне понятно. Не надо быть остроумным.

Пугало был внешне жидковат – невысокий, тощеватый. Лицо узкое, незначительное. Поведение развязное, выражение лица наглое и высокомерное. Изображал великого знатока женской природы и человека с большим опытом в этом же

вопросе. О женщинах говорил цинично. Мужчинам явно завидовал. Из семьи был неблагополучной и бедной.

Стеснялся своих потертых башмаков и поддельных джинсов. В лютую стужу ходил в легонькой китайской куртяшке на рыбьем меху, сквозь неплотную ткань которой пробивалось куриное перо.

А Машка... Эта дурочка смотрела на него с такой любовью! И такой жалостью! Она носила ему бутерброды из дома, пирожки из буфета, наливала из термоса горячий чай. На день рождения подарила роскошный теплый свитер с оленями. На 23 февраля – французский одеколон.

Эдик Пугало смотрел на нее с усмешкой, но от подарков не отказывался, хотя принимал их с кислой мордой. А Маша продолжала его караулить у входа и отслеживать его передвижения.

Все наблюдали за этим с тихим ужасом и недоумением. Все – и студиозы и преподаватели.

Старший препод, доцент Усков, великолепный Усков, красавец и умница, мечта всех девчонок, приглашал Машку на свидания. Предлагал руку и сердце. Она отпрыгивала в сторону и отчаянно мотала своей красивой и, как оказалось, безумной головой.

Одногруппницы крутили пальцем у виска и пытались ее образумить. Маша смеялась тихим, немного безумным смехом.

Все тяжело вздыхали.

Короче, женила-таки Машка на себе этого – или это? – Пугало.

Женила. И так же отслеживала его передвижения, так же караулила у центрального входа. И еще... безумно ревновала. Так ревновала, что это граничило с безумством.

После университета Машка родила Пугало сына Костю. Мальчик как две капли воды был похож на своего нерадивого папашу. Впрочем, когда и где мужику мешала «некрасивость»?..

Глядя на сына, Машка умилялась еще больше. Но разве дело в этом? Ах, если бы, если бы...

Пугало оказался неравнодушен к алкоголю, причем был вовсе не из тех, кто выпьет и тихо отправится в люлю. Нет и нет. Он напивался и гонял Машку по поселку – с граблями или солдатским ремнем.

Она пряталась у соседей. А если не успевала, этот гад ее... Вот он успевал – двинуть ей дубиной по голове или спине, или стегануть по лицу, или схватить за волосы.

Машкина родня жила в неописуемом ужасе. Сначала вызывали милицию. Милицейские предлагали Пугало посадить. Машка билась в истерике и кричала, что она покончит с собой. Например, бросится под поезд.

Заявление из ментовки срочно забирали. Все знали, что Машка просто так говорить не станет.

Пугало избивали не раз – какая-то шпана или тайные и справедливые мстители. Машка промывала ему раны, делала перевязки и кормила бульоном. Днем, бледная от бессонницы, она моталась с коляской по поселку и присаживалась на пеньке – подремать.

Пугало к тому же ей еще и изменял, например с продавщицей местной лавки Тамаркой, даже поселился у той ненадолго. А Машка стояла у Тамаркиной калитки и трясла ожесточенно коляску с сыном Костиком.

Еще Пугало пропадал – на пару недель или на месяц. Домашние молили Всевышнего, чтобы «эта сволочь не возвратилась». Но он возвращался. Увы! И Машка была счастлива! Боже мой!

Бабка Аннета совсем слегла и вскоре умерла, вслед за мужем, который, по счастью, не успел увидеть этого ужаса. Изольда лечила безумную гипертонию. Софья пила антидепрессанты. Ильин с тестем попивали от горя водочку – втихаря, по вечерам.

А Машка... Машка пекла пироги для муженька. Вязала ему свитера – слаб здоровьем. Варила варенье – Эдик любит с чаем.

И любила его, любила... Любила.

Конечно, любила. А чем еще можно объяснить это безумие? Это затмение?

Грустно, конечно. Но, видя Машкины горящие глаза...

Нет. Все равно – грустно, как ни крути.

И объяснение всему – нелогичная жизнь. Нелогичная. Вот и все.

Такие истории. Такие встречи. Такая жизнь.

Такие люди. Разные, что говорить.

Они среди нас. И мы – среди них. «Свои» и «чужие». Как всегда и бывает.

Дочь

Среда была ее днем, и уже во вторник Прокофьева накрывала тоска. Все будет обычно, до тошноты банально и предсказуемо. Она явится после работы – именно в среду у нее совсем мало уроков, – долго будет ковыряться в прихожей, тяжело вздыхать, поправлять прическу, одергивать свою старую скучную юбку, потом пойдет в ванную и, тщательно моя руки, снова будет вздыхать. Наконец, пройдет на кухню, тяжело плюхнется на стул и, конечно, зашуршит своими дурацкими старыми заношенными пакетами.

Он предложит ей чаю, она скажет:

– Да-да! Чтоб согреться.

Будет дуть на ложку, вытягивать нижнюю губу и жаловаться на жизнь.

Все как всегда. А Прокофьев будет маяться, посматривать на часы и ждать, когда эта мука наконец закончится.

Справедливости ради – она не засиживалась, выпив чаю, доставала свои банки – боже мой, кому все это надо! – и начинала собираться домой. При этом оправдывалась – прости,

что так коротко, просто на ходу, но ты же знаешь мою ситуацию!

Он поспешно кивал головой, подавал ей пальто и, закрыв за ней дверь, облегченно вздыхал.

Прокофьев тяготился визитами дочери – да вполне понятно! Совершенно чужой человек. Чужой и неинтересный. Возникший в его жизни совсем недавно – он не видел ее детства, не знал ее в юности, мимо прошло ее взросление, становление, так сказать... Хотя что из нее получилось... Тоска, одна сплошная тоска... Он не знал ее абсолютно – что поделаешь, отцовских чувств он был лишен. Ну, и вообще – так сложилась жизнь, все знают, как это бывает.

С ее матерью, своей первой женой, Прокофьев расстался сто лет назад – ей, его дочери, было тогда два года. Приходил он в тот дом нечасто, да и то только в первое время. Потом закрутило, понеслось, и он только отсылал деньги по почте.

Лиза, первая жена, была танцовщицей в известном ансамбле народного танца. Их, этих «лебедушек», старались отхватить ловкие женихи. Первое – девки были красавицы, как на подбор. Вернее, их и подбирали по этому признаку. Второе – «лебедушки» были выездные. А это значило, что в доме всегда будут тряпки и прочие вещи. Такие, которых в продаже никто и не видывал. Третье – этими тряпками и техникой все успешно и грамотно торговали. Словом, девки там были умелые, шустрые.

Ну и далее – появиться с такой вот женой считалось не то чтобы хорошим тоном, но говорило об успешности мужика.

«Лебедушки» были ушлыми и прожженными – в мужья хотели дипломатов, журналистов-международников, известных дантистов, писателей или скульпторов. Художники в список не входили, потому что зарабатывали гроши. Если вообще зарабатывали.

Лиза была другой – в солистки не лезла, по трупам не шла и в интригах участия не принимала. И торговлей не занималась.

Хорошенькая была – прелесть! Русые волосы, серые глаза. Фигура, конечно, ноги.

Он тогда уже крутился в этом мире, пытаясь пролезть, зацепиться, словом – устроиться.

Получилось – и уже в двадцать семь он был помощником администратора Москонцерта. Деньги, правда, пошли не сразу, пришлось пару лет подождать. Но не бедствовал. К тому же с его «корочкой» все двери были открыты.

Лиза поразила его своей мягкой, ненавязчивой красотой, покорностью, нестяжательностью и полным отсутствием корысти.

О том, что она беременна, долго не сообщала. А уж когда призналась, он растерялся, занервничал, суетливо забегал по комнате, похлопывая себя по коленкам и приговаривая:

– Какой же я кретин! Боже мой!

А вот тут она проявила характер – твердо сказала, что аборт делать не будет, а он как хочет. Его личное дело. В загс тащить его она не собирается, в партком не заявит и карьеру его не разрушит.

Этим она его тронула, в конце концов, не упырь же он и не подонок! Тогда еще очень хотелось думать именно так.

Решился он, когда она была уже на четвертом месяце: заявился красиво, с обручальным кольцом и белыми розами.

Увидев его, она начала тихо плакать – тихо, но долго, и он уже стал раздражаться и все спрашивал:

– Что случилось? Беда?

А она мотала головой, приговаривая:

– Счастье! Разве люди от счастья не плачут?

Он тяжело вздохнул, пожал плечами, открыл холодильник и сделал большой бутерброд с ветчиной – счастье счастьем, а жрать, извините, охота!

Когда он представил ее своей матушке, Аделаида Ивановна, попыхивая папироской и оглядывая будущую невестку своим «прокурорским» оком, потом ему выдала:

– Девка – никакая, красоте ее грош цена, – а когда он вяло запротестовал, бормоча что-то невнятное про «ангельский характер», матушка резко его оборвала и как отрубила: – Без хребта! Ты ее скрутишь в момент. А тебя, милый мой, самого надо об колено ломать. И на коротком поводке. Тогда что-нибудь выйдет. А здесь все безнадежно.

Так и случилось – Лиза надоела ему очень быстро, и уже к родам он маялся, не зная, как развязать «эту затянувшуюся историю».

Развязал через два года – просто собрал вещи и объявил о том, что уходит. Она, как всегда, тихо заплакала, и это окончательно его взбесило.

– Ты хоть бы крикнула, что ли! – заорал Прокофьев. – Обозвала меня! Плюнула в спину! А ты... Как была овцой, так и осталась!

Те два года, что они прожили вместе, не оставили никакого следа в его памяти – пошли сплошные гастроли, дома он появлялся на пару дней и в эти дни «отсыпался и приходил в себя».

Дочка, толстенькая, губастая, темноглазая и тихая, никаких эмоций у него не вызывала. А умиления уж тем более. Он все искал в ней изъяны – видимо, так ему было легче оправдать свою нелюбовь.

А Лиза подносила малышку и все повторяла:

– Смотри. Вылитая твоя мама. Ну просто один в один!

Прокофьев корчил гримасу, почему-то это тоже его раздражало. Раз копия матушки – значит, положено умиляться и любить. А ведь не получалось...

Матушка же, увидев девочку и услышав Лизины причитания по поводу их «потрясающего сходства», умиляться тоже не очень спешила: да, похожа. И что? Вся в мать – глазки долу. Такая же – без хребта!

Он даже обиделся – ладно он, молодой разгильдяй. Но она-то – бабушка!

Но маман была несентиментальна – сказывалось прокурорское прошлое – и без стеснения заявляла:

– Детей не люблю! Только своего сына.

Он отчетливо понимал: мать – человек не из приятных. Подруг у нее почти не было – возражений она не терпела. Были какие-то прилипалы, две тихие тетки, слушавшие ее открыв рот и кивающие головами как китайские болванчики.

И все же... Пока она была жива... Он чувствовал себя защищенным – наверное, так.

Мать контролировала ситуацию – умна была, как змея. И он всегда знал, что получит от нее дельный совет.

В старости, тяжело заболев, мать вдруг превратилась в сентиментальную и плаксивую старуху – все время бормотала, просила у кого-то прощения... И вдруг вспомнила о Боге и захотела креститься.

Умирала она тяжело и долго, и он, отменив все гастроли, сидел у ее постели, держа за руку.

Она открывала глаза, и они наполнялись слезами.

Однажды она спросила:

– Простил?

У него екнуло сердце.

– О чем ты, мамочка? Разве есть за что?

Она покачала головой и закрыла глаза.

В гробу она лежала спокойная, с почти гладким лицом и, как ему казалось, с чуть заметной, мягкой улыбкой. Словом – совсем не она.

Похоронив мать, Прокофьев почувствовал себя сиротой и, сам того не ожидая, стал каждую неделю ездить на кладбище.

Уйдя от Лизы, он снял квартиру, но очень скоро купил кооператив – денег уже тогда было навалом.

Ну и баб, разумеется, тоже. Женщины его были все как на подбор – красавицы. Попадались и умницы, но таких было

меньше. Романы случались яркие и не очень, но пару раз зацепило – правда, ничего не вышло.

Одна засмеялась ему в лицо, сказав, что жениться ему надо на маме – только она для него любимая женщина и непререкаемый авторитет.

Он тогда всерьез обиделся, и все как-то сошло на нет.

А вторая... здесь было сложнее. Сложнее и драматичней – она была замужем. Муж был важный чиновник от спорта, а к этому прилагалось – квартира на Фрунзенской, автомобиль с водителем, еженедельные пайки, которых хватило бы нормальной многодетной семье на месяц. Еще была роскошная дача, прислуга и командировки «за рубежи» – как говорила она.

Мужа она бросать не собиралась, а вот любить его, молодого любовника, это – пожалуйста!

Он очень хотел увести ее из семьи и очень страдал, когда она, смеясь, называла его дурачком и мальчишкой.

Он начинал давить, она злилась. Пошли упреки, скандалы, претензии. Тогда он впервые повел себя словно глупый пацан и собственноручно привел все к логичному концу – она, сощурив от злости прекрасные, вполлица, изумрудные глаза, бросила ему:

– Истерик и псих! – И, громко хлопнув входной дверью, исчезла из его жизни. Навсегда.

Однажды Прокофьев встретил Лизу с дочкой – оставив машину, бежал на Центральный рынок. Торопился. Вечером предполагалось очередное свидание.

А они торопились в цирк. Лизу он узнал и хотел проскочить мимо, но было поздно – та уже окликнула его.

Рассмотрев бывшую жену, Прокофьев скривился – Лиза обрюзгла, располнела, подурнела. Словом, ничего от ее красоты не осталось. Одета она была дурно, пострижена плохо, и он сморщился от дешевого запаха ее духов. Девочка, его дочка, прижалась к матери и смотрела на него исподлобья и с испугом.

Ему она совсем не понравилась – толстая, неуклюжая, черные, навыкате, «коровьи» глаза. Дурацкий розовый бант на голове – огромный, блестящий. Признак дурного вкуса. Старенький плащик и красные, с потертыми носами, туфельки.

Лиза была возбуждена этой встречей, тормошила девочку за плечо и приговаривала:

– Это – твой папа, Ларочка! Познакомься с ним, пожми ему руку.

Девочка совсем съежилась, на глазах у нее выступили слезы.

– Оставь ребенка, – сухо сказал он.

Она покорно закивала головой и все спрашивала, как он живет и как поживает Аделаида Ивановна.

Прокофьев недобро усмехнулся.

– А что, моя мать тебя сильно волнует?

Лиза растерялась и пожала плечами.

– Ну ты и дура! – изумился он. – Что хорошего тебе сделала бывшая свекровь, чтобы о ней беспокоиться?

Лиза что-то залепетала в свое оправдание, а он махнул рукой – безнадежно, все безнадежно. Правильно говорила мать – без хребта!

– А замуж чего не выходишь? – поинтересовался он. – Не берут?

Лиза жалко улыбнулась.

– Да, как-то нет претендентов...

– А ты следи за собой! – посоветовал он. – Выглядишь как... пенсионерка.

Она скривилась, хлюпнула носом и стала поправлять на девочке бант.

– Ну, мы пошли? – нерешительно спросила она.

Он кивнул, разрешил.

– Идите! Еще опоздаете!

И они пошли. А он, глянув на часы, поспешил к рынку. У самого входа вдруг оглянулся, и сердце у него сжалось – они стояли у ларька с мороженым, и Лиза пересчитывала мелочь.

Он рванул к ним, достал из кармана десятку и смущенно протянул ей.

Лиза опять что-то залепетала, отпихивала его руку, краснела и бледнела, а он, махнув рукой, заторопился прочь.

Спустя добрый десяток лет бывшая жена позвонила ему и пригласила на свадьбу Ларочки.

– Когда? – с тоской спросил он и с облегчением выдохнул: – Ну, двадцать пятого я в Иркутске!

Она расстроилась, причитая:

– Ну, как же так, все же – отец! И Ларочке будет приятно!

– Работа, Лиза, – сухо ответил он и добавил: – Поздравить – поздравлю. Деньги завезет шофер.

– При чем тут деньги? – вздохнула Лиза и положила трубку.

Водителя с деньгами он все же отправил, и сумма была внушительной – в конверт вложил пятьсот рублей. А на те пятьсот тогда позволить себе было можно ох много всего!

Лиза умерла в пятьдесят – ужасно, но... Такая судьба. Тогда позвонила Лара и сказала про похороны, Прокофьев болел – и вправду болел! Без температуры, но кашлял прилично. Был промозглый ноябрь, и вылезать из постели совсем не хотелось.

Полночи он думал про похороны, искал себе оправдания и наконец успокоился – да, некрасиво. Мать его дочери. Но – абсолютно чужой человек. Абсолютно! И к чему тут разыгрывать драму? Лично для него никакой драмы нет. А что подумают люди, так на это ему вообще наплевать. Да и какие люди? Лизины полторы подруги и пара убогих престарелых родственников? Он даже не помнит их имен. А что до дочери, так у той муж и дети. Вот вам и поддержка. Да к тому же он не пацан, чтобы так наплевать на свое здоровье. Матушка всегда говорила, что у него слабые легкие – реакция Пирке у него всегда была положительной.

Выписав себе индульгенцию, Прокофьев спокойно уснул и проспал до полудня.

Муки совести его не посещали – ну, может, так, слегка. Поскребли кошки и – смылись.

Так, впрочем, было всегда.

Когда ему перевалило за семьдесят и начали наступать, как грозные танки, новые времена, от дел он почти отошел.

Не совсем, а просто подвинулся, уступив дорогу молодым. Но те, «молодые», его послушные ученики, оказались людьми на редкость приличными и патрона своего – так уважительно они его называли – не оставили. Времена-то настали новые, а связи никто не отменял. И он благородно, но с дальним прицелом связи свои «передал». Ребята оказались ловкими, ушлыми и быстро пробились. Но и его не забывали – раз в месяц конвертики подвозили. В конвертиках было негусто, но, как говорится, приличная прибавка к пенсии. Словом, он не бедствовал и серую пенсионерскую жизнь не влачил. Хватало на все – на продукты из приличного магазина, на шмотки, к которым интерес был, конечно, утрачен, но не совсем. Не до конца, слава богу.

И квартирку свою скромную обновил – классный, надо сказать, сделал ремонт. Матушкина квартира тоже была «при деле» – успешно сдавалась. Не за большие деньги – в ней, кстати, проживал один из прилежных «учеников». Аренда была символическая, но по сути давала больше.

И ресторанчик позволить себе мог – да что там! Довольно часто. И в театры хаживал – ну, здесь уж точно – по контрамаркам. Старые связи работали, курилка-то жил и помирать не собирался.

Жил Прокофьев в свое удовольствие – впрочем, к этому он привык. «Не отвыкать же!» – пошучивал он.

К женщинам он интерес потерял – это его огорчало, но он, как всегда, находил оправдание: ну, сколько можно, в кон-

це концов! Уж ему-то, да за его жизнь... Позавидует любой. Да и возраст берет свое, никуда не денешься.

Его бывшие дамы – две-три – сохранили с ним дружеские отношения. Обиды давно прошли, и они с удовольствием болтали о том, о сем, часами вися на телефоне, в надежде, что бывший возлюбленный выведет в свет – вот скупым он точно никогда не был.

Иногда так и случалось – он брал кого-нибудь из них на премьеру, или на вернисаж, или приглашал на обед.

Дамы эти, разумеется, товарный вид давно утратили, но были ухожены, остроумны и вели себя вполне по-светски – выходом он оставался всегда доволен.

Конечно, они дружно сетовали, что годы молодые прошли, канули в Лету и теперь остается «протез в стакане и манная каша». Но они все же кокетничали – за модой следили, за фигурами тоже, да и лица свои держали в порядке – это про тех дам, что с успехом пользуются новыми технологиями. Будучи в приятном дружеском статусе, они с ним делились интимным.

Его это слегка коробило, он понимал – за мужчину его давно не держат.

Лариса объявилась как снег на голову – позвонила однажды и попросила о встрече.

Он совсем растерялся и задал дурацкий вопрос:

– А зачем?

Она замолчала, раздумывая, обидеться ли на этого человека, считающегося ее биологическим отцом, или все же не стоит – понять его можно.

Прокофьев дал слабину и согласился на встречу. Нервничал, что говорить, нервничал. Виски заломило – а это означало, что подскочило давление. Не жаль было потраченного времени – этого добра у него было навалом. Не жаль и денег – кафе было скромным, да и вряд ли она его объест.

Было тревожно и муторно – зачем? Вот зачем все это надо? Зачем вносить сумятицу в его такую привычную и размеренную жизнь? Зачем беспокоить пожилого и почти незнакомого человека? Родными они не станут – это понятно и так. Жизнь ее его не заинтересует. Тогда зачем?

Прокофьев сидел в полумраке кафе, пил вредный растворимый кофе и поглядывал на часы.

Он сразу узнал дочь – по неуклюжей фигуре, полным ногам, черным навыкате «коровьим» глазам.

Она поискала его взглядом, засуетилась, торопливо скинула плащ и, одернув юбку, решительно направилась к нему.

Он встал и протянул ей руку. Она села напротив, опустила глаза и призналась, что сильно нервничает.

Он спросил, не голодна ли она, но есть она отказалась и заказала чай.

Не поднимая глаз и болтая в чашке ложечкой, она торопливо и сбивчиво рассказывала ему про свою жизнь.

Ему было скучно, неинтересно, но он «делал вид» и кивал головой. Она говорила открыто и откровенно, что очень смущало и возмущало его – чужие ведь люди, зачем же вот так!

А она все говорила и говорила. Брак неудачный, муж – человек угрюмый, без чувства юмора. Денег приносит мало, и она вынуждена брать дополнительные часы. Она – учительница химии в обычной школе. Работу свою вроде любит, но от детей устает. И потом – какие сейчас дети! Можно сойти с ума. С завучем отношения не сложились, она баба вредная и одинокая, совсем не понимает замужних женщин. Есть двое парней – сыновья. Мальчишки неплохие, но... Под сильным влиянием бабки. То есть свекрови. Та, правда, ведет дом, но кому от этого легче? Морально она совсем ее раздавила – все четверо против нее, включая мужа... Она все говорила и говорила, а он совсем скис, почти лежал на столе и все думал, когда же этот бред завершится.

Наконец дочь замолчала, и Прокофьев посмотрел на часы. Она встрепенулась и стала извиняться, что отняла у него столько времени, но... Ей просто надо было выговориться – подруг нет совсем, от коллег сочувствия не дождешься, да и не стоит на работе все это, ну, обнародовать... Глупо.

Он поднялся, и следом поднялась она. Он помог ей надеть плащ и уловил чутким носом ее духи. Его передернуло – духи были из самых дешевых, «рыночных», и он еле сдержался, чтоб не сказать ей, что лучше уж никакие, чем эти.

Они вышли на улицу, и Прокофьев увидел, что лицо у дочери отечное, опухшее, нездоровое. Под глазами мешки, и косметика расплылась некрасиво. Она застегивала пуговицы на плаще, и руки у нее дрожали.

А он не знал, как проститься – ну, чтобы так, навсегда.

Тут она глубоко вздохнула и словно вытолкнула из себя:

– А можно... Можно я буду иногда... к вам... заходить?

Это был не вопрос – просьба. Скорее – мольба. Унижение.

Он покраснел, растерялся, развел руками и, выдавив неискреннюю, почти жалкую, кривую улыбочку, отшутился:

– Ну, если совсем иногда.

Она, не уловив иронии, счастливо улыбнулась и сказала:

– Спасибо!

Прокофьев махнул рукой и двинулся прочь, проклиная себя за слабость характера.

Вот с той поры и начались эти «среды». Среды и банки – с невкусным и некрасивым супом, с плоскими, деревянными котлетами или макаронами по-флотски. Дешевая еда, к которой он, эстет и гурман, был равнодушен и даже брезглив.

Во вторник уже начиналось беспокойство. К вечеру настроение окончательно портилось, и он придумывал себе, а вдруг что-нибудь случится (конечно, самое незначительное – факультатив или педсовет, например), и Лара, прости господи, не заявится.

Но она появлялась – уставшая, замученная, с мокрым от пота лбом.

Так было и в эту среду. В два тридцать раздался звонок. Он тяжело вздохнул и пошел открывать. Лара стояла на пороге, держа в руках свою необъятную сумку, способную испортить репутацию любой женщине.

В прихожей она, как всегда, долго возилась, и он кричал с кухни:

– Ну, что там опять?

Когда выглянул в коридор, она рассматривала себя в зеркало.

«Что там смотреть, господи!» – раздражался он.

Она, судя по всему, с ним была солидарна – отражение ей не нравилось, она огорченно поправляла прическу, пудрила пахший дешевым земляничным мылом толстый нос и подкрашивала губы почти бесцветной помадой.

Зайдя на кухню, она тяжело опускалась на стул и говорила – всегда! – одну и ту же фразу:

– Устала!

– Ну и зачем ты пришла? – вспыхивал Прокофьев. – Какая необходимость?

Она обижалась – это было видно по задрожавшим губам, – но виду не подавала.

– Вот, – растерянно говорила она, – принесла тебе суп и котлеты.

– Лариса! – Он садился напротив. – Ну, сколько можно, ей-богу! Я. С голоду. Не умираю, – четко, с расстановкой и с раздражением говорил он.

– Да что ты там ешь! – огорченно махала рукой она. – Пельмени и пиццу?

Господи! Да как ей сказать, что даже самые дешевые пельмени и пицца из киоска у метро лучше и съедобнее ее «горячего, домашнего питания»!

– Чай или кофе? – вздыхал он, понимая всю безнадежность своей ситуации.

И опять, как по кальке:

– Как я люблю кофе! – расстроенно вздыхала она. – Но мне нельзя – вчера опять было давление!

– Давление у тебя не от кофе – кофеину там меньше, чем в чае, – а от твоей, матушка, жизни! – заводил свою песню он. – Работа твоя. Семейная ситуация. Лишний вес. Все, что ты позволяешь с собой сотворить.

Она, опустив глаза, молча пила чай.

А он заводился сильнее:

– Школа твоя – это же издевательство, а не работа! Дети эти... безумные. Химию твою никто никогда не любил и вообще не считал предметом!

Лара молчала, распаляя отца еще больше.

– Твой муженек, – с презрением выплевывал он, – паразитирует на тебе, а тебе – хоть бы что! Удивляюсь просто! Баба эта отвратная – твоя свекровь. И как ты позволила этой торгашке сесть себе на голову? Хамка, тупица, а крутит и им, и тобой! Дети твои... за-ме-ча-тель-ные! Пляшут под бабкину дудку и глядят на тебя как на вошь! Все они – все! – сидят на твоей голове, на твоей шее и – заметь – в твоей же квартире!

– Ну-у, – тянула она, – ты же знаешь – выхода нет...

Прокофьев вскакивал и начинал ходить по кухне.

– Выхода! – возмущению его не было предела. – А ты? Ты искала этот самый выход? Ты! Пробовала пе-ре-ме-нить жизнь? Послать их всех к черту? Например, уволиться с этой каторги под названием «школа»? Привести, наконец, себя в порядок! Ведь ты еще молодая женщина! А ходишь... как бабка ста лет! Шаркаешь, смотришь под ноги... тащишь свои... рюкзаки!

– Господи! Ну о чем ты! – тихо отвечала она, и на глазах ее появлялись слезы. – Кому нужна учительница химии? Куда я пойду? Технологом на завод? Уйти из дома? Не видеть детей?

Да и куда уйти? Снять квартиру? На какие шиши? Выгнать из дома старуху и безработного мужа?

— Удивительно! — продолжал возмущаться он. — Обо всех ты подумала! Про своего идиота, про чудных детишек, про сумасшедшую бабку! А про себя? Про себя ты хоть раз в жизни подумала? Ну нельзя же так, право слово! Ты даже мать свою переплюнула. Правильно говорила твоя бабка — без хребта. И ты, и твоя мать, царствие ей небесное!

Она принималась плакать, раздражая этим его все больше и больше, он подавал ей бумажный платок, она долго сморкалась, долго и шумно, а он...

Отводил глаза и поглядывал на нее брезгливо, все удивляясь тому, что эта немолодая, крупная, неловкая и жалкая женщина — его родная — подумайте только! — и единственная дочь.

Наконец она, все причитая: «Как я тебя расстроила!» — вынимала из сумки банки — двухлитровую с супом и литровую со вторым.

— Это тебе на три дня, — говорила она, — щи и котлеты. Макароны сваришь потом. Можно и гречку, ну, или картошку.

С каждым ее словом Прокофьев морщился все больше — макароны, гречка... Тьфу, гадость какая, честное слово!

Потом Лара тяжело поднималась и растерянно говорила:

— Ну, я пошла?

— Да-да, разумеется! — подхватывал отец, почти не скрывая радости.

Уходила она долго — снова топталась в прихожей, завязывала скучный шарфик, перевязывала его снова, словно это имело значение, поправляла берет, водила палочкой бледной помады, вздыхала и наконец говорила:

— Все, я пошла. До среды, как всегда!

— Не утруждайся, — наивно пробовал отговорить ее Прокофьев. — Ну, давай пропустим следующий визит. Я перебьюсь

без обедов, поверь мне на слово! Или схожу вот в кафе. – И он кивал на входную дверь, словно кафе было прямо за ней.

– Что ты! – вскрикивала она. – Какое кафе? Только желудок испортишь! Надо горячее и домашнее! Суп – обязательно! Иначе – гастрит!

«С твоих котлет будет гастрит, – язвил он про себя, – скорее, чем с покупных чебуреков. Не отвяжешься, – с тоской думал он, закрывая за ней входную дверь, – ни за что не отвяжешься. Скажешься больным – будет шастать ежедневно. Придурошная, ей-богу! Всех прощает, обо всех заботится. И надо же так наплевать на себя! Никакого характера, никакой гордости – все плюют, а она утирается. Нашла себе работенку – заботиться о папаше! А этот папаша... и доброго слова не стоит!»

Прокофьев подходил к окну и видел, как дочь плетется к метро – ссутулившись, шаркая, глядя себе под ноги. Черное пальто, синий берет, шарфик этот дурацкий...

И это его дочь! Нет, были не только брезгливость и презрение – жалость, конечно, тоже... Но больше – обида на судьбу. Чтоб у него... Да такая квашня!

Суп он выливал не понюхав – это белесое, жидкое, редкое называлось «щи». Спускал в туалет и брызгал мандариновым освежителем. Котлету брал в руку, брезгливо обнюхивал, осторожно надкусывал, медленно прожевывал, сплевывал в ведро, туда же отправлял все остальное.

«Почему? – с тоской думал он. – Почему нельзя сварить вкусно? Ведь это же обычные, простые, знакомые любой хозяйке, элементарные блюда!» Даже он, мужчина, понимал, что это несложно. Ну, положить побольше капусты, бросить туда помидор, покрошить зелень!

Ладно, допустим – хорошие котлеты требуют хорошего мяса. Из дерьма конфетку не слепишь. Но щи? Совсем незатратное блюдо!

Нелепая какая-то, нескладная баба!

Он открывал холодильник, доставал банку датской ветчины, упаковку хамона и овальную пачечку камамбера. Варил себе кофе, на свежую чиабатту намазывал масло, сверху клал мясное и с удовольствием обедал.

Как-то вечером позвонил Ирэн, одной из своих прежних пассий, с закрепленным ныне статусом «близкой подруги». Ирэн была хамовата, умна, остроумна, прозорлива и всегда говорила «чистейшую правду». Люди «тонкой» организации от нее шарахались – кому нужна эта «чистейшая»?

– Слушай, – озабоченно сказал Прокофьев, – ну что ей от меня надо? Никак не пойму. Еле живая, задерганная, а сред этих чертовых не пропускает! Достала, ей-богу.

– Хватку теряешь, волчара! – хрипло засмеялась Ирэн, затягиваясь сигаретой. – Ты что, дурак, Аркашка? Старческая деменция? Ей от тебя нужно одно, но наверняка – квартира! Точнее – квартиры. Ты одинок, детей больше нет – ну, в смысле, законных. Жены тоже. Родни никакой. Кому? Только ей. И Адкина хата, и твоя! По-моему, совсем неплохо. Одну – на сдачу, вторую себе. Поражаюсь твоей наивности, – хмыкнула она, – гони ее к чертям. Что Лизка твоя была овцой, что эта. Вот удивляюсь – ничего от тебя. Ничего от Адульки. Как пожалели, ей-богу!

– Да, странно, – бормотал Прокофьев, – сам удивляюсь, что это – моя дочь. Как-то... неприятно даже... Хоть говорить об этом неловко.

– Кому неловко, – обиделась собеседница, – мне? Уж я-то тебя – вдоль и поперек, Аркаша. И не грусти – где-нибудь ходит длинноногая блондинка или прекрасный брюнет – твои детки, любимый! Сколько их небось разбросано по белу свету! Не сосчитать! От Владивостока до Самарканда. И дальше – если, конечно, есть еще «дальше», – засомневалась она.

– Да перестань! – совсем расстроился он. – Какой Самарканд, при чем тут это? И все же... Ты думаешь... из-за квартиры? – нерешительно переспросил он.

– Деменция, точно, – подтвердила Ирэн, – теперь уже вне всяких сомнений. А ты проверь ее, – посоветовала она, – ну, скажи, что обе квартиры ты давно завещал. Например, Фонду мира, – тут она захихикала, – или, ну... детскому дому. А что, вполне в твоем духе, – веселилась подруга.

– Вечно ты о людях так. По себе судишь.

– И по тебе, – живо откликнулась та, – или я не права?

– Иди в задницу! – разозлился он и бросил трубку. – Умная больно!

Но «занервировал», как говорила все та же Ирэн.

Зашагал по квартире – признак душевного беспокойства. Выкурил три сигареты подряд, хотя курить почти бросил. Опрокинул две рюмочки коллекционного «Мартеля» из подарочного фонда. Не успокоился, возбудился еще больше.

«Все! – решил Прокофьев. – Ирка права! Что этой нескладехе надо, кроме квартиры? И как я, старый дурак, не допетрил? Конечно, квартира. Точнее, квартиры». Его и матушкина, светлая ей память! С ее-то ситуацией. По-другому не разрулить. А так – одну себе, вторую – в аренду. Пошлет всех своих спиногрызов, мучителей, бросит свою дурацкую школу – и заживет!

Нет, в принципе... Ничего такого, что из ряда вон. Все эти детки ждут, когда... Тем более – в его случае. Любить ей его не за что, это понятно. Единственная наследница – тоже понятно, но... Какое лицемерие! Какая наивная хитрость! Щи и котлеты против квартиры. Нет, против квартир! А квартиры эти – так, между прочим, – не из поганых. Матушкина – на «Соколе», теперь почти центр. Его – на «Университете». Тоже не фунт изюма. И если сложить... Ах, какая засранка! Строит из себя великомученицу. А может, все врет? Он ведь не проверял. Может, и дома все мирно? Муж тихий, непьющий. Бабка, как ни крути, тянула всю жизнь этих внуков, ее, между прочим, детей. И школа эта – и что там плохого? Отпуска длинные, предмет второстепенный. Подарочки от родителей – знаем, читали! А прибедняется! Все прибедняется – пальтишко с кошачьим воротничком, старушечьи боты, беретик столетний.

Врет! Точно – врет!

И тут его так разобрало, что твердо решил – завтра! Именно завтра пойдет к Зеленцовой и составит завещание. Завтра, и точка. А в среду ей сообщит: Так, мол, и так – квартирки свои отписал неимущим. Кому? А здесь надо подумать. Посоветуемся с Зеленцовой. Она – нотариус опытный, баба честная, хоть и прожженная. Плохого не посоветует.

И на реакцию этой «бедняжки» посмотрим. Как смоется с кислой мордой и – хвала господу! – перестанет его доставать!

Господу и Ирэн – чего уж там... надо признать.

Ах, шельма! Тихая такая, неприметная пройдоха. Все рассчитала, все! За свои поганые супчики, за свою заботу... Взять и отхватить – и что? Недвижимость в центре Москвы! Разом, махом решить все свои проблемы. А если вякнет – как же так, папа? Он ей в лицо: «А что же ты, милая, объявилась так поздно? Где ж ты была раньше? Почему не прорезалась лет этак десять назад? Или ждала, когда папик совсем накроется? Ну да, семьдесят три для мужика в нашей стране – это почти сто. Припозднилась, деточка, все решено. И ты, как говорится, в пролете!»

Прокофьев выпил еще коньяку, потом чаю – от волнения знобило – и лег в постель. Завтра – к Зеленцовой, все решено!

Он почти уснул и звонок своего мобильного услышал не сразу. На дисплее высветилось – Лариса.

«Как чувствует, дрянь», – подумал он, но трубку взял – наверное, спросонья.

Голос узнал не сразу. Переспросил:

– Что-что? Какая больница? С гипертоническим кризом? А я ведь тебе говорил, – начал было он, но быстро осекся. – Прямо с работы? На «Скорой»? Приехать? Когда? Прямо сейчас? Завтра? Ну, ладно... завтра так завтра. Пару бутылок во-

ды? Захвачу. Разумеется. А что-то еще? Ничего? Ну, держись там... до завтра.

Закономерно, все закономерно – загнала себя, своими руками в могилу. Господи, какая могила? Что он несет? Гипертонический криз, тоже мне... Редкость. Наверное, наследственность – матушка тоже давлением маялась. Он помнит – «Скорая» у подъезда, и он стремглав, не дождавшись лифта, несется наверх. И сердце бабахает как из пушки. Только бы все обошлось, только бы мимо...

Не спал, совсем не спал. Бродил по квартире, пил воду, под утро – чай. В семь утра залез в душ и под прохладной водой приходил в себя, слегка опасаясь простуды.

Потом сварил кофе – выпил черный и крепкий. Сладкий. Надо взбодриться! Заглянул в холодильник – нет, не пойдет! Камамбер и хамон не для больницы, никак.

– По дороге, все по дороге! Фрукты там, соки... Что еще? Сыр? Или творог? Значит, на рынок – слава богу, недалеко, пешком. Там – знакомая молочница, своя. Творог – роскошный! – бормотал он, надевая ботинки.

До рынка – пешком пятнадцать минут. Утро серое, влажное. Ветер нагло забирался под куртку, под кепку. Дрянной ветерок, дрянной и опасный. Дрянь погодка – московская осень. Скорей бы в тепло!

Взял творогу, сметанки домашней – не жирная? Жирная ей ни к чему!

Молочница, тетка простая, проявила сочувствие:

– В больничку? Не, жира в ней мало – сливки на масло! Не сомневайся! Все же – своя, без добавок. – Пока заворачивала, спросила: – Жена?

Он мотнул головой, сглотнул комок и хрипло сказал:

– Дочка.

Потом апельсины, лимон, гигантские груши – размером с кулак. Йогурты – слива, малина. Печенье овсяное. Мармелад. Почему мармелад? Он вспомнил, что говорила ему мать –

пастила, мармелад, овсяное печенье. Сладости, дозволенные больным. Так, значит, еще пастила.

Спустился в метро. Согрелся. Хорошо еще, что по прямой – без всяких там пересадок. Общественный транспорт он еле терпел – привык всю жизнь на такси или с водителем. Но не сейчас! В будний день, да еще поутру – самоубийство! Приедет к обеду, не раньше.

Вышел в Сокольниках. Ветер чуть стих, но без перчаток руки замерзли. Сунул в карманы.

В регистратуре сказали – посещение строго по графику. Где график – да на двери!

Сколько слов, вместо того чтоб ответить. С шестнадцати. Черт!

Подошел к охраннику, сунул полтинник, и тот, оглядевшись, кивнул – проходи.

Куртку в пакет, бахилы – и вперед! Третий этаж, кардиология. Из лифта направо.

У двести тринадцатой палаты замешкался, затоптался, потом постучал и приоткрыл дверь.

Она лежала у окна. Лежала, вытянувшись в струну, руки вдоль туловища. Глаза закрыты.

Лицо ее было белым, словно неживым, и губы – он только сейчас заметил – красивые, пухлые, ровно очерченные – тоже были белесого, нездорового цвета.

Он подошел, сел на стул и тихо сказал:

– Ларочка!

Так он назвал ее впервые.

Дочь вздрогнула, открыла глаза, посмотрела на него и сказала:

– Папочка... ты пришел!

Он кивнул, пытаясь сглотнуть тугой и плотный комок, застрявший где-то в середине горла.

– Пришел, Ларочка, – получилось сипло, по-стариковски. Засуетился, начал вытаскивать из пакета купленное и каждое

обозначал: – Творог, Ларочка. Деревенский! Сметана – торговка сказала, что вовсе не жирная. Сливки идут на масло, понятно? Жульничают. – Он улыбнулся.

Она улыбнулась в ответ.

– Апельсин вот. Почистить? И мармелад. Бабушка Ада его уважала.

Она замотала головой – ничего не хочу.

Он расстроился, предлагал то грушу, то пастилу, и она, чтобы не огорчать, съела мармеладку и пару долек мандарина. Потом попросила чаю, и он сорвался, побежал в буфетную и выпросил чаю, дав буфетчице сто рублей.

Лара выпила и, смущаясь, сказала:

– Очень спать хочется, наверное, что-то колют, ты уж меня извини. – И добавила: – Иди домой, папочка. Что тут сидеть?

Он горячо отказывался, гладил ее по руке, потом, когда она уснула, осторожно вышел из палаты, прикрыв за собой дверь, и пошел в ординаторскую.

Лечащим врачом оказался молодой мужчина приятной наружности, говорящий немного с акцентом.

– Будникова? – уточнил он – Да ничего такого. Обычный криз. Нервы, наверное. Ставим капельницы – сосудистое, актовегин. Восстановится, – уверенно сказал он, – будем надеяться на лучшее. А вы кто? – поинтересовался он. – Муж? Или родственник?

– Доктор, – мягко и вкрадчиво сказал он. – Я – не родственник. Я – отец!

Он взял его за локоть и отвел чуть в сторону.

– И еще, – голос его окреп, – не надеяться, а делать возможное – все возможное и невозможное! Вы меня поняли?

Тот испуганно оглянулся и кивнул.

– И невозможное, – повторил «не родственник, а отец».

– Да понял я! – с досадой сказал врач, вытягивая локоть из-под руки этого нервного и навязчивого человека.

– Вот! – довольно кивнул «не родственник». – Я в вас уверен. Почти. Начальство подключать, надеюсь, не надо? Главного, Департамент Москвы?

Тот покраснел и замотал головой.

– Случай-то рядовой, ничего особенного! – В глазах его прыгал испуг.

– Это для вас, милый мой, «рядовой и ничего особенного». А для меня – дочь! Вы меня поняли?

Тот мелко закивал и собрался смыться.

– И еще, милый! Будь ласка, приложи все усилия, а уж я... За ценой не постою, как поется в песне. Так что до встречи! – проговорил «отец», и это прозвучало с угрозой. – Да, – крикнул он вслед позорно сбегавшему доктору, – насчет лекарств! Все, что необходимо – из лучшего, из последнего, – вы только скажите!

Он зашел в палату. Лара смотрела в окно, и на глазах у нее блестели слезы.

– Ну, что такое? Что за беда? – он говорил с ней как с маленькой девочкой. Как не говорил никогда – тогда, когда она действительно была маленькой девочкой. – Все будет нормально, отлично все будет. Из этой проклятой школы ты уйдешь. Сто процентов – уйдешь. Если хочешь – это приказ! – он чуть повысил голос. – И из квартиры этой... Что у нас, нет квартир, что ли? Да пусть они всем подавятся! Проживем как-нибудь. У других еще хуже. А у нас с тобой – красота! Хочешь, поедем в Прибалтику? В Пярну, хочешь? Море холодное, но все остальное... Ты была в Пярну?

Она качала головой и продолжала беззвучно плакать.

– Там сосны, грибы. Белый песок. Нигде нет такого, поверь! Ей-богу, просто манная крупа, самая мелкая!

Она кивала головой и улыбалась – верила!

– Или нет. В Париж! Хочешь в Париж? Денег хватит, не в деньгах дело! Поправишься – и сразу в Париж!

Она улыбалась.

Он чистил ей апельсин и разламывал на дольки.

— Папочка! — сказала она, и он дернулся, вздрогнув. — Ведь совсем нет любви. Совсем! Никто, понимаешь? Одна только мама! А ее уже нет. Ни дети, ни муж... Странно сложилось... Такая вот я рохля — не могу за себя постоять... Никто не жалел, кроме мамы. Никто никогда не заступился... А я ведь сама за себя... не могу. К тебе прибежала. Думала — выгонишь. Зачем я тебе? Такая... А ты — не прогнал. Принял. Пригрел. И показалось, что я не одна. Есть ведь отец! Такое вот счастье! Спасибо тебе, — прошептала она, — за все — спасибо тебе!

Он встал и отвернулся к окну. Слезы душили. Дурацкие слезы. Удивился — разве он способен на это? На эти дурацкие слезы, на эти мысли, что он теперь не один...

Прокофьев обернулся. Лара, кажется, снова уснула. Он сел на стул и начал, словно впервые, внимательно разглядывать ее лицо.

Господи, а ведь правда! Правда, что тогда говорила Лиза. А он думал, специально. Ну, чтобы он обратил на нее внимание. А она ведь похожа... на его мать! Такие же, навыкате, глаза. Прямые темные брови. Крупный рот — красивый и четкий. Ямочка на подбородке — матушка утверждала, что это сообщает о силе характера. Получается, ерунда?

Или ее сила в том, чтобы все это сносить, терпеливо сносить, тащить, не роптать — нести свой крест, так, кажется?

И руки — он глянул на руки, — Аделаидины руки. Крупные, с ровными, длинными пальцами. Таким пальцам не нужны длинные ногти. Мать говорила — и так хороши — и нещадно их срезала.

Вдруг он вспомнил мать в те последние дни: как она дремала, а он сидел у ее кровати и смотрел на нее.

Сейчас он смотрел на свою дочь. И видел в ней сходство с матерью. Такое, что по телу мурашки. Нет, это лицо молодой еще женщины, а та уходила старухой, но...

Зашла сестра, неся в руке штатив с капельницей.

— Подождите! — остановил он ее. — Пусть поспит. Чуть попозже!

Сестра недовольно хмыкнула, но спорить с ним не решилась.

Он посмотрел на часы — опоздал! Зеленцова в понедельник уходит в два.

Значит, завтра. Перед больницей. Все — обе квартиры, гараж и участок. Вот про участок он, старый болван, совершенно забыл! А землица, между прочим, неслабая. По полмиллиона сотка, поди. А соток там этих... Кажется, двадцать. Кстати, уговорила Ирэн, старая стерва. Сказала — бери, это только будет расти в цене.

Хорошо, что послушал.

Он вышел на улицу и пошел к метро. Слегка отдохнет и за дело — найти документы, листочек к листу, все эти купли-продажи, кадастры, хренастры...

Зеленцова — тетка дотошная, придирается к мелочам. Но — честная, проверено.

Все подобрать, разложить, прикрепить. По файликам, аккуратненько — Зеленцова так любит. И — успокоиться. Чтобы больше про это не думать.

А эта Ирэн, Ирка эта... Старая лошадь. Завидует просто. Боится старости. Мужа нет, с дочерью не общается.

Лариса открыла глаза. Соседка напротив чистила пожухлое яблоко и жевала его передними зубами.

— Отец! — важно сказала соседка и, вздохнув, прибавила: — Хорошо, когда есть родители. Есть кому поплакаться и кому защитить.

Другая соседка, что помоложе, громко хмыкнула:

— Ну, да! Особенно — папаши. Знаем мы их! Пьют, шляются, а потом еще алименты просют!

— Мой — не такой, — тихо сказала Лариса и посмотрела в окно.

На голой ветке березы сидел воробей и смотрел на нее очень внимательно.

Она улыбнулась.

Тяжелый крест

– Здрасти, здрасти, супруга моя, Алла Константинова! – Он, как всегда, чуть поодаль и чуть сбоку. И как всегда, видит боковым, отлично отрепетированным взглядом ее лицо. Вернее – тень, мельком, мельком, доля секунды. Для всех – незаметная, для него даже очень. Знакомо все – тень, чуть дрогнувшие губы, в глазах – мимолетная, мгновенная вспышка, и тут же все погасло. Опять разочарована. Опять недовольна. «Не лакействуй» – вечная присказка.

Да бог с ней! Да разве он обижается? Пусть говорит что хочет. Пусть думает что хочет. Пусть вот сейчас, как всегда, он снимает с нее пальто, а она – чуть в сторону, незаметное такое шараханье. От него, конечно. Лишь бы не дотронулся, не коснулся.

На тарелку он как всегда – спрашивать не надо. Все известно – кусочек рыбки, свежие овощи, ну, может быть, ветчина, если постная, конечно. Кусочек «черняшки» – его слово. Она так в жизни не скажет. Это понятно – не ее лексикон. Его. А это опять раздражает.

Вина – чуть-чуть. Красного сухого. Горячее – вряд ли, хотя бывает. Если по настроению. Потом, правда, будет расстраиваться, переживать. На весы вставать. Дурочка, ей-богу! Ему до ее лишних килограммов...

Еще раз – да бог со всем этим. Он-то знает «про другое». И все это «другое» еще будет, будет! Вот придут вечером домой... Она присядет на скамеечку в прихожей – устала. А он – ботики с ноги. Аккуратненько. «Молния», начать с пяточки, плавно так. Потом она в ванную – обязательно. Он опередит – как всегда. Порошком, тем, что без хлорки – у нее аллергия, – щеткой по старой эмали, чтобы чисто-чисто. Чтобы приятно. Полотенце – тоже свежее. Каждый вечер – непременно. Что поделаешь? Такое воспитание! И это – только уважать. И только восхищаться!

Дальше – постель. Смена белья – еженедельная. Тоже – сплошное восхищение. Он-то, бирюк, так бы и дрых на несвежем.

Подушку – взбить, одеяло – встряхнуть, простыню – расправить. Без складочек, без заломов. Для нежного тела потому что. Ночная – на кресле. Тоже расправленная, отглаженная. Это – уже Нинкина заслуга. Он проводит ладонью по простыне – гладко. Подушку – носом, незаметно. А то сгорит от стыда. Ах, какой восторг! Ее запах! Кружево ночнушки пальцами... Как будто ее погладил!

Капельки еще в рюмочке – обязательно! Пустырник и корень валерианы. Заваривает он утром, ежедневно – трава не должна стоять. Чтобы заснуть сразу, без раздумий.

Раздумывать будет он.

* * *

Она перед зеркалом. Свежая, капли воды блестят на плечах. Вынимает шпильки из волос. Рассматривает себя с недовольством, трогает лоб и щеки, вздыхает. Дурочка какая! Чем вот недовольна? Все – как подарок божий! Все – восхищение и восторг! А она недовольна!

Милая моя, глупенькая! Все морщинки считает! А ему эти морщинки... Только бы была рядом, только бы сидела вот так перед зеркалом...

Баночки все эти, колбочки волшебные... Украшает себя, бережет. Старости боится.

Все, конечно, боятся! Только она – зря! Ей-то, миленькой, бояться нечего!

Потому что он... С каждым годом, с каждой морщинкой – все больше и больше.

Только бы жила! А в нем ли сомневаться?

Впрочем, она и не сомневается. Она заплетает на ночь косу, кольд-крем на лицо, и – в кровать. Да! Еще чаю, конечно!

Она поежилась – как всегда, легкий озноб перед сном. Впрочем, что беспокоиться? Анализы в порядке, два месяца опять мерила температуру – потом бросила. К ночи всегда повышение. Сколько можно расстраиваться? Для расстройств и огорчений у нее всегда был повод. Много не надо.

Согрелась, правда, быстро – чай, который он принес, как всегда был свеж и очень горяч.

Вспомнила этот визит, последний. Его сослуживцы. Чести много – но пошла. День рождения начальника. Слава богу, к его родне визиты закончились. Давно закончились – она настояла. Нет, все хорошие люди... Ничего, как говорится, личного. Но уж слишком невыносимо... Ее родни немного осталось. Вообще говоря – совсем не осталось. Тетка, сестра отца, из ума выжившая. Надо держать связи. А подумать – зачем?

Была только Леличка – любимая и близкая. Лелички нет уже три года. Рано ушла, могла пожить. Хотя к Леличке, если разобраться, и была самая жесткая претензия.

Это она, Леличка, уговорила. Долго объясняла и уговаривала долго. Все доводы разумные приводила. Потому что Леличка – сама разумность. Самой умной в семье считалась, самой ловкой. Все про жизнь знала, все предвидела. Ошибалась редко – единичные просто случаи.

Поэтому все к ней на поклон, все за советом. Людей насквозь видела. Один остряк ей прозвище дал – Леля-рентген.

Ни остряка того, ни Лели. Злость на нее была. Особенно – первое время. Не злость даже, а ненависть. Хотя смешно. Ну, уговаривала, советовала, раскладывала, как по полочкам.

Ни в чем не ошиблась. Все – как предсказывала. Кассандра доморощенная!

Только что, легче от этого? Нет, не легче. Вот себя бы тогда и послушала! Свое сердце. А ведь как испугалась тогда! Просто паника началась!

А надо было спокойнее, на холодную голову. Так нет ведь!

А может, и не надо было? Может, Леличка и права? Жизнь надо «выстраивать». Ее девиз, Леличкин. Она и выстраивала – первый муж, второй. Детей не надо, одни хлопоты и страдания.

Впрочем, она, Аллочка, тогда уже и не могла.

Она не могла, а Леличка не хотела. Разные вещи, совсем разные. По поводу стакана воды, который некому будет принести перед смертью, Леличка вообще веселилась! «Покажи мне этих детей и этот стакан воды! Все только и норовят залезть в твой кошелек и побыстрее дождаться твоей смерти».

Деньги, только деньги! И на прислугу, и на пресловутый стакан. И примеры, примеры... Господи, не приведи! И вправду – страшно становится!

На Аллочкин наивный вопрос о любви Леличка жестко рассмеялась. И опять все разложила. Что эта любовь, зачем, сколько от нее слез и сколько радости? Какие пропорции? И опять страшновато получилось. А Леличка не стеснялась, потому что была в курсе всего: и про три ее аборта, про два выкидыша, про Новый год, когда одна в пустой квартире, про отпуск – тоже в одиночестве. Про тоску вечную, про молчащий телефон – даже страшно воду в ванной включить.

– Ты же – как тряпка половая у него под ногами, – сердилась Леличка. – Ботиночки свои подробно так вытирал, с чув-

ством, с толком, с расстановкой. Приходя вытирал и уходя – тоже. Чтобы «грязь и блуд» домой не нести, видимо.

И напомнила про все ее слезы, про все истерики. Про приобретенные нервные и прочие болезни. И даже про «то» упомянула. Про то, о чем говорить запрещалось. Потому что – табу. На все времена.

Знала ведь, что табу, а напомнила. И сразу – под дых. Все, больше не надо! Достаточно! Права, права. А тут появился «этот». Леличка сначала его всерьез не брала, насмехалась. А потом, говорит, разглядела.

– Приличный человек, надежный, – стала уговаривать она. – Пьет в меру, зарплата, конечно, не фонтан... Но прожить можно, можно. Да и жалеть на тебя ничего не будет – все с себя снимет, все отдаст. Голодать не будешь. А потом все эти его заботы, знаки, так сказать, внимания. Сапожки застегнет и расстегнет, пальто подаст, спинку натрет, посуду вымоет. Чай, опять же, в постель – как ты любишь.

А главное – не бросит, ни-ни! Ни в старости, ни в болезни. Будет за тобой как за малым дитем.

И еще раз напомнила. Про все напомнила – про чрево ее женское, раскуроченное и изуродованное, про потерю воли и желания жить.

Уговорила. И все оказалось ровно так, как она и предполагала. Тютелька в тютельку. Пророк просто. Посмеивалась:

– А ты что, сомневалась? Во мне – сомневалась?

Да нет, Леля! Не в тебе – в себе! Не знала просто, что так тяжело будет. Невыносимо просто.

* * *

Все хорошо, все славно. Все идет как надо. Как и молил у боженьки:

– Только дай, только чтобы со мной!

А как там будет... Хорошо будет! Он уверен. Не может быть плохо! В подробности, правда, лучше не вдаваться, чтобы помереть раньше времени не захотелось.

Да нет, нет! Не гневлю! Она – рядом! Спит вот за стеночкой. Посапывает.

Он улыбнулся. Вышел в коридор – ботики ее стоят, пальтишко висит, платок оренбургский.

Ботики поправил – ровненько. Вот сейчас ровненько. Свои «кашалоты» отодвинул. Рядом, но – поодаль, чтобы не осквернять. Все – как в жизни.

И хорошо! Свет погасил – и к себе. В норку. «Норка» – крошечная, запроходная восьмиметровка. Окно узкое, на соседнюю стену. Даже штора не нужна. Койка – не кровать. Стул старый, венский, на шатких ногах – для одежды. И табуретка у койки – вместо тумбочки.

И все – хорошо, все – отлично. Больше ничего не надо. Потому что в соседней, в просторной и светлой, окнами на юго-запад и во двор, шторы легкие, сирийские, с нарядной блестинкой, кровать арабская, с завитушками, широченная, двуспальная. Комод и шкаф, телевизор и горка с посудой. Да, ковер еще – прабабкин, туркменский, настоящий. После войны из Душанбе вывезенный. Все, что после бабки осталось. Кроме ее могилы. Все его наследство.

И во всей этой красе – она. Богиня, царица. Лучшая из живущих на этой земле.

Аллочка. Его Аллочка.

Вот, собственно, и все! В смысле – вот оно, главное! А с остальным... Да и бог с ним, с остальным!

Главное – ни о чем не думать! Не задумываться – в смысле.

Он и старался. И даже иногда получалось. Уже хорошо.

* * *

В дом его тогда притащила Нора. Полоумная, самой к сорока, а все замуж рвалась. Надеялась. Хоть кого – только бы взял. Имела на него виды. А он – как увидел Аллочку, сразу про Нору чокнутую и забыл. Хотя от чего голову потерял, непонятно.

Ничего от нее тогда не осталось после той истории. Как мертвец ходила – бледная, тощая, глаза измученные, больные. И правда – в гроб кладут краше. А вот надо же!

Норка кофту распахнула, бюст свой мощный раззявила. Волосы распустила, стрелки у глаз до виска. Каблуки, юбка вот-вот по швам треснет. И – ноль эмоций. Один танец с ней потоптался с мукой на лице и был таков.

И к ней, к Аллочке, сбоку на диванчик. И на кухню следом – с посудой на подносе. У раковины встал, передник надел, рукава закатал. Она удивилась:

– Зачем вам это? Бросьте, столько женщин вокруг!

А он посмотрел на нее и сказал:

– Женщина тут одна. Вы. – И за посуду.

Она повела плечом:

– Ну, хозяин барин. – И тень по лицу. Уже тогда – тень.

Норка напилась как свинья и все его к двери тащила. Просто руки отрывала. Он – ни в какую.

Аллочка тогда, глядя на эту сцену, сказала с усмешкой:

– Зря отказываетесь! Нора наша женщина одинокая, хозяйственная, с квартирой.

А он ей в глаза:

– Не квартира в женщине главное. И не хозяйственность.

– А что? – полюбопытствовала.

– А суть, вот что. Наполнение, так сказать.

Аллочка даже головой покачала – вот уж удивил так удивил! А с виду – Иван-дурак. Чуб кудрявый, белобрысый, фикса золотая. Механик, кажется, по машинам. Да, точно, что-то там с техникой связано. Да и руки... Крупные такие, рабочие.

Не ее «фасончик», короче говоря. Особенно после того, что было и как было.

Леличка тогда внимательно на него посмотрела и шепнула в дверях:

– Оставляй. Хоть кровь разгонит.

Она поморщилась:

– Вот еще! Надо больно!

Леличка строго так пальчиком:

– Пробросаешься! Ишь, цаца какая! Память короткая – забыла, как я тебя из психушки после суицида вытаскивала!

Сволочь. Все сказала. Она вообще без церемоний. А может, и правильно? Может, так с этими тупицами и надо? Чтобы сразу – в стойло, по местам. Знай свое место!

* * *

Не выгнала его тогда. Оставила. Не благодаря Леличке, стерве этой. Так, пожалела. Он сказал, что комнату снимает в Удельной.

– Какая Удельная? – говорит. – Ночь на дворе.

Хотела постелить на диване, а он:

– Не стоит беспокоиться, так прилягу, какое белье? Я и на коврике у двери могу.

Она, как услышала про этот коврик, чуть в конвульсиях не забилась. Дверью хлопнула – и к себе. А там уж... По полной оторвалась. В голос, не стесняясь.

Он испугался: чем обидел, не понял. Да и кто поймет? Все под ее дверью слушал, а зайти побоялся. Почуял, что ни к чему.

Все-таки чуйка у него была! Была, была! Никогда не лез – ни вопроса лишнего, ни слова. Все молчком, все по делу. Чаю или капель успокоительных. Ноги укутывал, одеяло подтыкал. Как мама в детстве. Вот однажды подоткнул, и она решила: пусть остается. Потому что если опять одна – в общем, за себя она тогда не отвечала. А он – отвечал. И за себя, и за нее. Всю жизнь.

* * *

– Уходи с работы, – сказал жестко, как приказал.

Она вскинулась:

– Еще чего! Советы твои, прости господи! Кто их спрашивает? Да и вообще – какое, собственно, право...

Он все понял – из простых был, но из понятливых. Все. Закончили с этим. Больше – никогда! Только если осторожненько, вполголоса: «А как ты думаешь?», «А если?..».

Она – взгляд такой, что зажмуриться впору. Полоснет и выйдет. Молча. Не уважала. Он понимал: а за что? За какие такие заслуги? Что чай, щи, пол влажной тряпкой? Она еще взгляд на его руки бросала – после смены всегда черные, краска, масло. Он старался поскорее в ванную, а там растворителем. Да плевала она на все. Просто научилась на руки его не смотреть. Запаха его не слышать. Жила же до него, не померла. А что до забот его – так сам напросился. Сам – за счастье. Так за что тогда? Уважение еще надо заслужить. Да и любовь – такое у кого-то тоже бывало, когда со временем.

Нет. У него – не так. Не заслужил, стало быть. Ну да ладно. Может, плохо старался?

Короче – сам виноват.

* * *

Тяжело было сразу. Понимала ведь, что не привыкнет. Не сможет. После того. После того всего. И наплевать, что подлец, – конечно, все понимала. Подлец, негодяй, потребитель. Исковеркал, порубил на куски – и выбросил. Правда, ничего и никогда не обещал. Честным был. Говорил, что семья – святое. Дети – никогда и ни за что. Как можно предать детей? А жена? Сколько с ним прошла, сколько перестрадала! И вот сейчас немолодую, болезненную женщину – на помойку? А как потом жить прикажешь? Как через все это перешагнуть? Это ж каким негодяем и подлецом надо быть? Да разве ты такого сможешь любить? Уважать разве сможешь? Как вот со всем этим жить? И ты предлагаешь мне быть счастливым и легким?

Вранье. Не был честным. Просто умным был – это да. Видел ее насквозь. С ней – не в райские кущи. С ней – на горящую сковородку. Боялся ее страстей, желаний, огня ее бе-

шеного. Понимал – не опалится, сгорит. Разве такой должна быть жена? С ней – раз в неделю. Ну, максимум – два. И достаточно. Более чем. Она ведь – на разрыв. А он на разрыв не хочет. Тяжело это, не мальчик.

Хотя, конечно... Приятно, что говорить. После, пардон, интима ее трясло, как в лихорадке... Горела вся – температура подскакивала. И хороша была в этом огне, хороша. Слова такие знала! Уж сколько у него было баб, прости господи! А такая – одна.

Ну одна и одна. Больше бы он не выдержал, давление начало скакать. Испугался. Все реже и реже. А она – ребенка! Хотя бы – ребенка!

Обманывала – и не один раз. Он тогда резко да жестко:

– Только попробуй! Только посмей! Не увидишь ни разу – ни меня, ни денег!

Пугалась. Бежала к врачу. А потом – опять.

Устал он. Вымотала, выпила. До дна. Он тогда даже в санаторий нервный уехал – ванны, грязи, душ Шарко.

Приехал как новенький. Не знал, что она тогда тоже – в нервном. Даже – в психиатрическом. После попытки...

Вытянули, слава богу! Плохого он ей не желал. Пусть будет здорова и счастлива. Но – без него! Извольте! С него – достаточно, выше крыши с него.

А насчет честности – да, врал. Женился через три года. На молодой. И жену – болезненную и верную спутницу жизни – оставил, и деток. Перешагнул, стало быть.

Просто девка попалась хорошая. Крепкая девка, здоровая и веселая. Тело такое... А борщи какие! Вареники с вишней! Простая девица, из Кременчуга. Да и хорошо! Устал он от сложных!

Эта в петлю не полезет, на кафедру его стучать не пойдет, как женушка бывшая.

Всем довольна, всему радуется. Чудо, а не девка! Радость одна! Повезло на старости лет, что говорить.

Потом, правда, хуже стало – кооператив построил однокомнатный, на большее денег не было. А она, жена молодая, рожать надумала. Ни уговоры, ни угрозы – ничего не сработало. Уперлась, как бык – не сдвинешь. Какая семья без дитя? Эта – не та, послушная. Родила. Мальчик. Хорошенький, шустренький. Даже слишком. Ну, как говорится – Бог дал, и радуйтесь! Радовался, конечно, радовался.

Но тяжело, тяжело – квартирка крошечная, для утех квартирка, а не для продолжения рода. Он ведь привык к кабинету. И чтоб никто не трогал – только по стуку.

А тут! В общем, одни хлопоты на старости лет. Нет, и положительные эмоции, конечно...

Да и куда теперь денешься? Не домой же обратно проситься! Да ладно, все не так плохо. Жена молодая все взяла на себя. Так и сказала: «Сиди тихо, не рыпайся».

Списала, значит, со счетов. Ну и отличненько! Он и не рыпался. Потому что умный. Понял, что так – удобно. А удобства он очень любил! Сибарит, барин.

Даже здесь, в однокомнатной, удобства себе обеспечил как мог. Кухню обустроил: диван, тумбочка, книги. Не кабинет, конечно, но вход после девяти туда всем строго воспрещен, и жене и ребенку. Выторговал.

Про ту, что в температуре горела, не вспоминал. Почти. Только когда молодая жена кричала про помойное ведро и про то, что денег мало.

Впрочем, им всегда денег мало. Всегда и всем. Хотя нет – не всегда. И не всем.

Вот тогда он свою «температурную» и вспоминал.

* * *

Про того никто не забывал – ни он, ни она. Кому было тяжелее? Ему, наверное. Думал: «Вот сволочь! Девочку мою исковеркал, изуродовал. Ни во что верить не хочет – счи-

тает, что справедливости в мире нет. Кончилась справедливость вместе с ее историей. Болеет вот все время, глаза сухие и пустые. Мерзнет». Он надеялся – вот отогрею, приспособлю к жизни, покажу радости, вон их сколько! А она не хотела – ну ни в какую. Как отжила уже. Встряхивал, тряс за плечи – никак. Отстань и дай покой. А какой это покой? Да разве это – покой? Не покой, а угасание какое-то. Нет в человеке жизни.

Ему иногда казалось, что с покойником рядом так холодно. А того гада он ненавидел и смерти ему желал. Чтобы по справедливости: одну душу загубил – вот теперь и сдохни!

Увидел его однажды в рыбном на Сретенке. Носом в витрину уткнулся, глазки прищурил, очочки запотевшие с мороза снял, протирает свежим платочком. С продавщицей сюсипуси, прихихикивает. Рыбки просит. Не просит – канючит.

Лицо гладкое, холеное. Бородка клинышком, на голове шляпа-пирожок.

Дубленка импортная, портфель. Перчатки кожаные с узких рук снимает, опять хихикает:

– Барышня, милая!

Барышня – дура эта деревенская с халой на голове – туда же. Из-под прилавка сверток достает, оглядывается, краснеет. А отказать не может!

Почему ему отказать не могут? Что, не видят: позер, балабол, насмешник.

Другое видят: статный, импозантный, одет не просто хорошо, а очень хорошо. Сразу видно – человек интеллигентный, образованный. Профессор или дипломат.

И лицо приятное – нос, рот, брови. Только вот глаза холодные, как у щуки. Пустые. Цепкие. Опасные глаза.

А они, дуры, этого не видят!

И вправду – дуры! Как не увидеть! Когда все очевидно!

Схватил резво, сверток в порфельчик припрятал, улыбочка, комплиментик – и пошел. Вскинул голову, задрал подборо-

док. И вперед! К новым радостям и удовольствиям, к новым победам.

А у него – свои победы и свои радости! Аллочке, жене любимой, духи хорошие достал – повезло просто. Два часа в очереди. Тортик вот свеженький несу, судака мороженого. Везде – удача.

А дома – главная удача! Главная победа и радость – жена.

«Живи, тварь! Все равно – все воздастся. За ее муки, за ее страдания.

И за мои, кстати, тоже».

* * *

У нее – по-другому. Ничего плохого – ничего хорошего. Про плохое – не хотелось, запретила. Иначе совсем чокнешься. Опять потянет, не дай бог, на незнамо чего. А про хорошее...

А что про хорошее? Думала: «Как повезло, Господи! У всех – мужичье, вахлаки. Даже если с виду приличные. А у меня... Как все чувствовал, как без слов понимал! Достаточно только взгляда – одного, мимолетного.

Как музыку слушал! Боль на лице, терзания. Книги – так раскладывал – мне бы и в голову не пришло о таком подумать! А живопись как знал, как чувствовал! И про композицию, и про колор.

Слушать бы его часами и удивляться! Его восприятию и мироощущению и своему несовершенству». Так она и прожила все эти долгих семь лет – с ощущением своего абсолютного несоответствия и несовершенства.

Однажды, правда, увидела его жену – мимоходом, как-то сбоку. Разглядела плохо, но все же увидела – тетка вполне себе обычная, рядовая такая, из толпы. Довольно увесистая, крупнолицая, лицо блеклое, незначительное. В берете дурацком из синего мохера, в скучном пальто с серой норкой.

Удивилась: и это его жена? А она-то представляла... Ну уж со следами былой красоты – наверняка. А тут и этим не пахнет. И вот ее он не бросает, жалеет, боится потерять! Дорожит ею, помнит все ее заслуги!

Впрочем, это говорит только о его благородстве!

Знала бы она о его «благородстве» потом, позже. Когда он таки ушел из семьи. Ушел плохо, грязно. Пытался все поделить, оскорблял и обвинял во всем жену.

Тогда дети привели его в чувство – сказали, что будут стоять до последнего и биться в судах. А сын, подонок, вообще пригрозил! Горько было. Горько и... страшновато. Судов, конечно, допустить нельзя – потеря репутации. И так на кафедре врагов было предостаточно. Но и с детьми общаться перестал. Однажды позвонила дочь и сказала, что мать в больнице. Он помолчал и спросил:

– И что? И что вы хотите?

Дочь, помолчав, ответила, что она так и предполагала. Никаких открытий. И положила трубку.

Предполагала она, видите ли! И это после всех разговоров про суды и после всех угроз!

Все, тема закрыта. Все это ему давно неинтересно. Прошлая жизнь, прошлая жена, прошлые дети.

* * *

Аллочка тогда жила в абсолютной уверенности, что ей крупно и несказанно повезло. Судьба подарила ей такого значительного человека! Столько лет счастья, столько лет любви.

Она и вправду не сомневалась, что была с ним счастлива, – именно это и спасало. И даже все беды ее, свалившиеся потом, после его окончательного ухода, принимала за плату и расплату – ну, за все же приходится платить! Плата за любовь, расплата за грех.

С замужеством этим... Леличка, Леличка постаралась. Остается надеяться, что искренне.

Да нет, конечно, – искренне. Какой ей, Леличке, с того навар? Просто жалела, и все. В больницу тогда к ней ездила, фрукты возила, соки. Врачей строила, деньги раздавала. На такси ее оттуда забирала, неделю держала у себя.

А потом посоветовала. Да нет, не посоветовала – почти приказала:

– Выходи за него! Иначе – пропадешь!

С рук сбыть ее хотела Леличка. Вот в чем дело! Что с ней возиться! Леличка любила бывать благородной. Но недолго и без особых затрат. А может, лучше чтобы пропала? Чтобы безо всех этих мук...

Нет, понимала все. Хороший человек, надежный. Любит до смерти, не оставит в беде. Но руки и запахи, речь простонародная, шуточки дурацкие, прибауточки. А рубашки в розовый цветочек? А одеколон «Шипр»? А это цыканье зубом после еды, спичка во рту...

– Привыкнешь! – сердилась Леличка. – Тоже мне, барыня! Королева Австрийская. Кошкой у ног того терлась, мурлыкала. На перебитых лапах вокруг него вилась, скакала. Теперь перед тобой попрыгают, помурлыкают. А ты – живи, коль с того света вытащили! Живи и радуйся! Шанс это последний. Больше таких дураков не найдется, не жди. Оглянись – молодые в невестах поголовно. Молодые и красивые. А ты в свои тридцать пять – уходящая натура. Еле ноги держат. Выскобленная изнутри, пустая.

Это правда – пустая. Все правда: и больная, и нищая, и никому не нужная. Так и досидишь одна, если в окно не сиганешь. А тут – муж. Семья. Опора тут. И довольно сытая жизнь к тому же.

Ладно, договорились. Заключила пари с дьяволом. Вот и платит. Опять платит. Тогда – за любовь, теперь – за нена-

вить. Впрочем, это громко слишком, слишком громко. Не за ненависть – за нелюбовь. А какая разница? Платит – и все. Своей, кстати, жизнью, телом своим. Душой – один сквозняк. Хотя и это слишком громко. Про тело – уж точно. Он здоровый мужик, крепкий, ладный. Даже жалко его временами – ведь как милостыню, как подачку. Как собаке – кость.

Он, дурной, и этому рад. Всему рад. Всему, что с барского стола свалится. Может, потому, что тоже – убогий?

Ну и хорошо! Два убогих больше, чем один. Короче – битый небитого везет. Или, точнее – битый битого. Только ему это зачем? За чужие промахи и ошибки расплачиваться?

А нравится ведь! Тогда – извольте. Получите. В полном, так сказать, объеме и без прикрас!

Приятного вам аппетита!

Только не подавитесь!

А она, Аллочка, чиста – ничего не обещала и не навязывала. Что переживать? Она свое отпереживала.

Как будто!

* * *

Утром – на кухню. Скорее! Кофе в медную турочку, кашку геркулесовую. На воде бы надо, а он – чуть-чуть молочка и сахарку. Потому что жалел. Невкусно потому что. Сам – потом, попозже. После нее. Ей не нравятся эти яйца зажаренные, эта колбаса. Про колбасу вообще говорит, что это пища для собак.

Да и пожалуйста! А чем собаки хуже людей? По преданности они первые. Не предадут и не обманут. Вечно будут любить всякого тебя – и больного, и грустного, и бедного, и богатого. Им, собакам, все равно. И ему все равно – лишь бы она рядом, в соседней комнате.

После завтрака – все, побежал.

– Что вечером прихватить? Тортик к чаю, апельсинов, кефирчика свеженького?

Она сквозь зубы:

— Прихвати!

А что — не ответила. Да ладно, бог с ней. Может, плохо спала, может, голова с утра тяжелая. У нее это бывает.

Хорошо, что не сказала любимое: «Не лакействуй!»

Прихватим. Все прихватим — и тортик, и кефирчик, и булочку сдобную к кефирчику. Ничего не трудно, все в радость! Вот счастье-то какое! Самому себе позавидуешь!

А к вечеру она придет в себя, отдохнет. Поваляется с книжечкой, почитает. Пообедает — даст бог.

Что там эта дура Нинка приготовила? Жаркое. Хорошо, жаркое. Надо бы и первое. С ее-то желудком куда без горячего?

Чертыхнулся: «Все эта дура Нинка забывает, все надо напоминать». Задумался — погладить еще. Кроме супа. Ну и прибраться, конечно. Черканул записку. На столе кухонном оставил.

Подумал: «Нет, сегодня настроение будет плохим. Потому что — Нинка. Сегодня среда, ее день. А Нинка всегда раздражает — хоть из дома беги. Суетой своей, безалаберностью. Шумная такая, неловкая. Обязательно что-нибудь уронит или разобьет. Ясное дело — раздражает. Вот дернул черт связаться!»

Чуть не сплюнул со злости. Хорошо, что еще не приперлась — опаздывает. Вот не хочется с ней совсем в дверях сталкиваться. Опять начнется — шепот, прижимания. Навязчивая такая, наглая.

Разве можно любовь навязывать?

Про себя он в этот момент не подумал. При чем тут он?

Люди бывают разные. Кто-то вынести может всякое. Такое, о чем и подумать-то страшно. Так страшно, что мурашки по коже.

И детей своих переживают и — живут. Живут дальше. Войны проходят, тюрьмы. Не ломаются. Сильные люди. Поднимаются из руин. Вытаскивают и себя, и близких.

А другие... А у других хребет пополам и не от таких кошмаров. Другие разогнуться не могут из-за каких-то пустяков, ерунды, на чужой взгляд.

Вот и Аллочка – ну что такое, право слово? Что за беда такая, чтобы жизнь цену потеряла, как на распродаже?

Ничего. Правильно – ничего. Была любовь – нет любви. Или так: была любовь – жила, нет любви – мертвая.

Что еще потеряла? Веру, надежду, смысл?

Ну потеряла! А сколько живут без любви? Без веры, надежды и смысла?

Нет, опять не так! Каждый ищет смысл сам. В себе или в окружающем. И находит! Вариантов множество! Работа, подруги, собака или кошка, цветы в горшках, спицы с клубками ниток.

Все ищут и находят. Стараются найти. Или не находят и тогда – не живут. В прямом смысле – перестают жить. Не в фигуральном.

А она не старалась. Вот и результат – ни жива ни мертва, как говорится.

Странный человек – слабый, безвольный, неприкаянный. Самой себя не жалко – что до других?

Только он и жалеет, дурачок. Не дурачок – дурак. Так точнее.

Сильным завидует – ей и ее ноша не под силу. Восхищается сильными. Перед самой собой стыдно.

Говорят, Господь дает ношу каждому по его силе... Значит, у нее не силы – силенки. Крошечные, дохленькие, вяленькие. Ну уж какие есть! Не на ярмарку несть!

* * *

Нинка открыла своим ключом. Долго шуршала в прихожей – тапки, халат. Потом загремела ведром, включила воду.

Аллочка отвернулась к стене и закрыла глаза. Вставать не буду! Видеть ее не могу!

А куда деваться? Без этой чухни она никуда. Приходится терпеть. Потому что не только неохота, а сил нет. Совсем нет. И температура эта проклятая опять шалит. Значит, надо зво-

нить врачу. Понимает, что надо. И дальше тоже все понятно – анализы, уговоры, больница. И месяца на полтора, не меньше, как водится. А там опять снова-здорово – исколотые синие руки, измученный тощий зад. Больничные запахи – щей, тушеной картошки, туалета и лекарств. Никакой душ не поможет, запахи въедаются в кожу намертво – мочалкой не отодрать.

Сначала, как всегда, будет упираться, отказываться. Потом, когда совсем не останется сил, согласится. Канючить он будет долго, уговаривать сладко: «В последний раз, милая моя, обещаю – в последний».

Как будто она поверит! Как будто дурочка. Она все понимает – болезнь такая, что никогда не отступит. Никогда не сжалится. Терзать будет долго, бессмысленно терзать, безжалостно.

Пока сама не устанет. Болезнь такая – живут люди, не умирают. Даже передышки бывают – что правда, то правда. Долго можно прожить, до старости.

Соседи по палате радуются. Говорят – нам повезло, другие – чик, и нету! Сгорают за считаные дни. А тут! Гуманная такая сволочь, эта болезнь!

И еще – завидовать ей будут. Вон муж какой! Ходит каждый день! Авоськи носит – соки, лимоны, апельсины, пирожные. Хороший человек – сразу видно! Всем – по мандаринке, по конфетке. Всем – по слову доброму.

А уж на нее как смотрит! Прям любуется! А чем там любоваться, прости господи?

Да и бездушная какая-то, капризная, неулыбчатая. Ни с кем ни одним словом. Лежит – и в одну точку. А обратишься – как одолжение делает, как рублем одарит.

А в больнице тоже люди, между прочим, живут! И анекдоты травят, и про детей, и про мужей, и про врачей сплетничают. Про все и обо всем. Бабы – они везде бабы! На том и держатся!

Здесь – посмеются, там – поплачут. Губы подкрасят, ресницы – даром что больные. С врачом пококетничают.

Чаю вместе попьют, в складчину.

Только эта одна. В себе, глубокое погружение. Ну и черт с ней! Чести много!

* * *

Встать пришлось. Дура эта в дверь барабанит – влажная уборка. Кивнула ей, в халат завернулась, пошла на кухню. Чаю попила, газету пролистала.

Смотрит в окно. Раньше зиму любила. Снег, рябина, снегири. Сейчас мерзнет очень, знобко на улице. Да и дома мерзнет, и летом зябко – когда совсем тепло.

Смешно – все раздеты на улице, в сарафанах, в легких рубашках, а она в теплой кофте, в чулках.

А на море хочется! В Крым! В Ялту! В Алушту! На базар хочется! Прилавки, полные синих муаровых слив, янтарных груш с шершавой кожицей. Тронешь – лопнет, брызнет медовым соком.

Дыньку понюхать – у попки, у сухого хвостика. Закрыть глаза и медленно вдохнуть!

Арбуз разрезать – так, чтобы хрустнул и треснул в первую секунду, только воткнешь острый нож.

А кукуруза! Горячая – руки обжигает, посыпанная крупной серой солью! Сыры – местные, домашние, слоистые. Если с теплым чуреком!

Сама себе удивилась – жив, курилка! Не все, значит, вытоптали, не все! Остались на дне душонки жалкой еще желания, остались!

* * *

Однажды – всего однажды – они поехали вместе в Крым. На три дня – какая-то спешная командировка в Севастополь. Ранняя весна, май месяц. Она сразу не поверила, когда он ее позвал.

Про то, что билеты за свой счет, – ерунда, она об этом тогда даже не подумала.

Все было восхитительно – и дорога в плацкарте на боковой полке – у него купе, да билетов, разумеется, не было. Весь день, конечно, сидели то у него, то в коридоре стояли у окна. Даже пошли пить кофе в вагон-ресторан.

А в Севастополе – чудо! Солнце, море, чистые и прямые улицы. Франтоватые, ладные морячки. Съездили в Херсонес. Там пахло степью – пылью и сухой травой, хотя до тепла было так далеко!

Синее море и остатки белого города. Разрушенные колонны, уходящие в небо, – тоже ярко-синие.

Сели на камни – под рукой шустрой змейкой юркнула быстрая ящерица. Закрыла глаза – и было счастье! Одно большое счастье и больше ничего!

И ерунда, что на вторую ночь стерва-горничная не пустила ее в номер, – ерунда! Она поцеловала его и пошла на вокзал. Какая чушь! Ночь пролетит быстро, а наутро они опять будут вместе! И это будет целый и долгий день – до самого вечера, до самого поезда.

* * *

Бедная моя, милая! Тяжело, ох как тяжело.

Но врачи говорят, болезнь долгая. На всю жизнь. А это значит, что она будет жить! Мучается, конечно, слабенькая. Но какой с нее спрос? Жила бы только!

А все остальное – он. Да что там – с радостью! Все – как благо! А он сильный. Что ему хлопоты? Лишь бы жила...

К его родне поехали вместе лишь однажды. В самом начале семейной жизни. Она тогда сказала:

– Все понимаю. Поеду. А там уж как сложится, не обессудь!

Да все он понимал! И что родня его ей до фонаря, и смотрины эти. И про сестер своих языкатых все знал, про брата-

дурачка – что у пьяного на языке. Мать тогда была уже почти не в себе – не слышала, не видела. А вот сноху разглядела! Нашептала ему:

– Ну и влип же ты, Ванька!

Да и сестры туда же – хихикают, переглядываются, обсуждают. В уши дуют те же песни – влип, бродяга.

Ничего не понимают! Ничего! Деревня убогая. Не видят, что она для него...

Да все она для него! Земля, небо, воздух! Без нее – ни дышать, ни жить... Воздуха без нее не хватает.

Счастливый какой. Господи! Спасибо за все!

Брат-дурачок в бане ему:

– Баба у тебя – ни украсть, ни посторожить! – И заржал, как конь.

Тьфу, противно! Скорее бы домой, скорее. Не получилась теплая встреча. В поезде она ему сказала:

– Извини, но я туда больше ни ногой!

Нет такого вопроса на повестке дня, нет и не будет.

Он закивал:

– Что ты, конечно, понятно все.

Что ей эти золовки, дуры эти бестолковые, мамаша на печи, братан-алкаш. Застолья их идиотские – с самогоном, песнями и мордобоем. Банька по-черному, сапоги резиновые.

Разве для нее такая жизнь? Да уже и не для него. Все – чужое, ненужное. Все раздражает. Завязали, хорош. Однажды еще съездил, года через три, – племяш утонул, от старшей сестры. Ну и на могилку к матери – заодно. Совесть очистил.

Нет у него больше никого. Только она.

Да и никого больше и не надо. Она одна для него – все. И мать, и сестра, и жена, и дочь.

Ну, какое же счастье! Вот ее жалко – она-то такого не испытала! Хотя... Разве он знает? В курсе разве? Что у нее там было, до него?

А ему и знать не надо! Все, что ему надо, – у него есть. Она.

* * *

В больницу надо, сама понимает. Если все на самотек – долго не протянет. Или протянет, но в муках. А может, и к лучшему? Или по-честному – цепляется за жизнь, цепляется! Хоть и говорит, что на черта все это, но... И море вот захотела, и кукурузы! Значит – держится! Пусть одной рукой, но... Надо в больницу. А летом – на море! В Крым. Нет, там будет слишком больно. Лучше на Азовское. Мелко, тепло, виноград. Домик какой-нибудь маленький, саманный на берегу. Стол во дворе под виноградом. Солнце и море – больше ничего. А, еще – он... Но с этим надо смириться. У нее же уже почти получается – столько лет тренировки, столько усилий! Просто – не замечать. И все.

Потому что понимает – ни больницы, ни моря без него не будет. Невозможно без него. Такое вот условие дьявольского пари!

Смирилась. Почти.

* * *

Нинка на кухне опять громыхает. Сколько в человеке грохота, неловкости. Стучит в дверь:

– А на первое что? А на второе? А компот?

Бестолочь! Тупица непроходимая. Все прописано и все оставлено – мясо, капуста, картошка. Нет, надо еще уточнить. Еще сто нелепых вопросов. Сто дурацких телодвижений.

Сказала:

– Оставь меня в покое! Делай что хочешь. Мне не важно. Только тише, ради бога тише!

Обиделась.

* * *

Нинка хозяйку ненавидела. Всей душой ненавидела. Называла про себя фифой, цацей, барыней хреновой. Ни рожи, ни кожи. Тела – и того нет. Высохла вся от злости и безделья. Для чего такие бабы на свете живут? Вот для чего? Только небо коптят, атмосферу заражают. А ведь и квартира, и деньги, и муж.

Муж – это главное. Даже чуть-чуть главнее квартиры. Самую малость. Если бы дали выбирать – задумалась бы. Какой бы другой мужик – да не надо задаром. А тут он, Ванечка. Горячий, торопливый – но ей, Нинке, нравится. Все побыстрому, но по делу. Правда, слов хороших не говорит. Все слова для фифы бережет, для цацы своей. Ну и пусть! Зато на ее подушке лежит, не на фифиной! И обнимает – ее. И целует ее. И руки его – по ее телу, по ее груди, по ее животу.

А фифа сохнет в одиночестве. К себе не пускает. То болеет, то не в духах.

А ей, Нинке, на руку – Ванечка, как пес голодный, на нее бросается. Терзает до одури, бешеный прямо. А ей того и надо. Ей хорошо! Здоровья у нее на троих. Как лошадь ломовая – все нипочем. Пусть терзает – ей сладко. И еще слаще – оттого, что фифа с рогами. Да еще с какими!

Как же она ее ненавидит! Сдохла бы, прости господи! И тогда – и Ванечка, и квартира... Все бы ей досталось, Нинке. А что, не заслужила? Что, хуже этой барыньки сушеной? А уж какая из Нинки была бы жена! Хозяйка какая! Это сейчас – вполноги, с неохотой... А если бы... И квартиру бы драила с утра до ночи так, чтобы блестело все, сверкало чтобы. И пироги бы Ванечке пекла, и варила бы, и жарила! Ничего не трудно! Потому что любимый. Если бы да кабы. А пока... Терпи тут, мучайся. На личико ее кривенькое любуйся, капризы дурацкие выслушивай. Ладно, потерпим. Глядишь – все и переменится. Чувствует Нинка, не за горами и ее счастье. Будет праздник и на ее улице. Будет. Вот терпение только, терпение.

Ничего – ждать она умеет. Жизнь научила.

Посмотрела на чашку «мадамы» – синюю с золотой каемкой, усмехнулась и смахнула со стола. Лети, чашечка! Вот дура эта слезливая расстроится! Скулить начнет, ручки заламывать.

Ха-ха! И станет Нинке хорошо! Так хорошо, будто мамка ей в детстве мороженку купила.

А глупая чашка упала и не разбилась. Просто закатилась под стол.

Нехорошая примета, нехорошая. Посуда бьется к удаче. А где она, Нинкина удача? Опять, что ли, заблудилась?

* * *

– Надо, миленькая, надо! Надо, родная моя! – Он лежит рядом и не верит своему счастью. Ее голова на его руке. Рука затекла, но он боится пошевелиться. Не спугнуть бы! Счастье это не спугнуть.

Она плачет, и он гладит ее по голове. Приговаривает. И уговаривает. Говорит, что в больницу необходимо. Что поделаешь – пора привыкнуть. Да и делов-то на копеечку, на месячишко, не больше. Программа известна, врачи свои. Палату обещали трехместную, уже легче. А он – каждый день, ради бога! Да хоть и три раза на дню! Если бы она согласилась!

– Что поделаешь, девочка моя, что поделаешь! Слово есть такое – «надо». А время пролетит! Уж за это ты не беспокойся! И заведующий говорит, что лекарство есть новое. Прекрасное, говорит, лекарство. Медицина, знаешь ли, на месте не стоит. Семимильными шагами – вперед. Глядишь – скоро и вовсе про болезнь нашу забудем! Чем черт не шутит! – Он рассмеялся. – И на море! Махнем не глядя! Снимем домик на берегу, чтобы до моря три минуты. Море – теплющее, к августу прогретое. Солнышко мягкое, усталое. Виноград там такой! Божечки мои! Прозрачный и крупный, на просвет. Как стеклянный. А тебе виноград – самое то. В нем витаминов!..

Она отвернулась:

– Иди. Все. Я устала.

Он растерялся – на полуслове ведь оборвала. И к двери.

– Хорошо, хорошо! Ты только не волнуйся! Отдыхай! Все будет хорошо!

Она не ответила.

* * *

Ничего хорошего не будет. Ничего. Все хорошее в ее жизни уже было. И море было, холодное, весеннее, ярко-синее. И солнце было, и виноград. Нет, винограда не было. Какой виноград в мае месяце? Да и на черта ей виноград?

Счастье было! Любовь! Радость – от всего! Такая, что голову ломило.

А вы говорите – виноград...

А в больницу надо, он прав. Она сама все понимает. Значит, надо пережить. Уже давно пора с этим смириться и относиться к этому как к данности.

Вот то, что знобит все время, – плохо. Очень плохо. Значит – температура. Она не меряет – неохота. Надоело. Просто чувствует, что высокая, и оба это понимают, но не обсуждают – не принято. Никогда она ему не жалуется – ну, в редких случаях. И не плачет. Вот сегодня сорвалась, нервы не выдержали.

Ладно, хватит нюни распускать. Больница – значит, больница. У всех своя судьба. У нее – вот такая. Хватит.

* * *

Первые дни было совсем тяжко. Доктор, Владимир Егорович, очень ругался. Говорил, что раньше надо было, раньше. Когда столбик за тридцать восемь и пять заходил. Ну разве так можно? Ведь опытные люди, все знают! И такое легкомыслие! Непозволительное просто! Он так огорчался, что ей стало смешно. Взялась его утешать.

От лекарств тошнило. Руки, исколотые, замученные, болели так, что и приподнять больно.

Муж приходил ежевечерне и молча сидел у кровати. Глаза, полные тоски и боли. Смешно! Теперь и его утешать? Сил не хватает. На себя не хватает.

Попросила его:

– Расчеши мне волосы.

Он встрепенулся, засуетился. Пряди разбирал, как мама в детстве, – тихонечко, ласково.

Она тогда усмехнулась – терпения сколько! Деток бы ему! Вот бы папаша был! Бантики, ленточки.

Да и бог с ним! У него – все впереди! Может, еще и детки будут – почему бы и нет? У него впереди целая жизнь.

У него – да. Вот насчет себя она сильно сомневается.

* * *

Как же без нее одиноко! Как же плохо! В ее комнату он не заходил – боялся. Там всюду она. Книжки ее, фотографии, коробочка с пудрой, флакончик с духами. Ночнушка на кровати, юбка на стуле. Там везде – она. Запах ее, вкус.

Дверь чуть приоткрыл и быстро захлопнул. Нинка, эта дура тупая, названивает. Рвется – в гости, говорит, пустишь? Господи, до гостей разве? Видеть ее тошно – здоровую, молодую, полную сил. Все ключом – здоровье, силы, желанье.

А от этого еще тошнее. И запах от нее – луком жареным. К горлу подкатывает.

Телефон отключил. Нет ведь, приперлась! В дверь звонит, колотится.

Ни гордости, ни чести, ни понимания. Прислуга – одно слово. Женщины в ней – на каплю. Да и то – не обнаружить. И страсти ее... Тошные, животные. Дура бестолковая! Думает, рыком своим звериным...

Да и он хорош! Не удержался. Думал, так тоску свою укротит, легче будет. А не вышло! Бог не Тимошка! Дал тебе – от щедрот, – а ты в помойку, к убогой под бочок! Вот теперь попробуй отвяжись!

А Нинка – по двери ногами. Милицию, что ли, вызвать?

* * *

Аллочка смотрела в окно. Рассвет расплывался густым молоком. В первый раз отпустила тоска. Отпустила, как пожалела. Сколько можно человека мучить? На душе было спокойно и пусто. Подумала – умирать не страшно. Жить страшнее. И еще – жалела. Жалела, что за всю жизнь не нашла для него хорошего слова. А надо было бы. Вот сейчас – надо было бы. Без пафоса и позы, просто сказать...

Господи, а что сказать-то? Прости, что не любила? Что не ценила – прости? Что жизнь тебе изуродовала? Вез на себе, как ношу тяжелую, безрадостную. Ничего хорошего я для тебя не сделала. Ничего. Даже слова доброго за всю жизнь не нашла. Ну прости! И живи дальше. Ты – добрый, жалостливый, терпеливый. Таких мужиков – один на тысячу. Другая бы ноги мыла. А тебе не повезло. Невезучий ты мужичок. Досталась же тебе баба... Врагу не пожелаешь... Да и не баба вовсе! Была баба, да вся вышла! Сердце пустое, тело пустое. Вот тебе и досталась... пустота. Что может дать другому человек, у которого пусто внутри? Гул один – ау, не докричишься! И ты один в темном лесу.

Ну, все еще сложится! И еще – прости, прости.

Если все это можно простить.

Корысть мою, расчет. Скудность душевную. Желание приспособиться, устроиться. То, что мучила всю жизнь. Знаю – мучила. А ничего поделать с собой не могла! Да и не хотела – вот в чем все дело. Ни разу не постаралась! Прости! Если можно простить нелюбовь.

Я же когда-то простила... А я не так великодушна, как ты. Я тебе и в подметки не гожусь!

Я почти кричу тебе: прости и – спасибо! Жаль, что ты не услышишь, жаль.

Теперь уже не услышишь... Раньше надо было... А вот – не собралась... За всю жизнь не собралась.

* * *

Ему сказали, что Аллочка его умерла на рассвете. Он заглядывал врачу в глаза и твердил одно:

– Не мучилась?

Нет, не мучилась. Лицо спокойное. Даже морщины разгладились. Даже что-то вроде улыбки...

Ему стало легче. Значит, не мучилась... Или так – отмучилась. Потому что мучилась раньше. При нем. Что он, дурак? Не понимал?

Все понимал! И жалел ее сильно! Вот ведь мука какая – жить без любви!

Бедная моя, бедная! И он, и несчастья ее прошлые, и болезнь эта проклятая...

Терзали мою девочку, терзали. Кромсали, мучили – все старались на свою сторону перетянуть. Кто сильнее? И он старался. Надеялся. Что сильнее тех несчастий и болезни окажется. Победит. И будет она при нем.

Не получилось, не смог. Кишка тонка, как говорил батя. А ведь как старался!

И обидно было, что говорить. Временами так скрючивало от тоски, хоть волком вой.

Да что про себя говорить! Он-то любил! Ему-то – такой подарок! Заслужил разве?

* * *

Нинка от счастья задохнулась – так скоро? Даже она не ожидала, что так удачно. Теперь – действовать! Теперь – вперед! Поминки там, похороны – все на себя. Чтобы он чувствовал – без нее никуда. Все – она. Укроет, прикроет, утешит. В этом деле она – спец, профессор!

Обои пошла смотреть. Понравились в полосочку. Нарядные, свеженькие, голубое с розовым. И в цветочек ничего. Веселенькие. Эти в спаленку можно. А те – точно, в зал. И к ним занавески – шелковые, блестящие. Чтобы богато и глаз радовало.

Ладно, с обоями подождем. Столько ждали...

Терпение у нее будь здоров! Деревенское терпение, здоровое. Мамка еще учила покойница: «Карауль, доча, карауль. Счастье свое, удачу».

Дождалась. Сама не верит, что дождалась.

* * *

И правда – лицо было спокойное. Тихое такое лицо. Словно все поняла она перед этим и успокоилась. Словно отпустило. Словно все свои проблемы разрешила.

И он успокоился – видел, что ей хорошо. Чувствовал это. Волосы поправлял, кружева на платье. Следил, чтобы цветы – рядом, около, вокруг. Чтобы не на ней. Чтобы ей не тяжело было.

Вот так, хорошая моя, вот так, любимая.

Попросил всех из зала выйти, чтобы побыть с ней наедине – в последний раз.

Все переглянулись – подружки ее, так сказать. Усмехались: что с него, с лакея, взять? Ну-ну! Посиди и побудь! Заслужил, верный пес.

А ему до них...

Сел на колченогий стул, взял ее руку. Ну и поговорил. Про себя. Сказал все, что хотел. Не для посторонних ушей. Семейный разговор – муж и жена. Спасибо, сказал, и прости. Что еще скажешь?

И она ответила – теми же словами. Он услышал.

Нет, не рехнулся и не помешался – он для этого был слишком нормален. Здоровая кровь.

Хорошо, что без свидетелей. Просто услышал, и все.

Вот тогда-то и попрощались – окончательно.

* * *

Поминки быстро свернулись – у всех дела, у всех заботы. Тетки непьющие, немолодые. Все заторопились домой. У кого мужья, у кого дети. А кому просто домой охота.

Удивлялись на вдовца – собран, сдержан, сопли не распускает. Все эти кумушки про него знали. Решили – ну, правильно, справедливо. Человеком оказался порядочным – за больной женой ходил, как мама родная ходить не станет. Долг свой выполнял, как солдат под присягой. И сколько лет! Нес свой крест спокойно, с достоинством. А ведь тяжелый крест, тяжелый. Аллочка хоть и их подруга, но справедливости ради... Его даже простили сразу и за все – за то, что не их поля ягода, за то, что простоват, грубоват, необразован. Не пара, конечно... Но уж раз так случилось...

Помнили и его предшественника. Хорошо помнили. Вот тот был... Как они ей завидовали! Какие чувства, какой роман! Французское кино просто! А они тогда уже – или подле мужей неверных, или в пустом одиночестве. А ей вот досталось. Ей повезло! Горела, как в огне. Ждала, готовилась. Стихи писала... Да и в постели у них было... Не верили, что так бывает. Думали – врет. Потому что если так – ни один мужик не устоит! Приклеится к такой бабе на веки вечные. А нет – сбежал. Сдуло. Вот тогда-то она и заболела. Так в этой жизни всегда – одному вершки, а другому корешки. Ладно, был и был. В смысле – был, да сплыл. А этот – всю жизнь! А ведь никто не верил! Думали, сбежит через пару лет. Ну кто такое выдержит? И ее тоже, хотя, понятно, о покойниках или хорошо, или никак. Хотя «хорошо» – сложновато.

Ладно, земля ей пухом. Подругу все-таки схоронили.

Простились с вдовцом тепло – руку жали, даже обнялись у двери.

Одна одинокая оглянулась и подумала: «А ничего мужичок-то. Крепенький такой, ладненький. Одет аккуратно и подстрижен. Даже и на работягу не похож. Хотя лицом простоват. Но вполне себе мужичок. Ликвидный вполне. А если...»

Вот мысли в голове! Зашла в лифт и неловко перекрестилась: «Прости господи! Грешно – сегодня, после похорон, даже подумать стыдно».

* * *

Все. Действительно теперь – все. Слава богу, закончили. Высказались, вспомнили, всплакнули, поели, попили. Хорошо, что Нинка горячее сделала, – все подъели. Даже чай с пирогом – с удовольствием.

Что поделаешь – люди! Живым, как говорится, жить. Жизнь продолжается – вот как это называется.

Нинка на кухне домывала посуду. Он удивился – не гремит, криворукая. Умеет, значит, не греметь.

Он зашел в Аллочкину комнату. Поправил покрывало на кровати, задернул штору. Провел рукой по деревянной шкатулочке, где лежали ее маленькие женские радости.

Посидел на пуфике у трюмо. Стемнело, и он видел в зеркале свой размытый и неточный силуэт.

Потом встал, еще раз провел ладонью по покрывалу и вышел из комнаты.

Лег на свою «солдатскую», не раздеваясь. Закинул руки за голову и подумал, что не уснет. А ведь уснул! Сморился. Разбудили его Нинкины руки. Он дернулся, скривился и...

Проснулся под утро – как очнулся. Брезгливо сбросил ее тяжелую ногу. Толкнул в бок. Она громко и коротко всхрапнула и перевернулась.

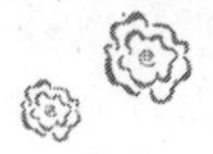

– Собирайся! – грубо тряс ее за плечо. – Давай выметайся, слышишь?

Нинка села на кровати и с испугом посмотрела на него.

– Спятил, что ли? – Она ладонью терла глаза.

– Вон пошла, – бросил он сквозь зубы.

Нинка вскочила и подхватила свои вещи.

Он отвернулся к стене и еще раз повторил:

– Пошла вон. Прислуга.

Громко хлопнула входная дверь.

Он вздохнул и закрыл глаза. Теперь можно выспаться – никто не будет мешать.

«А завтра сменю замок», – подумал он и зевнул.

Теперь он был свободен.

Под небом голубым...

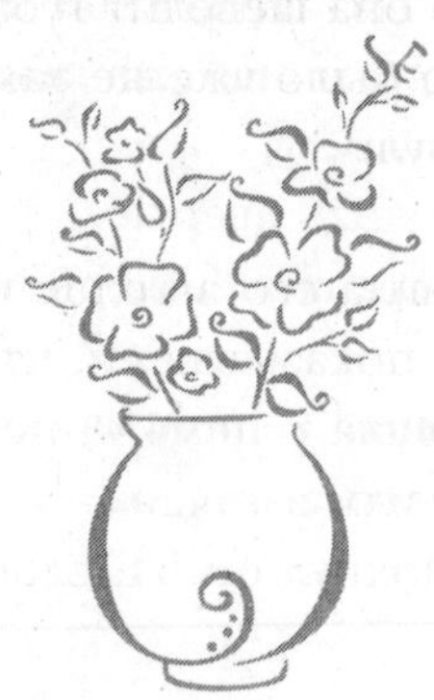

Диктор пропела нежным голосом:

– Началась посадка на рейс номер триста пятнадцать. – Первый раз нежно, второй раз с угрозой: – Внимание! – и повторила.

Их призывали не опоздать. Жаров вытянул шею и покрутил головой, ища жену в разноцветной толпе. Впрочем, это было несложно – Рита была высока, почти на голову выше всех прочих женщин. К тому же женский пол в основном был представлен паломницами – сгорбленными и не очень бабульками в светлых платочках, испуганно оглядывающимися по сторонам, вздрагивающими от колокольчика, предваряющего объявления. Все им было незнакомо и вновь.

В кресле, прикрыв глаза, сидел крупный, полнотелый батюшка. Паломницы с надеждой бросали взгляды и на него – он-то не бросит, поддержит своих прихожанок.

Рита стояла, отвернувшись к взлетному полю. Лицо ее было напряжено, брови сведены к переносью, а взгляд, как всегда, в никуда...

Точнее – не как всегда, а как в последнее время.

Жаров с минуту разглядывал жену – очень прямая спина, высокомерно вскинутая голова, юбка почти до щиколоток, серая кофточка на мелких пуговичках, шелковая косынка на голове, замотанная наподобие тюрбана.

Ему показалось, что она шевелит губами, впрочем, к этому он тоже привык, и это было уже не так важно. Он вздохнул, откашлялся и выкрикнул:

– Рита!

Она обернулась, нашла его в толпе и слегка нахмурилась. Он сделал жест рукой, показывая ей, что пора на посадку.

Она медленно подошла к нему и, не говоря ни слова, посмотрела на него тяжелым взглядом.

– Пора! – снова вздохнул он. И, словно оправдываясь, добавил: – Объявили.

Она вздрогнула и пошла вперед – к стойке последней регистрации.

Он привычно двинулся следом.

Сзади них пристроились бабульки-паломницы, и Рита, обернувшись на них, вдруг скорчила недовольную мину.

– К Богу едешь, – тихо шепнул Жаров, – а вот ротик кривишь, – и он кивнул в сторону бабок.

Жена не повернула головы в его сторону.

Бабки и вправду суетились, нервничали и оттесняли Риту в сторону – вот и причина ее недовольства.

Наконец расселись в салоне. Рита у окна, он в середине. Рядом оставалось пустое место.

Паломницы, казалось, чуть успокоились – сели впереди них, и запахло вдруг ладаном, глаженым бельем и... старостью.

Сбоку сидела семейная пара – он был в светском, а она, его спутница, в длинном, до пола, шелковом платье и красивом, видимо праздничном, расшитом шелком, хиджабе.

Женщина была очень красива, но глаз не поднимала.

«Шехерезада, – подумал Жаров, – как хороша!»

Наконец появился молодой человек с длинными пейсами, закрученными в спиральку, и в черной шляпе с высокой тульей. Он вежливо и приветливо кивнул, расположился рядом и достал планшет. Жарову стало весело. Вот чудеса, боже правый! И вправду святой город. Всем там есть место – и тем, и другим. И как бы там ни было сложно, к своим богам люди все равно будут стремиться, невзирая на конфликты и войны. И всем хватит места наверняка!

Рита откинулась на спинку кресла и закрыла глаза. Жаров расслабился, вытянул ноги и достал из кармана газету. Когда разносили обед, он тронул жену за плечо. Не открывая глаз, она мотнула головой, а он с удовольствием начал расправляться с тушеным мясом и рисом – вполне себе, вполне! Хотя после чашки пустого утреннего кофе...

Иногда он бросал взгляд на жену – ему казалось, что она задремала. Ну и слава богу! Вот отдохнет и...

А что, собственно, «и»? Ничего не изменится. Ничего.

Он вздохнул, закрыл глаза и попытался уснуть.

Борька мотался с унылой мордой, ожидая не очень званых гостей. Впрочем, морда у Левина всегда тусклая и почти всегда недовольная.

Увидев Жаровых, Борька рванул к ним, и щербатая улыбка осветила его мятую физию. С Жаровым они обнялись, похлопывая друг друга по спине, внимательно посмотрели друг на друга, оценивая, и снова обнялись. Теперь было видно, что Борька рад старому приятелю. Рита стояла поодаль – отрешенно, словно не имела к этим двоим ни малейшего отношения.

– Что с ней? – шепнул Жарову Борька.

Жаров сморщил лицо и махнул рукой – потом, брат. Потом как-нибудь... После.

Мужчины подхватили чемоданы и двинулись к выходу.

Иерусалим жарко выдохнул им в лицо горячим дыханием и пряным южным запахом – нагретого асфальта, заморских цветов и восточных специй и... пыли.

Небо было таким ясным, чистым и таким неправдоподобно синим, что Жаров зажмурился. Пальмы чуть шевелили длинными жесткими, растрепанными по краям листьями. Пыльные бунгевиллеи – всех цветов, от белого до малиново-красного – вились по заборам стоящих вдоль дороги домов.

– Клево у вас. Просто рай, честное слово! – заерзал на сиденье Жаров и грустно добавил: – А у нас уже... дожди и туманы... Октябрь, блин!

– Клево, – саркастически усмехнулся Борька и, тяжело вздохнув, добавил: – Хорошо, где нас нет! А потом, октябрь – самый хороший месяц. Только дышать начали. Тебя бы в июле... Вот когда чистая жесть!

Рита в разговор не вступала. Борька косился на нее удивленным взглядом, а потом снова вопросительно смотрел на приятеля. Жаров развел руками – что поделаешь, брат! Такая фигня!

Жаров крутил головой, пытаясь рассмотреть сразу и все.

Борька усмехнулся.

– Здесь, брат, двадцать лет проживешь и всего не увидишь! Такая страна...

На этой фразе он тяжело вздохнул, и было непонятно, восхищается он или сожалеет об этом.

Наконец въехали в Борькин район. Сразу стало как-то уныло – дома, похожие на московские хрущевки, отсутствие яркой зелени и хороших машин.

У подъездов, совсем по-московски, сидели старики и с интересом разглядывали редких прохожих и проезжающие машины.

– Приехали, – со вздохом констатировал Борька, – вот он, рай. Мать его за ногу!

Поднялись на третий этаж – лифта в доме не было, а лестница была узкой и неосвещенной.

– Экономия! – снова вздохнул Борька. – Здесь воду в сортире лишний раз не спустишь – счетчики, батенька!

– У нас тоже счетчики, – успокоил его Жаров, – правда, вот на сортирах мы еще не экономим – что правда, то правда! Но, – тут уже вздохнул Жаров, – наверное, скоро придется...

Рита шла позади мужчин и по-прежнему молчала.

Дверь в Борькину квартиру была картонной, необитой и сильно потрепанной.

После московских, практически «сейфовых», это тоже было смешно.

Прихожей не было, сразу начиналась комната – узкая, небольшая, с низким потолком. Пол был выложен кафельной плиткой – Борька тут же прокомментировал:

– На жару, блин! А что делать зимой...

– Теплые полы! – сообразил гость.

Хозяин посмотрел на него, как на умалишенного.

– А! Электричество! – дошло до него наконец.

– Ну а тогда – в валенках! – бодро посоветовал Жаров.

Борька кивнул.

– Да все так и делают! Впору открывать артель. По валенковалянию. Другое «валяние» здесь не пройдет, – и снова тяжко вздохнул.

Из комнаты – салона, как высокопарно обозначил его хозяин, – вела дверь в восьмиметровую спаленку и крошечный туалет.

Жаров прошелся по квартире и присвистнул.

– И как мы тут? Все?

Левин пожал плечом.

– Не графья! Вам отдадим спальню, а сами с Наташкой – в салоне.

Рита стояла у окна. Жаров затащил чемодан в спальню, сел на кровать и задумался.

Господи! Какая же чушь! Припереться сюда, к Борьке. Упасть им с Наташкой на голову, стеснить близких людей... Нет! Надо в гостиницу. Непременно – в гостиницу! И что этот баран не сказал ему про свои «хоромы»? Они бы сразу все переиграли. И не было бы всей этой чуши... в тридцати метрах да с Ритой...

Наташка с ней никогда не ладила. Точнее – не могла найти общий язык. Впрочем, с коммуникацией у его жены всегда были проблемы... Не было у нее задушевных подруг – такой человек. А уж сейчас... Что говорить «про сейчас»?

На предложение снять гостиницу Борька ответил скептически.

– Это вряд ли, сейчас череда праздников, и с гостиницами в Иерусалиме сложности – с хорошей наверняка, а помойка вам не нужна, правильно? Да и цены здесь – мама не горюй!

В разговор вступила молчавшая до сей поры Рита.

– Меня все устраивает! – коротко бросила она и жалобно добавила: – А нельзя ли поспать?

Жаров оживился и обрадовался и начал застилать постель.

Борька по-прежнему смотрел на него с изумлением.

Рита наконец ушла в спальню, а они с Борькой вышли на балкон – покурить.

– Такие дела, Борька, – горько сказал Жаров, – такие дела... Подробности – письмом. Но ты мне поверь, – он посмотрел на Бориса страдающим взглядом, – она имеет на это право. А я, – тут он усмехнулся, – а я, Борька, муж! И это, как говорится, и в горе, и в радости...

Он зашел в Борькину спальню, посмотрел на спящую Риту и прилег рядом. Через минут пять он уснул.

Наташка моталась по кухне как подорванная. Маленькая, росточком с сидящую собаку, как обидно шутили в их компании, крепенькая, наливное яблочко, круглая попка, большая грудь, кудряшки ореолом, словно нимб над головой, и – вечный стрекот! Наташка трещала всегда и всюду, в любой ситуации. Давно забылось, кто привел ее в их компанию, но она сразу прижилась, в один день. Тут же принялась хлопотать, опекать кого-то, возить заболевшим яблоки с апельсинами – словом, Наташка была «всешний» друг и соратник. Ее так и воспринимали – подружка. Можно было поплакать на Наташкином круглом и теплом плече, приложиться к мягкой груди и быть уверенным, что она все поймет. А главное – пожалеет! Вокруг кипели романы, бурлили страсти, кто-то кого-то безумно любил, потом, как водится, разлюбил. Все страдали, сгорали от любви, сходились-расходились, а она... Она по-прежнему была мамкой и нянькой.

Жаров помнил, как однажды, совсем среди ночи, будучи прилично бухим, он, не зажигая света, вслепую, на ощупь, набрал ее номер и хрипло выдохнул в трубку:

– Зотова, спаси!

И самое смешное, что, «выхаркав» свою боль, он тут же уснул, а через полчаса в дверь раздался звонок – на пороге стояла Наташка Зотова и встревоженно смотрела на него.

Ну, ночью тогда все и случилось – он помнил плохо, почти не помнил совсем, ему тогда это было просто необходимо, и она поняла. Вот только утром он почему-то смущенно извинился, а она, жаря яичницу, весело объявила:

– Да забыли, Жаров! Скорая помощь – и все дела! Тебе уже легче?

Наверное, стало легче... Черт его знает. Все давно стерлось, забылось, покрылось «пылью времен» – не о чем вспоминать. Наташка Зотова – и смех и грех! «Подруга дней его суровых».

Потом у Наташки образовалась свободная квартира – бабкина, что ли... ключи просили все попеременно, и Зотова никому не отказывала. Все знали, где лежит чистое белье и что в холодильнике всегда есть пельмени и яйца.

Когда Борька Левин объявил, что они с Зотовой вступают в законный брак, все удивились. А Жаров не очень – с бабами у Борьки не складывалось: Борька, смешной, носатый, унылый и занудливый, ценился исключительно как друг.

Было вполне логично, что они «спелись». И Жаров тогда порадовался за обоих.

Свадьба была шумная, сумбурная – оказалось, что у Борьки и Наташки целая куча родни, и Наташкина мать хотела все сделать «по правилам».

Бойкая она была бабенка, эта Наташкина мать, – все задирала тихую Лию Семеновну, Борькину матушку, а та вытирала глаза светлым платочком: Наташка ей в принципе нравилась, а вот новая родня...

– Это надо пережить, – посоветовал он в курилке вконец раскисшему Борьке, – в конце концов, родители имеют на это право!

Так он сказал, а вот думал иначе: после всей этой вакханалии – с тамадой, ансамблем, танцем молодых и пьяными родственниками – решил твердо: такого у него никогда не будет!

И вправду не было – с Ритой они расписались без помпы и тут же уехали в Таллин.

Рита... Он влюбился в нее сразу, в одну секунду – в эту странную, холодную, как казалось, и замкнутую женщину. Загадка... загадка она, и загадка его к ней любовь. Большая любовь, длиной в целую жизнь.

Ему никогда не было с ней просто. И все же... Он никого и представить не мог рядом – ни одну из его прежних и многочисленных пассий.

В компанию Риту не приняли – ни ребята, ни тем более девочки. Инка Земцова, большая умница, кстати, сказала ему тогда:

– Ты, Жаров, лопух! Или – слепой. Ты что, не видишь, что Маргарита твоя... не нашего поля!

Он усмехнулся, в душе обидевшись, – не вашего? Ну, уж не твоего точно! А про мои «поля» не тебе, мать, судить!

Его, Жарова, мать тоже не приняла Риту – «после всех твоих девочек, Шурик!».

И началось перечисление – Мариночка, Света, Танюша.

Мать и вправду всегда находила с ними общий язык – общалась легко, пили чай на кухне, сплетничали и обсуждали его, Жарова.

– Снежная королева, – говорила мать про невестку подругам и тихо, чтобы сын не услышал, добавляла: – Совершенно не о чем с ней говорить! Что бы я... Ты, Туся, меня хорошо знаешь!

А молодая жена никому не стремилась понравиться. И только он, Жаров, знал ее всю, до донышка, знал и любил.

Был уверен – она не предаст. Никогда! Никогда не скажет ни о ком дурно – даже о тех, кто явно не симпатизирует ей.

Никогда не осудит чужие проступки, только вздохнет:

– Все мы люди, Саша! И никто не знает, что нас ждет за углом.

Ее считали высокомерной, надменной, а она была просто... скрытная, не очень «людимая», любящая уединение и тишину.

Она могла уйти гулять в парк одна и надолго – сначала он обижался, а потом привык.

В его компанию она ходила неохотно, но ходила.

– Я не могу лишать тебя обчества, – вздыхая, говорила она.

А в Новый год попросила:

– А давай вдвоем, только ты и я? Можно?

Жаров растерялся: уже были составлены списки покупок и меню – им, например, надлежало сделать салат из крабовых палочек и испечь лимонный пирог.

Он вздохнул.

– Хорошо... Раз ты хочешь...

И вправду, Новый год тогда удался. Они накрыли стол, зажгли свечи, загадали желания, выпили шампанского и пошли танцевать. А в час ночи, абсолютно игнорируя разрывающийся телефон, пошли в лес – благо лес располагался рядом, только перейти шумное шоссе.

В лесу они зажгли бенгальские огни, снова выпили остатки прихваченного шампанского – полбутылки и прямо из горла – и... раскинув руки, упали в сугроб!

Над головой низко висело темное низкое небо, на котором, словно новогодние лампочки, горели мелкие и яркие звезды.

Она знала все звезды и все созвездия.

– Откуда? – удивился он.

Она объяснила:

– Да я все детство ошивалась в планетарии. Ездила туда по два раза в неделю. Там такая благодать, – сказала она задумчиво, – тишина и покой. И звезды на небе...

Он удивился:

– Одна? Ты ездила туда одна? Без подруг, без девчонок?

Теперь удивилась она:

– А кто мне был нужен? Там? Наверное, я сбегала туда от всех – от брата, родителей, школы... Только там я могла побыть... одна. Совсем одна, понимаешь?

Он тогда привстал на локте и, смахивая с варежки снег, как бы между прочим спросил:

– Рит! А тебе... вообще... ну, кто-нибудь нужен? В смысле – по жизни?

Она рассмеялась – это модное нынче «по жизни» они ненавидели оба.

А потом тихо сказала:

– Ты. Ты, Жаров, мне нужен по жизни. Чессно слово! А больше... – Тут она замолчала и продолжила: – А больше – никто!

Врала. Вот про это «никто» безбожно врала. О ребенке она мечтала. И как! Вслух это не обсуждалось, но... Он это знал.

И ничего не получалось. Проверились – оба здоровы. Совершенно здоровы. Ну, просто придраться не к чему. А вот не получалось, и все!

Господи, через какие муки она прошла! Ректальная температура, графики женских событий, календари для успешного зачатия. Четыре больницы. И – снова в «молоко».

Он уговаривал ее успокоиться. Господи! Ну, бывает и так. И что, жизнь заканчивается? Да ничего подобного. Продолжается жизнь! И чем она, скажи на милость, плоха? Чем плоха наша с тобой, моя дорогая, семейная жизнь?

Она замыкалась все больше и отвечала одними губами:

– Ничем. Ничем не плоха. А вот...

Путь был проторен – сначала врачи, потом знахарки, возил ее куда-то, чуть ли не в Белгородскую область к какой-то полусумасшедшей бабке. Ночевали в Доме колхозника – сырость, холод, мышиный запах от влажного белья. Бабка дала пять бутылок мутной воды. Вода была выпита, бутылки валялись на балконе, и она почему-то все не давала их выбросить.

Пустое. А потом началась церковь. Она ходила туда пару раз в неделю – служба утренняя, служба вечерняя. Появились новые «подружки» – баба Валя и Соня. Первая – простая, обычная и душевная, одинокая бабка, а Соня эта... Он сразу понял – вот Сони не надо. Странная, молчаливая, тихая... А рядом с ней страшно. Ездили с Соней на богомолье. Он сказал: «Без меня!»

Потом Соня куда-то исчезла. Он пошутил:

– В монастырь?

Рита ответила – спокойно и буднично:

– Умерла.

Оказалось, та была страшно больна.

Он тогда устыдился.

– Ну надо же. Но я ж не знал!

– А никто не знал, – откликнулась Рита, – даже я. Узнала все позже, постфактум.

Они тогда очень отдалились друг от друга. Он подчеркнуто не принимал ее жизнь, а ей, казалось, стала безразлична его.

Однажды взмолился:

– Рит! А как раньше не будет?

Она пожала плечом.

– Как раньше... – И честно сказала: – Не знаю. – А подумав, твердо добавила: – Этот путь я пройду до конца.

Потом она собралась в какой-то дацан – в Улан-Уде, что ли. С каким-то Николаем и его сестрой Таей. Те были буддистами. И что-то там сорвалось. Слава богу. Какие буддисты, какой дацан? Свихнуться можно. Еще стала почитывать какие-то брошюрки, пряча их в свою тумбочку. Однажды он вытащил их – очередная белиберда: адвентисты седьмого дня приглашали ее в свое «лоно».

Он порвал тогда эти писульки и выкинул. Она очень плакала, дурочка.

«Ясно», – кивнул тогда он и уехал на три дня на Волгу. Прийти в себя, порыбачить на даче сотрудника. Может, отойдет? Тоска отойдет, напряженка.

Отошло. Иногда думал: привязаны друг к другу толстенными канатами – не отвязать. Пятнадцать лет «общей» жизни. Вечность! Проросли друг в друга корнями – не разорвать. Только если рубить топором, по живому.

Он – молодой, по сути, мужик, сорок пять – тьфу, чепуха! Прожить две полноценные мужские жизни – да раз плюнуть! Завести молодую жену, родить пару-тройку детей...

С нуля, с чистого листа – без помарок.

А ее оставить в прошлой жизни. Почти наверняка – одну навсегда. С ее-то натурой... Вряд ли она сможет устроить личную жизнь – сорок два года для бабы... Ну, почти каюк, кранты. Редкий ведь случай. И не для нее, Риты!

И живо представил – сухонькая, одинокая, стареющая женщина. Одна во вселенной. Ну, может быть, с кошкой...

Старые, пожелтевшие газеты на тумбочке в коридоре, запах заваренной валерьянки и вареного хека для кошки. Десятилетней давности плащ на крючке и стоптанные ботиночки – почти мальчиковые, удобные, плоские – всесезонные.

Что она сможет еще позволить на жалованье учителя хореографии?

И будет она истончаться, стареть – медленно, но бесповоротно. И станет почти бесплотной старушкой, с трудом выходящей в полдень за хлебом. Вязаная шапочка из дешевой шерсти с оптового рынка. Суконная юбка, плешивая шубка.

Нет! Да пошли вы все к черту. Значит, так – как дадено Богом. Значит, вместе и до конца. Потому что «проживать» он ту, другую, жизнь просто не сможет! Не может, потому что... Любит? Жалеет? Богом даденная жена? Да все вместе – наверное, так... И любит, и жалеет, и жена... Просто с годами все так трансформируется... Концов не найдешь – где любовь, а где жалость. И еще – где привычка!

Или он слишком хорошего мнения о себе? Понимает ведь, что жизнь их, семейная, личная, так сказать, интимная (Фу! Совсем противно!) закатилась в тупик. Стоит там как ржавый, давно списанный паровоз и ждет своей участи – то ли на металлолом, то ли так и сгниет в темном отстойнике сам по себе...

А тут, когда все вроде бы чуть успокоилось – ну, живут разной жизнью, каждый сам по себе, – да такое ведь сплошь и рядом, – однажды сказала:

– А давай съездим в Иерусалим? Ну, просто еще раз попробуем... Мне кажется...

Тут он перебил ее, и довольно резко:

– Съездим! – И по складам: – Раз. Тебе. Ка-же-тся.

Сначала злился – задолбали его эти «кажется» и «а вдруг». А потом подумал – осень, есть десять дней отпуска. Море еще теплое. Ну, наконец, повидает друзей – Борьку, Наташку. Да и сам город – грех не увидеть. В общем, как ей откажешь – поехали!

Они проснулись, услышав звонкий голос Наташки – она бесцеремонно засунула кудрявую голову в комнату и улыбнулась.

– Вы что, идиоты? Спать, что ли, сюда приехали?

Жаров вскочил, наспех умылся и бросился в ее крепкие объятия. Наташка почти не менялась – те же кудри, те же объемная пятая точка и пышная грудь. Только везде прибавилось, разумеется. Она накрывала на стол и тараторила, тараторила...

Вышла Рита, и все наконец уселись. Попробовали местные специалитеты: пасту из гороха – со стойким вкусом орехов, баклажаны пяти, наверное, видов – в майонезе, с орехами, морковью, чесноком и прочей чепухой. А дальше было все знакомо и привычно – картошка с соленой скумбрией, салат, курица из духовки. Пили пиво и по чуть-чуть водки.

Наташка рассказывала про работу, общих знакомых, сына Димку и хвалила страну.

Борька скептически усмехался и восторгов жены, похоже, не разделял.

Наташка вообще была из тех, кто видит одно хорошее, – вот уж счастливая способность, что говорить! Квартира мала? Не на улице! А что, в Москве была больше? А в Москве мы бы жили с Борькиной мамой.

– Да, Борюсь?

«Борюсь» вяло пожимал плечами.

– Жарко? Это да! Но для меня это лучше, чем московская слякоть и снег. Тяжело работаем? Господи, да где же легко? Все сейчас пашут как проклятые! Все и везде. Зато море – это раз! Сели в машину – и через час на море. Продукты – это два! Молочко и фрукты – язык проглотишь! А медицина? – Наташка совсем распалилась. – Мама вот пишет, что у вас...

– Наташ! – перебил ее Жаров. – Да все хорошо. Ты не горячись так. И не уговаривай – мы сюда насовсем не собираемся. А что тебе тут прикольно, так мы очень рады! Правда, Ритуль?

Рита кивнула.

Димка, сын Наташки и Борьки, служил в армии и приходил домой на выходные, так что встреча с ним временно откладывалась.

Наташка накрыла чай и наконец притихла.

– А какие планы? Вообще? Что посмотреть хотите, куда съездить? Может, взять вам экскурсии?

Рита мотнула головой и посмотрела на мужа. Жаров отвел глаза.

– Мы сами, Наташ. Спасибо. Сами разберемся.

Наташка пожала плечами и стала убирать со стола. Жарову показалось, что она слегка обижена.

Утром проснулись от такого яркого солнца, от какого, конечно, не спасали легкие бамбуковые жалюзи.

Жаров подошел к окну, потянулся и стал глазеть на улицу. Улица была пуста, по ней проезжали лишь редкие машины.

Они выпили кофе, надели удобную обувь и заказали такси.

– Старый город, – коротко объяснил Жаров таксисту, похожему на индуса.

Таксист включил индийскую музыку.

– Откуда здесь индус? – удивленно пробормотал Жаров.

– Они везде, – объяснила жена, – индусы и китайцы. Везде, во всем мире.

Иерусалим переливался под солнцем – желто-белый, как сливочная помадка, яркий, несмотря на отсутствие красок. Одинаковый, но совсем не монотонный. Периодически, точно огни иллюминации, вспыхивали кусты бугенвиллей – красные, розовые, малиновые, оранжевые и белые.

А впереди уже показалась стена Старого города. Почему-то заныло сердце – тревожно и сладко.

Они вышли из машины и пошли пешком – дальше проезд был закрыт.

Узкие улочки перегораживали шумные толпы туристов. Звучала пестрая речь – английская, французская, испанская, итальянская. И, разумеется, родная русская.

Все одинаково задирали головы вверх, кивали, слушая экскурсовода, и наводили объективы камер и фотоаппаратов.

– Куда? – спросил он у Риты. – Сначала – куда?

Она как-то сжалась, напряглась, заглянула в блокнот, потом в карту и тихо сказала:

– Направо. К храму Гроба Господня.

Он вздохнул и кивнул – направо так направо. К Гробу так к Гробу.

Они долго шли сквозь арабский базар – шумный, грязноватый, назойливый, пахший подгнившими фруктами, специями и лежалым тряпьем. Вниз по ступенькам. Вверх. Снова вниз. Древний щербатый булыжник временами поливали водой. Где-то валялись раздавленные шкурки бананов. Он взял ее под руку.

– Осторожно! Скользко.

Почувствовал, как напряжена ее рука. Она не оглядывалась на зазывал, не заглядывала в пестрые лавки.

Она шла так упорно, так прямо, словно знала дорогу. Ну и, естественно, заплутали. Монашка – совсем старенькая, в «ленноновских» очочках, в бежевом платье и белом островерхом чепце с накрахмаленными крыльями – вежливо вывела их на правильную дорогу.

Наконец вышли. В храм, туда и обратно, словно рекой с сильным течением, вносило и выносило людей.

– Пойдешь? – спросила жена.

Он мотнул головой.

– Здесь посижу.

Она кивнула и тут же влилась в толпу. И он сразу же потерял ее из виду.

Он сел на теплый камень – что-то вроде бордюра – и прикрыл глаза. Отовсюду раздавался приглушенный и монотонный шум. Солнце светило уже почти отчаянно – полдень, середина дня. И плевать, что осень и начало октября!

Он открыл глаза – мимо прошел высокий священник в черной рясе и высокой, узкой, как цилиндр без бортов, шапке. Дальше – стая монашек в голубом, совсем молодых, дружно щебечущих. Православный батюшка – ну, тут он узнал моментально. Серая ряса, непокрытая голова, волосы, собранные в хвост на затылке. Широкий крест. К нему поспешила одна из паломниц, похожая на ту, что летели тогда в самолете, он перекрестил ее, и она склонилась в поклоне.

Католический священник – в шелковой сутане и белой шапочке на голове. К нему обратилась женщина из толпы итальянских туристов. Священник подошел, начался шумный разговор, и все дружно смеялись. Потом он с поклоном простился.

Из переулка показалась яркая толпа иностранцев – они негромко пели псалмы и держались за руки. У входа в храм все притихли и внимательно слушали рекомендации руководителя.

Жаров посмотрел на часы – Рита отсутствовала уже сорок минут. Он вздохнул и снова закрыл глаза.

«Надо набраться терпения! – подумал он. – В конце концов, если ей так проще...»

Наконец показалась Рита. Он поднялся и пошел ей навстречу.

– Ну, как? – спросил он, понимая всю нелепость вопроса.

Она посмотрела на него и одними губами ответила:

– Все нормально.

Он снова вздохнул и взял ее под руку. У торговца сухофруктами спросили дорогу. Он говорил долго и громко, размахивал руками и предлагал попробовать сушеных персиков.

Двинулись. Снова по влажным ступенькам, мимо лавок, домов, крошечных молелен и мечетей.

На посту – две молоденькие девчонки в беретах и парни в форме хаки – прервали свой веселый треп, проверили их сумки и пропустили через детектор. Они пошли дальше, а молодежь снова громко загомонила на гортанном незнакомом языке.

Вышли на площадь. Она была огромна, эта площадь. Там, у стены, толпился народ. Слева мужчины, справа женщины. Кто-то сидел на пластиковых стульях, кто-то стоял.

Рита направилась к женской половине. Там, среди пестрых одежд, ярких и темных головных платочков и шляпок он снова быстро потерял ее и, оглянувшись, уселся прямо на землю. Точнее – на каменную мостовую рядом с шумной компанией разновозрастной ребятни. Дети – кудрявые, глазастые, со смешными завитушками вокруг нежных лиц – пили воду, отбирали друг у друга конфеты, спорили и переругивались. К ним подошла женщина, скорее всего мать – высокая, полная, с покрытой платком головой. Она цыкнула на них и отошла к подругам. На минуту дети притихли, а потом снова расшумелись и разошлись. Мать обернулась. Жаров столкнулся с ней взглядом, и она, широко улыбаясь, беспомощно развела руками.

Он увидел, что женщина беременна, и подумал: «Господи! Такая вот куча, а снова туда же! Да наши бы уже орали как резаные! А эта... цыкнула и махнула рукой. И снова треплется и улыбается... Чудеса».

Мимо проходили мужчины в странных одеждах – кафтаны, панталоны, огромные, словно надувные круги, шляпы, отороченные мехом. «Неужели это повседневная одежда? – с ужасом подумал он. – Это сейчас октябрь, а летом... Носить вот такую махину из меха!»

Он прислонился головой в каменной тумбе и продолжал рассматривать толпу. Мужчины молились, раскачивая туловищем. Кто-то был покрыт, как покрывалом, белым шарфом с синими полосами.

Малыш из соседней компании прислонился к ребенку постарше и сладко, приоткрыв рот, заснул. Брат, которому он явно мешал, чуть подпихивал его плечом, а тот снова заваливался и продолжал спать. Мать пригрозила старшему пальцем, и он, скорчив гримасу недовольства, замер как неживой. Сестра – девочка лет восьми – подошла к спящему ребенку и аккуратно засунула ему пустышку.

Наконец Жаров увидел Риту. Она шла медленно и плавно, и на ее губах чуть мерцала счастливая улыбка.

Он поднялся с земли, отряхнул джинсы и спросил:

– Ну, на сегодня – всё?

Она пожала плечами.

– Да, наверное. Пойдем поедим, а? – добавила она жалобно.

И снова ступеньки и уже надоевшие запахи. Снова зазывные окрики торговцев. Раздавленные бананы, кожура граната. Ее рука, доверчиво вложенная в его ладонь.

Приземлились – прохладно, старый, очень старый дом, в распахнутую дверь видны столики кафе. Наструганное мясо, мелко порезанные овощи, лук кольцами, соленые огурцы, теплая лепешка. Вкусно! Запивали только что, прямо на глазах выжатым гранатовым соком.

Ноги гудели, глаза слипались, хотелось рухнуть в неразобранную постель и уснуть.

Устали. Он заметил – жена ест с аппетитом. Жадно, отламывая руками лепешку, макая ее в густой кисловатый соус.

Ну и слава богу! Давно не видел, как она увлеченно ест. «Значит, уже не зря», – грустно подумал он.

Конечно, ко всей этой затее он относился скептически: ну не получается. Что тут поделать! Бывает и так. Оглянись вокруг – куча людей живет и не парится. А тут... Вбила в голову – последний шанс, я почти уверена...

И все же нельзя лишать человека надежды. Никто не имеет на это права. Да понятно, что все это... глупость. В конце концов, лучше бы приехать сюда с другой целью – например, хорошая клиника. Но... Все уверяют, что они здоровы. Абсолютно здоровы. Значит, клиника, даже лучшая, тут ни при чем. А что же тогда? Судьба? Расположение звезд? Несовпадение светил? Сколько он, видя, как страдает жена, думал над этим...

А тут – помолодела, порозовела, лопает, как портовый грузчик. Только вот что будет потом... когда снова – и ничего?

Он перегнулся через стол и отер кетчуп с ее щеки. Она улыбнулась и перехватила его ладонь.

С минуту они смотрели друг другу в глаза. Потом, сглотнув в волнении комок, он бодро сказал:

– В магазин, а, мадам? Ну, что-нибудь там, из плотского? Из совсем низменного, например?

Она улыбнулась, кивнула и легко поднялась со скамейки.

А в магазине она быстро скисла, сказала, что устала, и попросилась «домой». Он вздохнул и кивнул – домой так домой.

В такси молчали. Она опять отвернулась к окну, словно отгородилась, отстранилась от него, и он снова почувствовал незримую, непробиваемую стену между ними.

Он взял ее за руку, но она высвободила свою ладонь.

Хозяева были на работе. Обед стоял в холодильнике – об этом сообщала Наташкина записка. Рита, не раздеваясь, легла на кровать.

Он открыл холодильник, вынул из пластикового контейнера холодную котлету, тут же сжевал и запил апельсиновым соком.

Потом сел в кресло и подумал: «А ведь достало все! Ой как достало! Все эти закидоны, припадки, тихие истерики. Человеку нравится жить в своих страданиях! Просто кайф упиваться ими. Нет чтобы жить и радоваться – денег хватает, работа – ну, синекура, а не работа! Ходи в своей кружок «умелые ноги» три раза в неделю и пей кофеек. Вот нет же, вбила себе в башку!»

Он совсем расстроился, досадливо крякнул, достал из холодильника початую бутылку водки, налил полстакана и опрокинул в рот.

Потом улегся на диване в салоне, включил телевизор и не заметил, как уснул.

Разбудил его Борька – что-то грохнул на кухне. Жаров поприветствовал приятеля и заглянул в спальню – Рита читала какой-то журнал.

– Хочешь чего-нибудь? – спросил он.

Она кивнула – кофе.

Он обрадовался, побежал на кухню и стал варить кофе. Борька сидел на стуле и молча отслеживал его движения.

Вышли на балкон – перекур. Сначала смолили молча, а потом Жаров спросил:

– Ну а как тебе тут? Вообще?

Борька пожал плечами.

– Вообще... Вообще – хреново. Только... – тут он запнулся, – только не в стране дело. Страна тяжелая, правда. Но не тяжелее России. Не в стране дело – во мне. Мне везде хреново, понимаешь? Везде грустно, везде тоскливо. Ведь все от натуры... Вот Наташка, – тут он оживился, – русская баба, а в страну эту – необычную, очень необычную, – влюблена! И все ей по кайфу: и климат дурацкий, невыносимый. И работа нелегкая. И квартирка эта... – Он замолчал, задумавшись. – Говорит, ненавидит мороз. Врет! Мороз она тоже любила. Она все любит, понимаешь? Или – все готова любить. Настрой у нее такой. Все любит, и ничего ее не раздражает. Даже я... А я бы себя на ее месте убил. Нытик, зануда, брюзга... Да если бы не она, – тут Борька крепко затянулся и сглотнул слюну, – если бы не Наташка... Меня бы вообще давно не было!

Жаров молчал, свесив локти на перила. Потом кивнул.

– Тебе повезло! Она всегда была... Мать Тереза. И все ее очень любили!

– Да никто ее не любил! – вдруг завелся Борька. – Только пользовались – ее добротой и ее безотказностью! И даже я... Даже я ее не любил! Ну, в смысле – не сгорал от страсти. Она же была пацанкой! Всеобщий дружбан! Позвони – прибежит, не задумается! А поженились... Она одна, и я один. Два неприкаянных. Вот и прибило к друг другу волной. От одиночества. И оба мы все понимали. А я был влюблен в Светку Беляеву. Ох, как страдал! Просто загибался от страсти. Ходил тогда с температурой под сорок. Мама к врачу отвела, а те ни хрена не понимают. Анализы нормальные, симптомов никаких. А я... не могу встать с кровати!

Они снова молчали, не поднимая глаз друг на друга.

– Вот что это? – горячо заговорил Борька. – Любовь? Я честно не понимаю! Никогда у нас не было ничего такого... Ну, чтобы крыша поехала. Наверное, я ее тогда пожалел и еще – себя. И у нее так же, я думаю. И что получилось? Потом эмиграция. Я ведь не очень хотел, а она вот хотела. Почему? Ей-то в спину ничего не шипели – вали отсюда, жидовская морда. Шипели мне – с моей-то внешностью. И она решила – все, хватит! Едем. Потому что не хочет, чтобы и сыну вот так же. Она ведь лезла драться в таких ситуациях. Представляешь, эта сопля, метр с кепкой – и на здорового мужика! Я ее отодрать от него не смог! И здесь, по приезде... Ничем не гнушалась, ничего не боялась, хваталась за все. И сортиры мыла, и бабок лежачих таскала. И все – с улыбкой! Ни разу не захныкала и не пожаловалась. В отличие от меня... – Борька посмотрел Жарову в глаза. – А получилось вот что – да я жить без нее не могу! Дышать не могу, понимаешь? Вот если прихожу с работы, а ее еще нет... Задыхаюсь. Как приступ астмы. И не потому, что она сильная. Не потому, что плечо и жилетка. Не потому, что обнимет – и все, как рукой... А просто... И вот теперь объясни – что это? Любовь? Жалость? Привычка? Ты хоть что-нибудь понял про эту семейную жизнь? Ну, или про жизнь вообще? Лично я – нет! И могу тебе в этом признаться!

Жаров кивнул.

– И любовь, и привычка, и жалость. Все вместе, Борь! Такой вот микс из «много чего»! И злишься порой, и недоумеваешь – а что я делаю тут? С этой женщиной рядом? Она ведь мне так надоела, прости господи! И привычки ее раздражают – вот, пьет кофе и двумя пальцами крошит печенье. И крошки, крошки – по столу и на блюдце... И помада ее не нравится – ну, не идет ей коричневый цвет! А ведь упрямая – что ты понимаешь в женском мейк-апе! И брюки узкие не идут! Уже – не идут! Потому что не тридцать и по-

тому что задница... И красное старит, и журналы читает дурацкие. И с мамашей своей треплется, закрывшись в сортире. Вот о чем? И почему при закрытых дверях? А, обо мне! Наверняка – обо мне! И храпеть стала во сне, представляешь? Ну, ладно – не храпеть, похрапывать. Но все равно – смешно! И морщит лицо, смешно так морщит, разглядывая морщины. Расстраивается! Гримаса такая на лице, что ухохочешься. И седину закрашивает, скрывает. А ты все видишь, и тебе смешно! Смешны все эти ухищрения, все эти уловки. И она... Смешная и... жалкая. Видишь, как стареет, видишь, как мучается. И хочется крикнуть – дурочка! Да разве в этом дело! Мы ведь с тобой такое прошли! Разве все это забудешь?

Опять помолчали. А потом Борька спросил:

– Слушай, Саш! А вот... все эти штуки... Ну, про приезд, про... Ты понял! Это что? Она всегда была странной, твоя Рита. А сейчас... Я вообще ничего не понимаю. Ты извини, если что не так. Ладно, Сань?

Жаров кивнул.

– Не парься. Все нормально. Спросил и спросил. Имеешь право. Я ничего не спрашиваю, Борь. Просто соглашаюсь, и все. Ей так легче – пожалуйста! Сначала храм Гроба, потом Стена Плача. Завтра пойдем в мечеть. Кстати, а баб туда вообще пускают?

Борька пожал плечами.

– Вот так решила. Говорит, попрошу у всех. У кого «у всех»? Не понимаю! Я вообще далек от всех этих... Штучек. Она говорит – последний шанс. Ну, хорошо. Пусть так. Если ей легче и она верит. А мне уже ничего не страшно – после буддизма, знахарок, гадалок и адвентистов каких-то.

Закурили по новой.

– А технологии новые? Ну, я не знаю – подсадка там, суррогатное материнство? Детдом, в конце концов? – осторожно спросил Борька.

Жаров досадливо махнул рукой и поморщился.

— Говорит, попробуем еще раз. В смысле — обычным способом. Естественным, в смысле. Вот иногда думаю, — продолжал Жаров, — надоело. Все надоело! Эта тоска, эта зацикленность. А потом вспоминаю... Все вспоминаю. Когда поженились — сразу, через полгода, — она залетела. А я тогда испугался! Куда нам ребенок? Ни кола ни двора. Оба студенты. Рухнуть с младенцем родителям на голову? Бред, не дай бог! Моя мать не любит ее, ее отец — солдафон. Привык всех в шеренгу. Не вариант. Две зарплаты — как две слезы. И куда вот сейчас? Уговорил подождать. Она очень плакала, очень. Обещала, что справится. А у меня командировка в Анголу. А там война. Вернусь — не вернусь. Кто знает... Уговорил. Отвез в больницу, назавтра забрал. Поплакала с неделю и успокоилась. Так мне казалось. Ну а потом кончилась Ангола, появились бабки на первый взнос в кооператив, появился этот кооператив, потом машина. Потом снова командировка. Жили не бедно. А вот детеныш не получился... Она все прошла — и Крым, и Рим. По полгода по больницам. Хрен! Потом деньги стал зарабатывать. Хорошие деньги! Ну в девяностые. Легкие были деньги. Большие и легкие. Все обновили — квартиру, машину. Жизнь. Потом — бац, все накрылось. В два дня. Меня тогда в подвале пятеро суток продержали, пока не подписал. Пока не отдал все, что было. Вот часто думаю — как она прожила эти пятеро суток? Как не свихнулась? Говорила, что все двадцать четыре часа стояла у окна. Потом ложилась на пол. Поспит полчаса — и опять стоит. Ждет. Дождалась. Говорила, что верила — жив. А все остальное — труха. Пошла тогда убирать квартиры. Куда ее балетное образование? Правильно, в помойку. Брала с собой треники старые, косынку на голову, тапки. И — вперед! Я когда заглянул в этот пакетик со шмотками... рыдал, словно баба. А потом... потом все наладилось. Поднялся. Как ванька-встанька. Ожил. Снова зажили по-человечески. Только в доме поселилась печаль. Вот часто думаю: а на черта? Ну, не хочет человек жить. Не хочет радоваться. Не хочет принять все как есть. Капризы, капризы... Ну, пусть не капризы, пусть боль. И все равно! В чем трагедия? А потом вспоминаю... Для чего человеку память дана? А чтобы вспомнить, когда шальные мыслишки запрыгают и – по башке! По самой тыковке! Вспомнил? Ну, умница. И командировку в Анголу, и просьбы «чуть-чуть подождать». И что? Что теперь? Стряхнуть ее, как пепел с сигареты? Вот она была – и нету? И будет легче? Навряд ли... Мне точно – нет. И веселее не будет. Потому что однажды опять вспомню. Подвал и эти пять суток. И ее у окна. А ты говоришь – «что?». Да все! И привычка, и жалость. И любовь! Конечно, любовь! Пусть не дрожь в коленках при виде ее груди... А ощущение. Ощущение родного плеча. Тут – родинка, а тут след от прививки, оспинка. И вот за это неровное, рябое пятнышко... жизни не жалко. Вот и думай...

Они долго молчали, два старых приятеля. Два молодых, в сущности, мужика. Ну, что за возраст для мужчины – сорок пять лет? Самая зрелость, самое то, как говорится...

А потом пришла Наташка, и все закрутилось, завертелось – ну, просто тайфун, а не тетка! Сели обедать. Или ужинать? Борщ – настоящий, «хохляцкий». Наташкина бабка была родом с Кубани. Водочка под чесночок, черный хлеб с горчичкой. Наташка рассказывала про сына – как служит, как гордится страной. А Борька смотрел на нее и... Балдел Левин, балдел. И думал наверняка, как ему повезло.

А ведь повезло, кто спорит! Потом вспоминали молодость, общих друзей – кто, где и как. Вспоминали разные случаи из общей жизни, спорили, грустили, смеялись. Хороший был вечер. Жаров смотрел на жену – напряжение исчезло, и она тоже смеялась и тоже что-то рассказывала. От сердца чуть отлегло. Подумал – не зря. Не зря сюда приперлись. Как не хотел он ехать сюда, в Борькину тесную хату. Мотаться по всем этим святыням, видеть ее застывший взгляд. Трепаться со старым приятелем – о трудной жизни, тяготах эмиграции. Выслушивать Борькино нытье, бесконечное тарахтенье Наташки – он привык к женщине молчаливой. А ведь хотел на Мальдивы. Дайвинг, то-се. Чтобы никого не видеть и ничего не раздражало. Хороший отель, прозрачное, бирюзовое море. Вышколенная обслуга и – тишина. Он привык отдыхать именно так. Привык... И не стыдно, ребята! Заработал он на свою «дольче виту» тяжелым трудом. Не роскошная жизнь, а достойная. Долгие годы он вообще, кстати, не расслаблялся – не получалось просто. Спал со снотворным.

А вышло все складно. Тепло. Хорошо, что вырвались. И... дай бог, чтобы Рите стало полегче. Хотя бы чуть-чуть. А как славно выпили, как расслабились! Воспоминания – вот главная ценность жизни. И старые друзья – свидетели, так сказать, твоей молодости. Шальных планов. Влюбленностей, пылких и честных молодых отношений. Бескомпромиссность – вот чем гордились они тогда. Никаких отступлений от правил – честь гораздо важнее. Страсти – на разрыв, на разрыв! Ночные посиделки до первого тусклого проблеска света в окне – под шорох шин первых, нечастых тогда, машин. Пепельницы, полные окурков, поиски заныканных сигарет по карманам – а вдруг? Поиски таксиста с крамольной и дорогущей водкой – как всегда, не хватило, как всегда – на совсем пустой мостовой – три утра, совсем тихо, черные окна домов и – удача! Бежишь обратно, прижимая ее, родную, к самому сердцу, и нет ничего ценнее этого груза. А если водила откинет еще и пачку «Беломора» или две пачки «Примы» – вот уж приветствуют тебя ожидающие! Самыми громкими аплодисментами. И снова о жизни, снова о планах, и снова, конечно, о главном – о любви! И еще... Святая уверенность, непоколебимая... Все – слышите! – все у них сложится. И все будет отлично. И дружить они будут, конечно, всю жизнь. Всю свою долгую и очень счастливую жизнь – семьями, с женами и детьми, всю-всю... До конца.

В эту ночь Рита спала спокойно, а он не спал совсем – мысли в голове крутились, точно белье в стиральной машине – по кругу, по кругу. Вспоминалась и молодость, и их с Ритой жизнь – все вместе, все разом, все вперемешку. Пару раз вставал и выходил на балкон – перекурить и вдохнуть свежего воздуха. Было прохладно, и совсем не верилось, что утром снова объявится огромное белое солнце, совсем не октябрьское, и распалится к обеду, надышит горячим дыханием, прогреет булыжную мостовую, и снова будет сложно представить, что где-то за две тысячи километров, в родной Москве, уже совсем холодно и даже прошел первый снег.

И снова отправились в Старый город. Жаров уже узнавал узкие улочки, мечети, православные часовни и древние синагоги. Золотистым куполом сияла мечеть Омара...

У входа аккуратно стояла обувь – тапочки, сандалии, ботинки, кроссовки.

Жаров прислонился к каменному парапету и стал ждать.

Рита подошла к нему и взяла за руку.

– Очень хочется есть! – чуть улыбнулась она. – Найдем какую-нибудь харчевню, чтобы было много мяса. Много и разного. Бараньих ребрышек, стейков, каких-нибудь жирных купатов и картошки. Ужасно хочется жареной картошки... – И снова виновато улыбнулась.

Господи! Ей хочется картошки и мяса! Ей хочется есть – много и вкусно! Жарова залила горячая волна радости, почти счастья – жена была к еде почти равнодушна.

Они поймали такси и объяснили шоферу, что нужен мясной ресторан – и обязательно хороший мясной ресторан. Чтобы по высшему классу, брателло!

Мясной ресторан нашелся – и он оказался грузинским. Привычный интерьер – на стенах чеканка из советских времен, непонятно как сохранившаяся, глиняные кувшины, папахи и рог для вина.

Вышел хозяин – обрадовался им, как своим родственникам, – грузины всегда так встречают гостей, усадил за стол и принес меню. Рассказал, что ресторан держит совместно с братом жены, тот известный в Батуми повар, уговорили приехать сюда и открыть дело. Дело пошло – все родня, и никакого обмана. Жена Манана держит бухгалтерию, золовка на кухне – подмога мужу, теща дома лепит хинкали, и лучше ее их здесь (и в Батуми, разумеется!) не лепит никто. За официантов дочка Нино и сын брата Бесо. А вот сегодня молодежь отсутствует – праздники. И за подавальщика он, Давид, собственной персоной. Вечером будет аншлаг – и тогда подключатся все, вся семья. Придут Нино и Леван, невеста Левана и жених дочери. Ну, и дай бог! Тьфу-тьфу, чтоб не сглазить.

Читали меню и глотали слюни – хачапури трех видов, пхали из свеклы, пхали из шпината, лобио зеленое и красное, сациви, солянка, харчо, собственно бабушкины хинкали (так и написано – хинкали от бабушки Тамар!), цыпленок табака, купаты на кеци и еще куча всего, скорее бы, только скорее!

Запивали домашним вином – и откуда оно здесь, чудеса! Ели так жадно и с таким аппетитом, что хозяин, сидевший за соседним столом с какими-то бумагами, только посмеивался, когда Жаров, с набитым ртом, поднимал кверху в восторге большой палец.

Пообещали, что придут сюда снова и приведут друзей.

Вышли на улицу и сели на лавочку. Рита положила голову ему на плечо и тихо пробормотала:

– Подремлю, а, Жаров? Идти не могу – так объелась, просто нет сил!

Жаров погладил ее по руке.

– Спи, милая! Спи. Куда торопиться? Правильно, некуда. Отпуск у нас. Вот и спи.

Она и вправду уснула. Он подивился – вот так, на улице – ну, чудеса! И это она, Рита, которая и в своей постели подолгу уснуть не могла! Какие-то успокоительные капли, таблетки валерьянки, ново-пасситы, старо-пасситы... И черт его знает что...

А здесь – дрыхнет посреди улицы, и хоть бы хны!

А потом гуляли по центру, пили кофе в кофейне, ели мороженое и снова бродили, бродили по старым улочкам, дивясь на прохожих – какая пестрая толпа! Как все смешалось в этом чудном городе! Какая невидимая сила собирает всех вместе тут, на этой земле? И всем хватает места, и все находят именно то, чего каждому так не хватало. Здесь, в этой шумной восточной пряной пестроте, в гамме разноголосой толпы, чего ищет здесь человек? Надежду? У Стены Плача, в мечети, в храме – о чем они просят Господа? Каждый о своем? Да, разумеется. Но, думается, их просьбы похожи и не сильно отличаются друг от друга.

Все просят здоровья – отчаянно просят! Спокойствия и покоя – чуть тише, наверное. Смущаясь слегка – жизни послаще и чуть посытнее. Родителям, детям и внукам. Друзьям.

Терпения просят и сил. На всех языках. Читая молитвы и своими словами. И снова надеясь, что Господь услышит.

Услышит, услышит – иначе зачем я здесь?

И просит его жена. И вдруг он поймал себя на мысли, что и ему, Жарову, хочется обратиться к нему. Впервые в жизни. И попросить. Не за себя – за нее, Риту. Просто попросить, чтобы он... Ей помог!

Он растерялся и смутился от этих мыслей – куда идти и как просить? Он, некрещеный, неверующий, не признающий всего *этого*. Этих обрядов, отправлений, ритуалов.

У кого спросить? У Риты? Смешно! Она и сама не ведает, что делает: мечется и просит «у всех». Наверное, так неправильно... Но если так легче...

А что делать ему? Борька далек от всего этого, Наташка тоже.

Он озирался по сторонам – все эти люди знали, куда идти. Все они знали, зачем приехали.

Только он приехал сюда «за компанию». Группа поддержки, приличный и виноватый, жалостливый супруг.

Благородный муж, пожертвовавший Мальдивами.

Ладно, поехали домой. Устали. А дома их ждал пивной вечер – море пива, соленая рыбка и креветки – по неподъемной, разумеется, для хозяев цене.

Ладно, разберемся, решил Жаров. Компенсируем, так сказать. Вот чем – здесь надо подумать.

И снова была нирвана – такая благость на душе, такое благолепие! Снова бесконечная трепотня, взрывы смеха и слезы умиления.

Назавтра был выходной, и решили ехать на море. Решали – а на какое? Поплавать – на Средиземное, а подивиться – так это на Мертвое. Там не поплаваешь, зато полежишь, как будто в шезлонге, на соленой и плотной поверхности, надышишься бромом, намазюкаешься целебной грязью и – как новенький! А вот на Красное – далековато. Тем более одним днем.

Экзотика, конечно же, только на Мертвое! Средиземное мы повидали, причем с разных сторон.

Ночью, когда все спали словно подкошенные, Жаров осторожно, чтобы никого не разбудить, поднялся и вышел на балкон.

Сначала закурил сигарету, потом почему-то поспешно затушил и поднял глаза к небу.

Оно было очень темным, с просинью, с густыми и яркими звездами и желтой, как головка голландского сыра, большой и круглой луной.

Он закинул голову и зашептал:

– Прости меня, Господи! Я... Я не знаю, как к тебе обращаться! И не понимаю, как и о чем тебя просить! Потому... Потому, что стесняюсь... И еще – не умею. Потому что не вспоминал о тебе никогда. Когда было плохо – вспоминал, прости, черта. А когда хорошо – никого. А надо было сказать тебе хотя бы спасибо! Тебя ведь редко вспоминают, когда хорошо. Редко благодарят. Такие, как я. А теперь... Теперь я прошу тебя! Помоги ей! У меня все нормально. Все хорошо у меня. Виноват я, а страдает она. Не наказывай ее, прошу тебя! Накажи лучше меня. Она ни при чем! И еще – прости меня. За что – знаем и ты, и я. И еще... Не сердись, если я прошу тебя слишком о многом. Я ведь не знаю, честное слово... Что можно, а чего нельзя. Ты ведь здесь, ну, рядом. Ближе, чем где-либо. Или я совсем дурак?

Он шептал это так горячо и так страстно, что не заметил, как по лицу потекли слезы – быстрые, горячие, торопливые.

Он снова смотрел на небо и снова что-то шептал. И ему казалось, что там, наверху (господи, а где там-то?), его внимательно, очень внимательно слушают...

И еще – ему верят...

Жаров, дрожа, вернулся в комнату, прижался к Ритиной спине, пытаясь согреться, долго не получалось, ему очень хотелось ее обнять, но боялся потревожить.

В голове было пусто, но странно легко. Словно он наконец сделал что-то такое, что принесло ему облегчение и какое-то знание. Какое – он совсем не понимал, да и не мучился этим.

Понимал, вернее чувствовал, он одно – этот разговор, эти просьбы там, на балконе, в синюю и прохладную ночь, были ему жизненно необходимы. И как, дурак, он не сделал этого раньше?

А в восемь утра Наташка протрубила подъем: «Хватит дрыхнуть, сейчас все рванут на море, и мы завязнем в пробках!»

Наспех перекусили, и Наташка начала стругать колбасу и сыр на бутерброды. Жаров ее остановил – перекусим в кафе, не морочься, мы приглашаем.

Рванули. Город еще спал – в легкой туманной дымке, чуть серебристой. Стены домов отсвечивали мягким золотом – город был тих и снова прекрасен.

Пробки москвичей рассмешили – и это после наших родных, бесконечных! И все же на шоссе машин прибавилось.

Ехали сквозь горные ущелья, пустыню, мимо шатров бедуинов, возле которых бродили ленивые и сонные верблюды. Рита привалилась к Жарову на плечо и задремала.

Они с Борькой вполголоса обсуждали новинки мирового автопрома – обычный мужской разговор. Наташка свернулась клубочком и тоже уснула.

И Жаров почувствовал, что его накрыло какое-то удивительное спокойствие, умиротворение, что ли... Он был так расслаблен и так спокоен, как не случалось уже много лет.

Этот однообразный и успокаивающий пейзаж за окном – желто-красные пески, небольшие островки зелени, низкие кустики какой-то пустынной травы, растущие вдоль дороги. Небо очистилось от утреннего тумана и жгло глаза ослепительной, почти неестественной синевой.

Они тихо переговаривались с Борисом, боясь потревожить своих женщин. *Своих*. И не было дороже вот этих самых минут, не было пронзительнее...

Они словно поняли друг друга и замолчали. Борька вел машину спокойно, а Жаров смотрел вперед, пытаясь справиться с непонятным сердечным волнением.

Первой проснулась Наташка и затребовала туалет и кофе. Припарковались у заправки. Взяли кофе и булочки, вышли на улицу и расположились на капоте машины. Пили молча, рассматривая окрестности и удивляясь тишине.

Подъехал экскурсионный автобус, и из него вывалилась толпа соотечественников – шумная, всклокоченная. Все рванули в туалет и кафе, а они поскорей свернулись и поехали дальше.

Наташка включила музыку – нежно запели Никитины, призывая, как всегда, помнить о том, что мы – люди.

Наконец показалось море – сероватое, словно застывшее – ни волн, ни прибоя. Кое-где у берега лежали белые островки соли, словно небольшие белоснежные сугробы.

Вышли, расположились. И осторожно зашли в воду, предварительно проинструктированные аборигенами. Не кувыркаться, переворачиваться осторожно, сесть как на стул и – балдеть!

Вода была такой странной, словно в ней растворили баржу с глицерином – жирная и плотная на ощупь. Концентрация соли – Жаров не удержался, лизнул – была невообразимой.

После воды побежали в душ – тело пощипывало, всюду чесалось. Потом намазались серой маслянистой грязью, естественно, сфотографировались, потом опять залезли под душ, посидели на песке, выпили прихваченный запасливой Наташкой чай из термоса и двинулись обратно.

На обед остановились в придорожном кафе – кебабы, салат, разумеется, хумус и много зеленого чая.

Вернулись домой и дружно рухнули спать – Борька дал этому научное объяснение: воздух на Мертвом насыщен йодом и бромом. Расслабон нереальный! Признался, что еле доехал – так клонило в сон.

Вечером гуляли по центру, заходили в сувенирные лавочки, скупали подарки по списку – Жарову на работу, девочкам, мальчикам, заму, бухгалтеру. Разумеется, матушкам, близкой родне. Ритиным девицам на работе. Домработнице, консьержке, косметичке, дачному сторожу, зорким оком оберегающему их владения от воров. Уф!

А вечером пошли к Давиду. Он встретил их как самую близкую родню. Шепнул Жарову:

– Меню не смотри, все сделаю как себе!

Жаров улыбнулся и кивнул. И снова было так вкусно, что они мычали от удовольствия, щурились, причмокивали, качали в изумлении головами и показывали поднятые кверху большие пальцы довольному хозяину.

Но надо было возвращаться – назавтра они улетали. Рейс был утренний, совсем ранний, и нужно было спешить, чтобы собрать чемодан.

Чемодан был собран, и они сели на кухне.

– Прощальный чай, – объявила Наташка.

Прощальный чай оказался грустным – всем было немножко не по себе. Отчего-то накрыла такая печаль... Печаль от расставания, от того, что закончился праздник, случившийся так неожиданно и внезапно, праздник, на который никто из них не рассчитывал. Печаль от того, что они вдруг снова ощутили себя такими родными и близкими, потому что нет родней и ближе свидетелей твоей молодости. Печаль от того, что приходится расставаться и, несмотря на возможности нового времени видеться, встречаться, общаться в скайпе, все понимали, что жизнь снова закрутит, завертит... И снова они будут откладывать, переносить... до лучших времен, до лучших времен...

И разлука может обернуться долгими годами. А жизнь-то летит! Летит, как сверхзвуковой самолет. И годы летят – «наши годы как птицы».

И они будут клятвенно обещать друг другу, что вот на следующий год – обязательно! А в этом не получилось, прости... Но на следующий год найдутся дела, и обнаружатся неразрешимые проблемы, и подведет здоровье, и не будет денег или аврал на работе...

Обязательно найдется какая-нибудь мелкая или крупная помеха, не стоящая, в принципе, ничего. И они будут оправдывать себя и строить планы на будущее.

В зале аэропорта они встали кружком и говорили о какой-то ерунде.

Жаров обнял Борьку и Наташку и, проглотив тугой комок в горле, хрипло сказал все, что держал в голове всю эту неделю. И про тепло их гостеприимства, и про них, таких родных, любимых и замечательных. И про Наташкины котлеты с борщом, и про их с Борькой ночные перекуры на узком балкончике. И еще про то – не очень внятно, скомканно, очень смущенно, про то... Ну, что они значат в его жизни.

– В следующем году в Иерусалиме! – выспренно заявил Левин.

Рита подошла к Наташке, и они обнялись. Борька, смущаясь, поцеловал Риту в затылок.

Пройдя регистрацию, они обернулись – долговязый силуэт Левина и маленькая, почти невидимая фигурка Наташки уже растворились в толпе.

В самолете Рита села у окна и прикрыла глаза. Жаров, как всегда, начал листать газету.

Самолет пошел на взлет, и Жаров почувствовал, как жена напряглась – она боялась посадок и взлетов, да и сам полет был для нее всегда стрессом и усилием над собой.

Он взял ее за руку, и она благодарно пожала его руку. Взлетели. Самолет стал выравниваться и набирать скорость. Зажглась табличка – можно расстегнуть ремни и посмотреть телевизор. Запустили старый штатовский боевик с неутомимым Дольфом Лундгреном. Жаров, как всякий мужик, любил такую ерунду, крепко и грамотно сбитую Голливудом.

Рита уснула, прислонившись головой к окну. Самолет слегка затрясся, запрыгал на облаках, и пилот объявил попадание в зону турбулентности. Зажглось табло, и стюардессы прошлись по рядам, призывая к порядку.

Он снова взял Риту за руку, и она крепко сжала его ладонь. Минут через пятнадцать все успокоилось, и самолет пошел плавно, гладко, будто выбрался из короткого шторма.

Погасла табличка, и стюарды засуетились с обедом.

– Слушай! – вдруг оживился Жаров. – А давай наконец заделаем баню! Поставим в углу, у забора, – места полно, на улице стол, скамейки. Нет, ты представь, – загорячился он, – зима, снег, сугробы. Напаришься и – на улицу, сразу в сугроб! А летом на столике чаи погонять, а, Рит? Мы же давно мечтали! Приедем – поставим сруб. За зиму он отстоится, и весной можно строить. А к лету все будет готово. И непременно – ку-

пель! Прямо на улице, чтоб сквозь ледок! А? Здорово, правда? Мы же так любим с тобой эти штуки!

Рита улыбнулась, взяла его за руку и, наклонившись, сказала чуть слышно, на ухо:

– Давай подождем с баней, а, Сань? Ну, не к спеху же. Столько ждали, еще подождем. Годик хотя бы...

Он не сразу въехал – мужик, что поделаешь! Реакции замедленные, надо признать...

А когда до него дошло то, что она имеет в виду, он откинулся на спинку кресла, расстегнул ворот рубашки, потому что вдруг ему стало душно, выдохнул, пытаясь дышать спокойно, и взял руку жены. Ритины теплые пальцы погладили его вспотевшую от волнения ладонь. Она положила голову ему на плечо, и он закрыл глаза.

– Господи! Да о чем ты? Столько лет не строили, и еще не построим... Тоже мне дело – баньку собрать! Будет надо – так ведь за месяц, не больше!

– А домой хочется, правда? – спросила она.

Он кивнул. Домой хочется всегда. Потому что домой.

Взлет, зона турбулентности, воздушные ямы и рытвины, посадка. Пристегнуть ремни и ослабить.

Собственно, как вся наша жизнь. Очень похоже.

И еще – надежда. Без нее никуда. Ни в полете, ни в жизни.

Блеф

Конверт из ящика достала мама, возвращаясь с Рокки с вечерней прогулки. Снимая пальто и сапоги, она протянула его Ирине.

– Тебе, – сказала она и с любопытством посмотрела на дочь.

Ирина взяла конверт в руки, повертела его и наконец надорвала. Внутри лежала стандартная открытка. Ирина пробежала по ней глазами, равнодушно бросила на тумбочку и пошла в свою комнату.

– От кого? – крикнула вслед мать.

– Прочти, – не оборачиваясь, бросила Ирина.

Мать взяла открытку в руки.

«Дорогую Ирину Сергеевну» приглашали на вечер выпускников. Двадцатилетие со дня окончания. Ресторан «Осенний сад». Культурная программа. И т. д., и т. п.

Мать зашла в комнату дочери. Ирина, укрывшись пледом, с ногами сидела на диване и читала книгу.

– Пойдешь? – спросила мать.

Дочь подняла на нее глаза.

– А ты как думаешь? – усмехнулась она.

Мать присела на край дивана.

– Я думаю, надо пойти.

– Ты думаешь? – взвилась Ирина.

Мать виновато кивнула.

– А что такого? Ты вообще нигде не бываешь. А тут – ресторан, культурная программа... – Мать испуганно замолчала.

– Какой ресторан, мам? Какая культурная программа? – закричала дочь. – С чем я туда пойду? Что я расскажу про свою жизнь? Что ни разу не была замужем? Что живу с мамой и собакой? Что работаю секретаршей у старого козла за пятнадцать тысяч рублей и даже он ко мне не пристает? Что мы еле сводим концы с концами – моя зарплата и твоя пенсия? Что десять лет не можем сделать ремонт? Хотя бы косметический. Что семь лет я хожу в старой дубленке? Что я ни разу не была за границей? – Ирина всхлипнула, сняла очки и вытерла ладонью глаза. – И этими своими «успехами» я поделюсь с Динкой Коробовой, у которой своя программа на Первом канале? Или с Машкой Васильевой, у которой муж олигарх и она не сходит со страниц глянцевых журналов? Или с Аленкой, которая уже заслуженная артистка России? Или хотя бы с Зойкой Зарницкой, у которой трое детей и муж – выдающийся математик? – Она опять всхлипнула, отвернулась к стене и накрылась с головой пледом.

Это означало, что разговор окончен и больше ничего обсуждению не подлежит. Мать горестно вздохнула и вышла из комнаты. «Бедная девка, – подумала она. – Такая дурацкая судьба! Хоть бы родила тогда от своего женатика. Все был бы ребенок. Испугалась, что он ее бросит. А он все равно бросил через год. Что называется, без выходного пособия. Что она приобрела за восемь лет их романа? Стойкий невроз и клинику нервных болезней на полтора месяца. И горсть антидепрессантов на завтрак, обед и ужин. А ведь была хорошенькая, не хуже этой Машки и Зойки. Да что там не хуже – лучше. И училась прилично, и гимнастикой занималась. И в театральный кружок бегала. А вот такая судьба!» Она опять тяжело вздохнула и принялась готовить ужин.

Ирина долго лежала и смотрела в стену, потом встала и подошла к зеркалу. Тусклая кожа, под глазами мешки, у губ складки. Плохо прокрашенные волосы – в парикмахерской экономкласса, где стрижка стоит сто пятьдесят рублей. Дурацкие дешевые очки. Она открыла шкаф. Кофточки, юбочки, брючки – все с оптушки у метро. Сплошной Китай. В руки взять противно. Она села на стул и разревелась. Разве так она представляла свою жизнь?

Через полчаса мать позвала ужинать.

– Смотри, какие блинчики! – преувеличенно радостно сказала она. – Ешь, сколько хочешь! Твоей фигуре ничего не грозит! Кто еще к сорока годам сохранил школьный размер?

Ирина молчала и без удовольствия терзала вилкой аппетитный блинчик.

– Компот или чай? – спросила мать.

– Ничего. – Ирина встала из-за стола. – Спасибо.

Мать услышала из комнаты дочери звук телевизора. «Ничего не поделаешь – такая жизнь». Она вздохнула и принялась убирать со стола.

Ирина посмотрела какую-то муть по телевизору, приняла снотворное и легла. Хотелось поскорее уснуть и ни о чем не думать.

* * *

Влад проснулся в пять утра. За окном была густая, темная ночь. Он встал, пошел на кухню, достал из холодильника банку пива, выпил пару глотков и закурил. Сна, понятное дело, ни в одном глазу. С одной стороны – что страшного? Ну, потерял все, что имел. Все, что, так сказать, нажито непосильным трудом. Бывает – такая страна. И поумнее его люди пада-

ли. И как больно падали! Но это утешение было слабым. Каждый отвечает за свою жизнь. Слава богу, осталась квартира. А вот машину придется продать. Не по ранжиру ему теперь такая машина и не по средствам, как говорится. Хотя жалко, черт возьми, до боли в сердце. Ничего так не жалко, как эту черную лакированную красавицу. Ну, ничего. Поездит еще недельку – и отдаст. Они с удовольствием возьмут – в счет погашения долга. Еще проблема с Нинкой – у него заныло сердце. Привыкла к большим алиментам и неплохой жизни. Сейчас начнет гундосить и нервы мотать. Типа, сыну нечего есть и нечего надеть. Ерунда! Он оставил ей квартиру на Старом Арбате, тачку и дачу в Конакове. В конце концов, можно пойти и поработать. Не развалится. Но, зная характер своей бывшей, он понимал, что крови она ему попортит – мало не покажется. Он встал с табуретки и подошел к окну. На темной улице было уже вполне оживленное движение. «И что им не спится? – подумал он. – Борются за денежные знаки. За место под солнцем. За красивую жизнь». А ему сейчас надо просто выжить – не запить, не разнюниться. Найти в себе силы, начать все сначала. В конце концов, ему только тридцать семь. Еще есть время. Влад лег в кровать и попытался уснуть. Было странно думать о том, что завтра некуда спешить. Странно и непривычно. Утром он решил не отменять ежедневный поход в спортзал, благо абонемент оплачен до конца месяца. Не надо поддаваться панике и менять привычек, главное – не терять жизненного тонуса, здраво рассудил он. Надев спортивный костюм и кроссовки, он резво выскочил из квартиры. Быстро сбежав по лестнице с пятого этажа – лифтом он никогда не пользовался, – притормозил у почтового ящика. Ящик открывался без ключа. Влад дернул узкую металлическую дверцу, и на кафельный пол посыпалась всякая муть. Он поднял эту рекламную макулатуру, чтобы бросить в предусмотрительно поставленный уборщицей ящик, и наткнулся на голубоватый конверт. «Уже письма пишут, – усмехнулся он. – Не удивлюсь, если поклонницы».

Он разорвал конверт и увидел открытку: дорогой Владислав Петрович, вечер выпускников, ресторан «Осенний сад», культурная программа, ну и так далее. Влад рассеянно повертел конверт в руках, минуту подумал и бросил его в мусор.

Он вышел во двор. Там, поблескивая полированными гладкими боками, стояла его ласточка. Да что там – ласточка! Сокол. Орел. Последний черный «Рейнджровер». Машина его мечты. Влад провел рукой по ее блестящему боку, вздохнул и сел на сиденье. Теперь стало как-то совсем грустно. Он вздохнул и завел мотор. Жизнь продолжается. Он настойчиво пытался себя в этом убедить. Получалось, правда, неважно.

* * *

Ирина стояла перед зеркалом в ванной, снимала бигуди и размышляла, красить ресницы или вполне можно обойтись одним карандашом. Решила накрасить. Потом взяла помаду поярче и накрасила губы. Внимательно посмотрела на себя в зеркало и отметила, что даже вполне ничего получилась картинка. Не супер, конечно, но вполне удобоваримо. Настроение улучшилось. Она зашла на кухню. На столе стояла плошка творога с медом и чашка кофе.

– Не хочу творог, – закапризничала она. – Дай мне, пожалуйста, бутерброд с копченой колбасой.

– Ира! – с упреком сказала мама. – В твоем возрасте уже надо думать о здоровье.

– В каком таком возрасте? – возмутилась дочь. – Что ты мне все прибавляешь? К «сорока», «почти сорок». Мне, между прочим, только тридцать семь, и до сорока еще целых три года. Ну так есть у нас колбаса или нет?

– Копченой нет. Она стоит под семьсот рублей. И какая от нее польза? Но, если хочешь, я сегодня схожу и куплю граммов двести, – растерянно отозвалась мать.

– Вот и купи, – ответила Ирина. – Должны же быть у человека удовольствия. Хотя бы гастрономические. А то от этих полезных каш и творогов меня уже тошнит.

После работы она встретила у подъезда Дашку – как всегда, оживленную, в прекрасном настроении. От Дашки всегда исходил сплошной позитив. Глаза горят – на подходе новый и, как всегда, ошеломительный, роман. Кто бы сомневался! Дашку просто распирало. Она стала уговаривать Ирину зайти к ней на кофе. Ирина вздохнула и подумала, что это лучше, чем препекаться с матерью и смотреть телевизор. Поднялись к Дашке. Та жила одна. Квартира ей досталась по наследству от бабушки. Дашкины родители сделали в ней приличный ремонт и сказали: живи. Она и зажила – в свое удовольствие, путаясь и блуждая в бесконечных и ярких романах. Дашка сварила кофе и нарезала бутерброды – другой еды у нее отродясь не водилось. Стали болтать о том о сем. Дашка показывала новые тряпки и называла имена дизайнеров. Ирина делала вид, что в курсе. Потом зачем-то рассказала Дашке о приглашении в ресторан.

– Круто! – искренне обрадовалась та. – А то сидишь как сыч и только с мамашей перебрехиваешься.

– Ты что, – удивилась Ирина, – решила, что я туда пойду?

Дашка смотрела на нее как баран на новые ворота.

– А ты совсем идиотка? – наконец сказала она. – Нигде не бываешь, никуда тебя не вытащить. Живешь как в гробу. А ты, между прочим, еще совсем молодая женщина. И к тому же не лишенная привлекательности. – Тут Дашка тяжело вздохнула и добавила: – Если тебя привести в порядок, конечно.

Ирина махнула рукой:

– В какой порядок? О чем ты? Мне и надеть-то нечего.

– Ну, если дело только в этом, – загадочно улыбнулась Дашка. Она уселась поудобнее и сказала: – Значит, так. Для начала вызовем Светку и Люську.

– Это кто? – поинтересовалась Ирина.

– Это мои парикмахерша и маникюрша. Будем делать из тебя человека. А с тряпками – проще не бывает. У нас с тобой один размер. Даже обуви, по-моему.

Ирина усмехнулась:

– Хватит, Дашка, развлекаться. Совсем не смешно. А потом, разве дело в этом – в тряпках и маникюре?

– А в чем еще? – Дашка не понимала.

– А в том, моя дорогая, что мне нечего предъявить. Совершенно нечего. Не только нечем похвастаться, но даже нечего просто рассказать о себе.

Дашка облегченно вздохнула:

– Ну, это вообще фигня. Здесь насочинять можно такого, что на две книги хватит.

– Да не собираюсь я ничего сочинять, – ответила Ирина. – Мне проще туда не пойти. Я заходила в «Одноклассники», смотрела. У всех жизнь сложилась – у кого в карьере, у кого в семье. А у некоторых – и там, и там все в порядке. А я? Одинокая женщина с мамой и собакой, жалкая секретарша с зарплатой в пятнадцать тысяч. От жизни уже ничего не жду, кроме раннего климакса. Даже замуж ни разу не сходила. Ребенка родить побоялась. – Ирина заплакала.

– Господи! Да кому все это надо знать! – вскричала Дашка. – Наведем марафет – будешь красавицей. Фигуру сохранила, еще завидовать будут. А сказочку про белого бычка придумаем. Короче, все будут в отпаде, – вполне серьезно заключила Дашка.

– А зачем? – тихо спросила Ирина.

– В каком смысле? – не поняла Дашка.

– В прямом. Зачем все это нужно? Мне, например?

Дашка на секунду задумалась, а потом быстро сообразила:

– Чтобы повысить самооценку. А то она у тебя ниже плинтуса.

– Ну да, – грустно отозвалась Ирина. – На три часа. А потом карета превратится в тыкву, а кучер в крысу.

– Даже если так, – не сдавалась Дашка. – Ну хоть три часа побудешь королевной.

Ирина усмехнулась, допила кофе и сказала:

– Ну я пойду. Мама наверняка волнуется. – У двери она обернулась: – Спасибо тебе, Дашка.

Назавтра была суббота. Ирина в выходные отсыпалась. Могла валяться до часу дня. В дверь постучала мама:

– Ира, тебя к телефону.

Ирина приподнялась на локте и посмотрела на часы: половина десятого.

– Кто там еще, господи! – застонала она.

– Дашка, тебя требует. Говорит, что срочно и безотлагательно, – с испугом проговорила мама и протянула ей трубку.

А в трубке уже вопила Дашка:

– Через полчаса у меня! Едут Светка и Люська. Быстро вставай и умывайся. Кофе выпьешь здесь.

– Кто это – Светка и Люська? – пробормотала ничего не понимающая Ирина.

– Придешь – узнаешь, – отрезала Дашка. И грозно повторила: – У тебя полчаса. На все про все.

Ирина села на кровати и зевнула. Потом вспомнила, что Светка и Люська – парикмахерша и маникюрша. Она встала, накинула халат, умылась, схватила со сковородки еще теплый сырник, тяжело вздохнула и сказала:

– Ну, я пошла.

– Зачем? – тихо спросила мама.

– Посмотрим, – неопределенно ответила Ирина.

На кухне у Дашки сидели две девицы, похожие друг на друга как близнецы: белокурые волосы, нарощенные ресницы и ногти с затейливым маникюром. Девицы пили кофе, курили и критически оглядывали Ирину.

– Ясно, – вздохнула одна из близнецов.

– В каком смысле? – поинтересовалась Ирина.

– Во всех, – ответила вторая.

– Ну, вы все поняли, – затараторила Дашка. – Все на высшем уровне.

– У нас по-другому не бывает, – хором ответили близнецы.

И началось. Ирину посадили на стул. Ноги – в таз с теплой водой. Руки – в миску с мыльным раствором. На плечи – пеньюар. Светка, парикмахер, развела краску и начала действовать. Люська села на маленькую табуреточку и тоже принялась за работу. Пока освоили ноги, пора было смывать с головы краску. Светка защелкала ножницами, а Люська занялась руками. Ирина сидела с закрытыми глазами.

– Каким будем крыть? – сурово спросила Люська.

– Что – «крыть»? – не поняла Ирина.

Люська вздохнула и посмотрела на нее как на тяжелобольную.

– Цветом каким? – сказала она и выставила перед Ириной штук десять пузырьков с лаками.

– Вот этим. – Ирина ткнула пальцем в светло-бежевый лак.

– Понятно, – опять вздохнула Люська.

– А ноги?

– Таким же, – ответила Ирина.

– А поярче? – изо всех сил стараясь быть терпеливой, спросила Люська. – Поярче будет сексуальней.

– А кто увидит? – не поняла Ирина. – На дворе же зима.

Теперь вздохнули все – и Светка, и Люська, и Дашка – и обменялись многозначительными взглядами. Ирина смутилась:

– Делайте что хотите.

Дашка ткнула пальцем в пузырек ярко-бордового цвета. Ирина опять закрыла глаза. Через полчаса Светка выключила фен и сказала:

– Готово.

Свернулась и Люська. Вместе с Дашей они отошли на некоторое расстояние и принялись внимательно разглядывать Ирину. Та не могла оторвать взгляда от своих ступней. На ног-

тях ровным и блестящим слоем красиво лежал яркий лак. Руки были гладкие, с прекрасным маникюром и волшебно пахли каким-то душистым маслом.

– А к зеркалу можно? – спросила Ирина.

Она вышла в прихожую, подошла к большому настенному зеркалу и замерла, оторопев. Стрижка была великолепной – волосы лежали мягкой волной и были дивного пепельного цвета с жемчужным отливом.

– Это просто чудо какое-то, – тихо сказала она.

– А то! – гордо, будто это ее рук дело, ответила Дашка.

– Волос хороший, – вставила Светка. – Грех за таким волосом не следить.

Потом все вместе пили кофе, болтали, наконец девчонки стали собираться.

– Сколько я им должна? – шепнула Ирина Дашке.

– Разберемся, – ответила Дашка и пошла провожать близнецов, а вернувшись, внимательно посмотрела на Ирину и очень серьезно сказала: – Значит, так. Это еще полдела. Ну, накрашу я тебя сама, это понятно. А теперь займемся гардеробом. Это будет посложнее.

– Даш, остановись! – взмолилась Ирина. – Ну найду я что-нибудь у себя. Подберу.

– Ты подберешь! – саркастически протянула Дашка. – Лучшее от китайских дизайнеров с Лужи. И обувь фирмы «Скороход». – Видя растерянность подруги, она мягко добавила: – Доверься мне! Ну, пожалуйста!

– Неправильно это все как-то, – сказала Ирина. – Будто краду чужую жизнь.

– Легче! – призвала Дашка. – Думай о том, что ты идешь на маскарад!

Она распахнула шкаф, и началась феерия. Перемерили штук двадцать кофточек, примерно столько же брюк и платьев. Ирина уже валилась с ног. Сделали перекур. Продолжили. Дашка была неутомима. Наконец остановились на серых

шелковых брюках и черном, тоже шелковом, блузоне. Сапоги – черный лак на шпильке. К ним – сумочка, тоже лаковая.

– А теперь – финал, апофеоз! – воскликнула Дашка и накинула на плечи Ирины норковый жакет.

Из зеркала на Ирину смотрела красивая молодая женщина, с прекрасными светлыми ухоженными волосами, тонкой талией и длинными, стройными ногами.

– Ну, это уже слишком, – твердо сказала Ирина и сняла жакет.

– Ну да, – подхватила Дашка. – Ты надень сверху свой корейский пуховик. И прямиком в психушку.

– Почему в психушку? – не поняла Ирина.

– А потому, что столько потрачено сил, фантазии и стараний, а ты, такая гордая, наденешь свой вшивый, потертый куртец, чтобы все насмарку. Очень мудрое решение. Вполне в твоем духе. А обо мне ты подумала? – Дашка даже всхлипнула от досады. – Я ведь так старалась! И кто ты после этого – не сумасшедшая?

– Ну ладно, Даш, извини, – Ирине правда стало неловко. – Ты действительно так старалась!

– И заметь, совершенно искренне! – все еще обиженно сказала Дашка.

– Не сомневаюсь, – ответила Ирина. – Просто такая дорогая вещь. Я буду нервничать – а вдруг сопрут?

– Да сейчас норковая шуба – униформа российских женщин. Кого этим удивишь! Уверяю тебя, что таких будет целый гардероб.

В общем, договорились. Потом решили, что раз ресторан в семь, в пять она придет к Дашке на макияж.

– Да, и еще закажи такси, – вспомнила Дашка. – Ты же босс в большой торговой компании. Тебе, конечно, полагается водитель, но по воскресеньям ты его отпускаешь, потому что ты добрый и лояльный руководитель.

– А чем занимается моя компания? – спросила Ирина.

– А чем занимается твоя компания? Ну, где ты работаешь?

– Поставкой пластмассовых труб для канализаций.

– Да, неэстетично, – вздохнула Дашка. – Но ты, по крайней мере, в этом разбираешься. Вдруг будут какие-то вопросы? Хотя было бы лучше, если бы ты торговала, например, духами.

Ирина пожала плечом и кивнула:

– Или туманами.

– Что? – не поняла Дашка. – Да! И еще, – вспомнила она, – мужей у нас было два: врач и архитектор. Ни один не смог пережить твоего сказочного взлета в карьере. В общем, оказались слабаками. От обоих ты ушла.

Ирина послушно кивнула. Врать так врать!

– Кстати, покажи им фотки твоего загородного дома.

И Дашка вынула из семейного альбома фотографии дома своих родителей.

– Ну уж нет! – закричала Ирина. – Ты требуешь от меня невозможного. Это все выше моих сил. Запалюсь на первых же вопросах.

– Да ладно, брось на всякий случай в сумку. Вдруг пригодится. Хлеба не просят.

Ирина решительно отвела Дашкину руку.

* * *

Вечером Влад купил бутылку пива и пиццу – типичный ужин холостяка. Завалился на диван перед телевизором и решил отключиться от всех проблем. Получалось неважно. В голову лезли одни и те же мысли – как он мог пропустить, не уследить? Как позволил себе ослабить контроль? Да просто расслабиться! Был уверен, что все в порядке. Бизнес поставлен и идет по накатанной. Бухгалтер – свой человек, проверенный жизнью и временем. Директор – тоже не из чужих. Друг, можно сказать, детства. Ну, почти друг. Приятель. Обоим он верил безоговорочно. Как себе. А оказалось – зря. Все воровали. Да мало того, «друг детства» еще и слил информацию конкурентам. Мало было, сволочь. В общем, когда проявились налоговая и аудит, прикрываться было практически нечем. Осталось только объявить себя банкротом.

Он подумал, что лучше бы выпить водки – наверное, станет полегче. Он достал из кухонного шкафа ополовиненную бутылку и залпом выпил стакан. Ждал, что полегчает, но стало еще тошнее. Он начал дремать, когда его разбудил телефонный звонок. Звонили по городскому. Спросонья он сначала не понял, кто это.

– Господи, Сашка! Власов! – удивился Влад. Школьного товарища он не слышал лет десять. – А как ты меня нашел?

– Да матушка твоя телефон дала, – объяснил Сашка.

В общем, начался треп про то, про се: дети, жены, бизнес.

У Власова, судя по всему, дела шли вполне терпимо. Свое кафе – открыл на паях с другом. Друг – грузин, и кафе, соответственно, с грузинским колоритом. Правда, в спальном районе – на центр пока не тянут. Но клиентура уже наработана, потому что недорого и вкусно.

– Клянусь тебе – вкусно! – горячился Власов.

– Да верю, верю, – смеялся Влад.

Еще Власов рассказал, что у жены – частный детский садик. Небольшой, две группы. Но на жизнь, в общем-то, хватает. Тьфу-тьфу, не сглазить!

В общем, Власов тараторил, как всегда. И это было спасение, раскрывать душу, откровенничать не хотелось. Но Власов был из тех, кому интересно трещать про себя. В конце разговора он нехотя так, из вежливости, спросил:

– Ну, а у тебя-то как?

Понятно, Влад грузить его не стал:

– Все путем. Жизнь идет.

Это Власова вполне устроило.

– Блин, чуть не забыл, чего звоню! – спохватился он. – Завтра наши встречаются в каком-то кабаке. Говорят, в при-

личном. Организовали все Динка Коробова и Машка Васильева. А у них, я думаю, проколов не бывает. Звезды как-никак. В общем, потусуемся, поболтаем. На своих посмотрим. Себя покажем. Ну, так ты как?

Ни на кого смотреть, а уж тем более показывать себя, ясное дело, не хотелось.

– Нет, Санек. Не в кайф. Настроение не то, – попробовал отвертеться он.

– Зря, – убежденно сказал Власов. – По себе знаю – если тухло, лучше на людях. Отпускает. Запиши адрес, – настаивал он.

– Я запомню, – начал раздражаться Влад.

– Да, чуть не забыл, – сказал Власов. – Мишка Гальперин из Штатов приехал. Мне звонил, сказал, будет. Мишка из Штатов будет, а ты собираешься сачкануть, – упрекнул он Влада.

В общем, на этом распрощались.

«Все пустое, – подумал Влад. – Видеть никого неохота. Вот только с Мишкой Гальпериным я бы пообщался с большим удовольствием. Есть кое-какие мысли. Давно зреют. А сейчас тут вообще ничего не держит. У Мишки в Америке своя компания. Дела, по слухам, идут неплохо. Может, подскажет что-нибудь дельное?» С Мишкой у Влада всегда были очень неплохие отношения. «Ладно, – решил он. – Утро вечера мудренее. Посмотрим, какое завтра будет настроение. В конце концов, даже если я решу пойти, совсем не обязательно всем рассказывать, в какой я заднице. А впечатление произвести я еще вполне сумею».

* * *

Ирина проснулась в семь утра. Настроение – хуже некуда. «Какая чушь, – подумала она, – надевать чужие тряпки, врать про свои успехи. Просто воровство какое-то. Нечем похвастаться – сиди дома. В конце концов, жизнь – такая штука, не у всех складывается».

Провалялась до девяти, поплакала. Встала, умылась. Выпила чашку кофе. Мама испуганно смотрела на нее, но вопросов не задавала. После завтрака ушла к себе. Опять улеглась. На сей раз – с журналом. Но почему-то не читалось, глаза опять были на мокром месте. В двенадцать раздался звонок в дверь. «Дашка! – догадалась Ирина. – Скажу ей, что заболела. Никуда не пойду. Ни за что. Хоть режьте по кускам».

Она укуталась в одеяло и отвернулась к стене.

Дашка влетела без стука.

– Ну и? – нетерпеливо протянула она.

– Все отменяется, – ответила Ирина. – Мне нездоровится. Заболеваю, наверно. Грипп кругом.

– Ну, ты и сволочь! – в сердцах сказала Дашка и плюхнулась в кресло. – Врешь ты все. Никакого гриппа. Просто банально испугалась. Трусло ты, поняла?

– Ну и хорошо, – вяло откликнулась Ирина. – Называй как хочешь, мне все равно.

– Я так старалась, – с обидой произнесла Дашка.

– Я знаю, Дашуль. Прости. Спасибо тебе за все.

На пороге возникла мама – лицо страдальческое, руки сложены на груди.

– Так, тяжелая артиллерия, – со вздохом произнесла Ирина.

Прессовать начали на пару – мать упрашивала, Дашка настаивала. Следователь плохой, следователь хороший.

– Ладно, – наконец согласилась Ирина. – Только отстаньте.

Дашка с мамой удовлетворенно переглянулись. Дальше уже в мирной обстановке выпили кофе с мамиными плюшками.

Дашка восхищалась и плюшками, и Ирининой фигурой:

– Я бы на таком питании уже в дверь не пролезала.

В общем, сидели, трепались. Потом Дашка решительно сказала:

– Так! Теперь к делу!

Ну и началось – мытье головы, укладка, макияж. В сотый раз перемерили кучу тряпок и все равно остановились на первом, выстраданном варианте. Мама ушла к себе в комнату и торжественно вынесла единственную сохранившуюся фамильную ценность: прабабкины сережки, крохотные бриллиантики-капельки с изумрудным листиком.

– Круто! – присвистнула Дашка.

– Собираете меня, как невесту, – ворчала Ирина.

– Кто знает, – загадочно отозвалась Дашка.

– Смешно, ей-богу! – Ирина покачала головой.

На шесть заказали такси. Дашка потребовала машину бизнес-класса. Услышав цену, мама горестно вздохнула.

В шесть ровно машина была у подъезда. Ирина бросила на себя в зеркало последний взгляд и шагнула за порог. Дашка вылетела следом. Ирина неловко, держась за Дашкин локоть, спустилась с плохо почищенных ступенек.

– Боже! Какая мука эти каблуки, – застонала она.

– Все терпят, и ты терпи! – строго ответила Дашка.

В общем, двинулись с божьей помощью. Настроение было так себе. Ресторан «Осенний сад» находился в глубине парка и был красиво освещен. Такси подъехало к входу. В вестибюле толпился народ. Ирина растерянно остановилась, пытаясь найти знакомые лица. К ней подбежала маленькая пухлая женщина и громко закричала:

– Ирка! Завьялова!

В женщине Ирина с трудом опознала Зойку Зарницкую, мать троих детей.

Зойка скакала вокруг Ирины и восхищалась ее фигурой.

– Ну, ни на грамм, ни на грамм, – повторяла Зойка, видимо сильно озабоченная своей полнотой.

Наконец Ирина огляделась и постепенно начала узнавать одноклассников. Кто-то был узнаваем совсем легко, кого-то – и это бросалось в глаза – жизнь потрепала изрядно. В центре внимания была, конечно, Динка Коробова, телезвезда. Выглядела она, как всегда, роскошно, но к этому все привыкли: Динку при желании можно наблюдать по «ящику» три раза в неделю. Чуть поодаль от нее – две звезды рядом многовато – «звездила» Машка Васильева, жена нефтяного магната. На ней была роскошная соболья шуба, с которой она никак, несмотря на жару, не могла расстаться. Подъехала Аленка Петрова – актриса и гордость школы, – скромная, тихая, в сером костюмчике и совсем без макияжа. Динка Коробова прошла мимо Ирины и остановилась:

– Ирка! Прекрасно выглядишь! Годы тебя не берут!

– Кто бы говорил! – улыбнулась Ирина.

Динка наклонилась к Ирининому уху:

– Но какие усилия, Ириш! Нечеловеческие! Почти ничего не жру. Как Волочкова – листья шпината. Ты же помнишь мою маму!

Ирина помнила Динкину маман – та работала в соседней булочной. Тетя килограммов на сто двадцать, не меньше.

Постепенно все начали просачиваться в зал – огромный и пафосно-шикарный. На столах с белыми скатертями стояла закуска – сплошные деликатесы. Белые салфетки в кольцах, тяжелые, витые приборы. Ирина с испугом подумала, во что ей обойдется все это великолепие. Метрдотель рассаживал гостей. За каждый столик – три женщины, трое мужчин. Рядом с Ириной села Милочка Подольская – самая тихая и незаметная девочка в классе. На свободный стул плюхнулась мать-героиня Зойка Зарницкая. «Женские» места были укомплектованы. Вскоре к ним присоединился Ваня Рыженко – в прошлом тихий двоечник и грязнуля. Два места оставались пустыми. К микрофону подошла Динка, всех поприветствовала, сообщила, как несказанно рада всех видеть, словно это был лично ее день рождения. Динка предложила начать выпивать и закусывать, и не забыть при этом поблагодарить Машу Васильеву и ее мужа за такой чудесный праздник. Все радостно зааплодировали, поняв, что банкет оплачен.

– Сильно! – прокомментировала Зойка и набросилась на еду.

На сцену вышли музыканты, но заиграли тихо, фоном, никому не мешая. Зойка показывала фотографии детей. Милочка тихо рассказывала, что помогает сестре растить племянников. Было понятно, что она одинока. «В нашем полку», – усмехнулась про себя Ирина.

Ваня подвинул к себе розетку с икрой и стал щедро намазывать бутерброды.

– Другим оставь, – цыкнула на него Зойка.

– Тебе вредно, – ответил Ваня с набитым ртом.

– Каким ты был, таким ты и остался, – парировала Зойка.

«Содержательная беседа! – усмехнулась про себя Ирина. – И стоило ради этого предпринимать столько усилий».

А за соседними столами вовсю веселились. Ирине захотелось встать и уйти. Она в который раз подумала, как была глупа и абсурдна эта идея. Кое-кто, видимо уже подкрепившись, топтался на танцполе. Зойка по-прежнему тарахтела, Ванька жрал, а Милочка краснела и половинила в тарелке кусок ветчины.

Ирина смотрела на дверь – как бы незаметно слинять. В дверном проеме показалась крупная фигура метрдотеля с каким-то мужчиной. Метрдотель оглядел полутемный зал и увидел свободное место. Он подвел мужчину к столу и посадил рядом с Ириной. В полутьме они не сразу узнали друг друга.

– Завьялова! – наконец сообразил он.

– Влад! – почему-то обрадовалась Ирина.

– Слушай, я поем – голодный страшно. А потом пообщаемся!

Ирина улыбнулась и кивнула.

В десятом классе он ей нравился – своей независимостью, что ли, не боялся вступать в прения с преподавателями. Да и вообще, был толковый, особенно в точных науках. Ирина, плавающая на физике и математике, им искренне восхищалась. Ему же нравилась Машка Васильева – это было очевидно. Но у Машки уже, видимо, тогда были наполеоновские планы, и на Влада она не обращала никакого внимания. На выпускном она появилась с кавалером – случай беспрецедентный. Кавалер был лощеный и довольно противный. Говорили, что он студент МГИМО. Через час после вручения аттестатов Машка упорхнула с кавалером на его машине, предварительно заявив, что едут они в закрытый клуб на всю ночь. И добавила, что ей нечего делать «с придурками-одноклассниками», имея в виду, наверное, мальчиков.

Ирина видела, что Влад стоит у стены и взгляд у него полон тоски. Объявили белый танец. Она, осмелев, на дрожавших ногах подошла к нему.

– Извини, Ирка. Нет настроения, – ответил Влад. – Пойдем лучше покурим.

– Я не курю, – ответила Ирина и быстрым шагом пошла прочь из актового зала.

– Извини! – еще раз крикнул он ей вслед.

А она уже почти бежала, размазывая по щекам тушь, перемешанную со слезами.

Потом она краем уха слышала, что Влад рано женился – на втором курсе – и так же быстро развелся. Потом вроде женился снова, пошел в бизнес, говорят, процветает. А у нее тогда начался тягучий роман с семейным человеком. Роман, длившийся почти тринадцать лет. Без всяких надежд на совместное будущее – об этом было сразу и честно заявлено. Жалела ли она, что не родила от любимого человека? Только себе могла признаться – да, конечно, жалела. Но она была явно не из смельчаков. Да и что теперь говорить? Жалей не жалей...

Влад выпил рюмку коньяку, подцепил вилкой кусок семги и откинулся на стуле.

– Ну что, Ириш? Что слышно, как поживаешь?

Она смутилась и пожала плечами:

– Как-то поживаю.

– Очень оптимистично! – рассмеялся он. – А выглядишь на миллион!

Она усмехнулась.

– Слушай, а ты Мишку Гальперина не видела? – озабоченно спросил Влад.

– Да вон твой Гальперин с Васильевой чего-то трет, – кивнула на соседний столик Зойка. – Все правильно – деньги к деньгам, – добавила она.

Влад встал, оглянулся и направился к соседнему столику. Ирина видела, что там произошла бурная встреча – Машка повисла на Владе, Влад обнимался с Гальпериным. Она отвела взгляд.

Официанты стали разносить горячее.

Ирина отказалась:

– Мне, пожалуйста, кофе.

Она выпила кофе и пошла в курилку. На улице начиналась метель. Медленно и красиво кружил разноцветный снег, подкрашенный яркими лампочками, освещавшими ресторан.

– А говорила, что не куришь! – услышала она голос за спиной.

Она обернулась.

– Странно, что ты помнишь, – удивилась она.

Он кивнул:

– У меня хорошая память.

Она вспомнила выпускной и смутилась. Он это заметил.

– А ты, Ирка, красоткой стала, хотя была обыкновенная девица.

– Да брось ты, – отмахнулась она.

– Ну, знаешь, бросай не бросай... Ну а вообще как дела? Расскажи про свою жизнь, – попросил он.

– А тебе правда интересно? – усомнилась Ирина.

– Ты меня знаешь, я бы из вежливости не спросил. Просто не спросил бы – и все.

Она, слегка покраснев, начала излагать легенду, тщательно продуманную Дашкой.

Влад подытожил услышанное:

– Да, оба твоих мужа оказались слабаками. Не потянули тебя. Бизнес успешный. Выглядишь роскошно. В общем, молодец, Ирка. Да и неудивительно, что ты в делах преуспела. Ты человек с начинкой. А за твою личную жизнь я не переживаю. У такой женщины, как ты, ее просто не может не быть.

– Тебе виднее, – сказала Ирина, и они оба рассмеялись. – Ну, а как у тебя? – спросила Ирина. – Процветаешь помаленьку?

– Помаленьку, – кивнул он. Ну, не рассказывать же все подробности бывшей однокласснице! – Слушай, а пойдем в зал, – предложил он. – Потанцуем.

– Да я вообще-то собиралась слинять, – призналась Ирина.

– Слиняем, – кивнул он. – Попозже и слиняем. Мне только Гальперина надо заловить и потрясти немножко.

Они вернулись в зал. Гальперин танцевал с Динкой. Та картинно откидывала голову и громко хохотала.

– Неужели он приехал из-за этих посиделок? – удивилась Ирина.

– О чем ты? – усмехнулся Влад. – Гальперин – большой человек. У него серьезный бизнес. Очень серьезный. Здесь он зажигает, расслабляется. А девки млеют. Не каждый день с американским миллионером приходится танцевать. Даже Динке и Машке. Ну что, пойдем и мы потопчемся? – улыбнулся он. – Вспомним, так сказать, годы золотые. – Он подал Ирине руку, и они вышли на танцпол.

Влад в танце вел уверенно и неспешно. Ирине захотелось закрыть глаза и положить голову ему на плечо. Заметив, что он внимательно на нее смотрит, она страшно смутилась и покраснела. И еще порадовалась тому, что в полутемном зале этого не видно. Танец – увы! – закончился, и Влад проводил ее до столика. Уходить совсем расхотелось. За стол он не сел, а растерянно оглядывался, ища глазами Гальперина.

– Извини, – сказал он и решительно пошел отлавливать Мишку.

Она видела, что он наконец Гальперина вытащил и сел с ним на диване в углу зала.

А веселье продолжалось. Машку Васильеву кто-то под руки вывел из зала. Было видно, что она здорово набралась.

– Злоупотребляет, – уверенно сказала Зойка.

– Ты думаешь? – засомневалась Ирина.

– Сто пудов. Они от хорошей жизни часто с катушек съезжают.

Динка обходила столы. Красовалась. Подошла и к их столику. Обворожительно улыбаясь, задавала вопросы, которые ей были явно по барабану.

– Шикарно выглядишь! – сказала она Ирине. – Тебя просто не узнать!

Это означало: «Надо же, была серой мышью, а превратилась в человека».

Наконец Динка отчалила.

– Звезда, блин, – прокомментировала Зойка.

Ирина посмотрела в сторону Влада. Он по-прежнему, опустив голову, сидел на диване и внимательно слушал Мишку.

Было понятно, что Гальперин учит его жизни. Гальперин всегда был умницей и занудой одновременно. Еще говорили, что у него железная задница и что женился он совсем неплохо – взял девочку из богатой одесской семьи. В общем, неудивительно, что у него все сложилось. У таких, как он, обычно все получается.

Ирина встала, попрощалась с Зойкой и Ванькой и направилась к выходу.

– Куда ты? – удивился Ванька. – Еще торт будет и мороженое!

Не оборачиваясь, Ирина махнула рукой.

Она вышла на улицу. Метель уже улеглась, и земля была покрыта свежим, ярким снегом. Ирина остановилась и глубоко вдохнула. Вокруг была такая тишина и красота, что хотелось плакать. Она медленно побрела к метро.

Мама открыла дверь и удивилась:

– Уже?

Ирина кивнула и начала раздеваться.

– Надо отнести Дашке шмотки, – сказала она.

– Успеется, – ответила мама. – Дашка твоя укатила с друзьями на дачу. На три дня. Сказала, что будет звонить. Любопытная – жуть.

– Мам, – попросила Ирина, – завари чайку, пожалуйста! А я пока в душ.

Она долго стояла под теплой, почти горячей водой, и постепенно ее начало отпускать. Она завернулась в большой махровый халат, надела теплые носки и зашла на кухню.

– А на ужин у нас что? – спросила Ирина.

Мать всплеснула руками:

– Ничего себе, человек час назад из ресторана. Что, невкусно было?

– Наверно, вкусно. Только есть не хотелось. Я же не Ваня Рыженко.

Мать спросила:

– Борщ будешь?

Ирина кивнула. Мать налила ей полную тарелку борща с куском мяса, положила туда большую ложку сметаны и покрошила укроп.

– Божественно! – простонала Ирина. – Никакой ресторан с тобой, мамуль, не сравнится!

– Ну, может, расскажешь? – с обидой спросила мать. – Как, что? Или ты думаешь, что мне не интересно?

– Да никак, мам. Никто меня особо не удивил. Динка выпендривалась, Машка нажралась. У Ваньки, по-моему, були-

мия. Зойка от него тоже не отставала. И еще трещала, как заводная. Милочка молчала и краснела. Аленка была тиха, скромна и полна достоинства. Гальперин учил всех жизни. Имеет право – миллионер. Ресторан шикарный, еда вкусная. Танцы до упаду.

Про Влада говорить почему-то не хотелось.

– Все? – спросила мать.

– А ты ждала чего-то другого? – с раздражением отозвалась Ирина. – Что меня прямо оттуда на тройке в загс повезут?

Мать обиженно отвернулась к мойке и стала мыть посуду.

– Извини! – Ирина чмокнула мать в щеку.

Та вздохнула:

– Какие уж тут обиды...

На следующий день, притащившись с работы, Ирина поужинала, надела пижаму и легла с книжкой на диван. Мать зашла в комнату и протянула Ирине телефонную трубку.

– Тебя! – испуганно сказала она.

Ирина взяла трубку.

– Привет! – услышала она. – Ты извини, что так вышло! Ну, что я тебя потерял!

– Влад! – растерялась она.

– Я тебя не отвлекаю? – осторожно спросил он.

– Да нет, о чем ты. Пришла с работы, валяюсь.

– Устала? – посочувствовал он.

– Ну, как обычно.

Он вздохнул:

– А я хотел тебя пригласить посидеть где-нибудь. Я голодный как волк. Нет, как сто волков.

Она рассмеялась:

– Ну давай попробуем.

– Я через полчаса у тебя. Напомни адрес.

Она посмотрела на часы и вскочила с дивана.

– Мама! – закричала она.

Мать испуганно вошла в комнату.

– Я на свидание, мам. У меня только полчаса, – закричала Ирина. – Господи, что надеть, господи! – Она забегала по комнате.

– Успокойся! – сказала мать. – Все успеем. Хорошо, что ты Дашке шмотки не отдала.

– Но я же не могу идти в том же самом! – верещала она.

– А ты – психопатка, – спокойно констатировала мать.

– Ну да. Психопатка. Меня же каждый день приглашают на свидания!

– Приди в себя! – строго велела мать. – Успокойся. Ты сейчас похожа на бешеную собаку. Значит, так. – Мать открыла шкаф. – Вячеслав Зайцев говорит, что если у женщины есть черная узкая юбка-карандаш и чёрный свитер, то она уже одета и, несомненно, элегантна.

– Несомненно! – передразнила Ирина.

Юбка была. Мать побежала ее гладить. Черный свитер тоже присутствовал. Вполне, кстати, приличный. С распродажи из «Бенеттона».

Ирина в ванной красила глаза.

– Помаду поярче! – крикнула с кухни мать. – С черным надо поярче!

Через двадцать минут перед зеркалом стояла прелестная стройная женщина с чудесной копной светлых волос, умеренно и грамотно накрашенная. В узкой черной юбке, в черном же свитере, с ниткой жемчужных бус. В сапогах на высоких каблуках.

– Ты красавица! – уверенно сказала мать. – И вести должна себя как красавица.

– Вот только бы знать, как ведут себя красавицы! – вздохнула Ирина.

На улице, у подъезда, стоял огромный, черный, блестящий джип. Ирина растерянно оглянулась и подошла к машине.

Влад открыл переднюю дверь.

– Привет! – сказал он. – Я очень рад тебя видеть!

Ирина смутилась и отвернулась к окну.

– Ну куда? – спросил он.

– На твое усмотрение, – ответила она.

Он кивнул и завел машину.

Припарковались у подвальчика.

– Здесь совсем не пафосно, но очень вкусно. Можешь мне поверить.

Они спустились по крутым каменным ступенькам вниз. В небольшом зальчике стояли деревянные столы и лавки. Над столами на толстых цепях висели неяркие лампы желтого стекла. Было и вправду очень уютно. Почти все столики были заняты.

– Видишь, сколько народу! – сказал Влад. – И это означает только одно – вкусно и недорого.

Подошел официант, и Влад начал заказывать.

– Не разбегайся! – рассмеялась Ирина. – Это ты с голодухи. Съесть все это будет невозможно. Тем более что я не голодна.

– Как? – расстроился он. – Совсем не будешь есть?

– Ну если только так, чуть-чуть, за компанию. Чтобы поддержать тебя.

Принесли все очень быстро и очень много. Восточная кухня. Ирина попробовала всего по чуть-чуть. Было действительно потрясающе вкусно. Она выпила бокал красного вина, немного захмелела и подумала о том, что ей давно не было так хорошо и спокойно.

– Слушай, жру, как слон. Просто неловко даже, – смущенно сказал Влад.

– Да брось, – ответила Ирина. – У здорового мужчины должен быть хороший аппетит.

Выпили кофе.

– Может, в кино? – предложил Влад.

– Извини. Устала. Завтра чуть свет вставать, – ответила она.

Он кивнул:

— Понимаю, бизнес. В бизнесе вообще нелегко. Особенно женщине.

Она промолчала.

Вышли на улицу. Сели в машину.

— Домой? — спросил он.

— Да, наверное, — ответила она и добавила: — У тебя шикарная машина. Машина говорит об успешности мужчины.

— Да? — с сомнением спросил Влад. — Ну, вообще-то, наверно.

Они подъехали к ее дому.

— Спасибо! — сказала Ирина. — Вечер был замечательный.

— Ага. Притом что ты ничего не ела, — усмехнулся он.

— А в кино можно и завтра, да? — спросила она.

— Кино от нас точно никуда не уйдет.

— Ну, я пошла. — Она открыла дверцу.

— До завтра, — ответил он.

Ирина подошла к подъезду и обернулась. Влад помахал ей рукой.

Назавтра он не позвонил. И послезавтра тоже. И послепослезавтра он тоже не позвонил. «Все правильно, — думала Ирина. — Блефовать умеют только опытные игроки. Да и то — не все. А какой из меня игрок? Так, одинокая тетка с неудавшейся судьбой. Примерила на себя чужие шмотки! А чужую жизнь на себя не примеришь! И не наденешь. Просто стыдно. Поддалась на уговоры этой соплячки Дашки. Игры-игрушки. Да и зачем я Владу нужна? Сколько вокруг молодых и красивых. И все за такого мужика бы в бой ринулись. Только не я. А у него — так, ностальгия. Была и прошла».

Было так невыносимо плохо, что она взяла больничный. Слава богу, участковая врачиха — свой человек, знает их семью сто лет. Правда, она сказала:

— Не залеживайся. Хуже будет. Отлежись пару дней — и на работу.

Потом они еще долго пили с мамой на кухне чай и о чем-то шептались. Но Ирине было все равно. А потом она с тоской подумала, что скоро Новый год – селедка под шубой и салат оливье, телевизор с чудовищным буйством опостылевшего всем шоу-бизнеса. А дальше – хуже: десятидневные каникулы. На театр и рестораны денег, понятно, нет. Целый день валяться – одуреешь, так до пролежней можно доваляться. Мама, конечно, предложит съездить к тетке в Тулу. А там – та же песня, только чужая семья и чужая кровать.

Через неделю Ирина вышла на работу. Зима решила посмеяться, и весь конец декабря лил колючий и мелкий дождь. Пока она бежала от метро, промокла насквозь – и сапоги, и куртка. Окоченевшими пальцами она с трудом набрала код и влетела в подъезд. У батареи стоял мужчина в кепке, надвинутой на глаза. Ирина с испугом остановилась.

– Ирка! – выдохнул он. – Ну слава богу! Я уже почти околел – жду тебя часа полтора.

Ирина растерянно отряхивала куртку.

– Да? – наконец сказала она. – А что случилось?

Он внимательно посмотрел на нее:

– Случилось, наверное. Даже – наверняка.

– Проблемы? – спросила Ирина.

Он достал сигарету и закурил.

– А знаешь, Ирка, я, оказывается, трус. Жалкий трус и, кроме того, жалкий враль.

– Ну, ты, наверное, сильно преувеличиваешь, – сказала она.

Он глубоко затянулся сигаретой:

– Можешь мне поверить.

Ирина молчала.

– Видишь, даже сейчас – жмусь, мнусь, а начать не могу.

Он докурил сигарету и, бросив бычок в старую консервную банку, глубоко вздохнул.

– В общем, так, Ирка, – наконец начал он. – Все совсем

не так, как ты себе представляешь. Бизнес я потерял. Подчистую. Виноват сам. Расслабился. Да! – словно вспомнил он. – И еще остались долги. Не то чтобы огромные, но приличные. Плюс алименты на ребенка. Как буду подниматься – честно говорю – не знаю. Наверное, когда-нибудь выберусь. Машину пришлось продать. Так что я теперь еще и бесколесный. В общем, в сухом остатке – однушка в спальном районе, отсутствие работы, алименты и долги. Хорош кавалер, да?

– И поэтому ты пропал? – тихо сказала Ирина.

– Естественно. На кой ляд я тебе такой нужен? Кроме проблем – ничего. А ты успешная и красивая женщина, которая мне очень нравится. Но с этим я справлюсь, обещаю тебе. – И он грустно улыбнулся. – А пришел, чтобы ты не думала ничего плохого. Ты этого точно не заслуживаешь.

– Не надо! – остановила его Ирина.

Он подошел к ней и обнял. Она уткнулась лицом в его куртку и разревелась.

– Понимаешь, все совсем не так. Совсем не так, как ты думаешь. Никакого бизнеса у меня нет. И водителя нет. Только проездной на метро. И зарплата пятнадцать тысяч. И даже шубы норковой нет. Потому что она Дашкина.

Он гладил ее по голове.

– А Дашка – это кто? – тихо спросил он.

– Да соседка. С пятого этажа. И замужем я не была. Ни разу, слышишь? Просто так жизнь сложилась. И живу я с мамой. И еще с Рокки, собакой, – всхлипнула она.

– Какая порода?

– Что? – не поняла она.

– Порода какая, ну, у твоей собаки? – уточнил он.

– Бигль называется, – ответила она. – Белый такой, с коричневыми пятнами. И длинными ушами.

– Да знаю я биглей! – уверил ее Влад. – Классный зверь! Умный и шустрый.

– Это точно, – улыбнулась Ирина. – Знаешь, про них написано – «склонны к побегу».

– А ты? – спросил он.

Она подняла лицо и внимательно посмотрела на него.

– Ясно, – улыбнулся Влад. – Я тоже уже свое отбегал.

– Да! – еще вспомнила она. – У нас с мамой еще дача в Тучкове. Ну, не то чтобы дача, а так, щитовой домик. И восемь соток. На участке – пять елок.

– Пять? – протянул он. – Ну тогда подходит. Будем укроп сажать и помидоры. Обожаю маринованные помидоры.

– Я не умею, – хмыкнула она носом.

– Ничего, матушка. Научишься.

Она кивнула и прижалась к нему.

Он крепко ее обнял, и они замерли.

– Скоро Новый год, – нарушил молчание Влад. – Какие планы?

Ирина молчала.

– Ну, что-нибудь придумаем, – решительно проговорил он. – Может, на дачу к кому-нибудь рванем. На шашлыки и баньку.

Она кивнула.

– А на каникулах будем много есть, много спать и смотреть телевизор – старые фильмы про любовь, идиотские юмористические передачи. Просто валяться, пожирать оливье и смотреть дурацкий телевизор.

Она улыбнулась и абсолютно искренне сказала:

– Лучше этого ничего не придумаешь! – Такая программа показалась ей восхитительной.

Он взял ее лицо в свои ладони и стал целовать – очень нежно и очень осторожно.

– Слушай! – тихо сказала она. – Ты ведь, наверное, голодный?

– Как сто волков, – подтвердил он. – Ты ведь знаешь, я всегда голодный как сто волков.

– Ну, тогда, – вздохнула она, – идем ко мне ужинать. У нас сегодня грибной суп и капустный пирог.

– Фантастика! – Влад сглотнул слюну.

– Слушай, а тебе нужна такая врунья и мелкая аферистка? – спросила она.

Влад внимательно посмотрел на нее и серьезно, без улыбки кивнул.

Они взялись за руки, поднялись по ступенькам и нажали кнопку лифта.

Лифт остановился на шестом этаже. На площадке восхитительно пахло белыми грибами.

Содержание

Литературно-художественное издание

НЕГРОМКИЕ ЛЮДИ МАРИИ МЕТЛИЦКОЙ
РАССКАЗЫ РАЗНЫХ ЛЕТ

Метлицкая Мария

ПОНЯТЬ, ПРОСТИТЬ

Ответственный редактор *Ю. Раутборт*
Младший редактор *А. Семенова*
Художественный редактор *П. Петров*
Технический редактор *О. Лёвкин*
Компьютерная верстка *Е. Кумшаева*
Корректор *Н. Сгибнева*

ООО «Издательство «Э»
123308, Москва, ул. Зорге, д. 1. Тел. 8 (495) 411-68-86.

Өндіруші: «Э» АҚБ Баспасы, 123308, Мәскеу, Ресей, Зорге көшесі, 1 үй.
Тел. 8 (495) 411-68-86.
Тауар белгісі: «Э»
Қазақстан Республикасында дистрибьютор және өнім бойынша арыз-талаптарды қабылдаушының өкілі «РДЦ-Алматы» ЖШС, Алматы қ., Домбровский көш., 3«а», литер Б, офис 1.
Тел.: 8 (727) 251-59-89/90/91/92, факс: 8 (727) 251 58 12 вн. 107.
Өнімнің жарамдылық мерзімі шектелмеген.
Сертификация туралы ақпарат сайтта Өндіруші «Э»

Сведения о подтверждении соответствия издания согласно законодательству РФ о техническом регулировании можно получить на сайте Издательства «Э»

Өндірген мемлекет: Ресей
Сертификация қарастырылмаған

Подписано в печать 19.02.2016. Формат 60x90 1/16.
Гарнитура «NewBaskerville». Печать офсетная. Усл. печ. л. 32,0.
Тираж 11 000 экз. Заказ 1662.

Отпечатано с готовых файлов заказчика
в АО «Первая Образцовая типография»,
филиал «УЛЬЯНОВСКИЙ ДОМ ПЕЧАТИ»
432980, г. Ульяновск, ул. Гончарова, 14

ISBN 978-5-699-87724-9
9 785699 877249 >

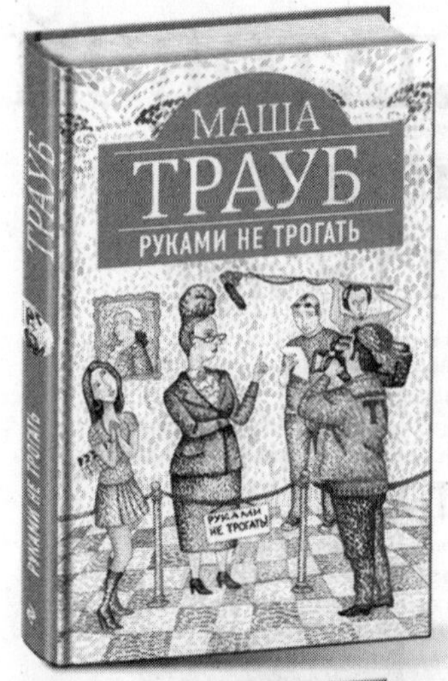

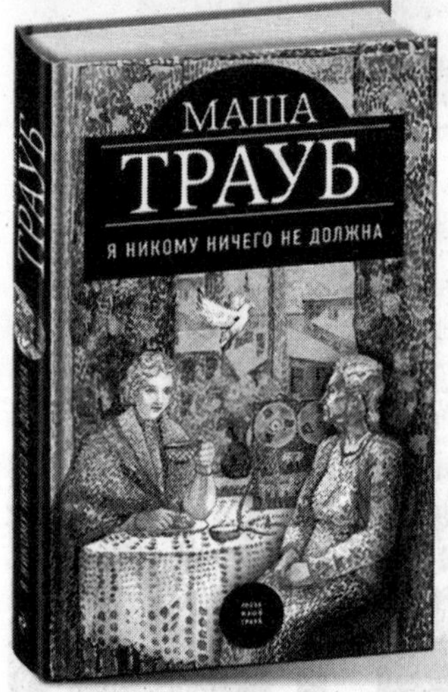

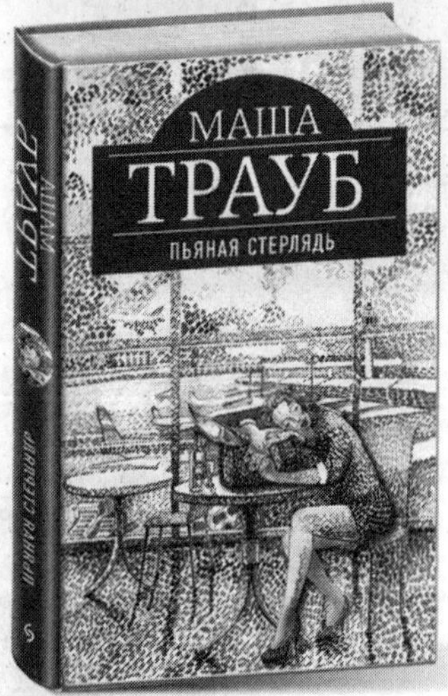

Соединить смешное и грустное, малое и великое, изобразить все как в жизни – большой талант. У Маши Трауб он есть!

Георгий ДАНЕЛИЯ

0000-032